Anonymous

Mittheilungen des K.u.K. Kriegs-Archivs

Anonymous

Mittheilungen des K.u.K. Kriegs-Archivs

ISBN/EAN: 9783744679893

Hergestellt in Europa, USA, Kanada, Australien, Japan

Cover: Foto ©ninafisch / pixelio.de

Weitere Bücher finden Sie auf **www.hansebooks.com**

MITTHEILUNGEN

DES

K. UND K. KRIEGS-ARCHIVS.

HERAUSGEGEBEN

VON DER

DIRECTION DES K. UND K. KRIEGS-ARCHIVS.

NEUE FOLGE.

XI. BAND.

MIT DREI TAFELN.

WIEN 1899.
VERLAG VON L. W. SEIDEL & SOHN.
K. UND K. HOFBUCHHÄNDLER.

INHALT.

BEITRÄGE ZUR GESCHICHTE

DES RASTATTER GESANDTEN-MORDES

28. APRIL 1799.

VON

HAUPTMANN OSCAR CRISTE.

Es konnte bei der vorliegenden Veröffentlichung nicht die Absicht, oder besser gesagt, die Hoffnung der Direction des Kriegs-Archivs dahin gerichtet sein, eine endgiltige Enthüllung über die so lange vergeblich gesuchten Mörder jener unglücklichen französischen Deputierten zu bieten, die 1799 auf der Heimreise vom Rastatter Congress in so räthselhafter Weise ermordet wurden. Diese Absicht und diese Hoffnung blieben darum ausgeschlossen, weil die so viel gesuchte sichere Beantwortung aus dem Actenmateriale in Wien eben so wenig sich ergiebt, als aus allen sonst bisher durchforschten Quellen. Der »Rastatter Gesandten-Mord« hat seine zum Theil höchst werthvolle Literatur. Der Scharfsinn der gelehrten Forscher hat sich an diesem mysterieusen Problem vielfach erprobt und bis zu einem gewissen Grade muss vom Leser einige Bekanntschaft mit den bedeutendsten Schriften über dieses Thema vorausgesetzt werden, da es nicht zulässig scheint, hier alle Detail-Angaben, alle Varianten der versuchten Lösung neuerlich zu reproducieren, sondern eine Beschränkung auf das Wesentliche nothwendig ist. In erster Linie sind die einschlägigen Werke von Vivenot, Helfert, Mendelssohn und Hüffer zu nennen, die alle verschiedene Lösungen versuchen, alle aber von hervorragendem Werthe sind. Weil aber in Wien und speciell im Kriegs-Archiv bis in die neueste Zeit immer noch eine Anzahl Schriftstücke über jene Angelegenheit geheim gehalten wurde, blieb stets ein Verdacht offen, dass hier doch die Lösung des Räthsels und der Beweis für die Mitschuld des österreichischen Militärs verborgen gehalten werde und für gewisse Historiker gilt dieses geheimnissvolle Verschliessen der Actenstücke als eine nur zu willkommene Bekräftigung der mit seltener Ausdauer festgehaltenen Erzählung, dass es eben österreichische Husaren gewesen, denen der Mord zuzuschreiben.

Die Geheimhaltung dieser Actenstücke hat ihre eigene kleine Geschichte und dass sie so lange aufrecht blieb, ist eigentlich ein recht drastisches Beispiel bureaukratischer Indifferenz, welche nur dadurch einigermassen entschuldigt werden kann, dass man im Beginn dieses Jahrhunderts der Sache gar nicht mehr so viel Gewicht beilegte, wie etwa in den ersten und dann wieder in unseren Tagen und dass man später das versiegelte Geheimniss so sehr gefürchtet zu haben scheint, dass man es zu lüften nicht mehr wagte.

Am 4. October 1804 schrieb der Minister Graf Cobenzl an den Grafen Colloredo: »Mir ist aus genügend guter Quelle bekannt geworden, dass die mit der Redaction der Geschichte des letzten Krieges beauftragten Officiere des Generalstabes Actenstücke in Händen haben, die sie in den Stand setzen, Alles im Detail kennen zu lernen, was zu dem traurigen Ereigniss (der Ermordung der französischen Gesandten) Anlass gegeben hat. Man fügt dem sogar hinzu, dass sich unter diesen Papieren ein Billet von Thugut befindet, was ihn auch mitverwickelt; dieser letztere Umstand scheint mir eine verleumderische Erfindung des Uebelwollens; immerhin (mais enfin) sollten Papiere, die sich auf diese unglückliche Begebenheit beziehen (qui apprennent ce que c'est que cette malheureuse affaire), nicht von so vielen Leuten gekannt sein und es wäre möglich und nothwendig, diese Papiere aus den anderen für die fragliche Geschichte bestimmten Acten zu entfernen[1].«

Für die Geschichte der Geheimhaltung aller auf den Rastatter Gesandten-Mord bezüglichen Actenstücke ist dieser Brief Cobenzl's zweifellos sehr charakteristisch: nur einem »on dit« zu Folge weiss der Minister, dass die mit der Redaction der Geschichte des letzten Krieges beschäftigten Officiere Einblick in Papiere gehabt haben sollen, die alles mögliche Detail enthielten über den Anlass zu jenem traurigen Ereigniss,

[1]) Vivenot. Zur Geschichte des Rastatter Congresses. 371.

an dem, diesem »on dit« zu Folge, selbst Thugut Theil gehabt haben soll; in Folge dessen beantragt Cobenzl die Secrethaltung dieser Acten und seinem Wunsche wurde in weitgehender Weise entsprochen. Alle Schriftstücke, die irgendwelche auf die damaligen französischen Gesandten in Rastatt bezügliche Andeutungen enthielten, wurden ausgehoben, verschlossen und versiegelt und theils dem Haus-Hof- und Staats-Archiv, theils dem Kriegs-Archiv zur Verwahrung übergeben. Es ist nun sicher, dass eine erhebliche Anzahl in gar keiner Beziehung zu der Mordaffaire stehender Schriftstücke, einfache Feld-Acten, miteingeschlossen wurden und es ist ebenso sicher, dass auch später, wenigstens im Kriegs-Archiv, keiner der Vorstände daran gedacht hat, das Siegel zu lösen und sich durch persönliche Anschauung die Ueberzeugung zu verschaffen, ob denn diese Papiere wirklich so Gravierendes enthielten, dass ihre Geheimhaltung nothwendig sei, da sie sonst zweifellos sofort das Licht der Oeffentlichkeit erblickt hätten. Freisinniger ist man schon unter Arneth im Haus-Hof- und Staats-Archiv gewesen, wo die Rastatter Acten doch früher theilweise zugänglich gemacht wurden. Das Kriegs-Archiv folgte, doch ohne sich noch an die versiegelten Schriftstücke zu wagen. Aber Sybel und Andere hätten in jenen, ihnen im Haus-Hof- und Staats-Archiv zugänglichen Acten mindestens schon so viel der Lösung finden können, wie es in der vorliegenden Arbeit geboten ist, denn in ihren Händen lagen auch Schriftstücke von höchster Wichtigkeit, die sie nicht benützt haben. Sybel hat sich mit einigen Protokoll-Auszügen im Kriegs-Archiv begnügt, die nichts sagen, als das, was Jeder daraus zu lesen eben gerade geneigt ist. dagegen befand sich doch unter den Actenstücken des Haus-Hof- und Staats-Archivs auch das bisher vergeblich gesuchte gerichtliche Verhör der verdächtigten und angeklagten Husaren, das »Villinger Protokoll« — ein Document, das zweifellos von allen hier mitgetheilten Papieren die grösste, ja, die entscheidende Bedeutung beansprucht. Dass aber diese Documente auch so berufenen und vertrauenswürdigen Forschern, wie Vivenot und Helfert, vorenthalten blieben, beweist mit Sicherheit, dass der Inhalt den betreffenden Archivaren gar nicht bekannt war und dass die Gleichgiltigkeit oder die Furcht vor dem »Rastatter

Gesandten-Mord« sie davon abhielt, die Acten doch endlich selbst einzusehen und sie veranlasste, dieselben lieber ungelesen geheim zu halten.

Die Prüfung der bis jetzt verschlossen gehaltenen Acten ergab, als sie endlich doch erfolgte, dass eine weitere Geheimhaltung nicht nur ganz zwecklos, sondern geradezu für die eigenen Interessen schädlich sein würde. Ausser einzelnen, später noch zu erwähnenden Documenten, die auch wir trotz alles Nachforschens nicht zu finden vermochten und deren Inhalt wir nun, so gut es geht, aus den Actenstücken zu combinieren suchen müssen, geben wir hier im Verlaufe der Darstellung alle in Wien bisher geheim gehaltenen Actenstücke über das unglückliche Ereigniss vom 28. April 1799. Möge deren Veröffentlichung dazu beitragen, das nunmehr gerade hundert Jahre alte unheimliche Räthsel des Rastatter Gesandten-Mordes der Lösung doch wesentlich näher zu bringen und den Kreis der möglicherweise als Schuldige anzusehenden Personen immer mehr einzuengen. Ob wir dadurch auch gewisse auswärtige Archive zu ebensolcher Offenheit zu ermuthigen vermögen, bleibt allerdings sehr unwahrscheinlich.

Zweck und Verlauf des Rastatter Congresses bis zur Schlacht bei Stockach.

Am 17. October 1797 wurde in dem kleinen Pfarrdorfe Campo Formio der Friede zwischen Oesterreich und Frankreich geschlossen. Die Ordnung der Angelegenheiten des Deutschen Reiches blieb einem Congress vorbehalten, welcher, aus Bevollmächtigten des Reiches, der Reichsstände und der französischen Republik gebildet, in Rastatt tagen sollte. Von Seite des Reiches war unter der Einwirkung des Baseler Friedens schon im August 1795 eine Friedens-Deputation von fünf katholischen (Maynz, Sachsen, Oesterreich, Bayern und Würzburg) und fünf protestantischen (Bremen-Hannover, Hessen-Darmstadt, Baden, Augsburg und Frankfurt) Reichsständen ernannt worden. Mittelst kaiserlichen Hofdecretes vom 1. November 1797 wurden die Vertreter des Deutschen Reiches einberufen und alsbald sah die kleine badische Stadt eine ebenso zahlreiche, als glänzende Versammlung von Staatsmännern in ihren Mauern.

Als kaiserlicher Plenipotentiarius fungierte Franz Georg, Reichsgraf von Metternich-Winneburg; an der Spitze der Vertretung des Deutschen Reiches stand als »Directorialis« der churmaynzische Hofkanzler, Staats- und Conferenzminister Reichsfreiherr von Albini, das Protokoll führte der churmaynzische Hof- und Regierungsrath Freiherr von Münch-Bellinghausen. Von den übrigen »Subdelegierten« sind zu erwähnen: der chursächsische Conferenzminister Graf von Löben, der badische Staatsminister Freiherr von Edelsheim, der hessen-darmstädtische Staatsminister Freiherr von Gatzert, ihm zur Seite als Vertrauensperson des Landgrafen der Regierungsrath Kappler. Für Bayern erschien zuerst Graf Preysing, später an seiner Stelle Graf Morawitzky, dann dessen Ersatzmann Freiherr von Rechberg. Den Fürstbischof von Würzburg vertrat der Domherr Graf Stadion. Ausser den officiellen Vertretern des Deutschen Reiches fanden sich nach und nach auch die Gesandten einzelner souverainer Staaten ein, deren Interesse durch die Reichsangelegenheiten berührt werden konnte. So erschien für Holstein der dänische Kammerherr Niels von Rosenkrantz und der Legationsrath von Eggers, für Bremen der Freiherr von Reden, für die unmittelbare Reichsritterschaft der odenwaldische Ritterhauptmann Freiherr Eberhard von Gemmingen. Kaiser Franz liess sich in seiner Eigenschaft als König von Ungarn und Böhmen durch den Grafen Ludwig Cobenzl, für den österreichischen Kreis durch den Grafen Lehrbach vertreten. An der Spitze der churbrandenburgischen Gesandtschaft, deren Mitglieder alle bei dem hier behandelten Ereigniss eine, mitunter recht markante Rolle spielen, stand der Graf Johann Eustachius von Schlitz, genannt von Görtz, »ein Mann von gefälligem Benehmen, sein Haar silberweiss, sein Mund immer lächelnd und noch die wohlerhaltenen Reihen weisser, schöner Zähne zeigend, mit der rechten Hand immer in der Westentasche spielend, seine Sprache leise, der Gang sacht, jede Bewegung diplomatisch abgemessen [1])«, im Uebrigen in der Schule König Friedrich II. ausgebildet, dessen Staatsminister und Gesandter in Petersburg er von 1779 bis 1786 war. Auch war es das Verdienst des Grafen Görtz, dass das österreichische Tauschproject bezüglich Bayerns (1778) scheiterte [2]).

Als zweiter preussischer Bevollmächtigter fungierte der Freiherr von Jacobi-Klöst, »kurzstämmig und vierschrötig, beinahe so etwas gemein-jüdisch, der Mund immer, als ob er Brodkrumen kaute, die Hände mit Tinte besudelt [3])«. Eine bedeutsamere Stellung als dieser hatte der dritte preussische

[1]) Lang. Mémoiren. I, 302.

[2]) Hüffer, Diplomatische Verhandlungen aus der Zeit der französischen Revolution. II, 1, 46.

[3]) Lang, a. a. O., 303.

Bevollmächtigte, Herr von Dohm, »ein langes, hektisches Männlein, mit einem hellen, angenehmen Auge, freundlichem Mund, der Jedem liebreich und beredt entgegenkam [1])«. Ursprünglich Literat und Gelehrter, trat er in die Dienste Friedrich II. und wurde in den verwickeltesten Angelegenheiten, bei der Bischofswahl in Lüttich, als preussischer Kundschafter in Köln und in den Niederlanden, als Commissär an der Demarcationslinie und als Leiter des Hildesheimer Convents verwendet. »In allen diesen Geschäften hatte er mehr als gewöhnliche Geschicklichkeit bewiesen und von den Zuständen und Rechtsverhältnissen in Deutschland eine Kenntniss erlangt, die ihn für die Rastatter Verhandlungen als den geeigneten Mann erscheinen liess. Der Entwicklung des Charakters mochte diese vielfache Thätigkeit auf geraden und zuweilen auf ungeraden Wegen nicht in gleichem Masse zu Gute gekommen sein. Leider hat er die späteren Jahre seines Lebens befleckt, indem er sich in seinem Vaterlande und gerade gegen den Staat, dem er in glücklicheren Tagen Alles verdankte, als Werkzeug des französischen Eroberers gebrauchen liess [2])«.

Als Vertrauensmann des leitenden preussischen Ministers Hardenberg war der preussischen Gesandtschaft noch der Legations-Secretär Carl Heinrich Lang zugetheilt, der allerdings mehr durch seine später herausgegebenen »Mémoiren« bekannt geworden ist, als durch seine sonstige amtliche Thätigkeit. Von dem übrigen Gefolge der preussischen Gesandten wäre noch der Legationsrath Jordan zu erwähnen, da er, trotz seiner sonstigen geringen Bedeutung [3]), in den letzten Tagen des Congresses sich ziemlich geschäftig erwiesen hat.

---

[1]) Lang, a. a. O., 303.

[2]) Hüffer, a. a. O., 46.

[3]) Der oben erwähnte Lang sagt von ihm: »Jordan, Sohn eines geheimen Oberjustizrathes und Güterbesitzers in Pommern, von vielem Mutterwitz, angenehmem, blühendem Aeusseren, aber von einer solchen Unwissenheit, es fehlte nicht viel, sogar im Schreiben, dass sie ihm selber zu seiner Lage spasshaft vorkam, besonders in ihrer Grundursache, wo er sich Jahre lang lustig und wohlgemuth zu Frankfurt am Main herumtrieb, während der pommer'sche Herr Papa nichts anderes wusste, als dieses Frankfurt sei derselbe Ort mit der Universität Frankfurt an der Oder.« (I, 304.)

An der Spitze der französischen Gesandtschaft stand General Bonaparte, der am 25. November 1797 in Rastatt eintraf, am 30. mit Cobenzl und GM. Grafen Merveldt die Ratification des Friedensschlusses von Campo Formio vornahm, am 1. December in Ausführung eines der geheimen Artikel desselben mit dem FZM. Grafen Baillet de Latour und dem GM. Grafen Merveldt eine Militär-Convention wegen Abberufung der österreichischen Truppen aus den Reichsfestungen schloss und am 2. December wieder nach Paris reiste. Als Vertreter Frankreichs blieben vorläufig die Bürger Treilhard und Bonnier in Rastatt zurück. Im Verlaufe der Verhandlungen fand ein Wechsel im Personalstande der französischen Gesandtschaft statt. Bonaparte kehrte nicht mehr nach Rastatt zurück und an seine Stelle trat der Bürger Roberjot, während Treilhard, am 15. Mai 1798 in das Directorium gewählt, durch den Bürger Debry ersetzt wurde. Als Chef der französischen Gesandtschaft fungierte nunmehr Bonnier.

Louis Antoine Bonnier d'Arco, einer Adelsfamilie aus Montpellier entsprossen, 1750 geboren, bekleidete anfangs die Stelle eines Präsidenten des Gerichtshofes in seiner Vaterstadt, wurde 1791 in die gesetzgebende Versammlung, im nächsten Jahre in den Convent gewählt und stimmte dort für den Tod König Ludwig XVI. Immer schwarz gekleidet, »einem wohlgenährten Stadtpfarrer gleichend«, wird Bonnier von Bekannten als unwirsch, unfreundlich und ausserordentlich misstrauisch geschildert.

Wie Bonnier gehörte auch sein College, Jean Debry, »ein schwarzes, langes, hageres Männchen, mit feurigem Auge«, zu den »Königsmördern«. Geboren 1760 in Vervins, widmete er sich später dem Advocatenstande und gehörte bald zu den fanatischesten Anhängern der Revolution. 1792 stellte er in der gesetzgebenden Versammlung den Antrag, eine Legion von 1200 freiwilligen Tyrannenmördern gegen die Souveraine auszuschicken und demjenigen, welcher den Kopf des Kaisers oder des Königs von Preussen oder des Herzogs von Braunschweig oder des Herzogs von Sachsen-Teschen oder eines ähnlichen »Raubthieres« herbeibrächte, 100.000 Francs Belohnung zu bewilligen. Sein Votum über das Schicksal

Ludwig XVI. hüllte er in grausame Sentimentalität. »Endlich wird meine Herzensangst ihr Ende finden,« rief er aus, »ich habe das Gesetz geprüft, das unerbittliche Gesetz will den Tod!« Später neigte er sich gemässigteren Anschauungen zu und trat, nach der Bildung des Directoriums, in den Rath der Fünfhundert.

Der rechtlichste und anständigste der französischen Gesandten war Claude Roberjot, geboren 1752 in Mâcon. Anfangs Pfarrer in seiner Vaterstadt, wurde er bald Anhänger der Revolution und in den Convent gewählt, in welchen er aber erst im Januar 1793 eintrat und daher nicht in die Lage kam, über das Schicksal des Königs mitzustimmen. 1794 als Commissär des Convents in der Armee Pichegru's, wurde er im folgenden Jahre Mitglied des Rathes der Fünfhundert, dann bevollmächtigter Minister bei den deutschen Hansestädten und bei der batavischen Republik, aus welcher Stellung er nach Rastatt berufen wurde.

Ein nicht unwichtiges Mitglied der französischen Gesandtschaft endlich war der Generalsecretär Rosenstiel, »ein Elsässer, als Unterthan eines deutschen Fürsten geboren, der Sohn eines preussischen Regierungsrathes, leider nicht der einzige Deutsche, der den Feinden seines Vaterlandes seine Fähigkeiten zu Gebote stellte. Seine genaue Kenntniss der deutschen Zustände, seine Gewandtheit, sich in beiden Sprachen auszudrücken, gaben ihm vor verschiedenen deutschen Bewerbern den Vorzug und machten ihn in der That der französischen Gesandtschaft unschätzbar. Dazu kam seine Verschwägerung mit dem darmstädtischen Mitgliede der Deputation, dem Herrn von Gatzert; sie hat wesentlich dazu beigetragen, auch diesen Mann zum Spion der Franzosen zu machen und sie oft noch eher, als den kaiserlichen Plenipotentiar, von den Verhandlungen der Deputation, zuweilen auch von Dingen, die sie gar nicht hätten erfahren sollen, in Kenntniss zu setzen [1]).«

Das Verhältniss der französischen Gesandten zu ihrer Regierung kann nicht als das beste bezeichnet werden; im Laufe der Rastatter Verhandlungen wurde es immer schlechter,

---

[1]) Hüffer, a. a. O., II, 50, 51.

Bonnier gab seinem Unmuth über die politische Haltung des Directoriums ungescheut Ausdruck und erklärte, nach seiner Rückkehr in die Hauptstadt klagbar gegen dasselbe auftreten zu wollen [1]). Den später auftretenden Plänen, neue Elemente an die Spitze des französischen Staates zu bringen, sollen auch einzelne der Rastatter französischen Gesandten nicht fremd gewesen sein und von Roberjot wird ausdrücklich erzählt, dass er, empört über die eigene Regierung, heimlich eine Denkschrift an den in Aegypten weilenden General Bonaparte gesandt habe, mit der Aufforderung, so bald als möglich zurückzukehren, dem elenden Spiele ein Ende zu machen und mit starker Hand die Zügel der Regierung zu ergreifen. Im vertraulichen Verkehr nicht eben abstossend, war das Auftreten der französischen Gesandten bei dienstlichen Verhandlungen gegenüber der an gewisse Formen und Sitten gewohnten übrigen Congressgesandtschaft geradezu roh und verletzend. »Dem Benehmen der französischen Bevollmächtigten während dieser Verhandlungen,« meldete Graf Cobenzl am 20. Juli 1798 nach Wien, »muss man die Bezeichnung einer studierten Impertinenz geben. Sie affectierten eine Rücksichtslosigkeit und Rohheit, die zu den üblichen Formen der gesammten europäischen Diplomatie im schneidendsten Gegensatz stand. Sie verhöhnten die deutschen Bevollmächtigten und ihr Benehmen wurde umso unerträglicher und anmassender, je gefügiger und zuvorkommender sich die Reichs-Deputation ihnen gegenüber erwies [2])«. »Vielleicht halten die Republikaner es nicht der Mühe werth,« schrieb der dänische Legationsrath von Eggers [3]) und bestätigt und erweitert damit das Urtheil Cobenzl's, »irgend einen gefälligen Anstrich sich zu geben. Oder ist es das Gefühl überschwänglicher Kraft, was jede schonende Rücksicht unterdrückt? Auffallend ist es immer, wie kurz und schneidend sie meistens von denen sprechen, die nicht ihres

[1]) Bericht des preussischen Legations-Secretärs Roux in Paris. 2. Juni 1799. (Publ. a. d. preuss. Staats-Archiven. VIII. Band.)

[2]) Vivenot, Zur Geschichte des Rastatter Congresses. Wien 1871. LI.

[3]) Briefe über die Auflösung des Rastatter Congresses. Braunschweig 1809. I, 53.

Glaubens sind, gewöhnlich gegen Clienten und Sollicitanten, zur weiteren Fortpflanzung, nicht selten auch geradezu gegen die, welche das Unglück haben, ihnen zu missfallen.«

Wie sich von deutscher Seite ausser den eigentlich zum Friedenswerk berufenen Subdelegierten des Regensburger Reichstages auch Gesandte und Vertreter fast aller Reichsstände eingefunden hatten, so war dies auch von Seite der mit Frankreich verbundenen oder von demselben beeinflussten Länder der Fall. In diese Kategorie gehörte der Vertreter der neugeschaffenen ligurischen Republik, Boccardi, der nebst seinem als Legations-Secretär fungierenden Bruder bis zum Schlusse des Congresses in Rastatt blieb [1]).

Mit Rücksicht auf den Congress und seine Mitglieder, dann der zahlreichen Fremden, die sich nach und nach in der kleinen Stadt ansammelten, wurde auf Befehl des Kaisers von Seite der badischen Landesregierung eine eigene Commission »zur Erhaltung und Beförderung der allgemeinen Sicherheit, der Ruhe und Wohlfeilheit, der Wohnungsbedürfnisse und übrigen Lebensbequemlichkeiten, sowie zur Beobachtung der einschlagenden besonderen staatsrechtlichen Rücksichten auf die Gesandtschaften, deren Gefolge und Schutzverwandte« eingesetzt. Diese Commission bestand aus dem Kammerherrn und Obervogt von Drais als Director, dem Stadtcommandanten, Oberstlieutenant von Rabenau und dem Major von Harrant [2]). Den Schutz der Stadt übernahmen, nachdem das dort garnisonierende österreichische Militär bei Eröffnung des Congresses auf Wunsch der Franzosen zurückgezogen worden war, ein Bataillon und zwei Compagnien Infanterie, dann eine Abtheilung Husaren badischer Truppen [3]). Ausser der Schlosswache und den Wachen an den Stadtthoren, die täglich im Dienste standen, mussten jede Nacht zwei Polizisten in der Stadt und ein Husar um dieselbe herum patrouillieren, »deren Wachsamkeit die Entdeckung von Ver-

---

[1]) Helfert, Der Rastatter Gesandtenmord. Wien 1874. 11.

[2]) Handbuch des Congresses zu Rastatt. Rastatt und Basel 1798. 40 ff.

[3]) Obser, Politische Correspondenz Carl Friedrich's von Baden. Heidelberg. III. Band.

brechen und Unordnungen schon öfter zuzuschreiben gewesen[1])". Der von deutscher und österreichischer Seite unternommene Versuch, den Congressort zu neutralisieren, scheiterte an dem Widerstande der Franzosen [2]).

Was der Congresspolizei ganz besondere Schwierigkeiten verursachte, war die Emigrantenfrage. Während der Kriegsjahre hatte sich eine Menge dieser Personen in der Markgrafschaft Baden niedergelassen; bei Beginn des Congresses schätzte man zwischen Philippsburg und Basel ihre Zahl auf 4000, in Rastatt selbst auf etwa 300. Manche von ihnen lebten bescheiden und erwarben sich den Lebensunterhalt durch ehrliche Arbeit, andere jedoch machten sich in der unangenehmsten Weise fühlbar und suchten die französischen Gesandten durch herausforderndes Benehmen zu brüskieren, so dass sich die badische Polizei-Commission in Rastatt bereits am 28. December 1797 veranlasst sah, die Ausweisung aller Emigranten aus dem Congressort in einem Umkreise von vier Stunden zu verfügen. Im Mai 1798 wurde sogar verordnet, dass sämmtliche Emigranten binnen zwei Monaten das ganze Land zu räumen hätten, aber nur ungefähr ein Drittel folgten den Bestimmungen dieser Verordnung, die anderen blieben weiter im Lande und in Rastatt selbst [3]). Selbst in die nächste Umgebung des Markgrafen reichte der Einfluss mancher Emigranten und ein Marquis de St. Génié fand sogar Zutritt bei Hofe und gewann und behauptete Jahre lang das Vertrauen Carl Friedrich's. Ein anderer gefährlicher Emigrant, der General Danican, hielt sich noch Ende December 1798 unbehelligt in Karlsruhe auf, verkehrte dort mit dem schwedischen Grafen Axel Fersen [4]) und stand in intimem Verkehr mit einem als gefährlichen Menschen bezeichneten Emigranten in Rastatt, Namens Vaugé. Danican erregte noch Mitte 1798 das grösste Aufsehen durch eine

---

[1]) Handbuch des Congresses. 43.

[2]) Eggers, a. a. O., I, 333.

[3]) Eine vom Obervogt von Drais aufgestellte Liste führte beim Schlusse des Congresses noch 197 Personen auf, »ohne eine beträchtliche weitere Zahl von Dienstboten und Arbeitern zu rechnen«.

[4]) Bekannt aus der Leidensgeschichte der Königin Marie Antoinette.

seiner berüchtigsten Flugschriften: »Cassandre ou quelques réflexions sur la révolution française et la situation actuelle de l'Europe«, in welcher er das herrschende System in Frankreich auf das Leidenschaftlichste bekämpfte und offen zur Ermordung der Directoren aufforderte. Auch wird ihm die directe Drohung, die französischen Minister sollten Rastatt nicht lebend verlassen, zugeschrieben. Auch nach dem Vorrücken der Oesterreicher constatierte das Oberamt Rastatt am 14. Mai, dass trotz der früheren Verordnungen noch alle Ortschaften »mit Emigranten angefüllt« seien, »meist bösen, ausgelassenen Menschen«, über welche die Ortsvorstände, »und zwar aus Furcht nur insgeheim« berichteten, dass »sie die Jugend verderbten und alles Uebel und Unheil in den Gemeinden nur von ihnen herkomme[1]«.

Am 9. December 1797 fand die Eröffnung, am 16. die erste Sitzung des Congresses statt. Schon am 7. December hatte Graf Lehrbach der Reichs-Deputation angezeigt, dass der Kaiser in Folge des Friedens genöthigt sei, seine Truppen mit Ausnahme seines als Reichsstand schuldigen Contingentes in die Erblande zurückzuziehen. »Hoffentlich werde dadurch,« fügte Lehrbach mit schneidendem Sarkasmus hinzu, »den dringenden, wiederholt und von allen Seiten, selbst in Rastatt geäusserten Wünschen wegen Zurückziehung dieser Truppen ein Genüge geschehen[2]«. Thatsächlich räumte am 10. December der kaiserliche Gouverneur von Maynz, FML. Neu, die Festung und das ganze österreichische Reichs-Contingent sammelte sich unter FML. Staader zwischen dem Lech und der Donau. Entgegen den Bestimmungen der am 1. December geschlossenen Militär-Convention, nach welcher die Besatzungen der Reichsfestungen nur aus den Contingenten der betreffenden Reichsfürsten bestehen sollten, besetzten die Franzosen nach dem Abzuge der kaiserlichen Truppen Maynz, blockierten ebenso widerrechtlich Ehrenbreitstein und nahmen die Rhein-Schanze bei Mannheim mit offener Gewalt weg — »pour presser la lenteur des affaires de Rastatt«, wie General Oudinot sagte[3]).

---

[1]) Obser, a. a. O., III, XIII. ff.

[2]) Vivenot, Zur Geschichte des Rastatter Congresses.

[3]) Bericht Thugut's, Wien, 28. März 1798. Bei Vivenot, a. a. O., 9.

Zeigte schon dieses Vorgehen der Franzosen, wessen man sich von ihrer Seite zu versehen hatte, so wären die Gewaltacte ihrer Heere in Italien und in der Schweiz vollends geeignet gewesen, auch den Verblendetsten die Augen zu öffnen. Ein durch französischen Uebermuth hervorgerufener Aufstand in Rom gab dem Directorium Anlass, ein Truppencorps dahin zu senden, Papst Pius VI. gefangennehmen zu lassen und den Kirchenstaat in eine Republik umzuwandeln. Gefährlicher noch für Oesterreich und Deutschland als diese Gewaltthätigkeit war das Vorgehen Frankreichs in der Schweiz, wo es, unbekümmert um seine Verheissungen, Genf und Mühlhausen seinem Gebiete einverleibte, bald darauf die bisherige Eidgenossenschaft in eine »helvetische« Republik umwandelte und diese durch Waffengewalt zu einem Schutz- und Trutzbündniss zwang. Diesem Vorgehen Frankreichs am Rhein, in Italien und in der Schweiz, zu dem im April 1798 noch die Fahnen-Affaire des französischen Gesandten in Wien, Bernadotte, kam, die einen förmlichen Aufstand in der österreichischen Residenzstadt hervorrief, entsprach vollkommen das Benehmen und die Forderungen der französischen Gesandten in Rastatt. Brüsk und verletzend in der Form, verlangten diese gleich in den ersten Sitzungen als Entschädigung für den durch die »ungerechten Angriffe« des Deutschen Reiches herbeigeführten Krieg die Abtretung des ganzen linken Rhein-Ufers. Freilich war ihnen der Weg zu dieser Forderung von Seite einer der beiden deutschen Grossmächte schon längst geebnet worden, denn Preussen hatte ihnen die Erfüllung derselben schon in den Verträgen vom April 1795 und vom August 1796 gewährleistet. In Folge dessen war auch Oesterreich in dem soeben abgeschlossenen Frieden genöthigt gewesen, dieser Forderung bedingungsweise zuzustimmen. Die Schwierigkeiten in der Wegräumung dieser, theils schwer erfüllbaren, theils lästigen Bedingungen, brauchten die französischen Gesandten allerdings nicht zu fürchten, wenn sie nur die Einwilligung der übrigen Reichsstände gewannen. Diese, eingeschüchtert durch das gewaltsame Vorgehen der französischen Truppen gegen die Reichsstände zu beiden Seiten des Rheins, bewilligten denn auch am 4. April 1798 die Forderung der Franzosen gegen das Versprechen, dass die linksrheinischen

Reichsstände auf Kosten der rechtsrheinischen im Wege der Säcularisation entschädigt werden sollten. Oesterreich und Würzburg allein widersetzten sich diesem Beschlusse; der kaiserliche Plenipotentiarius versagte demselben die Zustimmung und sandte das Votum der Reichsstände mit einfachem Begleitschreiben an die französischen Minister [1]). Damit aber konnte der von der Mehrheit der Deputation beschlossene Gewaltact nicht ungeschehen gemacht werden, ohne die weiteren Verhandlungen abzubrechen, was gleichbedeutend mit der Wiedereröffnung des Krieges gewesen wäre. Erschöpft von den jahrelangen Kämpfen gegen die mit gewaltigen Hilfsmitteln ausgestattete französische Republik, konnte der österreichische Staat an einen Wiederbeginn des Krieges vorläufig nicht denken, sondern musste bestrebt sein, vorerst eine neue kraftvolle Coalition zusammenzubringen, und das war auch das Ziel, dem die Leiter des österreichischen Staates mit allen Kräften zuzustreben begannen, sobald es sich gezeigt hatte, dass Frankreich weder massvoll, noch gerecht sein wollte. Verbündete im Deutschen Reiche selbst zu finden, war freilich bei der Zerfahrenheit und Schwäche der kleineren und grösseren Reichsstände, deren Vertreter in unwürdigster Weise um die Gunst der Franzosen buhlten [2]), ganz unmöglich; der zweite bedeutende Staat in Deutschland aber, Preussen, war einem Kriege gegen Frankreich nicht nur selbst abgeneigt, sondern suchte auch mit allen Mitteln Oesterreich in seinem voraussichtlichen Kampfe mit Frankreich zu isolieren und auch die wenigen wohlgesinnten Reichsstände zur Neutralität zu bewegen. Trotzdem Oesterreich sich anheischig machte, sowohl auf jede noch so berechtigte Neuerwerbung in Deutschland, als auch auf die Durchführung der geheimen Bedingungen des Friedens von Campo Formio zu verzichten, gelang es nicht, Preussen von seiner Frankreich überaus günstigen Neutralität abzubringen.

Unter stets neuen brutalen Forderungen der Franzosen und demüthigen Bitten, Vorstellungen und Schmeicheleien der Reichsfriedens-Deputation; unter unermüdlichen Versuchen

---

[1]) Vivenot, a. a. O., 1—12.

[2]) Vgl. Lang, Mémoiren, I, 333 ff. Häusser, Deutsche Geschichte, II, 155 ff.

von Seite Oesterreichs, Verbündete zu gewinnen, um den französischen Anmassungen mit den Waffen entgegentreten und Deutschland unversehrt den Deutschen erhalten zu können, verstrichen die Monate und neigte das Jahr 1798 sich zu Ende. Es war Oesterreich nur gelungen, nichtdeutsche Mächte, Russland, England und Sicilien, zu dem Abschlusse eines Vertrages zu bewegen, in welchem England beträchtliche Subsidien, Russland aber die Beistellung eines Hilfscorps versprach.

Dass die französischen Gesandten nur zu bald von den Bestrebungen Oesterreichs Kenntniss erhielten, ist bei ihrem innigen vertraulichen Verkehr mit den meisten der deutschen Gesandten nur natürlich; aber auch in Frankreich war man noch nicht zum Wiederbeginn des Krieges vorbereitet und erst am 2. Januar 1799 richteten die französischen Gesandten in Rastatt an die Reichsfriedens-Deputation die Erklärung, wenn die Reichsversammlung in Regensburg den Einmarsch russischer Truppen in das Reichsgebiet gestatte oder nicht wirksam verhindere, so würde derselbe als eine Verletzung der Neutralität betrachtet und die Unterhandlung in Rastatt abgebrochen werden [1]). Während aber die Reichs-Deputation über die den Franzosen zu ertheilende Antwort hin- und herstritt, musste die Festung Ehrenbreitstein, schon seit März 1798 blockiert, durch Hunger bezwungen, capitulieren (24. Januar 1799), worauf die Franzosen, entgegen allen Vereinbarungen, den Platz besetzten und verstärkten, statt ihn zu schleifen. Dass die Reichs-Deputation gegen diesen Gewaltact kein Wort der Beschwerde fand, genügte den Franzosen nicht, sie forderten offenen Widerstand gegen Oesterreich und als auf die Note vom 2. Januar keine befriedigende Antwort erfolgte, erklärten sie, in keine weitere Verhandlung einzugehen, bis ihre Note in kategorischer und befriedigender Art beantwortet sei. Gleichzeitig verlangten sie vom Grafen Lehrbach eine bestimmte Zusage, dass die russischen Truppen die kaiserlichen Staaten räumen würden, und als nach vierzehn Tagen noch keine Antwort aus Wien eingetroffen war, erschien in den öffentlichen Blättern eine Proclamation des Directoriums,

[1]) Hüffer, Diplomatische Verhandlungen. III.

worin den französischen Heeren ihr naher Vormarsch angekündigt wurde. Am 1. März übergaben die französischen Gesandten in Rastatt dem Grafen Lehrbach diese Proclamation mit einer Note, in welcher sie erklärten, »dass man in dem Marsche dieser Armee nur eine von den Umständen gebotene Vorsicht sehen dürfe; dass das Verlangen nach Frieden von Seiten der französischen Regierung stets lebhaft und aufrichtig sei und dass sie darauf beharre, solchen mit dem Reiche zu schliessen, jedoch in der Voraussetzung, dass das Reich sich gegen den Marsch der Russen erklären werde[1]«.

An demselben Tage liess General Jourdan die Avantgarde bei Kehl, die Division Ferino bei Basel den Rhein überschreiten und durch die Waldstädte und den Schwarzwald vorrücken, während Bernadotte Mannheim besetzte und Philippsburg blockierte.

Erzherzog Carl, welcher in Voraussicht des unvermeidlichen Krieges seine Armee bereits derart am Lech concentriert hatte, dass sie sofort in Bewegung gesetzt werden konnte, liess am 4. März die Avantgarde, am 6. das Heer selbst den Fluss überschreiten. Am 9. waren 39 Bataillone in Cantonnierungen zwischen der Iller, Günz und Mindel versammelt, am 14. folgte die Cavallerie, 94 Escadronen. Das Hauptquartier des Erzherzogs kam nach Mindelheim[2].

Graf Lehrbach hatte bereits vor einigen Wochen den Befehl aus Wien erhalten, den Congressort bei Beginn der Feindseligkeiten zu verlassen. Als er am 9. März von dem Präsidenten Summerau in Freiburg die Nachricht erhielt, dass französische Truppen die österreichische Ortenau besetzt und Contributionen ausgeschrieben hätten, sandte er noch an demselben Tage an den Directorialis Freiherrn von Albini eine Note mit der Erklärung, dass er sich unter diesen Umständen und bei der Unsicherheit des Congressortes, sowie der Correspondenzen, vorderhand nicht länger in Rastatt aufhalten könne[3]. Diese Motivierung war thatsächlich richtig.

---

[1]) Proclamation und Note in der »Allgemeinen Zeitung« 1799. Nr. 62, vom 3. März.

[2]) Angeli, Erzherzog Carl als Feldherr und Organisator. II, 58.

[3]) Hüffer, a. a. O., 287.

Eine Staffette des Grafen Metternich war vor einigen Tagen in der Nähe von Bruchsal bei dem Orte Grombach von einer französischen Streifpatrouille aufgehoben worden und zur selben Zeit wurden bei Heppenheim acht maynzische und eine Strecke weiter drei darmstädtische Husaren, die den Briefwechsel zwischen Aschaffenburg, Darmstadt und Rastatt vermittelten, auf Befehl Bernadotte's gefangen weggeführt [1]. Am 10. März verliess Lehrbach den Congressort und begab sich vorläufig nach Augsburg.

Inzwischen hatte der Krieg schon ernstlich begonnen und zwar in der Schweiz. Die dort befindliche französische Armee unter General Massena hatte erst dann offensiv aufzutreten, wenn die Donau-Armee Jourdan's so viel Raum gewonnen haben würde, dass die Operationen beider im Einklange fortgesetzt werden konnten. Sobald Massena von Jourdan die Nachricht erhielt, dass die Donau-Armee am 6. März zwischen Blomberg und Rottweil eintreffen werde, liess auch er seine Truppen gegen Graubündten vorrücken. Nach heftigen Gefechten zwischen dem 6. und 17. März wurden die geringen, in Graubündten stehenden österreichischen Streitkräfte nach Tyrol zurückgedrängt. Doch die Lage änderte sich bald. Am 23. wurde ein Angriff Massena's gegen Feldkirch mit grossem Verluste zurückgeschlagen, schon zwei Tage früher hatte Erzherzog Carl die Vorhut Jourdan's bei Ostrach zurückgedrängt und am 26. März schlug er ihn entscheidend bei Stockach.

---

[1] K. A., F. A. Deutschland. 1799. III, 283. Lehrbach an Erzherzog Carl. Rastatt, 8. März.

Die Ereignisse beim Corps FML. von Kospoth vom 26. März bis zum 28. April 1799.

Mit der siegreichen Schlacht bei Stockach hatte Erzherzog Carl dem ohne Kriegserklärung erfolgten Vordringen der Franzosen gegen den Schwarzwald Halt geboten; General Jourdan führte seine Truppen gegen Tuttlingen, Engen und Schaffhausen zurück und übergab den Oberbefehl an General Ernouf, der am 5. April auf das linke Rhein-Ufer übergieng und hier die Truppen neu formierte. Die 1. und 2. Division bildeten von Breisach bis Basel den rechten Flügel, bei Strassburg sammelte sich die Avantgarde und die 3. Division als Centrum der Armee, während die Truppen Bernadotte's, die seit 30. März Philippsburg blockierten, sich als linker Flügel bei Mannheim sammelten [1]). Am rechten Ufer des Rheins blieben nur Offenburg und Oberkirch mit starken Detachements besetzt; Kehl, dessen Werke neu in Stand gesetzt wurden, erhielt eine Besatzung von 1200 Mann und 16 Kanonen.

Erzherzog Carl, welcher nunmehr direct über den Rhein in die Schweiz zu dringen und im Verein mit den in Tyrol und Vorarlberg stehenden kaiserlichen Truppen einen entscheidenden Schlag gegen Massena zu führen gedachte, sammelte seine Streitkräfte, 30 Bataillone, 14 Compagnien und 84 Escadronen, zwischen Engen und dem Ueberlinger See; von diesen Truppen wurden 7 Bataillone und 13 Escadronen unter FML. Nauendorf nach Singen detachiert, um

[1]) Angeli, Erzherzog Carl als Feldherr und Heeres-Organisator. II. 116, 117.

die noch am rechten Rhein-Ufer vom Feinde besetzten Orte zu beobachten [1]).

Das Commando über das Corps Sztáray [2]) erhielt wegen Erkrankung dieses Generals der FML. Freiherr von Kospoth mit nachstehendem Befehl des Erzherzogs: »Der Herr Feldmarschall-Lieutenant erhalten das Commando über nachfolgend hier ausgewiesenes Corps d'armée, wovon die Hauptabsicht dahin gehet, die oberen Gegenden von der Donau und dem Neckar so lang als möglich zu behaupten und hiedurch die Operationen der Armee zu decken und zu begünstigen.«

»Zu diesem Ende ist es also nothwendig, dass sich der Herr Feldmarschall-Lieutenant mit Ihrem Gros der Linien-Infanterie und Cavallerie in der Gegend von Villingen aufhalten, Ihre leichten Truppen aber bis Freudenstadt, Alpirsbach, Hornberg, Tryberg, Furtwangen, St. Märgen und den Steig von Neustadt auf die Hauptpassagen vorpoussieren und hinter solchen auf den angemessensten Puncten die nöthigen Unterstützungen Posto fassen, überhaupt aber die ganze vorwärtige Gegend mit Ihren leichten Truppen gleichsam überschwemmen lassen.«

»Aus diesen Vorposten-Stellungen werden Sie nicht nur stets zu unterhaltende Patrouillen weit vor, sondern auch nach rechts starke Streif-Commandi unter dem Befehle und Leitung findiger und thätiger Commandanten über Pforzheim, Bruchsal gegen Philippsburg mit aller nöthigen Behutsamkeit ausschicken, wozu Sie auch den Oberstlieutenant Geringer, der sich in der Gegend von Mergentheim befindet, mit wenigstens einer Escadron zur gemeinschaftlichen Mitwirkung verwenden können und ausser diesem auch noch links die Gegenden der Waldstädte so beobachten lassen, dass der Feind nicht leicht eine Bewegung bewirken könne, von der Sie nicht baldigst durch diese Patrouillen und Streif-Commandi, dann auch durch auszuschickende verlässliche Kundschafter benachrichtigt werden.«

»Sollte der Feind in einiger Zeit wieder vorrücken, wozu er sich wahrscheinlich der verschiedenen aus dem Rhein-Thale vorführenden Debouchées bedienen und folglich getheilter vor-

[1]) Angeli, a. a. O., II, 119.

[2]) Anhang 1.

dringen wird, so würden Sie hauptsächlich auf die Ihnen am nächsten und links heranführenden Strassen Ihr Hauptaugenmerk richten und trachten müssen, dem Feinde mit dem meisten Theil Ihrer Truppen dahin entgegen zu eilen und selben, ehe er noch debouchieren könne, wieder zurück zu werfen und en détail zu schlagen.«

»Ich fordere nicht, dass Sie sich in ungleiche und wahrscheinlich nachtheilige Gefechte einlassen, sondern erinnere vielmehr, alle dergleichen für das Ganze schädliche Unternehmungen zu vermeiden und bei einer feindlichen Uebermacht sich lieber über die Donau bei Geisingen nach und nach gegen Liptingen näher an die Armee zu ziehen, damit Ihnen diese nach Umständen zu Hilfe eile und in Stand setze, mit vereinigten Kräften etwas Neues auf den Feind zu unternehmen. Da übrigens alle Vorfälle bei Ihnen einen wesentlichen Einfluss auf meine Operationen haben können, so gewärtige ich auch von dem Mindesten, was sich bei Ihnen ereignet, die schleunigsten Meldungen, damit ich gleich die nöthigen Massregeln ergreifen und Ihnen die hiernach erforderlichen Weisungen geben könne. Schliesslich werden Sie sich auch angelegen sein lassen, den guten Willen der Gebirgsbauern zu benützen und erforderlichen Falles, wenn der Feind wieder vordringen sollte, durch selbe ihm so viele Hindernisse in Weg zu legen, dass sein Vordringen so lang möglich gehemmt und verzögert werde und Sie im Stande kommen, Ihre Haupttruppe dahin zu bringen und zu sammeln, wo es die Umstände am nothwendigsten erheischen[1]).«

Diesem Auftrage gemäss wurde das Gros des Corps, 9⅔ Bataillone und 30 Escadronen, in Cantonierungen zwischen Rottweil und Villingen, das Hauptquartier nach Donaueschingen verlegt, die Vorhut aber, unter Commando des GM. Grafen Merveldt, bezog eine Vorposten-Aufstellung zwischen Neustadt-Hornberg-Freudenstadt.

Bezüglich der Thätigkeit und Verwendung der Vortruppen erliess FML. Kospoth folgenden Befehl an den GM. Grafen Merveldt:

---

[1]) K. A., F. A. 1799. Deutschland. IV, 37. Geisingen, 4. April 1799.

»Das Vorzüglichste ist dermalen, dass E. H. so bald wie möglich die Avantgarde nach den vorgeschriebenen Untertheilungen der betreffenden individuellen Vorpostens-Generale aufstellen und zusammenbringen, damit man im Ganzen alsdann die zweckmässigsten Detachements vornehmen könne.«

»Uns in eine weitschichtige Aufstellung oder Vertheidigung aller der Gorgen aus dem Rhein-Thal einzulassen, kann für dermalen weder unser Zweck, noch die militärische Klugheit erlauben. Des Feindes Bewegungen jeder Art auszuspähen und hievon die baldigste Nachricht zu erhalten, ist unser Hauptendzweck, auf den wir in dieser weitschichtigen Strecke Landes ausgehen müssen; denn es ist sehr gründlich, wie E. H. selbst die militärische Bemerkung machten, dass wir durch so viele und weit ausgeschickte Patrouillen aus denen Gorgen die Cavallerie aufreiben würden.«

»Nach dieser gründlichen Bemerkung also wird es am zuträglichsten sein, dass der Herr General nach

Freiburg eine Escadron, nach
Emmendingen » »
Lahr » »
Offenburg » » von den betreffenden Haupt-

Vorpostentruppen aufstellten, welche von diesen Standpuncten gegen den Rhein und in Verbindung streifen müssen; noch zuträglicher wird die Aufstellung dieser Cavallerie werden, wenn zugleich zu jeder dieser Escadronen eine Abtheilung Infanterie gegeben würde, damit, falls eine feindliche Infanterie-Patrouille sammt Cavallerie an sie rückte, sie doch von der Infanterie unterstützt würde und nicht gleich weichen müsste. Diese Posten müssten aber nach einigen Tagen abgelöst werden, damit die nämlichen nicht zu ermüdet würden: auch könnten solche ihren Standort ändern, damit sie vom Feinde nicht ausgekundschaftet werden können. Die übrigen Truppen der Avantgarde müssten so viel als möglich noch beisammen bleiben, nur die nöthigen Posten gegen die Gorgen halten und in solchen gegen die im Rhein-Thal vorgesetzten Posten patrouillieren, damit man allsogleich in Erfahrung bringe, ob etwas Feindliches vorfällt. Dadurch wird man in Zeiten von dem feindlichen Anrücken benachrichtigt werden und der Herr General werden auf alle Fälle die meiste Avantgarde beisammen haben, um solche auf den nöthigsten Fall verwenden zu können und dem Corps d'armée dadurch die Zeit verschaffen, sich absichtlich in Bewegung oder Verfassung zu setzen.«

»Dies ist der Hauptendzweck, den ich E. H. hiemit bekannt mache und da ich die Eintheilung ganz dem Herrn General überlasse, so erwarte ich das Zweckmässigste von Ihrer militärischen Einsicht. Auf dem rechten Flügel des Herrn Generals von Görger steht nichts mehr; gedachter Herr General muss sich daher in seiner rechten Flanke durch weitstreifende Commandi, von geschickten Officieren angeführt, sichern. Die Vorposten des Herrn Generals Gyulai aber müssen die Verbindung mit den Vorposten des Generals Kienmayer gegen St. Blasien aufsuchen und unterhalten. Sollte diesfalls eine Aenderung geschehen, so werde ich E. H. gleich hievon benachrichtigen [1].«

Diesen Weisungen entsprechend stellte GM. Graf Merveldt die Vortruppen auf. Die linke Flügelgruppe derselben, unter dem Befehle des GM. Grafen Gyulai, kam mit dem Gros nach Neustadt, das Centrum, bei dem sich der Vorposten-Commandant befand, nach Hornberg, GM. von Görger mit der rechten Flügelgruppe nach Freudenstadt. In Freudenstadt selbst lag 1 Bataillon Broder Grenzer, 4 Escadronen Blankenstein- und 1 Escadron Szekler-Husaren. Von Gernsbach aus, das mit einer Division Szekler-Husaren besetzt wurde, sollten Streifpatrouillen bis Baden, Kuppenheim, Ettlingen und Kloster Frauenalp einerseits, anderseits gegen Wildbad gesandt werden [2]. Zwei Escadronen Szekler-Husaren unter Oberstlieutenant Geringer befanden sich bereits seit Anfang Februar, da das Corps Sztáray noch in der Ober-Pfalz bei Amberg lag, in der Gegend von Mergentheim, und streiften westlich bis an den Neckar, nördlich bis Aschaffenburg, um Kundschaften über die in Mannheim befindlichen Franzosen einzuziehen und ihre Requisitionen zu verhindern [3].

---

[1]) K. A., F. A. Deutschland. 1799. IV, 67. Donaueschingen. 8. April 1799.

[2]) K. A., F. A. Deutschland. 1799. IV. 14. Eintheilung der Vorposten.

[3]) K. A., F. A. Deutschland. 1799. III, 288. Meldungen des Oberstlieutenants Geringer, XIII, 2. Operations-Journal des Corps Sztáray.

Um den, wie die Nachrichten besagten, bei Mannheim nur schwachen Feind zu beunruhigen, dann der Philippsburger Besatzung die Nähe der kaiserlichen Truppen bekannt zu geben, wurde das bei Dornstetten stehende 13. Dragoner-Regiment der Brigade des GM. Görger zugetheilt und in die Gegend von Philippsburg beordert. »Dieses Regiment,« so lautete der Befehl Merveldt's an Görger, »hat allsogleich nach Empfang dieses nach Pforzheim abzurücken, und zwar dergestalten, damit selbes spätestens in zwei Märschen in der Gegend von Pforzheim eintreffe, woselbst es Posto zu fassen hat; sodann aber eine Division über Bretten gegen Bruchsal vorpoussieren muss und zu trachten, von der Garnison von Philippsburg und der Lage des Herrn Generals von Salm[1]) Nachricht einzuholen. Euer Hochwohlgeboren, welche das Regiment besser kennen, bleibt es überlassen, wem Dieselben das Commando der vordringenden Division übertragen wollen, ob Herr Oberst von Fresnel hiezu geeignet sei, da Dieselben einsehen werden, dass die Reussit dieser Expedition von der Geschicklichkeit des vorwärts geschickten Stabsofficiers abhänget und hier keine andere Rücksicht, als die zum Besten des Dienstes eintreten kann. Die zwei in Pforzheim zurückbleibenden Divisionen haben in der Zwischenzeit und zugleich mit der Vorrückung der Division gegen Pforzheim, gegen Ettlingen und Durlach Streifpatrouillen auszuschicken, wie nicht minder gegen Bretten wenigstens eine halbe Escadron zu detachieren, um die Verbindung zu erhalten, damit diese ganze Division bis Bruchsal vorrücken könne, da selbes in dortiger Gegend sich noch hinlänglich zu vertheilen bemüssiget sein wird.«

»Die verschiedenen Uniforms[2]), aus denen dies Regiment zusammengesetzt ist, können allerdings bei dieser Expedition

---

[1]) FML. Rheingraf von Salm, Commandant von Philippsburg.

[2]) Das 13. Dragoner-Regiment war bei der Reorganisation des österreichischen Heeres im Frühjahr 1798 aus den zwei Divisionen der emigrierten französischen Husaren-Regimenter Saxe und Bercsényi, dann aus je einer Division von Latour- und Coburg-Dragonern formiert worden. Die Saxe-Husaren trugen grasgrüne Pelze und rothe Hosen, die Bercsényi-Husaren dunkelblaue Pelze und ebensolche Hosen (sehr ähnlich den Szekler-Husaren). Das Dragoner-Regiment Latour hatte dunkelgrüne Röcke, rothe Aufschläge und weisse Hosen, die Coburg-Dragoner dunkelgrüne Röcke mit gris de lin-Aufschlägen und weisse Hosen.

mit Vortheil verwendet werden, um den Feind irrezuführen, weshalb ich für rathsam hielte, die auf Bruchsal vorrückende Division aus allen vier Uniforms zusammenzusetzen. Dass der vorwärts detachierte Herr Stabsofficier zugleich gegen Wiesloch und überhaupt in seine beiden Flanken und Front detachieren müsse, versteht sich von selbst, sowie ebenfalls die gegen das Murg-Thal detachierte Division Szekler gegen Kuppenheim und allenfalls Rastatt zu streifen hat [1]).«

Zur Unterstützung dieses Unternehmens sollte Oberstlieutenant Geringer mit der Division Szekler-Husaren durch den Odenwald auf der Strasse über Erbach gegen Heidelberg vormarschieren und das Anrücken eines starken Corps ansagen, damit die Aufmerksamkeit des Feindes mehr gegen Mannheim abgelenkt werde und etwaige Verstärkungen des Gegners dorthin geführt würden [2]).

»Nachdem Euer Hochwohlgeboren,« so schloss der Befehl an Geringer, »so lange Sie es ohne Feindesgefahr thun können, vorwärts stehen geblieben sind, können Sie Ihre Detachements wieder an sich ziehen und gegen Mergentheim und Würzburg zurückgehen, jedoch werden Dieselben leicht einsehen, dass dieses nicht zu geschwind geschehen müsse, um dem Feind die Zeit zu lassen, sich von der Gegend von Philippsburg gegen Sie vorzuziehen, da der Zweck dieser Unternehmung ist, Detachements gegen Philippsburg zu poussieren und Nachrichten von dessen Zustand zu haben, zu welchem Ziel das 13. Dragoner-Regiment gegen Pforzheim vorrücken wird, um von dort über Bruchsal gegen Philippsburg eine Division vorzupoussieren. Dass Euer Hochwohlgeboren hierüber das strengste Geheimniss zu erhalten und Selbe die Wahrheit dieser Sache Niemanden mitzutheilen haben, versteht sich von selbst und verlasse mich übrigens in Hinsicht auf die Ausführung auf Ihre mir bekannte Thätigkeit, Geschicklichkeit und Klugheit [3]).«

---

[1]) K. A., F. A. Deutschland. 1799. IV, 73. Merveldt an Görger, Hornberg. 9. April 1799.

[2]) K. A., F. A. Deutschland. 1799. IV, 73. Merveldt an Geringer. 9. April.

[3]) Ebenda.

Ganz besondere Aufmerksamkeit von Seite der kaiserlichen Truppen erheischte zu dieser Zeit die Anwesenheit französischer Emissäre in dem Gebiete des Kriegs-Schauplatzes selbst und in dessen nächster Umgebung.

Schon seit Beginn des Jahres, da die Eröffnung der Feindseligkeiten in Aussicht stand, hatte sich die Anwesenheit solcher Personen in München, Regensburg und Stuttgart bei der kaiserlichen Armee unangenehm fühlbar gemacht. Bacher in Regensburg war beauftragt, im Verein mit den französischen Gesandten in Rastatt, Bonnier, Roberjot und Debry, den Reichstag und die Friedens-Deputation gegen den Kaiser aufzureizen, Alquier in München hatte einen süddeutschen Fürstenbund gegen Oesterreich in das Leben zu rufen, Trouvé in Stuttgart die republikanischen Bewegungen in Süd-Deutschland zu fördern, alle zusammen aber hatten zugleich in politischen und militärischen Angelegenheiten die Dienste von Kundschaftern zu leisten[1].

So sehr bedeutend war der Einfluss des französischen Gesandten in München, dass, als Erzherzog Carl im November 1798 sein Hauptquartier von Friedberg nach München verlegen wollte, Kaiser Franz davon abrieth, da München der Sitz verschiedener Factionen sei, »denen der französische Emissär Alquier zum Werkzeug und Anführer dienet und der dort alle Rollen unter den verschiedenen, sich wechselseitig beobachtenden und mit ihren Beobachtungen und Nachforschungen bis in das Cabinet des Churfürsten dringenden Parteigängern spielet, um Alles zu erfahren und auszuspähen[2]«.

Trouvé in Stuttgart wurde in seinen Bestrebungen eifrigst unterstützt durch den batavischen Gesandten Strick van Linschoten und den dänischen Gesandten Baron Wächter, einem Hauptspion und Unterhändler des Generals Vandamme. »Rottenburg, Horb und vorzüglich Oberndorf,« meldete am 11. März der Landvogt Freiherr von Benzl aus Tübingen, »sind mit fränkischen Commandi und Cantonierungen besetzt. Hiebei folgt die mit 204 Louisd'ors für Rottenburg erkaufte

[1] Hüffer, Der Rastatter Gesandten-Mord. Bonn 1896.

[2] Der Kaiser an Erzherzog Carl, 18. November 1798. Wertheimer, Erzherzog Carl und die zweite Coalition. Archiv für österreichische Geschichte.

Sauvegarde. Die für diesen Handel eingehende Baarschaft wird in Hirtingen bei Wächter deponiert, sowie im Jahre 1796 ein Gleiches geschehen und Wächter schon damals von dem völkerrechtlichen Schutze denselben Missbrauch machte, weshalb, sobald nur k. k. Truppen vorrücken, Hirtingen unmassgeblich zu durchsuchen wäre, woselbst sich feindliche Papiere und Gelder genug finden werden [1]).«

Die Anwesenheit dieser Emissäre inmitten der kaiserlichen Armee, über welche sie die genauesten Nachrichten sammeln und durch Vermittlung der französischen Gesandten in Rastatt in das feindliche Hauptquartier befördern konnten, musste für den Erzherzog und sein Heer um so empfindlicher sein, als sie willige und thätige Unterstützung bei den verschiedenen revolutionären Clubs fanden, die sich in Augsburg, in München und im Württembergischen etabliert hatten [2]).

Schon am 6. Februar hatte deshalb der Erzherzog an den Kaiser geschrieben, man müsse dem Treiben dieser Emissäre Einhalt thun; sie hätten ihren diplomatischen Charakter verwirkt und man sei berechtigt, sie als Spione ausweisen zu lassen. Kaiser Franz stimmte der Ansicht des Erzherzogs nur bedingungsweise bei. »Ich genehmige,« schrieb er ihm am 16. Februar, »den von E. L. mittelst des Rapports vom 6. dieses gemachten Antrag wegen Abschaffung des Alquier und Bacher und ihres Gefolges von dem Reichs-Territorium, das von Meinen Truppen occupiert oder denselben im Rücken gelegen ist. Sobald daher von eine oder anderen Seite eine Kriegserklärung erfolgt sein oder irgendwo die Feindseligkeiten ihren Anfang nehmen sollten, so haben E. L. bei dem churpfälzischen Hofe das bestimmte Ansinnen durch den Grafen von Seilern [3]) stellen zu lassen, dem Alquier auf eine, keiner verzögernden Widerrede stattgebenden Art zu bedeuten, dass von Seite des Reichs-General-Commandos seine Entfernung ausser den Grenzen der kaiserlichen Vorposten verlangt werde, er also

[1]) K. A., F. A. Deutschland. 1799. III, 283.

[2]) K. A., F. A. 1799. II, 90. Beilage zum Allerhöchsten Rundschreiben vom 23. Februar.

[3]) Kaiserlicher Gesandter in München.

mit seinem Gefolge innerhalb vierundzwanzig Stunden sich von München wegzubegeben hätte, indem Seine churfürstliche Durchlaucht unter diesen Umständen ihm keinen weiteren Schutz ertheilen könnten, widrigenfalls aber er die Folgen der Verzögerung sich selbst zuzuschreiben hätte. Wollte jedoch das churfürstliche Ministerium hiebei Anstände finden, so wäre dem Alquier diese Erklärung im Namen E. L. in einem anständigen, doch aber ganz entschlossenen und alle Einwendungen abschneidenden Ton zu machen. Auch sind auf den äussersten Fall, dass Alquier Folge zu leisten sich weigern sollte, E. L. hiemit autorisiert, sich seiner Person bei der ersten schicklichen Gelegenheit zu versichern und ihn mit seinem Gefolge unter guter Verwahrung ausser den Vorposten transportieren zu lassen. Die nämliche Erklärung wäre dem Bacher in Regensburg durch Meinen Concommissär Baron Hügel zu machen und in dem Weigerungsfalle sich gegen ihn auf gleiche Art zu benehmen.«

»Aus den von E. L. angeführten Gründen könnten wir allerdings diese zwei Emissäre in so einem Falle ohneweiters in Verwahrung nehmen. Dies würde aber, wie E. L. selbst bemerken, Repressalien und zwar ohne Mass und Ziel von Seite der Franzosen zur Folge haben und hiemit der Nachtheil, den diese Leute durch ihre auf ohnehin veränderliche Local-Umstände gegründete mündliche Nachrichten Uns zufügen könnten, mit dem Aufsehen und anderen Inconvenienzien in keinem Verhältnisse stehen [1]).«

Für die Ansichten des Kaisers über die Anwesenheit französischer Emissäre und den dadurch bedingten Schaden ist dieser Brief gewiss bezeichnend. Es geht daraus mit Bestimmtheit hervor, dass Kaiser Franz zwar mit den beabsichtigten Massregeln des Erzherzogs einverstanden war, dem Wirken dieser Emissäre aber durchaus keine grosse Wichtigkeit beilegte und daher ihre Ausweisung erst nach Ausbruch der Feindseligkeiten, und zwar unter den gebotenen Vorsichtsmassregeln, bewerkstelligt wissen wollte.

Als Anfangs März die Feindseligkeiten durch den Vormarsch der französischen Heere begannen [2]), säumte Erzherzog

[1]) K. A., F. A. Deutschland. 1799. II, 62½.

[2]) Siehe S. 14 der Mémoiren.

Carl nicht, dem kaiserlichen Handschreiben gemäss vorzugehen. Am 8. März ergieng an den kaiserlichen Concommissär in Regensburg, Freiherrn von Hügel, folgendes Schreiben:

»In den gegenwärtigen Umständen, da von Seiten der Franzosen die Feindseligkeiten angefangen worden sind, kann auf keine Weise zugegeben werden, dass der Bürger Bacher fortfahre, sich im Rücken der Armee aufzuhalten. Demnach muss ich den Herrn Concommissarius dringendst ersuchen, dem Bürger Bacher zu erklären, dass das General-Commando der kaiserlichen und Reichs-Armee seine Entfernung jenseits der Grenzen der Vorposten verlange und dass er demnach innerhalb 24 Stunden Regensburg zu verlassen habe. Zu diesem Behufe habe ich einen Officier gesandt, welcher Auftrag hat, bei Ablauf dieser Frist den Bürger Bacher bis zu den Vorposten der k. k. Armee zu begleiten.

Hauptquartier Friedberg, 8. März 1799[1]).«

Diesem Schreiben entsprechend wurde der Bürger Bacher am 11. März aufgefordert, unter Begleitung des in Regensburg eingetroffenen kaiserlichen Rittmeisters Grafen Enzenberg, die Stadt zu verlassen, welcher Aufforderung Bacher am folgenden Tage ohne Widerspruch Folge leistete. Erst nach Ankunft bei den französischen Vorposten in Möskirch übergab er dem Rittmeister einen schriftlichen Protest gegen seine »gewaltsame Wegschaffung und Abführung aus Regensburg[2])«.

Unter denselben Modalitäten scheint auch die Ausweisung des französischen Emissärs in München, Bürger Alquier, vor sich gegangen zu sein[3]), denn am 12. März ergieng aus dem Hauptquartier folgendes Schreiben an den FML. Grafen Nauendorf:

»Dem Herrn Feldmarschall-Lieutenant eröffne ich zur Wissenschaft, dass der am Münchener Hof bisher sich aufgehaltene französische Gesandte Alquier nun wieder nach

---

[1]) Erzherzog Carl an den kaiserlichen Concommissär Freiherrn von Hügel in Regensburg. (Allgemeine Zeitung 1799, Nr. 84. Montag. 25. März.)

[2]) Allgemeine Zeitung Nr. 98 vom 8. April 1799.

[3]) Befehle über die Art seiner Ausweisung haben sich nicht erhalten.

Frankreich zurückzukehren im Begriff ist. Derselbe wird unter Begleitung des Herrn Rittmeisters Baron Burscheid von Coburg-Dragonern von hier aus über Memmingen, Ochsenhausen, Biberach, Sulgau, Möskirch nach Tuttlingen, wo ohnehin französische Truppen stehen, instradiert. Heute langet er allhier an und zu dessen schneller Beförderung werden unter einem die für ihn erforderlichen 8 angeschirrten Postpferde, nebst einer zweispännigen Postkalesche an den bemeldeten Post-Stationen bestellet[1].«

Die gesteigerte Thätigkeit im Hauptquartier und bei den Truppen selbst in Folge des bevorstehenden Zusammenstosses mit dem französischen Heere lenkte die Aufmerksamkeit für einige Zeit von den feindlichen Emissären ab; kaum war aber der Schlag gegen das feindliche Heer geführt und dieses über die Grenze gedrängt, so erinnerten die Meldungen der Streifpatrouillen den Erzherzog wieder an die unvermindert fortdauernde Thätigkeit der unter dem Deckmantel der Immunität arbeitenden französischen Spione. Besonders die bis in die Nähe von Stuttgart einerseits, bis Heidelberg andererseits streifenden Patrouillen der Szekler-Division des Oberstlieutenants Geringer hatten Gelegenheit, darüber Erkundigungen einzuziehen.

»Der General Bernadotte,« so meldete der dieser Division zugetheilte Oberlieutenant von Szentes am 2. April aus Cannstadt[2], »hat ausserordentlich starke Abgaben in diesen naheliegenden Gegenden ausgeschrieben. Zu Oppenheim an der Bergstrasse haben die Franken 11 maynzische Husaren gefangen und die Pferde und Rüstung abgenommen. Der General Bernadotte hat einen schönen jungen Mann, Namens Villiant, mit 1500 Livres Douceur abgeschickt, des FML. Grafen Sztáray sein Corps aufzusuchen und verlässlichen Rapport davon zu bringen. Ich habe schon durch gute Freunde Anstalt getroffen, wenn er hier zurückkommen sollte, ihn aufzufangen. Der zu Stuttgart befindliche französische Gesandte Trouvé befindet sich noch allda und schickt tag-

[1] K. A., F. A. Deutschland. 1799. III. 91. Erzherzog Carl an FML. Nauendorf. Mindelheim, 12. März.

[2] K. A., F. A. Deutschland. 1799. IV. 16.

täglich viele Spions aus und Emissärs. Es kommen alle Augenblick feindliche Officiers mit Trompeter an ihn mit Depeschen von Mannheim. Ich möchte ihn, wenn er aus Stuttgart herauskommt, gerne aufheben; hierüber gewärtige gehorsamst eine Erlaubniss.«

Am 5. April meldete Szentes:

»Den 5. April wurde von mir in der Vorstadt der Residenzstadt Stuttgart der zur Bernadotte'schen Armee gehörige Approvisionierungs-Commissär Bürger Knaab, so sich allda, seine Freunde zu besuchen, befand, als ein im Rücken der k. k. Armee befindliches, gefährliches und der feindlichen Armee nothwendiges Subject zum Kriegsgefangenen gemacht.

Tübingen, den 5. April 1799[1]).«

Drei Tage später meldete er:

». . . . Den 1. April bekam ich Nachricht, dass der zu Stuttgart sich befindliche französische Gesandte, nebst dem holländischen viele Depeschen an ihre Behörde, theils durch Estafetten, theils durch französische Officiers abschicken, daher begab ich mich nach Cannstadt und stellte um ganz Stuttgart Posten aus, aber ehe hinkam, bin ich schon in Zeitungen gestanden. Die feindlichen Vorposten vor Sinsheim drückte ich zurück und nagelte meine Proclamation überall dahin, wo die Proclamation stund wider Seine Majestät den Kaiser. Von Mannheim bekam die Nachricht, dass es schon festgesetzt ist, sobald die republikanische Armee unglücklich ist, dass sie alle die zu Rastatt befindlichen Gesandten als Geiseln mitschleppen und jedes Land muss um theures Geld seinen Gesandten auslösen; ferners, dass die Festung Philippsburg binnen 8—10 Tagen mittelst Verrätherei fallen muss. Die Republik hat 3 Subjecte, jeden mit 30.000 Livres bestochen und werden die Festung folgendermassen übergeben: Es wird ein Ausfall gemacht von den besten Truppen, die werden so angeführt, dass sie abgeschnitten werden, dann der Rest der Garnison wird den Commandanten zwingen zur Uebergabe[2]).«

Bereits am 9. April ergieng an den FML. Kospoth das folgende Befehlsschreiben des Erzherzogs Carl:

---

[1]) K. A., F. A. Deutschland. 1799. IV, 86.

[2]) K. A., F. A. Deutschland. 1799. IV, 67.

»Meine Gesinnung geht dahin, den französischen Bürger Trouvé aus Stuttgart zu schaffen. Die Einleitung hiezu ersehen der Herr Feldmarschall-Lieutenant aus dem Schreiben, welches ich desfalls an den Herrn Herzog von Württemberg und den vom schwäbischen Kreis accreditierten Herrn Minister Graf Fugger erlasse und Derselben sub volanti zur Einsicht beischliesse[1].«

»Dem zu Folge belieben der Herr Feldmarschall-Lieutenant einen geschickten, bescheidenen und der französischen Sprache kundigen Officier zu bestimmen, welcher mit diesem Schreiben sich nach Stuttgart zu begeben und vor Allem beide Schreiben an den Herrn Grafen Fugger einzuhändigen hat. Für den abzuschickenden Officier schliesse ich in der Anlage eine geheime Instruction und eventuell offene Ordre bei, wovon nur nach Massgabe des in der Instruction bestimmten Falles Gebrauch zu machen ist.«

»Bei der zu treffenden Einleitung machen gewisse Verhältnisse und Umstände einige Vorsichtsmassregeln nöthig. Der Fall ist gedenkbar, dass der Herzog von Württemberg das auf die Entfernung des Trouvé an ihn gestellte Ansinnen ablehnt oder gar verweigert, im zweiten Fall, dass Trouvé es auf's Aeusserste ankommen lassen will. Daher belieben der Herr Feldmarschall-Lieutenant Kaiser- oder Albert-Cürassiers, oder das 13. Dragoner-Regiment in die Gegend von Stuttgart marschieren zu lassen, um auf jeden Verweigerungsfall à portée zu sein und an den bestimmten Officier unverweilt die zur sicheren Ausführung des ihm ertheilten Auftrages nach Massgabe der Umstände etwa nöthig werden könnende Assistenz und Unterstützung abzugeben. Der Officier hat sich, wenn ein solcher Verweigerungsfall eintreten sollte, desfalls an den Herrn Regiments-Commandanten zu wenden.«

»Bei dieser Sache ist aber der Officier zu seiner geheimen Wissenschaft auf folgende Puncte aufmerksam zu machen und zu instruieren:

»1. Ist, solange keine Verweigerung von Seiten des Herzogs oder Trouvé eintritt, aller Schein von Gewaltthätigkeit zu vermeiden; auf der anderen Seite sind aber auch

---

[1] Die beiden erwähnten Schreiben fehlen.

für den möglichen Fall der Verweigerung die nöthigen Anstalten vorläufig zu treffen; auf jeden Fall wird zweckdienlich sein, dass der Officier, ingleichen der Graf Fugger in ihren Einschreitungen, Unterredungen und sonstigen Aeusserungen den Umstand mit geltend machen, dass sich rundum kaiserliches Militär befinde. Dem Herrn Grafen Fugger, welcher sich auch zur Zeit in Augsburg befindet, habe ich bereits in verwichener Nacht den Auftrag zugehen lassen, womit er sich unverweilt nach Empfang meiner Zuschrift nach Stuttgart begeben möge, um das zu vollziehen, was der Inhalt der Schreiben bestimmt, die ihm durch den Officier dort werden übergeben werden[1]).«

Die »Geheime Instruction« lautet folgendermassen:

»Der Herr Hauptmann Baron Rothkirch erhielt in der Anlage ein Schreiben[2]) sub sigillo volanti an den Herrn Herzog von Württemberg mit dem Auftrag, gleich nach Empfang dieses nach Stuttgart abzureisen und dem Herrn Minister Grafen von Fugger das Schreiben zu überreichen.«

»Sollte der Herr Herzog wider alles Vermuthen das darin enthaltene Ansinnen ablehnen, so folgt in der weiteren Anlage eine offene Ordre, welche das Herr Hauptmann alsdann, nach Anleitung des Herrn Ministers, dem französischen Bürger Trouvé vorzuzeigen und deren Inhalt wörtlich zu eröffnen hat.«

»Nach Verlauf der darin bemerkten Frist oder auch noch früher, wenn der Bürger Trouvé zur Abreise gerichtet sein sollte, hat der Herr Hauptmann denselben, nebst seinem Gefolge auf der gleichfalls bestimmten Route bis über die diesseitigen Vorposten zu begleiten, demselben aber durchgängig höflich und anständig in der Art zu begegnen, so wie ich dem Herrn Hauptmann mündlich bemerklich machen liess.

Hauptquartier Engen, den 8. April 1799[3]).

Erzherzog Carl.«

---

[1]) K. A., F. A. Deutschland. 1799. IV, 76. Erzherzog Carl an FML. Kospoth. Engen, 9. April 1799.

[2]) Fehlt.

[3]) K. A., F. A. Deutschland. 1799. IV, 76.

Die »Offene Ordre« hat folgenden Wortlaut:

»Dem Herrn Hauptmann Baron Rothkirch wird hiemit der Auftrag ertheilt, dem Bürger Trouvé zu erklären, wie das kaiserliche und Reichs-Armee-Generalcommando demselben den Aufenthalt im Bezirke der Armee durchaus nicht gestatten kann, er also mit seinem sämmtlichen Gefolge innerhalb vierundzwanzig Stunden sich von Stuttgart wegzubegeben habe.«

»Der Herr Hauptmann erhält zugleich den Auftrag, den Bürger Trouvé, nebst seinem Gefolge nach Umlauf der bemerkten Zeit, zu dessen eigener, persönlicher Sicherheit auf der Route über Pforzheim bis über die diesseitigen Vorposten zu begleiten[1]).

Hauptquartier Engen, den 8. April 1799.

Erzherzog Carl.«

Als Begleitung für Hauptmann Rothkirch bestimmte FML. Kospoth das Cürassier-Regiment Albert, das über Schönburg, Hechingen, Tübingen und Degerloch nach Stuttgart instradiert wurde[2]).

Am 14. April traf das Regiment sammt dem Hauptmann Rothkirch in Degerloch ein; am folgenden Tage entledigte sich dieser seiner Mission. »So sehr nun auch dieses den Herrn Herzog in Verlegenheit setzte,« meldete der Commandant von Albert-Cürassieren, Oberst Wolfskehl, »so that er sich dennoch nach einem gehaltenen geheimen Rath entschliessen, diesem Bürger Trouvé zu bedeuten, dass Er dermalen ausser Stande sei, ihn mehr schützen zu können und daher freundschaftlichst rathen müsse, den Forderungen Seiner k. k. Hoheit des Erzherzogs Carl nachzugeben, welches auch dieser vor gut fand und darauf erklärte, dass er heute, den 14., Abends um 5 Uhr, wo die ihm bestimmten 24 Stunden verstrichen, mit dem Hauptmann Baron Rothkirch abreisen und sich bis auf unsere äusseren Vorposten wolle begleiten lassen. Durch dessen Abgehen,« fügte Oberst Wolfskehl seinem Berichte hinzu, »wird aber noch gar nichts verbessert, insolange nicht auch der holländische Gesandte Strick und der schon

[1]) K. A., F. A. Deutschland. 1799. IV, 76.

[2]) K. A., F. A. 1799. IV, 86.

seit mehreren Jahren viele Revolutionsgesinnung und österreichische Abneigung verbreitende dänische Gesandte Baron Wächter von hier mitentfernt wird, die nun die Geschäfte des Trouvé für die Convention nationale besorgen werden, wo man sich auch durch Thatsachen und Briefe von Vandamme bei dem kaiserlichen Herrn Minister Graf Fugger überzeugen kann, die er in Handen hat, aber nicht recht angelegentlichst die Anzeige davon zu machen Lust zu haben scheinet[1]).«

Inzwischen hatten sich in Rastatt die Dinge so gewendet, dass die Auflösung des Congresses nicht mehr aufgehalten werden konnte. Die Neutralität des Ortes war übrigens von Seite der Franzosen schon wiederholt verletzt worden. Hatten diese sich nicht gescheut, schon Anfangs März Gesandtschafts-Couriere und Brief-Ordonnanzen aufzuheben[2]), so begannen sie bald auch, unbekümmert um die Neutralität Rastatt's, kleinere Truppen-Abtheilungen dahin zu senden.

Am 18. März hatte der in Strassburg commandierende General Chateauneuf-Randon vier Gendarmen nach Rastatt gesandt, am 23. Abends trafen sogar 12 Nationalgardisten unter Anführung eines Capitains hier ein, stellten sich zuerst in Parade vor dem Schlosse auf, durchzogen dann mit Patrouillen die Strassen und belästigten die Bürger. Trotz des Protestes des badischen Ministers Edelsheim blieb diese Abtheilung zwei Tage in Rastatt und erst durch die nachdrückliche Mahnung, dass bei einem Umschlag des Kriegsglücks auch die Oesterreicher Patrouillen in die Stadt senden könnten, wurde die Entfernung der französischen Truppe durchgesetzt[3]).

Die Nachricht von der siegreichen Schlacht von Stockach verfehlte ihre Wirkung auch auf die Franzosen nicht. »Bonnier,« schrieb Graf Metternich am 29. März, »kann seine Furcht nicht verbergen, obwohl er vorgestern bei einem der Mehrheit der Deputation gegebenen Mittagessen den Schein der Heiterkeit anzunehmen suchte. Von der Mehrheit freuen sich Einige

[1]) K. A., F. A. 1799. IV, 86. Oberst Wolfskehl an FML. Kospoth. Stuttgart, 15. April 1799.

[2]) Siehe S. 14.

[3]) Helfert, a. a. O. 81. Obser, a. a. O., III, 203. 204.

im Stillen, Andere, so Albini, zeigen eine Haltung, als seien sie selbst geschlagen[1]).« Noch grösser wurde die Verwirrung der französischen Gesandten und ihrer Freunde, als die Nachricht sich verbreitete, der kaiserliche Plenipotentiar, Graf Metternich, habe Ordre erhalten, den Congressort zu verlassen. Diese Ordre war thatsächlich am 1. April erflossen. Am 7. April gab Metternich sie der Reichsfriedens-Deputation bekannt. Nachdem das kaiserliche Commissions-Decret auf die Gewaltthätigkeiten der Franzosen hingewiesen, schliesst es folgendermassen:

»Se. kaiserliche Majestät tragen durch die gesetzliche Wahl der Churfürsten die Krone eines freien und selbstständigen Reiches und können Ihrerseits durch derlei subtile Ideen, deren der französische Revolutionsgeist zum Verderben der Völker schon mehrere erzeugt hat und die mit den moralischen und rechtlichen Begriffen anderer cultivierter Völker im öffentlichsten Widerspruche stehen, die natürliche Gutmüthigkeit des biederen deutschen Volkes nicht länger misshandeln, nicht länger der Würde, Freiheit und Unabhängigkeit des Deutschen Reiches Hohn sprechen lassen. Allerhöchstdieselben wollen und können daher auch Unterzeichnetem in Ihrer reichsoberhauptlichen Eigenschaft nicht gestatten, noch länger an Verhandlungen Antheil zu nehmen, wo unter stolzer Hinweisung auf die Rechte eines Siegers den diesseits zu machenden Erklärungen bald eine peremptorische Frist von wenigen Tagen angesetzt, bald auf mehrere Monate die Geschäftsthätigkeit des Congresses mit seltener diplomatischer Willkür gehemmt wird und die sich zu ihrem Wirkungskreise mit Hintansetzung der Würde des Reiches stets neuen Stoff erschaffen wird; wo der Krieg gegen das Deutsche Reich durch die That selbst wirklich besteht und das vertragsmässige Unterpfand des Waffenstillstandes zur aufrichtigen Unterhandlung und Herstellung eines billigen, anständigen und dauerhaften Friedens nicht mehr vorhanden ist; wo keine vollkommene Beruhigung über die Sicherheit der nöthigen Correspondenz statthaben kann und mitten unter dem Geräusche der Waffen die Sicherheit des Congressortes, auf welche bei allen Zusammenkünften dieser Art jederzeit

---

[1]) Hüffer, a. a. O., III., 206.

ein vorzüglicher Bedacht genommen wird, nicht minder bedroht ist; wo bei unablässigem Trachten, die Stände unter sich und von dem Reichsoberhaupte zu trennen, eintretende gewaltsame Drohungen, eintretende Gefahren und Schrecken des Krieges für die Personen und Lande der deputierten Reichsstände selbst der ständischen Stimmenfreiheit wider das ihnen anvertraute Wohl des gesammten Reichs gebieten können und demnach die gesetzliche Stimmenfreiheit aller Mitglieder des Congresses nicht wohl denkbar ist; wo sohin bei gänzlich veränderten Umständen und Verhältnissen, unter welchen der Congress sich vereinigte und bei jetziger Gestalt der Sachen ein längeres geduldsames Ausharren in aller Hinsicht als fruchtlos anzusehen ist.«

»Unterzeichneter hat von Sr. kaiserlichen Majestät den bestimmten Auftrag erhalten, diese Allerhöchste Entschliessung der vortrefflichen Reichs-Deputation durch gegenwärtiges Commissions-Decret zu eröffnen und dabei in kaiserlichem Namen weiter zu erklären, dass Ihre kaiserliche Majestät sich zugleich nothgedrungen gesehen, Ihrerseits allen während des hiesigen Congresses an die bevollmächtigten Minister der französischen Republik gemachten und nach den allgemein anerkannten völkerrechtlichen Grundsätzen ohnehin nur salva ratificatione Caesaris et Imperii verbindlichen Zusicherungen die bisher bestandene Rechtskraft wieder zu entziehen; da diese nur einzig in der sicheren Hoffnung und Voraussetzung eines billigen, annehmlichen und dauerhaften Friedens geschehen sind, mithin bei gänzlich geänderter Lage der Sachen zu einer blos bedingt übernommenen Verbindlichkeit kein fortwirkender rechtlicher Grund mehr vorhanden ist, so dass in eben dieser Hinsicht Allerhöchstdieselbe den staats- und völkerrechtlichen Zustand der Dinge zwischen Deutschland und Frankreich wieder auf den Fuss hergestellt erachten müssen, auf welchem derselbe vor dem Friedens-Congresse zu Rastatt gewesen ist. Se. kaiserliche Majestät erachten diese Erklärung der Erfüllung Allerhöchstihrer reichsoberhauptlichen Pflichten ebenso sehr, als der Natur der Sache vollkommen gemäss [1].«

---

[1]) Protokoll der Reichs-Friedens-Deputation. VI. Band.

An die französische Gesandtschaft in Rastatt richtete Graf Metternich am 8. April folgende Note:

»Da aller, von dem französischen Gouvernement geschehenen Betheuerungen des lebhaftesten und aufrichtigsten Verlangens nach Frieden mit dem Reiche ungeachtet und mit Hintansetzung der vertragsmässigen Aufkündigung des Reichs-Waffenstillstandes der Krieg wider Deutschland durch die That selbst schon bestehet, auch keine vollkommene Beruhigung über die Sicherheit der nöthigen Correspondenz statthaben kann und da selbst die Sicherheit des Congressortes, auf welche bei allen Zusammenkünften dieser Art jederzeit ein vorzüglicher Bedacht genommen ward, mitten unter dem Geräusche der Waffen nicht minder bedroht ist, so hat Unterzeichneter von Sr. kaiserlichen Majestät, in Allerhöchstihrer Eigenschaft als Reichsoberhaupt, den bestimmten Auftrag erhalten, bei so gänzlich geänderten Umständen und Verhältnissen, unter welchen der Congress sich vereinigt hat, an den bisherigen Friedensunterhandlungen keinen weiteren Antheil zu nehmen, sofort den Congressort zu verlassen und den Inhalt dieses Allerhöchsten Auftrages Sr. kaiserlichen Majestät den bevollmächtigten Ministern der französischen Republik zu eröffnen [1].«

In weitere Erörterungen mit den französischen Gesandten liess sich Metternich nicht mehr ein, sondern reiste am 13. April von Rastatt ab.

Mit der Entfernung Metternich's aber war der Congress thatsächlich aufgelöst, da die Deputation den Franzosen nur durch Vermittlung des kaiserlichen Plenipotentiars Eröffnungen machen konnte. Vor Allem aber kam es darauf an, wie Erzherzog Carl über die Fortdauer des Congresses denken würde.

Während Graf Metternich sich zur Abreise anschickte, streiften bereits die ersten Patrouillen vom Szekler-Husaren-Regiment im Murg-Thal, jedoch ohne Rastatt zu betreten. »Wenn man spazieren geht,« schrieb der darmstädtische Ge-

---

[1]) Protokoll der Reichs-Friedens-Deputation. VI. Band.

sandte Gatzert am 13. April, »trifft man schon ganz nahe bei der Stadt Vedetten und Patrouillen von den Szeklerischen Husaren an und ich wurde heute selbst von einem mir begegneten Officier mit zwei Mann gefragt, ob die französischen Gesandten noch hier seien[1].« »Diese Annäherung unserer Truppen,« meldete Graf Metternich am 11. April nach Wien, »macht den verschiedenen Bevollmächtigten in- und ausserhalb der Deputation, die ehemals von Fortsetzung der Verhandlungen in Abwesenheit der kaiserlichen Plenipotenz sprachen, mit jedem Augenblick begreiflicher, dass dieses wohl seine ganz eigenthümlichen Bedenklichkeiten und vielleicht gar militärische Folgen haben könnte. Auch vermuthen Einige, des Erzherzog Carl K. H. dürften nicht sehr geneigt sein, die französischen Bevollmächtigten hier länger ihr Wesen ungestört treiben zu lassen. Und wirklich hört durch Abberufung der kaiserlichen Plenipotenz der Reichs-Friedens-Congress der That sowohl, als dem Rechte nach gänzlich auf[2].«

Dass Metternich mit dieser Ansicht über die Fortdauer des Congresses nicht allein stand, beweist der Umstand, dass die Gesandten von Trier, Köln und Schweden seinem Beispiele unmittelbar folgten und Rastatt verliessen und sogar der Directorialis Albini liess schon am 15. April einen Theil seiner Kanzlei, als nunmehr überflüssig, nach Aschaffenburg zurückgehen[3].

Die französischen Gesandten suchten selbstverständlich das Auseinandergehen des Congresses zu hintertreiben; sie wollten, wie der darmstädtische Gesandte Gatzert schrieb, »weder in der Note der Plenipotenz an sie, noch in der an die Deputation eine officielle Bekanntmachung der förmlichen Aufhebung des Congresses finden[4])«. Auch die preussischen Gesandten waren über die Frage, ob der Congress weiter

[1]) Heidenheimer, Mittheilungen über den Rastatter Gesandten-Mord. (Westdeutsche Zeitschrift für Geschichte und Kunst. Trier 1883, Jahrg. II, 138.)

[2]) Hüffer, a. a. O., III, 299.

[3]) Hüffer, a. a. O., III, 298, 299.

[4]) Heidenheimer, a. a. O., 136.

tagen solle, verschiedener Ansicht. Dohm und Jacobi waren, nach Gatzert's Mittheilung, für »gleichbaldige Auseinandergehung« desselben, »der von Görtz hingegen sieht das Auseinandergehen des Congresses als das grösste Unglück für Deutschland an, räth daher das Bleiben so lang als möglich an, wünscht auch, dass selbst die Franzosen nur erst dann abgehen möchten, wenn ihnen mit Gewalt gedroht werde [1]).«

Trotzdem hätten die Franzosen wahrscheinlich nicht gezögert, Rastatt zu verlassen; schon am 5. April hatten sie ihrem Minister des Auswärtigen, Talleyrand, das Missliche ihrer Lage auseinandergesetzt, aber der Minister befahl, sie sollten bleiben. Frankreich erkenne dem Kaiser nicht das Recht zu, den Congress und die Deputation einseitig aufzuheben. Käme es zu Beleidigungen, wie in München und Regensburg, so falle die Schande auf den Beleidiger zurück. »Ich wiederhole,« schloss er, »halten Sie bis zum Aeussersten in Rastatt aus und verlassen Sie es nur unter einem Protest [2]).«

Da aber die französischen Gesandten befürchteten, man werde sie verhaften und in eine österreichische Festung abführen lassen, wandten sie sich an den badischen Minister Edelsheim mit der Erklärung, sie hofften, abgesehen von der in Rastatt bestehenden Neutralität, auch noch den Schutz der badischen Regierung zu geniessen. Edelsheim, der es weder mit den Franzosen verderben, noch einen Conflict mit den österreichischen Truppen wagen wollte, veranlasste die Verhandlung dieser Angelegenheit in der Deputation. Hier jedoch wurde an die Beispiele von Wetzlar und Regensburg erinnert, wo in früheren Feldzügen die Armee-Commanden sich nicht an Neutralitätsversprechungen gebunden hielten, wenn die militärischen Dispositionen etwas Anderes erforderten. Man einigte sich dahin, dass die französischen Gesandten, wenn sie die Beobachtung der Neutralität von kaiserlicher Seite verlangten, mit einer Erklärung vorangehen sollten, dass auch die französischen Truppen die Neutralität beob-

---

[1]) Heidenheimer, a. a. O., 137.

[2]) Hüffer, a. a. O., III, 300.

achten würden[1]). Merkwürdiger Weise lehnten die französischen Gesandten diesen Vorschlag ab und blieben weiterhin in Rastatt.

Uebrigens fanden sie einige Beruhigung in der Versicherung des Grafen Stadion, die Szekler-Husaren, deren Commandanten er persönlich gesprochen, hätten Auftrag, die Ebene zu beobachten, aber nicht Rastatt zu besetzen. In Folge dieser Mittheilung athmeten die französischen Gesandten, die seit einigen Tagen nicht einmal den Schlossgarten zu betreten gewagt, wieder auf und Bonnier gieng mit gutem Beispiel voran, indem er am 15. April seinen Spaziergang bis Steinmauern ausdehnte[2]).

Nachdem der französische Gesandte in Stuttgart, Trouvé, ausgewiesen worden war, blieb nur noch übrig, auch die Helfershelfer der französischen Emissäre, Wächter und Strick, unschädlich zu machen. Genügte aber zur Ausweisung französischer Emissäre, mit deren Regierung man sich in offenem Kriege befand, ein einfacher Befehl, so bedurfte man zur Entfernung des dänischen und holländischen Gesandten aus naheliegenden Gründen der Beweise, aus denen mit Bestimmtheit hervorgieng, dass sie die Immunität ihrer Stellung missbrauchten, indem sie dem Gegner Kundschafterdienste leisteten. Diese Beweise aber konnten nur in der Correspondenz der Gesandten gefunden werden und dem Erzherzoge musste daran liegen, irgend eines gravierenden Schriftstückes habhaft zu werden, auf Grund dessen er ihre sofortige Ausweisung veranlassen konnte.

Demgemäss hatte Erzherzog Carl schon am 13. April folgenden Befehl an FML. Freiherrn von Kospoth erlassen:

»Von verschiedenen Seiten ist mir die Anzeige gemacht worden, dass der batavische Gesandte Strick van Lindschoten zu Stuttgart, sowie der dänische Gesandte Freiherr von Wächter, welcher sich auf seinem Schlosse zu Hirtingen bei Rottenburg aufhält, wirklich eine geheime Correspondenz mit dem Feinde unterhielten und Letzterer vorzüglich der Haupt-

[1]) Obser, a. a. O., III, 207, 208.

[2]) Edelsheim an den Markgrafen Carl Friedrich. (Obser, a. a. O., 210.)

spion und Unterhändler des französischen Generals **Vandamme** sein soll.«

»Der Herr Feldmarschall-Lieutenant erhalten daher den Auftrag, nicht nur alle Estafetten und Boten, welche von Stuttgart oder aus der dortigen, im Bezirk unserer Vorposten gelegenen Gegend nach einem vom Feinde besetzten Ort bestimmt sind, anzuhalten, sondern überhaupt alle Postpaquete und Briefschaften genau untersuchen zu lassen und was als verdächtig befunden werden sollte, hieher einzusenden. Vorzüglich aber empfehle ich dem Herrn Feldmarschall-Lieutenant alle Aufmerksamkeit dahin zu richten, damit die Correspondenz des Freiherrn von **Wächter** mit dem Feind, welche derselbe, der Anlage zu Folge, durch eigene Boten von dem Landvolk unterhalten soll, entdeckt werde und dadurch solche Data gegen ihn in Hände bekommt, dass man sich alsdann ohne Weiteres seiner Person bemächtigen kann[1]).«

Den auf diesen Weisungen beruhenden Befehl erhielt der Commandant der rechten Flügelgruppe der Vorposten GM. **Görger**, am 14. April Abends und beantwortete ihn am 15. folgendermassen: »Ich werde meinen unterstehenden Truppen allsogleich den gemessensten Befehl ertheilen, alle Estafetten und Boten in der Gegend unserer Vorposten, welche nach einem vom Feinde besetzten Ort bestimmt sind, anher zu schicken, auch Alles anzuwenden, um die Correspondenz des Baron von **Wächter** mit dem Feind zu entdecken. Es ist mehr als zu vermuthen, dass diese Correspondenz nicht durch die Post, sondern durch sichere, ihnen vertraute Leute befördert wird.

---

[1]) K. A., F. A. 1799. IV, 86. Hauptquartier Engen, den 13. April 1799. Die in diesem Befehlsschreiben erwähnte »Anlage« lautet: »Herr Baron Wächter, zugetheilt der dänischen Gesandtschaft, ist gegenwärtig der Hauptspion Vandamme's. Ich bin durch eine Person, die der französischen Armee zugetheilt war, unterrichtet, dass dieser Baron eine geheime Correspondenz unterhält, die durch Leute vom Lande von Station zu Station befördert wird. Ich habe darüber mit dem Herrn General von Görger gesprochen, der mir gesagt hat, über die Spionage dieses Barons informiert zu sein und dass er im Begriffe war, ihn gefangennehmen zu lassen, aber durch den Charakter und die Immunität der Gesandtschaft hieran verhindert worden zu sein. Er beauftragt mich, seine diesbezüglichen Absichten in meinem Rapport anzuführen. Der Baron von Wächter wohnt in einem Schloss in der Nähe von Rottenburg.«

In dem ganzen Land ist dieser Baron Wächter, welcher von geringem Herkommen und jetzt sehr reich ist, als ein schlechter, von den Franzosen besoldeter Mann bekannt; dieses haben mir schon vor einigen Tagen mehrere Leute gesagt und zwar so, dass, wenn er nicht zu der dänischen Gesandtschaft gehörte, ich denselben als verdächtig schon dermalen hätte arretieren lassen; übrigens habe ich aber keine gewisse Probe von seiner Correspondenz, als die allgemeine Aussage haben können, doch bin ich gewiss, dass mit einem von ihm ertheilten Pass man durch die ganze französische Armee reisen kann[1].«

Mit dem Auffangen der Briefe waren, nebst dem nunmehr bei Bruchsal stehenden 13. Dragoner-Regiment, in erster Linie die bis an den Rhein streifenden Husaren-Patrouillen des Szekler-Regiments betraut worden, das nun, unter dem Befehl des Obersten Joseph von Barbaczy, von Freudenstadt, wo das Gros bisher gestanden war, nach Gernsbach vorgeschoben wurde[2]).

Bevor noch der ausdrückliche Befehl des Erzherzogs bezüglich dieser Gesandten und ihrer Correspondenz ergangen war, hatten die Truppen des GM. Görger, besonders aber die Szekler-Division Geringer, ein wachsames Auge auf die Umtriebe Strick's und Wächter's und wie bekannt, wurden auch wiederholte Versuche unternommen, irgend eines greifbaren Beweismittels gegen sie habhaft zu werden. Alle bisherigen Unternehmungen waren aber vergebens gewesen, so dass FML. Kospoth am 12. April an den Erzherzog schrieb:

---

[1]) K. A., F. A. 1799. IV, 106. GM. Görger an GM. Merveldt. Freudenstadt. 15. April 1799.

[2]) Das Szekler-Husaren-Regiment, im Jahre 1762 errichtet, ergänzte sich aus dem Haromszeker und Csiker Stuhle, dann aus einem Theil des Aranyoser und Fogaraser Districts und aus einem Theil des Hunyader Comitats. Die Leute, aus welchen das Regiment bestand, waren theils Ungarn, theils Walachen (Rumänen); erstere zumeist reformierter, letztere griechisch-unierter Religion. Die Mannschaft sprach daher ungarisch oder walachisch, weshalb auch fast alle Officiere des Regiments dieser beiden Sprachen mehr oder weniger kundig waren, die Dienst- und Commandosprache war selbstverständlich, wie bei allen kaiserlichen Truppen, deutsch. Von den sechs Escadronen des Regiments befanden sich, wie erwähnt, zwei (Oberstlieutenant-Division) unter dem Oberstlieutenant von Geringer, in der Gegend von Mergentheim, die anderen vier in Gernsbach.

»In der Anlage habe ich die Gnade, Euer königlichen Hoheit den beigelegten Rapport vom szeklerischen Oberlieutenant Szentes zu unterlegen; mit diesem folgt auch der gefangene Commissär. Euer königliche Hoheit werden aus den Rapporten des gedachten Oberlieutenants zu ersehen geruhen, dass der französische Gesandte und der batavische viele Depeschen, theils durch Estafetten, theils durch französische Officiers, expediert haben, mithin gibt das hinlängliche Ursache, auch den batavischen von Stuttgart abzuschaffen, welches gleich unter einem geschehen kann, indem ich nach Abschaffung des Bürgers Trouvé das Albert-Cürassier-Regiment gleich wieder in die Cantonnierung hinter Rottweil ziehen könnte, worüber ich demnach Euer königlichen Hoheit weitere höchste Befehle erwarte[1]).«

Fünf Tage später aber machte er dem Erzherzog folgenden Vorschlag:

»Den dänischen Gesandten, der eigentlich nur ein Advocat aus Stuttgart und von Jedermann gehasst ist, könnte man wohl aus Missverstand, auf eine oder andere Art expedieren; denn seine Correspondenz zu ertappen, wird es schwer werden, weil es dieser Mensch klug genug einleiten wird[2]).«

Dieser Vorschlag des FML. Kospoth beweist, dass er bereit gewesen wäre, die Rücksicht auf den diplomatischen Charakter der französischen Spione fallen zu lassen und sie unter dem Vorwand eines Missverständnisses auszuweisen. nicht so der Erzherzog, der, wie wir noch sehen werden, strengere Ansichten hatte und nur mit den nöthigen Beweismitteln in der Hand gegen die notorischen feindlichen Kundschafter vorgehen wollte. Bisher hatten die Versuche, in den Besitz solcher Beweise zu gelangen, kein günstiges Resultat ergeben; auch war es bei der Vorsicht der französischen Gesandten und ihrer Genossen leicht möglich, dass in der durch die Post und durch Couriere beförderten Correspondenz gravierende Schriftstücke gar nicht gefunden werden würden;

[1]) K. A., F. A. Deutschland. 1799. IV, 86. Kospoth an Erzherzog Carl. Donaueschingen, 12. April 1799.

[2]) K. A., F. A. 1799. IV, 106. FML. Kospoth an Erzherzog Carl. Donaueschingen, 17. April 1799.

man musste also auf anderem Wege in den Besitz solcher Papiere gelangen.

Von den französischen Gesandten in Rastatt war bis jetzt, wie aus den mitgetheilten Actenstücken ersichtlich, noch mit keinem Worte die Rede. Nach der Ausweisung Bacher's und Alquier's aber erfuhr man, dass diese sich nach dem Congressort begeben und erst am 6. April meldete die »Allgemeine Zeitung«, dass Alquier nach Paris gereist, Bacher aber noch immer in Rastatt geblieben sei[1]). Dass sich nach Ausweisung dieser Gesandten die durch Strick und Wächter vermittelten Kundschaftsnachrichten in Rastatt ansammeln und durch Vermittlung Bonnier's, Debry's und Roberjot's weiter befördert würden, schien zweifellos. Schon am 29. März hatte der Taxis'sche Geheimrath und Reichs-Oberpostamts-Director Freiherr von Vrints aus Rastatt an den Grafen Lehrbach geschrieben, er wünsche, »dass des Erzherzog Carl K. H. ein kleines Truppencorps hieher marschieren lassen möge, um den Congress, den Sitz der Intriguen, zu sprengen[2])«. Auch darüber konnte kein Zweifel bestehen, dass sich in den Papieren der französischen Gesandten auch Briefe der beiden unter dem Deckmantel der Immunität arbeitenden diplomatischen Spione befinden mussten. Aber die Gesandten selbst, ihr Gefolge und ihr Archiv waren nach der Ansicht des Erzherzogs unverletzlich, ebenso der Congressort, und an dieser Ansicht hielt der Prinz auch fest, nachdem Graf Metternich Rastatt verlassen hatte und damit der Congress thatsächlich aufgelöst worden war.

Ob sich nun wirklich, wie Hüffer annimmt[3]), die Aufmerksamkeit der österreichischen Officiere auf Rastatt richtete, »wo seit längerer Zeit alle Fäden der verschiedenen Kundschafter in den Händen der französischen Gesandten zusammenliefen[4])« und ob deshalb in diesen Officieren der Gedanke, der Wunsch erwachte, sich dieser Papiere zu bemächtigen[5]), mag vorläufig dahingestellt bleiben. In den ziemlich zahl-

---

[1]) »Allgemeine Zeitung« Nr. 96 vom 6. April 1799.

[2]) K. A., F. A. Deutschland. 1799. III, 285.

[3]) Der Rastatter Gesandten-Mord. Bonn 1896.

[4]) Ebenda, S. 22.

[5]) Ebenda, S. 28.

reichen Acten des Kriegs-Archivs spielen die französischen Gesandten Bonnier, Roberjot und Jean Debry zweifellos eine ganz und gar nebensächliche Rolle, nicht einmal ihre Namen werden genannt und auch zwischen den Zeilen lässt sich bis zum 18. April nichts, aber auch gar nichts lesen, was auf sie bezogen werden könnte. Selbst die wenigen Kundschaftsnachrichten aus Rastatt erwähnen diese Gesandten erst von Ende März angefangen und auch dann nur, um zu constatieren, dass sie sich noch in Rastatt befinden. Bei dieser Gelegenheit mag eine, wie es scheint, nicht ganz überflüssige Bemerkung gestattet sein. Liest man auch nur eine der vielen, mehr oder minder umfangreichen Darstellungen des »Gesandten-Mordes«, so könnte man fast den Eindruck gewinnen, als wäre seit Beginn des neuen Krieges von 1799 bis zu jenem unglückseligen 28. April das gesammte österreichische Heer, vom Generalissimus angefangen bis auf den letzten Szekler-Husaren, einzig und allein nur von dem einen Gedanken erfüllt gewesen: Bonnier, Roberjot, Jean Debry! Wir wollen damit nichts behaupten, sondern nur constatieren, dass der erwähnte Eindruck bei dem späteren, vielbesprochenen und vielbeschriebenen unglücklichen Ereignisse thatsächlich hervorgerufen wird, aber weiters feststellen, dass es ganz und gar falsch ist, wenn man glaubt, die französischen Gesandten hätten irgendwie das Sinnen und Trachten des österreichischen Heeres beeinflusst. Wahrscheinlich nicht einmal das des Erzherzogs, der, wie aus dem bereits Erzählten klar genug hervorgeht, nur darauf bedacht war, notorische Spione aus dem Umkreise seines Heeres, mit den legalsten und rücksichtsvollsten Mitteln der Welt, fortzuschaffen. An die Bürger Bonnier, Roberjot und Debry aber hat er nachweisbar in derselben Weise erst dann gedacht, als ihr weiteres Verbleiben in Rastatt, nach Auflösung des Congresses, aus militärischen Gründen unstatthaft wurde.

Erst Mitte April bildeten also die französischen Gesandten in Rastatt den Gegenstand der Aufmerksamkeit von Seite einiger österreichischer Officiere und das, allerdings etwas zweifelhafte, Verdienst, diese Aufmerksamkeit angeregt zu haben, gebührt dem Generalstabs-Chef des Erzherzogs Carl, dem GM. Sebastian Heinrich von Schmidt. Gegen

Mitte April war Erzherzog Carl erkrankt und übergab am 14. den Oberbefehl über das Heer einstweilen dem FZM. Grafen Wallis[1]).

In diesen Tagen richtete GM. Schmidt ein Privatschreiben an den die Dienste eines Generalstabs-Chefs beim Corps Kospoth versehenden Oberstlieutenant Mayer von Heldensfeld. Den Inhalt dieses Briefes kennen wir leider nicht, da er bis jetzt nirgends aufzufinden gewesen, ebensowenig jenen, in welchem Oberstlieutenant Mayer die Anregung des GM. Schmidt weiter an die Vortruppen Kospoth's befördert.

Da diese Anregung aber sehr wahrscheinlich gegen die in Rastatt befindlichen französischen Gesandten gerichtet war, diese aber am Abend ihrer Abreise überfallen und zwei von ihnen ermordet wurden, so lag der Verdacht nahe, dass möglicher Weise dieser Brief des GM. Schmidt den Ueberfall und die Ermordung verschuldet habe. Wenn nun auch die Briefe Schmidt's und Mayer's nicht mehr erhalten zu sein scheinen, so liegen doch die in Folge dieser Briefe erflossenen Befehle und Meldungen vor, aus denen mit grosser Bestimmtheit hervorgeht, dass von einem Wunsch des GM. Schmidt, die französischen Gesandten zu ermorden, nicht die Rede sein kann. Bevor wir den Inhalt des erwähnten Briefes mit Hilfe der noch vorhandenen, bisher nicht veröffentlichten Actenstücke reconstruieren, möge eine allgemeine Bemerkung gestattet sein.

Aus dem bereits Erzählten geht hervor, dass Kaiser Franz der Anwesenheit französischer Emissäre wenig Bedeutung beilegte, weniger noch als Erzherzog Carl, da, wie er sagte, der Nachtheil, »den diese Leute durch ihre, auf ohnehin veränderliche Local-Umstände gegründeten mündlichen Nachrichten uns zufügen könnten, mit dem Aufsehen und anderen Inconvenienzien in keinem Verhältnisse stehen[2]«. Und so sehr scheute der Kaiser »Aufsehen und andere Inconvenienzien«, dass er, wie bereits erzählt, die einfache Ausweisung französischer Emissäre erst nach begonnenen

---

[1]) K. A., F. A. Deutschland. 1799. IV, 95.

[2]) S. S. 24.

Feindseligkeiten gestatten wollte. Es ist ferner bekannt, dass Erzherzog Carl mit dem vollen Rechte des Feldherrn, der jede, wie immer geartete Spionage im Umkreis seines Heeres zu verhindern verpflichtet ist, zuerst jede durch die Post oder durch Couriere vermittelte Correspondenz zu überwachen und aufzufangen befahl und nach Abreise des kaiserlichen Plenipotentiars, also nach Auflösung des Congresses, auch die durch die Post oder durch Couriere beförderte Correspondenz der französischen Gesandten in Rastatt von dieser Verfügung nicht ausschloss. Aber selbst nach Auflösung des Congresses ist dem Erzherzog, wie gezeigt werden wird, die Person und selbstverständlich auch das Archiv und das Gefolge der Gesandten unverletzlich.

Dass aber diese Anschauungen des Kaisers und seines Bruders im Hauptquartier des Erzherzogs und auch bei den höheren Officieren des Corps Kospoth bekannt sein mussten, ergibt sich nicht nur aus den bezüglichen Befehlen des Erzherzogs, die ja an diese Officiere gerichtet waren, sondern auch aus dem Umstand, dass der die Dienste eines Generalstabs-Chefs versehende GM. Schmidt die Erkrankung des Prinzen benützte, um einem Wunsche bezüglich der französischen Gesandten in Rastatt Ausdruck zu geben. Und hier ist wohl die Frage erlaubt und berechtigt: Konnte dieser Wunsch des ruhigen und besonnenen, ob seiner Rechtschaffenheit und Ehrenhaftigkeit allgemein geschätzten und geehrten, 56 Jahre alten Generals Schmidt so geartet sein, dass er sich direct gegen diese Anschauungen des Kaisers und des Erzherzogs richtete, dass er diese Anschauungen auf das empfindlichste verletzen musste? Dieser General, welcher wusste, dass sein Monarch selbst gegen die Ausweisung notorischer Spione war, um »Aufsehen« und »Inconvenienzien« zu vermeiden, soll gewagt haben, beglaubigte Gesandte ermorden zu lassen? Auch muss festgehalten werden, dass GM. Schmidt in seinem an den Oberstlieutenant Mayer gerichteten Briefe nur einem Wunsche Ausdruck zu geben vermochte, nicht etwa einem Befehl. Denn zu irgend welcher Befehlgebung war GM. Schmidt gegenüber dem Corps des FML. Freiherrn von Kospoth und als Generalstabs-Chef gar nicht berechtigt. Und eine Reihe hochstehender Officiere, von FML. Kospoth angefangen bis zu dem Commandanten der Szekler-Husaren, Oberst Barbaczy, soll, ohne Bedenken, ohne Widerrede, ohne Vorstellung, einem Wunsche Folge geleistet haben, der nichts weniger enthielt als, gegen jedes Völkerrecht, fremde Gesandte zu — ermorden? Schon diese sich förmlich aufdrängenden Betrachtungen lassen es ausgeschlossen erscheinen, dass der Brief des GM. Schmidt auch nur einen derartigen Wunsch enthalten haben kann.

Sehen wir übrigens zu, wie der Brief des Generals Schmidt von Seiten jener Officiere, die davon wussten, aufgenommen und was von ihnen in Folge dessen veranlasst wurde.

GM. Graf Merveldt schrieb am 18. April an FML. Freiherrn von Kospoth: »Herr General von Görger hat in Rücksicht auf das gestern durch Courier erhaltene Schreiben des Oberstlieutenant Mayer die Anstalten so getroffen, dass wenn die Husaren das Nest nicht leer finden, die Sache wohl nicht fehlen wird! Hätte man nur ein paar Tage früher diesen Wunsch geäussert!«

Glaubt man nun wirklich, dass österreichische Generale, darunter Merveldt, ein, wie Hüffer treffend bemerkt, »feingebildeter, als Diplomat von Landsleuten und Franzosen hochgeschätzter Officier«, sich wochenlang mit Mordplänen getragen hätten?[1])«. Und nicht etwa auf Grund irgend eines durch höhere Rücksichten hervorgerufenen strengen dienstlichen Befehls· von · Seite des Generalissimus, sondern in Folge eines, hinter dem Rücken des Erzherzogs entstandenen, in einem Privatbrief zum Ausdruck gebrachten Wunsches! Und gerade der notorisch liebenswürdigste und gebildetste der Generale, die von dieser »Idee« in Kenntniss gesetzt werden, verhehlt seine Freude darüber nicht, sondern ruft aus: »Hätte man nur ein paar Tage früher diesen Wunsch geäussert!« Und der fragliche Brief soll offen oder versteckt den Wunsch enthalten haben, die französischen Gesandten zu ermorden? Das kann nur glauben, wer die Fülle schlecht erfundener Anecdoten glaubt, die nach der Ermordung der Franzosen entstanden! Aber aus diesem Schreiben Merveldt's allein schon geht bestimmt hervor, dass ein »Wunsch« bezüglich der französischen Gesandten

[1]) Rastatter Gesandten-Mord. 41.

thatsächlich geäussert wurde. Erinnern wir uns nun, dass gerade zu dieser Zeit die Aufmerksamkeit der Vorposten auf die Correspondenz der fremden Emissäre gerichtet war; dass es ihnen aber nicht glückte, erheblichere Briefschaften zu erbeuten; dass die Hoffnung begründet war, derartige Briefschaften in Rastatt selbst, im »Neste«, bei den französischen Gesandten zu finden; dass diese selbst aber in den Augen des Erzherzogs in jeder Beziehung als unverletzlich galten; dass aber der Erzherzog erkrankte und dass gerade während dieser Zeit GM. Schmidt den fraglichen Brief schrieb: so bleibt als das einzig Wahrscheinliche, ja, als das einzig Mögliche nur die Annahme übrig, der Brief Schmidt's habe den Wunsch enthalten, »man möge die Papiere der französischen Gesandtschaft und darin die Beweise für das Spionenwesen der Agenten sich aneignen[1]«.

Ob diese Annahme richtig ist, wird sich aus den nun folgenden Actenstücken ebenso leicht erweisen lassen, als daraus die Unmöglichkeit, dass der Brief Schmidt's irgend einen Wunsch nach Ermordung der Franzosen enthalten haben könne, hervorgehen wird.

Welcher Art die in dem Schreiben des GM. Merveldt erwähnten Anstalten waren, lässt sich leider nicht mehr feststellen; nur so viel ist schon aus diesem, dann den nach-

[1]) Hüffer, Rastatter Gesandten-Mord. 41. Noch früher als Hüffer hat Sybel in seinem Aufsatz »Urkundliches über den Rastatter Gesandten-Mord« (Deutsche Rundschau. 1876. Heft 1, S. 50 ff.) und zwar auf Grund der knappen Auszüge aus den weiter unten vollinhaltlich mitgetheilten Acten auch den Eindruck gewonnen, dass es »auf die Beschlagnahme des Archivs und auf nichts Anderes« abgesehen gewesen sei. Allerdings glaubte Sybel damals noch die »österreichische Regierung« für die Urheberin des bezüglichen Befehles halten zu müssen; eine Ansicht, die der preussische Historiker später selbst berichtigt hat. Bezüglich seiner Protokoll-Auszüge in dem erwähnten Aufsatz der »Rundschau« sei hier schon bemerkt, dass ihm gleich beim ersten ein ganz bedeutender Irrthum unterlaufen ist. Er lässt nämlich die oben angeführte Meldung Merveldt's an Kospoth von Lieutenant Scheibler schreiben, während Merveldt in seinem Schreiben mittheilt, dass er zwei Meldungen Scheibler's seinem Rapport beilege. Was aber citiert wird, ist von GM. Merveldt eigenhändig geschrieben und nicht eine Meldung Scheibler's, der in gar keiner Weise mit dem Brief Schmidt's oder Mayer's in Zusammenhang gebracht werden darf.

folgenden Actenstücken zu entnehmen, dass der Commandant des Szekler-Husaren-Regiments, Oberst Joseph von Barbaczy, mit der Einleitung dieser Anstalten beauftragt war. Und gleich hier drängt sich bei einiger Aufmerksamkeit wieder eine Frage auf: wenn GM. Schmidt, wenn alle andern höheren Officiere des Corps Kospoth wirklich die Ermordung der französischen Gesandten geplant hätten, warum wurde nicht eine der Emigranten-Abtheilungen Saxe und Bercsény damit beauftragt, sondern gerade die Szekler-Husaren, die weder deutsch, noch französisch verstanden? Das 13. Dragoner-Regiment, das zum Theil aus diesen Emigranten-Abtheilungen bestand, war ja, wie bekannt, mit einer besonderen Aufgabe betraut, in der Gegend von Pforzheim, Durlach und Ettlingen, also in der nächsten Nähe von Rastatt und war sogar dem Befehle des GM. Görger unterstellt worden[1]. Hätte man den Mord gewollt, warum verwendete man nicht Patrouillen dieser emigrierten französischen Truppen? Da war ja der natürliche Hass der treugebliebenen Husaren gegen die Mörder ihres Königs, da war das weite Gebiet der aufgewühlten politischen Leidenschaft und damit die Möglichkeit, das Verbrechen, wenn schon nicht zu entschuldigen, so doch begreiflich erscheinen zu lassen und deshalb milder beurtheilt zu sehen. Oder sollten die österreichischen Generale einen Mordbefehl ertheilt haben, ohne im Geringsten darüber nachzudenken, wie die begangene That später zu entschuldigen wäre? Wir werden sehen, dass sie daran thatsächlich nicht gedacht, weil eine solche That eben nicht geplant war; dagegen wird sich zeigen, dass sie für das, was sie wirklich geplant, einen Entschuldigungsgrund thatsächlich in Bereitschaft hielten.

Der Befehl an Oberst Barbaczy, falls ihm ein solcher schriftlich gegeben worden war, hat sich nicht mehr vorgefunden; er selbst richtete noch am 18. April das folgende Schreiben an seinen unmittelbaren Vorgesetzten, den GM. von Görger:

»Den mir von Euer Hochwohlgeboren zutrauungsvoll gegebenen Auftrag werde ich mit aller in einem solchen Fall

---

[1] S. S. 20.

nöthigen Vorsicht ausführen zu lassen bemüht sein. Zu diesem Ende habe ich einen Officier von dieser Allerhöchsten [1]) Willensmeinung unterrichtet und ihm mit vertrauten Unterofficiers und Gemeinen die jenseitige Strasse von Rastatt aufzulauern befohlen.«

»Da ich aber erst gestern mit einem von Rastatt hier zu Gernsbach gewesenen Baden'schen Hauptmann gesprochen und von ihm vernommen habe, dass die französischen Gesandten von ihrem Directorio den ausdrücklichen Befehl, in Rastatt ferner zu verbleiben, bekommen hätten, so ist zu vermuthen, dass dieselben nicht so bald von dem Congressort sich wegbegeben und dadurch die Ausführung dieser That in die Länge verschoben werden würde. Ich werde von heute an die Patrouillen bis an Rastatt poussieren, um hiedurch ihre Abreise zu befördern; ich unterfange mich aber hiemit anzufragen, ob ich solche auch hinein nach Rastatt schicken und was, im Fall die Baden'sche Besatzung dawider entweder protestierte oder sich widersetzte, zu thun sei.«

»Auch steht zu erwarten, dass die badischen Truppen, die den Congressort bewachen, von der etwa abgehenden Gesandtschaft zur Bedeckung mitgenommen werden dürften, weil selbst der von Stuttgart abgeschaffte und eben gestern in Rastatt angekommene französische Gesandte Trouvé mit einem württembergischen Officier escortiert war, auch von Pforzheim aus bis Ettlingen noch einen Officier des 13. Dragoner-Regiments bei sich hatte. Auf diesen Fall erbitte ich mir ebenfalls Hochdero Massregeln, ob man auch diese Baden'schen Truppen oder Escorten feindlich behandeln dürfe. Der eingelaufene Brief nach Weingarten wird bestellet, nur muss ich hier anmerken, dass derselbe von Euer Hochwohlgeboren zweifelsohne wegen Menge der Geschäfte zu petschieren vergessen und erst hier von mir versiegelt wurde.«

»Ich muss noch so frei sein, Euer Hochwohlgeboren zu eröffnen, dass es höchst nöthig wäre, alle in Pforzheim an-

[1]) Barbaczy spricht von einer »Allerhöchsten Willensmeinung«, weil ihm, wie jedem kaiserlichen Officier, jeder Befehl, gleich dem Dienste, ein »Allerhöchster« ist.

kommenden und gegen Rastatt über Strassburg abgehenden Briefe dort eröffnen zu lassen, weil man sonst nichts ausfindig machen kann.

Gernsbach, den 18. April 1799[1]).«

GM. Görger versah dieses Schreiben Barbaczy's mit folgender Einbegleitung:

»Diesen Bericht habe die Ehre, Euer Hochgeboren zu unterlegen und um die verlangte Belehrung zu ersuchen. Doch habe ich indessen dem Herrn Obersten Barbaczy zugeschrieben, nichts zu verabsäumen und wenn etwas auszuführen wäre, alles Fremdes, was sich uns widersetzet, auch natürlicherweise feindlich zu behandeln wäre. Ueber dieses ist aber besonders in Betreff der badischen Truppen eine Aufklärung nöthig[2]).«

Am 19. April sandte GM. Graf Merveldt den folgenden Bericht, der auch auf die vorhergegangenen Schriftstücke Bezug nimmt, an FML. Freiherrn von Kospoth:

»Da dem Vernehmen nach der Herr Oberst Baron Wolfskehl mit dem 1. Cürassier-Regimente in Stuttgart liegen solle, so würde selber vielleicht mehr à portée sein, die Depeschen des holländischen und dänischen Gesandten, welche zu Cannstadt aufgegeben werden, zu observieren und da auf der Cannstadter Post die Depeschen hauptsächlich aufgegeben werden sollen.«

»Durch Strassburg gehen fortdauernd, wie ich es schon letzt zu melden die Ehre hatte, Detachements von 2- bis 3- und 400 Mann, welche in forcierten Märschen auf dem linken Rhein-Ufer gegen die Schweiz gehen; bei der letzten Gegen-

[1]) K. A. 1799. IV., 118. (Bisher secret gehalten.) Der Protokoll-Auszug bei Sybel (Deutsche Rundschau, S. 62) lautet: »18. April. Oberst Barbaczy an General Görger berichtet, was er in Folge eines geheimen Auftrages hinsichtlich der zur Abreise sich anschickenden französischen Gesandten bereits eingeleitet hat und noch ferner veranlassen wird. Zugleich Anfrage, ob die aus badischen Truppen bestehende Escorte dieser Gesandten feindlich zu behandeln sei.«

[2]) K. A. 1799. IV, 118. Marginalbemerkung Görger's zum Berichte Barbaczy's vom 18. April. (Bisher secret gehalten.) Protokoll-Auszug bei Sybel, a. a. O.: »Görger an Barbaczy.« Bescheid auf obige Anfrage.

wart des Kundschafters zählte er deren an einem Tage 1800 Mann, theils Cavallerie, theils Infanterie. Bei Strassburg stehet ein Artillerie-Park von 72 Kanonen, wovon 16 theils 12-, theils 16pfündige sind, die anderen aber von noch schwererem Kaliber sein sollen. In der Citadelle von Strassburg sollen nur 30 Kanonen mehr stehen.«

»Der Feind arbeitet neuerdings sehr fleissig an der Befestigung von Kehl. Ueber den eigentlichen Zustand und wie weit diese Werke bereits fertig sind, habe noch nicht erfahren können, doch muss selbes auf einem sicheren Grade im Vertheidigungszustande sein, da selbes 1200 Mann Garnison hat, nebst 3 Artillerie-Compagnien und bereits 16 Kanonen in den Verschanzungen eingeführet sein sollen.«

»Ich habe den Antrag, von hier morgen nach Neustadt zu reiten, wenn das Wetter nicht zu schlecht ist, da hier alles ruhig und der Feind zu einem Angriff nicht die nöthige Stärke zu haben scheint; ich werde Sorge tragen, dass alle eintreffenden Befehle deshalb nicht liegen bleiben[1].«

»In Anlage habe ich die Ehre, noch zwei Meldungen der Herren Obersten Fresnel und Barbaczy zu überschicken; in Hinsicht auf die Anfrage der Art, wie sich mit den badischen Begleitungstruppen allenfalls zu betragen sei, habe ich geantwortet, dass, da die ganze Sache im Erforderungsfall als ein Missverständniss anzusehen sei, auch alle Vorfälle mit fremden Truppen von diesem Gesichtspuncte betrachtet werden müssten; Rastatt aber werde kaiserlicherseits, wie es wegen Abberufung des Grafen von Metternich ersichtlich, nicht mehr als ein Ort betrachtet, den die Gegenwart eines Congresses vor feindlichen Ereignissen schützen könne, da durch die Abberufung unseres Gesandten jede dortige Verhandlung den Reichsgesetzen nach illegal sei; es sei also diese Stadt, wie jede andere, den Gesetzen des Krieges unterworfen[2].«

---

[1]) Bis hierher von der Hand des Adjutanten; das Folgende eigenhändig.

[2]) K. A. 1799. IV, 118. (Bisher secret gehalten.) Protokoll-Auszug bei Sybel, a. a. O., 19. April. Merveldt an Kospoth. Bericht wegen Aufhebung der Depeschen des holländischen und dänischen Gesandten. Lösung der von Barbaczy gestellten Frage.

FML. Kospoth antwortete auf dieses Schreiben am 20. April:

»Den gestrigen Rapport habe ich von E. H. nebst den beigelegenen Particularen erhalten und bin mit der Antwort, welche E. H. auf die Anfragen in Rücksicht der badischen Truppen gegeben haben, ganz einverstanden, überhaupt muss die Sache so eingeleitet werden, dass es als ein Missverständniss angesehen werde und Euer Hochwohlgeboren wollen diesfalls Jenen, die darum wissen, das geheimste Stillschweigen auf Ehre und Reputation auferlegen [1]).«

Diese Actenstücke bedürfen wohl keines Commentars; sie sprechen so deutlich als möglich dafür, dass es nur auf die Wegnahme des französischen Gesandtschafts-Archivs abgesehen gewesen sein kann. Wenn Barbaczy beauftragt worden wäre, die französischen Gesandten zu ermorden, hätte er denn überhaupt daran denken dürfen, die That auch in Rastatt selbst in voller Oeffentlichkeit ausführen zu lassen? Gewiss nicht; wohl aber konnte er, da Rastatt »nicht mehr als ein Ort betrachtet« wurde, »den die Gegenwart eines Congresses vor feindlichen Ereignissen schützen könne«, eine Hausdurchsuchung bei den Franzosen abhalten lassen, selbst gegen den Protest der badischen Besatzung. Denn dies konnte leicht durch »Missverständniss« entschuldigt werden — aber doch nicht ein Mord?

Entsprechend seiner Meldung vom 18. April liess Oberst Barbaczy nun seine Patrouillen auch gegen Rastatt streifen und am 22. April veröffentlichte die »Allgemeine Zeitung« darüber folgenden Bericht [2]):

»Heute Morgens ist zum ersten Male eine Patrouille von Szekler-Husaren, aus dem Murg-Thal kommend, auf der rechten Seite der Murg hart an der Stadt vorbei, durch die Vorstadt,

[1]) K. A. 1799. IV. 118. Donaueschingen, 20. April 1799. (Bisher secret gehalten.) Protokoll-Auszug bei Sybel, a. a. O.: 20. April. Kospoth an Merveldt. »Erklärt sich mit dieser Lösung ganz einverstanden.«

[2]) Allgemeine Zeitung, Nr. 112. vom 22. April 1799. Rastatt, 19. April.

das Calabrich genannt, über die Rheinau bis nach Plittersdorf geritten. Eine andere Patrouille ritt am linken Ufer am Wald her und lief mit der ersten zwischen Rheinau und Plittersdorf zusammen. Da dieses gerade die Strasse ist, von wo die französischen Couriere von Selz herkommen, so hört eo ipso die Correspondenz mit Frankreich auf, indem die Couriere gar leicht von diesen Patrouillen in Empfang genommen werden können. Während indess die Kaiserlichen auf dieser Seite so weit hervorgehen, kommen die Franzosen auf der Rheinstrasse von Kehl hieher mit ihren Patrouillen bis nach Iffezheim, eine Stunde von hier und sie haben gestern zu Hügelsheim, anderthalb Stunden von hier, den dortigen Geistlichen als Geisel mit sich abgeführt.«

Da die Postrouten über Kehl und Lörrach bereits seit längerer Zeit von den kaiserlichen Truppen abgeschnitten waren und die Briefschaften nunmehr nur noch über Selz befördert wurden, machten sich diese Streifungen bald in Rastatt selbst und bei den dort verbliebenen Gesandten bemerkbar.

Am 19. April wurde von einer Husaren-Patrouille bei Plittersdorf das Seil der Rheinfähre, auf welcher man die Correspondenz zwischen Selz und Rastatt beförderte, durchschnitten und zehn Landleute, die den Dienst der Schiffer versahen, gefangen genommen; an demselben Tage wurde der preussische Gesandte Jacobi, der dänische Gesandte von Rosenkrantz und der würzburgische Gesandte Graf Stadion, die es auch jetzt noch für zweckmässig fanden, in der Umgebung von Rastatt und bis gegen Plittersdorf hin spazieren zu reiten, angehalten, Letzterem auch die Papiere abgenommen. Eine vollständige Sperrung des Verkehres hatte jedoch noch nicht stattgefunden, noch am Nachmittag begab sich der französische Commandant von Selz selbst nach Plittersdorf und am Abend brachten sechs bewaffnete Franzosen ihren Gesandten in Rastatt Depeschen und ein Fässchen mit Geld[1]).

Wie sich aus dem Vorstehenden ergibt, sprechen also nicht nur die angeführten Actenstücke, sondern das Verhalten

[1]) Hüffer, Der Rastatter Congress und die zweite Coalition. II. 307. (Bonn 1879.)

der kaiserlichen Husaren selbst dafür, dass es auf die Wegnahme der Papiere abgesehen war; denn vom 19. April angefangen halten sie, allerdings in der höflichsten Weise und ohne den leisesten Versuch einer Gewaltthat, alle gesandtschaftlichen Personen an und nehmen denen, welche Papiere bei sich haben, diese ruhig, aber ohne ihre Proteste zu beachten, ab.

Der Vorfall vom 19. April veranlasste die französischen Gesandten zu einem energischen Protest gegen diese »Verletzung des Völkerrechtes und der öffentlichen Sicherheit, die beinahe unter den Augen des Friedens-Congresses begangen wurde«, ein Protest, der angesichts der Rechtswidrigkeiten und Eigenmächtigkeiten, die von Seite der Franzosen schon längst ungescheut verübt worden waren, verdient hätte, von der Reichs-Friedens-Deputation entsprechend zurückgewiesen zu werden. Dazu hätte sie freilich nicht noch immer unter dem Banne der französischen Vormundschaft stehen dürfen und so kam es, dass auf die übrigens unrichtige Darstellung der bekannten Vorfälle durch den französischen Legations-Secretär Rosenstiel[1]) und seine Aufforderung, zu erklären, »ob und was die Deputation für die so sehr verletzte Sicherheit des Congressortes thun könne«, der churmaynzische Staatskanzler zuerst den badischen Minister frug, »ob und was etwa schon badischerseits in der Eigenschaft als Ortsobrigkeit in dieser Sache geschehen und ob sich schon mit dem commandierenden k. k. Officier darüber benommen sei,

[1]) Dieser meldete dem Directorialis am 19. April, Rosenkrantz und Jacobi seien von den kaiserlichen Husaren »verhindert worden«, ihren Spazierritt fortzusetzen und von einem Husaren bis an die Stadtthore von Rastatt begleitet worden. Beide Gesandte berichtigten diese Angabe mit der Erklärung, dass sie weder verhindert worden, ihren Spazierritt fortzusetzen, noch von einem Husaren bis an die Stadtthore begleitet wurden. (Allgemeine Zeitung, Nr. 120, vom 30. April 1799.) Auch sonst verlautete über das Benehmen der Szekler-Husaren nur Günstiges. Als später darüber von Seite der badischen Landesbehörde Erkundigungen eingezogen wurden, sagte unter anderen der Schultheiss von Plittersdorf Franz Lorenz: »Er müsse bemerken, dass die Kaiserlichen nicht im Geringsten Excesse begangen hätten, sondern sich so höflich und artig betragen hätten, als er sie je gesehen hätte.« (Maynzer Diarium im k. und k. Haus-Hof- und Staats-Archiv.)

inwieweit die Facta der k. k. Husaren von diesem Officier avouiert würden oder nicht und wohin allenfalls seine Instructionen in Absicht auf die Sicherheit des hiesigen Congressortes giengen?« Als aber Edelsheim erklärte, »dass diese Erkundigungen badischerseits bis jetzt noch nicht eingezogen worden seien, indem man sie vielmehr für die Sache der Reichs-Deputation ansehe«, wurde beschlossen, ein Schreiben durch den Directorial-Secretär Freiherrn von Münch zu dem in Gernsbach befindlichen Obersten Barbaczy zu senden, »um sowohl schriftlich, als mündlich die nöthigen Erkundigungen über die ungestörte Sicherheit des ganzen hiesigen Corps diplomatique, nämlich der anwesenden Gesandten aller und jeder Mächte und Staaten, auch dero Gefolge und Correspondenz, dann, im Falle des Abreisens ein oder anderen solcher Gesandtschaften von hier, wegen des sicheren Fortkommens bis nach Hause verlässig einzuziehen[1]«.

Dieses Schreiben an Oberst Barbaczy lautet:

»Die Vorfälle, welche sich gestern in der Nähe von Rastatt zugetragen und die verschiedenen Störungen, welche einige Personen, die mit der Unverletzlichkeit des gesandtschaftlichen Charakters bekleidet sind, theils während ihres Spazierenreitens, theils in dem Laufe ihrer Correspondenz von einer dero Commando untergebenen Patrouille k. k. Husaren erlitten haben, nöthigen mich, Namens und auf Ersuchen des hier anwesenden gesammten Corps diplomatique, den churfürstlich maynzischen Hofrath Freiherrn von Münch an Euer Hochwohlgeboren abzuschicken und von Denselben eine beruhigende Aufklärung über die ungestörte Sicherheit des ganzen hiesigen Corps diplomatique, nämlich der anwesenden Gesandtschaften aller und jeder Mächte und Staaten, sammt deren Gefolge, auch ihrer Correspondenz, dann, im Falle des Abreisens einer oder der anderen solcher Gesandtschaften von hier, über deren sicheres Fortkommen bis nach Hause, mir eigens auszubitten.«

»Euer Hochwohlgeboren ersuche ich daher ergebenst, den gedachten Freiherrn von Münch, der dieses Schreiben zu überreichen die Ehre haben wird, diesfalls gefällig aufzu-

[1]) Conferenzbeschluss vom 20. April 1799.

nehmen und übrigens von der vollkommensten Hochachtung versichert zu sein, mit welcher ich bin etc.« [1])

Gleichzeitig mit der Vorstellung Albini's gieng auch ein »Promemoria« des General-Reichspostdirectors, Freiherrn von Vrints, an den Szekler-Obersten, in welchem jener, mit Hinweis auf die Unterbrechung der Postrouten über Freiburg und Kehl sich anfragte, »ob wir etwa durch einen diesseitigen Postbeamten die Post sowohl, als auch die übrige nachkommende, ohngefähr zwei- bis dreimal die Woche ohne Gefahr über Selz absenden und von Strassburg daher retour bringen könnten« und ob man diesfalls nicht eines Passes bedürfe [2]).

Ueber den Verlauf seiner Mission verfasste Freiherr von Münch folgende schriftliche Relation:

»In Gemässheit des mir in der heutigen Conferenz ertheilten Auftrages begab ich mich diesen Nachmittag zu dem k. k. Obersten des Szekler-Husaren-Regiments von Barbaczy, den ich zu Baden antraf und stellte demselben das Schreiben des Herrn Directorialen zu.«

»Er äusserte hierauf: dass er dieses Schreiben noch diese Nacht in originali an den General Görger, unter dessen Commando er stehe, nach Freudenstadt abschicken wolle, um es sodann morgen mit desto mehr Verlässigkeit beantworten zu können.«

»Auf meine verschiedentlich an ihn gemachten Fragen äusserte er, dass er nicht den ganzen Vorpostencordon, sondern nur jenen Theil desselben commandiere, der von seinem Regimente besetzt werde; dass er also auch nicht wissen könne, was andere Regimenter für Befehle in Absicht auf den Congress hätten; dass aber er seinesorts bis jetzt keinen Befehl habe, irgend eine gesandtschaftliche Person, zu welcher Nation sie immer gehöre, weder in, noch ausser Rastatt zu incommodieren oder anzuhalten,' oder einen Courier zu hemmen oder aufzuheben oder sonstige Correspondenz zu hindern; dass

---

[1]) Abschrift im k. und k. Haus-Hof- und Staats-Archiv.
[2]) K. A. 1799. IV, 138. Rastatt. 20. April 1799.

ihm die gestrigen Vorfälle sehr leid seien, dass aber dem Grafen Stadion seine Briefe bereits zurückgeschickt, Baron Jacobi und Rosenkrantz aber auf ihre nähere Erklärung, dass sie Gesandte seien, nicht weiter gestört worden seien; dass der Vorfall in der »Nache« (Fähre) zu Plittersdorf aus Irrthum und vorzüglich darum geschehen sei, weil ein auf eben dieser Nache herübergekommener Wagen mit Weinen von den Husaren für französisches Gut sei angesehen worden, da auch der Mann, der dabei gewesen, einen französisch geschriebenen Zettel bei sich gehabt habe, in welchem die Stelle vorkomme: des passeports des ambassadeurs de la République; dass der Husar nichts als das Wort République habe lesen können und daher geglaubt habe, dass diese Weine französisch seien; dass aber nach der vom Regiments-Auditor nachher vorgenommenen Untersuchung diese Weine als Privatgut anerkannt und auch ebenso, wie die zugleich mitarretierten Schiffleute, heute wieder unverletzt restituieret worden seien; dass übrigens keine gesandtschaftliche Person, die ausser der Stadt auf eine Patrouille stossen würde, irgend etwas zu befahren habe, dass aber, um allen langen Aufenthalt zu vermeiden, am räthlichsten sein würde, sich mit guten Pässen zu versehen; dass auch in Rücksicht der etwaigen Abreise eines oder des anderen Gesandten ihm am gerathensten scheine, wenn, um allen Unannehmlichkeiten auszuweichen und da ihm die Unverletzlichkeit gesandtschaftlicher Personen sehr wohl bekannt sei, man sich auf diesen Fall hin mit k. k. Escorten versehe; dass aber in seiner Macht nicht stehe, solche, wenn man dergleichen dermalen von ihm verlangen sollte, zu geben, indem er höheren Ortes zuerst angewiesen sein müsse. Der Oberst behielt sich übrigens bevor, in seinem Antwortschreiben an den Herrn Directorialen sich näher zu äussern [1]).«

Inwieweit Freiherr von Münch diese mündlichen Erklärungen Barbaczy's richtig wiedergegeben hat, lässt sich nicht controlieren, da die diesbezügliche Meldung des Obersten an GM. Görger nicht mehr erhalten ist; mit der schriftlichen

[1]) Allgemeine Zeitung, Nr. 115, vom 25. April 1799.

Antwort, die Oberst Barbaczy an den Freiherrn von Albini zu senden gedachte, war er im Allgemeinen einverstanden. »Anmit habe die Ehre,« so meldete GM. Görger an GM. Graf Merveldt, »des Herrn Obersten von Barbaczy von Szekler-Husaren Schreiben sammt Beilagen Euer Hochgeboren zu unterlegen[1]). Indessen habe ich demselben geantwortet, dass er wohl thun wird, dem Herrn von Albini so, wie er Willens war, diese Antwort zu geben, jedoch wäre es nicht nöthig, von einem Befehl zu sprechen, sondern für sich diese Antwort zu ertheilen[2]).«

Das Schreiben Barbaczy's an Albini lautet:

»Auf den mir durch den Herrn Hofrath Freiherrn von Münch zugemittelten Erlass vom 20. dieses Monats bedauere ich, meinem Dienste gemäss ergebenst erwidern zu müssen, dass ich in gegenwärtigen Kriegsumständen, wo des Militärs und der hiesigen Gegend eigene Sicherheit das Patrouillieren in und um Rastatt erheischt, keine beruhigende Aufklärung über die ungestörte Sicherheit des dortigen hochansehnlichen diplomatischen Corps ertheilen kann, indem Rastatt durch die Abberufung Seiner Excellenz des kaiserlichen Plenipotentiarius unsererseits für keinen Ort mehr betrachtet wird, den die Gegenwart eines Congresses vor feindlichen Ereignissen schützen könnte; daher diese Stadt selbst, wie jeder andere Ort, sich nach den Gesetzen des Krieges zu fügen für nöthig erachten muss.«

»Im Uebrigen geruhen Eure Excellenz versichert zu sein, dass, ausser einem Kriegsnothfalle, dem diesseitigen Militär die Pflicht der persönlichen Unverletzbarkeit stets heilig bleiben und ich insbesondere mich stets bestreben werde, in tiefster Ehrfurcht zu sein etc.

Stabsquartier Gernsbach, 22. April 1799[3]).«

---

[1]) Diese Schriftstücke sind, wie erwähnt, nicht mehr erhalten.

[2]) K. A. 1799. IV, 118. Freudenstadt, den 21. April 1799. (Bisher secret gehalten.) Protokoll-Auszug bei Sybel, a. a. O.: 21. April. Görger an Merveldt. Die dem Freiherrn von Albini durch Barbaczy zu ertheilende Antwort betreffend.

[3]) Protokoll der Reichs-Friedens-Deputation zu Rastatt. Herausg. von Münch-Bellinghausen. VI. Band. 117.

Bezüglich der Anfrage des Freiherrn von Vrints befahl FML. Kospoth, den Postcurs von Rastatt über Selz absolut nicht zu gestatten, da »dieser Curs der schädlichste sei« . . . »denn nicht nur, dass der Zusammenfluss von allen Nachrichten nach Rastatt kommt, sondern er geht auch auf dem kürzesten Wege weiter [1])«.

---

[1]) K. A. 1799. IV, 138. Kospoth an Erzherzog Carl und an GM. Merveldt. Donaueschingen, 23. und 24. April 1799.

Sybel erwähnt (Deutsche Rundschau. III/1, S. 64) eine Meldung Kospoth's vom 23. April, worin von sechs »verdächtigen« emigrierten Geistlichen die Rede ist und fragt, ob diese etwa die Husaren gegen die Jacobiner gehetzt? Die unter dieser Frage verborgene, aber verständliche Vermuthung Sybel's ist ganz falsch. Diese sechs Geistlichen wurden nämlich verdächtigt, im französischen Interesse Spionendienste zu leisten. Die bezügliche Meldung des Lieutenants Wilkocz vom Freicorps Wurmser, der die Aufmerksamkeit seiner Vorgesetzten auf diese Geistlichen lenkte, denen übrigens nichts Böses nachgewiesen werden konnte, lautet: »Aus zuverlässlichen Nachrichten von Leuten, die ich nicht entdecken darf, sind zu Ober- und Niederhausen sechs emigrierte Geistliche aus Elsass, die unsere Armee beobachten und von allen unseren Bewegungen, Vorfallenheiten und Stärke Nachricht geben. Alle Sonn- und Feiertage, auch sonst, werden sie von den Elsässern besucht, unter dem Vorwand, Messe zu hören, die die Nachrichten nach Elsass bringen, wo der Feind davon einen Gebrauch machen kann. Die sechs emigrierten Geistlichen aber haben durch ihr Schmeicheln sich bei den dortigen Einwohnern in solchen Credit gesetzt, dass man ihre Ehrlichkeit wird bestätigen wollen, aber nichts desto weniger sind sie feindliche Kundschafter zuverlässlich und um desto mehr, da sie gerade zwischen Kehl und Breisach ihren Wohnsitz gewählt haben, welches ich nicht ermangle, gehorsamst vorzustellen.« Zugleich verzeichnete der Lieutenant die »Namen der emigrierten Geistlichen und ihren Aufenthalt. Zu Oberhausen: Der Erzpriester, dessen Namen aber unbekannt ist, wohnt bei Johann Ferster. Der Rector wohnt bei Maader Jäger. Kaffer wohnt beim alten Vogt zu Niederhausen. NB. Pellert, ein besonders Verdächtiger, wohnt beim jungen Bernhard Stelli. Deckert wohnt bei Müller Andrest oder Scheurstein.« (K. A. 1799. IV, 138, bisher secret gehalten.) Der etwas animose Uebereifer des Lieutenants ist einigermassen motiviert durch den Umstand, dass Wilkocz reformierter Confession war. FML. Kospoth verfügte in Folge dieser Meldung am 24. April: »Die in Ober- und Niederhausen befindlichen sechs französischen Geistlichen sind ohne Weiteres hinter die Vorposten zu schaffen und hieher zu begleiten, wo sie sodann weiter in das Land einen Pass erhalten werden.« (An GM. Merveldt. K. A. 1799. IV, 138. Bisher secret gehalten.) Dass diese Geistlichen in keinen, wie immer gearteten Zusammenhang mit dem Gesandten-Mord gebracht werden können, ist wohl klar.

Als Ueberbringer des Schreibens Barbaczy's an Freiherrn von Albini ritt am 22. April ein Officier mit drei Husaren in den Rastatter Schlosshof zum grossen Erstaunen der Menge und zum Schrecken der französischen Bedienten, die zum Theil eiligst ihre republikanischen Cocarden abrissen[1]).

An GM. Görger meldete Barbarczy über den Eindruck dieser Mittheilung auf die fremden Gesandten: »An den Freiherrn von Albini habe ich gestern die Antwort bekanntermassen durch einen Officier zugesendet, welcher es sehr gut aufgenommen und mündlich versichern liess, er sei froh, eine Ursache zu haben, fortkommen zu können. Heute wird es den übrigen Gesandten des Reiches communiciert, welche insgesammt wegzugehen gedenken; Würzburg, Sachsen und Bremen haben auch schon Befehl ihrerseits zur Abreise erhalten. Der sächsische hat gestern schon seine Abschiedsvisite gemacht; Würzburg geht Donnerstag weg. Den französischen soll es heute auch mitgetheilt werden, dass Alles weggeht; die Franzosen sollen aber neuerdings Befehl erhalten haben, nicht wegzugehen. Nun steht zu erwarten, was geschieht; ich lasse heute geflissentlich eine Patrouille gegen Rastatt gehen, um sie einzuschläfern und desto sicherer meinen Zweck erreichen zu können, woran ich aber stark zweifle[2]).«

Thatsächlich hatten die genannten Gesandten bereits Tags vorher ihre baldige Abreise angezeigt, wodurch dann für die Deputation auch die zur Beschlussfassung nöthigen zwei Drittel der Stimmen verloren giengen. Die Franzosen jedoch erklärten, »dass sie nur mit Gewalt sich von hier wegtreiben lassen würden; dass das Schreiben des Obersten Barbaczy ihnen dazu noch nicht hinreiche, sondern dass sie wünschten, man möchte wegen der Sicherheit des Congressortes sich an den Erzherzog wenden. Directorialis Albini suchte ihnen aber begreiflich zu machen, dass der Oberst selbst dem von Münch gesagt habe, er werde höheren Ortes Instruction

---

[1]) Hüffer, Diplomatische Verhandlungen aus der Zeit der französischen Revolution. III/2, 309.

[2]) K. A. 1799. IV, 135. Meldung Barbaczy's vom 23. April. (Bisher secret gehalten.) Protokoll-Auszug bei Sybel: »23. April. Görger an Merveldt. Auszug aus dem Berichte Barbaczy's über die Abreise der französischen Gesandten.«

einholen; dass also seine Erklärung als das Resultat bereits geraumer Zeit präparierter eventueller Weisungen anzusehen sei, über welche dem Obersten gewiss kein Dementi werde gegeben werden; dass es gegen die Würde der französischen Republik und ihrer Repräsentanten sei, sich weiteren persönlichen Unannehmlichkeiten auszusetzen; dass endlich, da Rastatt die, Congressorten eigene Sicherheit von den k. k. Truppen nicht mehr zu geniessen haben und sogar von der persönlichen Unverletzlichkeit, der Kriegsnothfälle (wegen) ausgenommen sein sollte, diese Erklärung allerdings für eine Handlung der Gewalt gelten könne, die sie nach ihren Instructionen autorisiere, den Congress zu verlassen [1]). Die Franzosen, besonders Bonnier, schienen die Richtigkeit dieser Erklärungen einzusehen, doch beantworteten sie dieselben formell erst am 25. April, nachdem bereits zwei Tage früher alle noch in Rastatt anwesenden Gesandten, mehr oder minder bereitwillig, der förmlichen Auflösung des Congresses zugestimmt. In ihrer Schlussnote vom 25. April protestierten die französischen Gesandten gegen die durch das Vorgehen des österreichischen Obersten bewirkte Verletzung völkerrechtlicher Bestimmungen, zeigten aber gleichzeitig an, dass sie in drei Tagen Rastatt verlassen würden. »Um Deutschland,« so schloss ihre Note, »einen letzten und leuchtenden Beweis von der Langmuth und Friedensliebe der französischen Regierung zu geben, wollen sie sich nach Strassburg begeben und dort die Wiederaufnahme der Verhandlungen und etwaige Friedensanträge erwarten [2]).«

An Oberst Barbaczy waren in diesen Tagen keine weiteren Instructionen ergangen; nur in einer Zuschrift des FML. Kospoth an GM. Merveldt vom 24. April findet sich folgende, auf den Obersten bezügliche Stelle:

»Wegen des Schreibens des Herrn Oberstlieutenant Mayer ist dem Barbaczy gute Aufmerksamkeit anzuempfehlen, dass nichts, während als man Proclamationen macht, heimlich entwische [3]).«

[1]) Haus-Hof- und Staats-Archiv. Diarium des Directorialis Albini.
[2]) Reuss, Deutsche Staatskanzlei. Jahrg. 1799. II. Band, S. 169 bis 174.
[3]) K. A. 1799. IV. 138.

Noch an demselben Tag meldete GM. Merveldt zurück, er habe den Befehl wegen »Hintertreibung der Post von Rastatt auf Selz erhalten [1]) und werde selben auf das Strengste befolgen« und fügte dem bei, »dass man von Rastatt nicht viel werde schreiben können, da unsere Posten auf allen Seiten um diesen Ort stehen«. Der Schluss dieser Meldung lautet: »Dem Herrn Obersten Barbaczy habe ich bereits alle Vorsicht aufgetragen [2]).«

Die Krankheit des Erzherzogs Carl hatte inzwischen einen ebenso raschen, als glücklichen Verlauf genommen; am 26. April übernahm er wieder in aller Form den Oberbefehl, nachdem er bereits schon einige Tage früher wieder mit dienstlichen Angelegenheiten beschäftigt gewesen war.

Bezüglich des Ansuchens des Freiherrn von Vrints hatte FML. Kospoth am 23. April dem Erzherzog gemeldet, mit dem Beifügen: »Ich glaube, dass dieser Curs der schädlichste sein dürfte, daher werde allsogleich den Befehl ertheilen, solchen nicht zu gestatten, ausser ich erhielte von Ihro königlicher Hoheit den höchsten Befehl dazu [3]).«

Auch bezüglich des Schreibens Albini's an Barbaczy [4]) scheint Kospoth sich beim Erzherzog angefragt zu haben, denn am 24. theilt er dem GM. Merveldt mit: »Wegen dem Brief des Ministers Albini an Herrn Obersten Barbaczy habe ich mich bei Sr. k. Hoheit angefragt und ich erwarte heute hierüber die höchste Entscheidung [5]).«

Die Antwort des Erzherzogs auf diese Anfragen lautet folgendermassen [6]):

---

[1]) Siehe S. 58.

[2]) K. A. 1799. IV. 140. Merveldt an Kospoth, Hornberg. 24. April. (Bisher secret gehalten.) Protokoll-Auszug bei Sybel. 24. April. Merveldt an Kospoth. Dem Obersten Barbaczy ist die Beobachtung aller Vorsicht aufgetragen worden.

[3]) K. A. 1799. IV. 138.

[4]) Siehe Seite 54.

[5]) Eine derartige Anfrage kommt in den vorhandenen Acten jedoch nicht vor.

[6]) Haus-Hof- und Staats-Archiv. Erzherzog Carl an FML. Kospoth. 25. April 1799.

»Die Meldung des Herrn Feldmarschall-Lieutenants vom 23. dieses habe ich erhalten. Hierauf erwidere ich, wie ich den Befehl, welchen dieselben wegen Hemmung des Postcurses von Rastatt nach Selz erlassen haben, für ganz zweckmässig und der Sache angemessen finde.«

»In der Anlage schliesse ich den Entwurf eines Antwortschreibens bei, sowie der Herr Oberst von Barbaczy dem churmaynzischen Minister Freiherrn von Albini allenfalls zugehen lassen kann[1]).«

»Es dürfte übrigens auch ganz zweckmässig sein, den Herrn Obersten weiter vorgehen zu lassen und nachdem derselbe in Rastatt selbst Posto gefasst haben würde, so könnte er alsdann gegen die dort befindlichen französischen Minister mit der Erklärung vorangehen, dass man in dem Bezirke der diesseitigen Armee keine französischen Bürger dulden könne, diese sich also innerhalb einer kurzen Frist (etwa von 24 Stunden) von dort zu entfernen hätten.«

»Der Herr Feldmarschall-Lieutenant wollen jedoch dem Herrn Obersten alle mögliche Vorsicht und Klugheit bei der Ausführung dieser Sache anempfehlen.«

An demselben 25. April, an welchem dieses Schreiben erlassen wurde und an welchem die französischen Gesandten sich zur Abreise aus Rastatt entschlossen, wurde zum ersten Mal

---

[1]) Dieses Schreiben, das durch die Antwort Barbaczy's an Albini (vom 22. April) überholt war und deshalb nicht benützt wurde, lautet:

»Auf die geehrte Zuschrift Euer Excellenz vom 20. dieses in Ansehung einiger Störungen, welche Personen aus Rastatt von einer unter meinem Commando stehenden Patrouille erfahren haben sollten, gebe ich mir die Ehre, denselben zu erwidern, wie ich den bestimmtesten Auftrag habe, den Feind so weit zu verfolgen und aufzusuchen, als es nur immer möglich ist.«

»Da ich mich hierin nach meinen Instructionen benehmen muss, so kann und darf umso weniger etwas Anderes bei mir in Anschlag kommen, als die von französischer Seite eröffneten Feindseligkeiten in vollem Gange sind und hierdurch der Zustand der Dinge zwischen Frankreich und Deutschland wieder auf den Fuss hergestellt worden ist, wie er vor dem Anfang der Friedensunterhandlungen war.«

»Ich benütze übrigens diese Veranlassung, Dieselben von der vollkommensten Hochachtung zu versichern, womit u. s. w.«

ein gesandtschaftlicher Courier von den Streifpatrouillen Barbaczy's aufgehoben.

»Der diesseitige Corporal Nagy Moyzes,« so meldete Oberst Barbaczy hierüber am 26. April, »hat den von der französischen Gesandtschaft von Rastatt nach Strassburg abgesendeten Courier eben bei Plittersdorf an der Rhein-Ueberfahrt angehalten und denselben, sowie seine Depeschen, die ich hier in der Anlage zu verzeichnen nicht säume[1]), anher gesendet. Ich liess unverzüglich den Courier durch den Regiments-Auditor vernehmen und nach eingeholter Aussage, dass er Mayer heisse, von Strassburg gebürtig sei und zur Transportierung der Depeschen von der französischen Gesandtschaft als Courier verwendet werde, liess ich denselben in Sicherheit verwahren; die consignierten Depeschen säume ich aber nicht, wohlversiegelter einer löblichen Brigade zur weiteren höheren Einbeförderung zu unterlegen und nur die nöthigen Befehle einstweilen auszubitten, was mit der Person des Couriers zu thun sei.

Gernsbach, den 26. April, um 1 Uhr nach Mitternacht, 1799[2]).«

Zur selben Zeit gelang es einer andern Abtheilung Barbaczy's, drei Schiffe mit Verpflegsvorrath aufzuheben. Die bezügliche Meldung des Obersten lautet:

»Da gestern der Rapport einlief, dass drei Schiffe mit Proviant von unten hinauf gegen Strassburg fahren und als heute den engen Rheinpass bei Hügelsheim passieren werden, liess ich dahin ein Commando abgehen, welches ich durch ein anderes gegen Stollhofen decken liess. Die Schiffe sind richtig arretiert, aber meistens Kaufmannwaaren; der Schiffer hat alle

[1]) Das Verzeichniss lautet: »Consignation jener am 25. Nachts dem französischen Courier bei Plittersdorf an der Rhein-Ueberfahrt abgenommenen Briefschafts-Paqueten. Sub Nr. 1 und 2 sind zwei unter der Adresse à Monsieur le Directeur des Postes à Strassbourg unter republikanischem Sigill enthaltene Paquete. Sub Nr. 3, 4, 5, 6 sind unter Rastatter Reichspost-Sigill nach Strassburg adressierte vier Paquete. Sub Nr. 7 ein Paquet nach Basel eben unter Rastatter Reichspost-Sigill. Sub Nr. 8 ein Pass vom Reichspostamt zu Rastatt.

Gernsbach, den 26. April 1799.«

[2]) K. A. 1799. IV. 118. (Bisher secret gehalten.)

hier beigeschlossenen Pässe und Frachtbriefe ausgehändigt; die Waaren lasse ich eilends hereinführen und erwarte hierüber den ferneren Befehl. Da es nach Frankreich gehet, so konnte ich es, wenn es auch einem Particulier gehört, nicht passieren lassen; es sind dabei, wie man berichtet, 100 Fässer Gries, welche leicht zur Verproviantierung gehören können, nebstdem Mehl, Zucker, Baumwolle und andere verschiedene derlei Waaren. Ich erwarte den ferneren Befehl, was damit zu machen sei, ob alles hier veräussert und der Mannschaft gegeben werden soll, oder ob die 100 Fässer Gries als ein Proviantgut nach Freudenstadt geliefert werden sollen, oder was damit überhaupt zu thun sei. Beigeschlossenes Schreiben an Se. königliche Hoheit hat ein nassauischer Regierungs-Präsident zur weiteren Beförderung anher gebracht; es ist nicht pressant, der Fürst empfiehlt nur seine Unterthanen von Lahr Sr. königlichen Hoheit. Was ich gestern schrieb, dass Truppen in Beinheim sich versammeln, ist nur insoweit gegründet gewesen, dass selbe übernachteten und weiter den Rhein hinaufgiengen, wie schon überhaupt bis 10.000 Mann hinaufwärts sollen gegangen sein.«

»Ich habe Rothenfels mit einem Zug verstärkt, um bei jetzigen Umständen mehr am Rhein patrouilliren zu lassen und die Absicht desto sicherer erreichen zu können.

Gernsbach, 25. April 1799[1]).«

GM. Görger sandte diese Meldungen und die aufgefangenen Briefschaften mit kurzer unbedeutender Einbegleitung an GM. Merveldt; am Rande des Einbegleitungsschreibens aber notierte er eigenhändig: »Die Correspondenz der französischen Deputierten ist gewiss dieses mit dem republikanischen Sigill petschierte Paquet.« GM. Merveldt sandte Alles an FML. Kospoth und bat, die Befehle bezüglich des arretierten Couriers »zur Gewinnung der Zeit« dem GM. Görger »directe zukommen machen zu wollen[2])«. FML. Kospoth meldete über den Vorfall:

---

[1]) K. A. 1799. IV. 118. (Bisher secret gehalten.)

[2]) K. A. 1799. IV. 118. (Bisher secret gehalten.) Protokoll-Auszug bei Sybel: »26. April. Görger an Merveldt und dieser an Kospoth. Betreffend die Arretierung des französischen Couriers. Wegnahme seiner Depesche. Beschlagnahme dreier französischer Schiffe.«

»Durch diesen Herrn Officier habe ich die Gnade, Euer königlichen Hoheit fünf Paquete Briefe, welche am 26. in der Nacht bei Plittersdorf sammt dem Courier von Szekler-Husaren aufgefangen wurden, in aller Unterthänigkeit zu überschicken. Das Paquet recommandiert[1]) habe ich nur obenhin für bedeutend gehalten und bitte Euer königliche Hoheit, solches vorzüglich durchlesen zu wollen. Dann hat der Oberst Barbaczy drei Schiffe mit Kaufmannswaaren bei Hügelsheim am Rhein aufgefangen, die Waaren einstweilen in Beschlag genommen und folgende sub Tit. A. beiliegende Documente[2]) den Schiffleuten abgenommen. Ich bitte über diese beiden Prisen Euer königlichen Hoheit höchste Entscheidung[3])«.

Die Arretierung dieser Schiffer war eine zu Kriegszeiten selbstverständliche Massregel, der Vorfall mit dem französischen Courier aber, wie Freiherr von Helfert sehr richtig bemerkt[4]), »nur ein Seitenstück zu jenem, das sich mehr als anderthalb Monate früher mit der kaiserlichen Stafette zwischen Durlach und Bruchsal ereignet hatte, mit dem grossen Unterschiede jedoch, dass man sich damals noch förmlich im Frieden befunden hatte, während seither der Krieg längst erklärt war, wo es zu den ganz gewöhnlichen Vorsichten gehörte, feindliche Depeschen und Couriere nicht durch die eigene Vorpostenlinie zu lassen«. Trotzdem ermangelten die französischen Gesandten nicht, über den Vorfall Lärm zu schlagen und ersuchten die preussische Gesandtschaft um Vermittlung. Zwei Mitglieder derselben, die Herren

---

[1]) Im Original unterstrichen.

[2]) Pässe und Frachtbriefe der Schiffer.

[3]) K. A. 1799. IV, 118. Kospoth an den Erzherzog. Donaueschingen, 27. April. Sybel verzeichnet in seinem Aufsatz in der »Deutschen Rundschau« noch folgenden Protokoll-Auszug: »27. April. Kospoth an den Erzherzog. Barbaczy meldet die nahe Abreise der Franzosen.« Ein derartiger Auszug befindet sich in dem Protokoll überhaupt nicht, ebensowenig ein Actenstück, in welchem FML. Kospoth dem Erzherzog am 27. April irgend etwas über die Abreise der Franzosen meldet. Die einzige unter den Papieren befindliche Meldung des FML. Kospoth an Erzherzog Carl vom 27. April ist die oben wörtlich angeführte. Sybel scheint sich mit dem 29. geirrt zu haben. S. S. 69.

[4]) a. a. O., 90.

Jacobi und Dohm, fragten hierauf bei den badischen Subdelegierten an, ob und inwieweit sie an eventuellen Schritten theilzunehmen gedächten, worauf man übereinkam, den preussischen Legationsrath von Bernstorff und den badischen Landvogt von Drais nach Gernsbach abzusenden und nicht nur die Freilassung des Couriers, sondern auch Garantien für die sichere und ungefährdete Abreise der französischen Bevollmächtigten zu verlangen. Der badische Staatsminister von Edelsheim theilte diesen Entschluss den Letzteren mit und da diese seine persönliche Mitwirkung wünschten, begab er sich selbst an Stelle von Drais' am 26., Früh 5 Uhr, mit dem Grafen Bernstorff nach Gernsbach [1]).

Noch bevor diese Herren in das Stabsquartier des Szekler-Obersten abgiengen, hatte Freiherr von Albini, in der Nacht vom 25. zum 26. April, ein Schreiben an Barbaczy gesandt, in welchem er die Erwartung aussprach, der Oberst werde den Courier sammt den abgenommenen Briefschaften sofort freigeben und der französischen Gesandtschaft überhaupt die ungestörte Sicherheit während der noch wenigen Tage ihres Aufenthaltes in Deutschland angedeihen lassen [2]).

Oberst von Barbaczy beantwortete dieses Schreiben kurz und bündig: »Da Unterzeichneter die Arretierung des französischen Couriers sowohl, als auch dessen Briefschaften seiner höheren Militärbehörde als einen Vorpostensvorfall anzeigen musste, so findet er sich in dem Augenblick ausser Stand, dem diesfalls gnädigst geäusserten hochverehrlichen Wunsche E. E. befriedigende Folge leisten zu können.

Gernsbach, den 26. April 1799 [3])«.

Dieser Antwort entsprechend war auch der Empfang, den Edelsheim und Bernstorff am 26. April bei Barbaczy fanden; er berief sich auf die erhaltenen Befehle, erklärte, über den Vorfall seinen Vorgesetzten berichten und

---

[1]) Subdelegations-Bericht vom 26. April 1799. Obser. a. a. O., 216.

[2]) Das Schreiben Albini's in »Authentischer Bericht von dem an der Friedens-Gesandtschaft bei ihrer Rückreise von dem Congress in der Nähe von Rastatt verübten Meuchelmord«. 1799.

[3]) Nach einer Copie im k. und k. Haus-Hof- und Staats-Archiv.

deren Ordre abwarten zu wollen und als der preussische Legationsrath immer lebhafter in ihn drang, fertigte er den zudringlichen Herrn »in sichtbarer Laune« mit den Worten ab: »Mit Ihnen habe ich mich nicht einzulassen, ich mag mit Ihnen nicht reden![1])«

Erzherzog Carl war mit dem Vorgehen des Obersten Barbaczy ganz einverstanden. »Auf des Herrn Feldmarschall-Lieutenants Bericht von gestern,« schrieb er am 28. April an Kospoth[2]), »erwidere ich, dass die Weisung an den Herrn Obersten Barbaczy ganz zweckmässig ist, in deren Gemässheit er sich in keine diplomatischen Schreibereien einzulassen, sondern sich lediglich auf die an die Hand gegebene Erklärung zu beschränken habe«.

»Der Herr Oberst kann auf die Fragen, welche allenfalls an denselben wieder gestellt werden sollten, die Antwort geben, dass die Rückkehr der französischen Gesandten nach Frankreich ungehindert und sicher geschehen werde, nur könne man diesseits kein längeres Verweilen in dem Bezirk der diesseitigen Armee dulden.«

»In Hinsicht der Correspondenz der französischen Minister darf keineswegs eine beruhigende Zusicherung gegeben werden, vielmehr ist aller Bedacht dahin zu nehmen, sich der Paquete habhaft zu machen und dieselben, sowie gestern geschehen ist, hieher einzuschicken.«

Dieses Schreiben des Erzherzogs ist von ganz besonderer Wichtigkeit. Es lässt, wie schon Hüffer[3]) hervorhebt, genau die Grenze erkennen, »bis zu welcher der Erzherzog zu gehen sich berechtigt glaubte. Er will die französischen Gesandten nicht länger in Rastatt und keine Correspondenz zwischen ihnen und Frankreich ferner dulden. Unzweifelhaft war er in dieser doppelten Hinsicht vollkommen berechtigt. Kein Feldherr wird gestatten, dass innerhalb seiner Heereslinien eine ganze Vereinigung feindlicher Personen sich frei

---

[1]) Authentischer Bericht. Obser, a. a. O., 216. — Helfert, a. a. O., 91.

[2]) Haus-Hof- und Staats-Archiv. Beilage zu einem Schreiben an Graf Lehrbach.

[3]) Rastatter Gesandten-Mord, 36.

bewege, im nächsten, ununterbrochenen Verkehr mit der feindlichen Truppenmacht, welcher sie jederzeit Nachricht geben, deren Bewegungen sie bestimmen kann. Der Erzherzog war so vollkommen von seiner Berechtigung überzeugt, dass er ohne Bedenken die interessantesten der dem Courier abgenommenen Briefschaften dem Kaiser nach Wien schickte«.

Aber in diesem Schreiben spricht der Erzherzog auch in der bestimmtesten Weise den Befehl aus, »dass die Rückkehr der französischen Gesandten nach Frankreich ungehindert und sicher« zu geschehen habe — und die Generale Kospoth, Merveldt, Görger und Schmidt sollen geplant haben, diesem wiederholt ausgesprochenen Befehl schnurstracks entgegen zu handeln; sollen geplant haben, die französischen Gesandten ermorden zu lassen?

Trotz der wenig beruhigenden Nachrichten, die Edelsheim und Bernstorff von ihrem Besuche bei dem Szekler-Obersten nach Rastatt zurückgebracht hatten und trotzdem Edelsheim und andere Subdelegierte den französischen Gesandten riethen, nicht früher abzureisen, bevor nicht eine neuerliche beruhigende Antwort von Seite Barbaczy's eingetroffen sei, bestanden diese auf ihrem Vorsatz, unter jeder Bedingung nur bis 28. April in Rastatt zu verbleiben, erklärten aber endlich, »die Antwort abzuwarten, wenn man sie schriftlich darum ersuche, somit ihnen einen Beweis an die Hand gebe, dass sie nicht aus eigener Bewegung, sondern auf die Vorstellung von Anderen ihren Entschluss geändert hätten [1])«.

Merkwürdiger Weise aber hatten zu diesem gewünschten schriftlichen Ersuchen gerade die preussischen Gesandten, die sonst jedem Wunsche der französischen Collegen willig entgegenkamen, »keine sonderlichen Lusten [2])«. Die Franzosen blieben demnach bei ihrem Entschluss, am 28. April abzureisen, auch wenn bis dahin keinerlei Antwort von Barbaczy käme.

Während der ganzen Zeit, da das Corps des FML. Kospoth seine neue Bestimmung erhalten hatte, war es wieder-

---

[1]) Subdelegierten-Bericht, 27. April 1799. Obser, a. a. O., 217.

[2]) Ebenda.

holt zu Zusammenstössen zwischen seinen Vortruppen und denen der Franzosen gekommen. Besonders seit Mitte April mehrten sich diese Gefechte und Scharmützel, an welchen nach und nach, veranlasst durch die barbarischen Bedrückungen der Franzosen, auch das badische Landvolk an der Seite der österreichischen Truppen theilnahm, so am 20. bei Birkenau, am 21. bei Oberkirch, am 22. bei Offenburg. Am 25. April aber schrieb FML. Kospoth an GM. Merveldt: »Es dürfte leicht geschehen, dass die französischen Gesandten zu Rastatt für ihre eigene Sicherheit einige Truppen von Kehl dahinziehen; darauf wollen E. H. eine besondere Aufmerksamkeit richten, um es in Zeiten zu erfahren, denn vielleicht dürfte dies eine günstige Gelegenheit geben, dass Sie etwas Sicheres gegen Offenburg und dortige Gegend unternehmen könnten[1]«. Am 28. liefen von verschiedenen Seiten Meldungen ein, dass der Feind Truppen gegen die Schweiz sende, dass er die Gegend von Mannheim räume und dass von Hüningen, Alt-Breisach und Kehl aus Demonstrationen gegen die Truppen Kospoth's geplant würden[2].

Gleichzeitig mit diesen Meldungen traf auch die Nachricht ein, dass die französischen Gesandten Rastatt zu räumen entschlossen seien.

»Nach einem eben erhaltenen Bericht vom Herrn Obersten Barbaczy,« so meldete FML. Kospoth am 29. April, »sollen die französischen Gesandten Montags, als heute den 29., von Rastatt abgehen[3], und zwar mit einer Bedeckung, vermuthlich einer badischen. Gestern sollen in Selz acht Kanonen zur Deckung ihrer Abreise angelangt sein. Die Sensation, welche die Wegnahme des Couriers in Rastatt verursacht, soll ausserordentlich gewesen und von den meisten Gesandten sehr übel aufgenommen worden sein. Dem französischen Gesandten hat der churmaynzische Minister Freiherr

[1]) K. A. 1799, IV, 118. (Bisher secret gehalten.)

[2]) K. A. 1799, IV. 156. Meldungen Gyulay's und Görger's. (Bisher secret gehalten.)

[3]) (Bisher secret gehalten.) Protokoll-Auszug bei Sybel: »29. April. Kospoth an den Erzherzog. Barbaczy meldet, dass die französischen Gesandten heute aus Rastatt abgehen wollen, mit Pässen Albini's.« Die diesem Auszug beigefügte Vermuthung Sybel's, dass in der Meldung der 28. und nicht der 29. stehe, ist falsch.

von Albini Pässe als kaiserliche geheime Räthe und churmaynzische Minister zur Abreise ausgestellt [1])«.

Nach Erhalt des erzherzoglichen Befehles vom 25., den französischen Gesandten mitzutheilen, dass sie binnen 24 Stunden Rastatt zu verlassen hätten, verlegte Oberst Barbaczy sein Hauptquartier am 28. von Gernsbach nach Rothenfels. Gegen 2 Uhr Nachmittags erhielt Oberst Barbaczy, wie er später angab [2]), »von drei Seiten die Nachricht, dass ich den kommenden Montag ganz sicher von den Franzosen angegriffen werden solle, welche nichts weniger als die Plünderung Rastatt's und überhaupt des ganzen Murg-Thales zur Absicht hätten. Ich begab mich über dieses gleich selbst zu Pferd auf meine äussersten Vorposten und ertheilte dem Rittmeister Burkhard [3]) den Befehl, nach Rastatt noch am nämlichen Tag vorzurücken, die Stadt zu besetzen und sowohl gegen Plittersdorf, als Stollhofen Patrouillen zu senden; auch schrieb ich nicht nur an Herrn General-Feldwachtmeister von Görger, sondern auch an den Herrn Obersten von Egger vom 13. Dragoner-Regiment, welches von Bercsényi, Saxe, Latour und Coburg zusammengesetzt ist, damit mir von diesen Beiden Verstärkung zugeschickt werde und sie überhaupt auf ihrer Hut sein möchten«.

Rittmeister Burkhard, der vor seinem Abrücken nach Rastatt einen Officier dahin voraussandte, um dem badischen Minister Edelsheim und dem dortigen Militär-Commandanten die bevorstehende Besetzung der Stadt durch österreichische

[1]) K. A. 1799. IV, 156. Kospoth an Erzherzog Carl. Rottweil, 29. April.

[2]) Gerichtliche Aussage.

[3]) Ludwig Burkhard, in Kitzingen in Bayern geboren, bei 50 Jahre alt, protestantisch, war als Fourier bei den Szekler-Husaren freiwillig eingetreten und nun seit 13 Jahren Rittmeister. Er commandierte die 1. Escadron. Seine Conduite-Liste besagt: Hat Beihilfe: etwas; Gesundheits-Umstände: gute; Gemüthsbeschaffenheit: gute; natürliche Talente: gute; redet Sprachen: deutsch, etwas ungarisch, walachisch; Kenntnisse: in der Historie; Lebensart mit dem Civil: gut; im Regiment: gut; mit seinen Untergebenen: gut; Eifer und Application: hinlänglich; guter Wirth: ja; dem Trunke ergeben: nein; Spieler: nein; Schuldenmacher: nein; Zänker: nein; sonst im Dienst: eifrig; verdient das Avancement: ja; wie oft praeteriert: keinmal.

Truppen anzuzeigen[1]), traf gegen 7 Uhr Abends in Rastatt ein und liess seine Escadron vor dem Ettlinger Thor lagern; er selbst quartierte sich in dem etwa zwanzig Schritte von der Stadt gelegenen Wirthshaus »Zur Laterne« ein. Die Ausgänge der Stadt wurden durch Posten besetzt, zu den Thorwachen kamen nebst den badischen Truppen auch österreichische Husaren. »Der commandierende Rittmeister, Herr von Burkhard, sagte dem Baden'schen Commandanten, Major von Harrant, er verlange, dass seine Wachen an den Thoren blieben, damit diese der kaiserlichen Wache alle diplomatischen Personen anzeigen könnten, weil er Befehl habe, diese weder heraus, noch herein zu lassen[2]).«

Sofort nach dem Eintreffen in Rastatt traf Rittmeister Burkhard folgende Verfügungen zur Sicherung vor dem erwarteten Ueberfall: ein Officier, Lieutenant Fontana[3]), hatte mit 28 Husaren Plittersdorf, 1 Unterofficier mit 12 Mann Steinmauern zu besetzen; je eine Patrouille, von Unterofficieren geführt, hatten von Rastatt aus gegen Plittersdorf, Steinmauern und Stollhofen zu streifen[4]).

Mit der Escadron des Rittmeisters Burkhard war auch der Auditor des Szekler-Husaren-Regiments, Oberlieutenant Ruziczka, nach Rastatt gesandt worden, um den französischen Diplomaten das Ausweisungsschreiben Barbaczy's zu übergeben. Das Schreiben lautete: »An den Minister der französischen Republique. Minister! Sie sehen, dass es mit der

---

[1]) Gerichtliche Aussage Burkhard's.

[2]) Eggers, Briefe über die Auflösung des Rastatter Congresses. Braunschweig 1809. I, 357.

[3]) Franz Fontana, in Mailand geboren, 26 Jahre alt, diente 6⅓ Jahre und war bei der ersten Escadron (Rittmeister Burkhard) als Unterlieutenant eingetheilt. Seine Conduite-Beschreibung lautet: Hat Beihilfe: ja; Gemüthsbeschaffenheit: könnte besser sein; natürliche Talente: gute; redet Sprachen: etwas deutsch, etwas französisch, italienisch; Lebensart mit dem Civile: nicht die beste; im Regiment: ebenso; mit seinen Untergebenen: hat keine Autorität; Eifer und Application: muss angehalten werden; guter Wirth: schlechter; dem Trunke ergeben: nein; Spieler: nein; Schuldenmacher: nein; Zänker: zu Zeiten; sonst im Dienst: nicht sonderlich; verdient das Avancement: noch nicht; wie oft praeteriert: niemals.

[4]) Vgl. Das Verhör der Husaren.

militärischen Bestimmung ganz unvereinbarlich ist, Bürger der französischen Nation in dem Bezirk der kaiserl. königl. Armee zu dulden, Sie werden mir es daher nicht übel deuten, wenn mich die Kriegsumstände nöthigen, Ihnen, Minister, andeuten zu müssen, den Bezirk der diesseitigen Armee binnen 24 Stunden zu verlassen.

Stabsquartier Gernsbach, den 28. April 1799 [1])«.

Mit diesem Schreiben gieng Ruziczka zu dem Freiherrn von Albini, dem er sagte, der Oberst von Barbaczy bäte ihn, zu entschuldigen, dass er »überhäufter Geschäfte wegen nicht schriftlich antworten könne, dass er sich aber sehr habe verwundern müssen, dass die französischen Gesandten nur daran hätten zweifeln können, sie würden, sobald sie mit churmaynzischen Pässen sich legitimieren könnten, auf ihrer Reise bis über das Wasser beunruhigt werden. Uebrigens wünschte der Officier von dem Directorialis zu vernehmen, wie er es anzustellen habe, um eine von dem Obersten an die französische Legation habende Depesche derselben zu übergeben. Directorialis erwiderte dem gedachten Officier, dass er den französischen Ministern ohnehin die erhaltene mündliche Antwort auf sein heutiges Schreiben an den Herrn Obersten sogleich hinterbringen müsse, wobei er dieselben schicklich prävenieren wolle, dass der Officier an sie selbst etwas zu übergeben habe. Bonnier versammelte hierauf sogleich die französische Legation bei Jean Debry. Der Officier begab sich dahin, contestierte zuerst mündlich, wie wehe es dem Obersten gethan habe, zu vernehmen, dass die französische Gesandtschaft so viel Misstrauen darüber bezeugt habe, ob die persönliche Unverletzlichkeit der Gesandten in ihnen würde respectiert werden [2])«.

Ruziczka übergab dann das Schreiben des Obersten, welches der französische Legations-Secretär Rosenstiel übersetzte und über den Empfang eine einfache amtliche Bestätigung ausstellte.

Nach einer kurzen Berathung in Jean Debry's Zimmer beschlossen die französischen Gesandten, sofort abzureisen.

---

[1]) Abgedruckt bei Heidenheimer, a. a. O., 148.

[2]) Haus-Hof- und Staats-Archiv. Maynzer Diarium des Freiherrn von Albini.

trotzdem ihnen von mehreren ihrer deutschen Collegen abgerathen wurde, die zu bedenken gaben, dass sie erst bei Nacht an den Rhein kommen würden und eine Ueberfahrt dann immer bedenklich wäre[1]).

Rittmeister Burkhard sass unterdessen in der »Laterne«, als ihm der dänische Gesandte Rosenkrantz gemeldet wurde. Er wünschte auch am Abend des 28. abzureisen. Burkhard entgegnete, »dass dies nicht angehen würde, indem ich an alle meine Thorposten den Befehl ertheilt hatte, dass sie in der ganzen Nacht hindurch Niemanden hinauslassen sollen, damit der Feind von meiner Stellung gar keine Nachricht zu erhalten im Stande sei«. Der Gesandte berief sich auf seine amtliche Stellung, betonte, dass er reisen müsse und »nicht wohl aufgehalten werden könne«. Burkhard entgegnete, es würde ihm zwar sehr leid thun, er werde ihn aber auch dann, wenn er mit seiner Equipage beim Thor stünde, zurückweisen und ausspannen lassen. Hierauf entfernte sich Rosenkrantz. Später, gegen 10 Uhr, meldete dem Rittmeister ein vom Wachcommandanten des Rheinauer Thores abgeschickter Husar, es sei ein französischer Gesandter dahingekommen und verlange hinausgelassen zu werden, da er noch diese Nacht nach Frankreich reisen wolle. »Dieser Gemeine,« sagte Burkhard später vor Gericht, »sprach den Namen dieses Herrn Gesandten so corrumpiert aus, dass ich nur errathen musste, es werde vielleicht Jean Debry sein[2])«. Bald darauf kamen mehrere der deutschen Gesandten selbst zu Burkhard und ersuchten ihn, die Franzosen passieren zu lassen, »indem ihnen von dem Herrn Obersten von Barbaczy 24 Stunden festgesetzt worden sein, binnen welchen sie Rastatt verlassen haben müssten[3])«.

Obwohl Burkhard einigermassen erstaunt war über den Entschluss der Franzosen, denen doch noch der ganze folgende Tag zur Verfügung stand, gab er, gezwungen durch die Berufung auf das Schreiben Barbaczy's, das keine andere

[1]) Eggers, Briefe über die Auflösung des Rastatter Congresses. I, 356.

[2]) Gerichtliche Aussage Burkhard's.

[3]) Gerichtliche Aussage Burkhard's.

Deutung zuliess, den Befehl, die französische Gesandtschaft sammt Gefolge passieren zu lassen. Das Ansinnen der deutschen Gesandten, den Franzosen eine Escorte mit auf den Weg zu geben, wies Burkhard mit Hinweis auf die geringe Zahl der ihm zur Verfügung stehenden Truppen ab[1]).

Der unfreiwillige Aufenthalt beim Rheinauer Thor, die, wenn auch vollkommen begründete Weigerung Burkhard's, eine Escorte beizustellen, war von einem Theil der deutschen Gesandten benützt worden, um die französischen Minister neuerdings zum Aufschub ihrer Reise zu bewegen. Es schien zu gelingen. Bonnier hatte schon früher Besorgnisse bezüglich seiner Reise nach Frankreich geäussert und ein Augenzeuge sah ihn noch am Vormittag am Ufer der Murg stehen und sinnend nach der Gegend von Selz, nach Frankreich, hinüberblicken[2]). Seine trüben Ahnungen mehrten sich, je näher die Stunde der Abreise heranrückte und als ihm der dänische Legationsrath Eggers zusprach, die Reise mit Rücksicht auf seinen schwankenden Gesundheitszustand aufzuschieben, da entgegnete er lebhaft: »Nicht für meine Gesundheit fürchte ich; ich fürchte eine Gewaltthat[3])!« Aehnliche Besorgnisse hegte auch Roberjot. Während die Gesandten beim Thore auf die Erlaubniss zur Abreise warteten, machte Eggers auch der Madame Roberjot Vorstellungen und bat sie, doch den nächsten Tag abzuwarten. »Mein Gott,« entgegnete sie, »ich wünsche ja nichts mehr als das und auch mein Mann ist damit einverstanden.« Die Entscheidung Debry's, der übrigens von allem Anfang an für sofortige Abreise war, gab den Ausschlag[4]) und als die Antwort Burkhard's eintraf, da sagte Roberjot zu Eggers: »Adieu, mein Herr; Sie sehen mein Schicksal, wir müssen abreisen[5])!«

[1]) Gerichtliche Aussage Burkhard's.

[2]) Mendelssohn, Gesandten-Mord, 22.

[3]) Eggers, Briefe, I, 361.

[4]) Hüffer, Diplomatische Verhandlungen, III, 375. Mendelssohn, Gesandten-Mord, 24. Debry's Angaben. Häberlin, Staats-Archiv. 1801. VII. 119 ff.

[5]) Eggers, Briefe, I, 365.

Gegen 10 Uhr setzte sich der Wagenzug in Bewegung; in dem ersten Wagen sass Debry mit seiner Frau und zwei Töchtern, im zweiten, Eigenthum Debry's, sein Secretär Belin und sein Kammerdiener, im dritten Bonnier, im vierten der Gesandtschafts-Secretär Rosenstiel, im fünften Roberjot mit seiner Frau, im sechsten der ligurische Gesandte Boccardi mit seinem Bruder. Zum Schlusse folgten noch zwei Wagen mit Dienerschaft und Gepäck. Die Nacht war ganz finster; Sturm, Hagel und Regen tobten furchtbar durcheinander. »Selbe Nacht denkt mir ewig,« schrieb ein Augenzeuge, »so war's geschlosst, gehagelt und geschneit [1])«.

Es ist bekannt, dass die Wagen der Gesandten in der Nähe von Rastatt angehalten und dass Bonnier und Roberjot ermordet wurden, während Jean Debry mit einigen unbedeutenden Verletzungen entkam. Ebenso bekannt ist, dass dieses Verbrechen von verschiedenen Seiten den Szekler-Husaren zugeschrieben wurde; es wird nothwendig sein, zu erzählen, auf welche Weise sie diese That begangen haben sollen.

---

[1]) Mendelssohn, Der Rastatter Gesandten-Mord. 25.

Die Aussagen des französischen Gesandtschafts-Personales und die ersten Gerüchte über den Ueberfall[1]).

Der hervorragendste Zeuge in dem blutigen Ereigniss vom 28. April ist zweifellos der den Mörderhänden entkommene Gesandte Jean Debry; seinen Aussagen[2]) muss umso grösseres Gewicht beigelegt werden, als sie die Grundlage bilden, auf welcher zum Theil die Aussagen des übrigen Gefolges der Gesandtschaft, dann aber auch jene Daten beruhen, die das, nächst der Aussage Debry's bedeutendste Document über den Vorfall enthält, der »Gemeinschaftliche Bericht der Gesandtschaften deutscher Höfe, welche sich von Rastatt am 29. April nach Karlsruhe begaben, um dort diese Acte zu verfassen«.

Dieser Bericht, Anfangs als Manuscript an die Höfe der betreffenden Gesandten, an Erzherzog Carl und an den Markgrafen von Baden geschickt, wurde bald darauf unter dem Titel »Authentischer Bericht von dem an der französischen Friedensgesandtschaft bei ihrer Rückreise von dem Congress in der Nähe von Rastatt verübten Meuchelmord«

[1]) Der Plan II. und III. zu beachten.

[2]) Von Debry liegen zwei Aussagen vor (Abgedruckt in Häberlin's »Staats-Archiv«. VII. Band. 1802), die eine in dem am 12. floréal (1. Mai) an den Minister des Aeussern, Talleyrand, gerichteten Bericht (Lettre au citoyen Talleyrand), die zweite in dem umständlicheren, am 17. floréal (6. Mai) publicierten Bericht: »Narré fidèle du forfait commis à Rastatt, d'après les ordres de l'Autriche, par le régiment de hussards autrichiens dit de Szeklers, contre la légation française au congrès de paix, le 9 floréal an VII de la Republique; dicté par Jean Debry, l'un des ministres plénipotentiaires, le 17 floréal an VII.«

in Druck gelegt und ihm 18 »Zusätze des Herausgebers, einige nähere detaillierte Facta betreffend«, dann das »Summarische Protokoll über die vorläufige Aussage der Kutscher, so die französischen Minister gefahren«, endlich das »Inspections-Protokoll über die Leichname der ermordeten französischen Minister« beigelegt.

Der Ueberfall der französischen Gesandtschaft soll sich nach diesen Documenten folgendermassen abgespielt haben: Zwischen 9 und 10 Uhr Abends fuhren die Wagen zum Thor hinaus[1]). »Wir waren,« erzählt Debry in seinem ersten Bericht, »noch nicht fünfzig Schritte von Rastatt entfernt[2]), als ein Detachement von ungefähr 60 Szekler-Husaren[3]), das am Canal der Murg im Hinterhalte gelegen hatte, auf unsere Wagen zustürzte und sie halten liess[4]). Der meinige war der erste: sechs Mann mit gezogenen Säbeln rissen mich mit Gewalt heraus, durchwühlten meine Kleider und Taschen und raubten mir Alles, was ich bei mir hatte[5]). Ein anderer Mensch, welcher diesen Streifzug zu commandieren schien, sprengte zu Pferde herbei und verlangte den Gesandten Jean Debry zu sehen[6]). Ich glaubte, dass er mich retten wolle und

[1]) Authent. Bericht, 19.

[2]) In seinem zweiten Bericht sind es 30, nach andern Angaben 100, nach der Anzeige des Rastatter Oberamts 200 Schritte gewesen.

[3]) Nach den Angaben seiner Frau und Töchter waren es 15, nach jenen des Kutschers Kaspar, der den Wagen führte, nur 6; der eigene Kutscher des zweiten Wagens Debry's, Sigrist, sah nur 3.

[4]) Nach seinem zweiten Bericht sah Debry »diese Banditen mit wilden Blicken und mit fürchterlichem Geschrei zwischen den Bäumen hervorstürzen«. Man beachte den Raum zwischen der Murg und den Alleebäumen, welcher zum »Hinterhalt« der 60 Husaren gedient haben soll.

[5]) Nach seinem zweiten Bericht will Debry nur von zwei Husaren aus dem Wagen gerissen worden sein; der Kutscher Kaspar sah die Plünderung überhaupt nicht, sondern nur, dass Debry »sogleich mit Säbelhieben behandelt« wurde.

[6]) Der »Authent. Bericht« erzählt mit ausdrücklicher Berufung auf Debry: »Auch er (Debry) war zuerst von einem Husar und zwar in französischer Sprache mit den Worten: ‚Est-ce que tu es Jean Debry?' gefragt« worden. Es wird auch versichert, der Anruf habe gelautet: »Es-tu Jean Debry?« In seinem »Narré fidèle« findet Debry es für nothwendig, zu betonen, er sei »en mauvais français« gefragt worden: »Le ministre Jean Debry?«

sagte ihm daher: ich bin Jean Debry, Gesandter von Frankreich. Kaum hatte ich diese Worte geendigt, so streckten mich zwei Säbelhiebe zur Erde nieder und von allen Seiten fielen neue Hiebe auf mich ein. Ich wälzte mich in einen Graben[1]) und stellte mich todt; die Banditen verliessen mich, um sich zu den übrigen Wagen zu begeben. Diesen Augenblick nutzte ich, ihnen zu entgehen, ob ich gleich an verschiedenen Stellen verwundet war, überall von Blut triefte und mein Leben vielleicht nur meinen dicken Kleidern verdankte.«

Wie der den Wagen Debry's führende Kutscher Kaspar erzählt, hätten die Husaren zuerst ihn gefragt, »wo der Minister Bonnier sei und wen er fahre?«, worauf er geantwortet habe, dass »Bonnier in der zweiten Chaise folge, in seiner aber der Minister Jean Debry mit seinen Frauenzimmern sei«. Hierauf hätten die Husaren auf der einen Seite des Wagens den Gesandten, auf der anderen aber seine Damen herausgerissen, »ersteren sogleich mit Säbelhieben behandelt, zurückgeschleppt, letztere aber herumgerissen und durchaus ausgesucht[2])«. Von diesem jedenfalls wesentlichen Umstand wissen die Damen Debry's nichts. Nach ihrer Aussage wurde überhaupt nach Niemandem gefragt, sondern nur »Heraus« gerufen und Debry allein, während er seinen Pass hinreichte, aus dem Wagen gerissen. Erst als auf Debry losgeschlagen wurde, sei eine seiner Töchter aus dem Wagen gesprungen, aber von den Husaren sogleich wieder hineingehoben worden.

»Während die beiden andern Gesandten ermordet wurden,« so erzählt Debry weiter, »schleppte ich mich in einen benachbarten Wald.... Ich irrte im Walde umher während dieser grauenvollen Nacht und fürchtete mich vor dem Tage, der mich den österreichischen Patrouillen aussetzen

[1]) Auch in seinem zweiten Bericht sagt er: »Ich erinnere mich nur, dass ich plötzlich den Gedanken fasste, mich niederzuwerfen und todt zu stellen.« Der »Auth. Bericht« hingegen gibt mit Berufung auf Debry's Erzählung an: »Er war in den Graben am Wege geworfen und hatte die Geistesgegenwart, sich sofort todt zu stellen und als solchen ausplündern zu lassen. Dies rettete ihn.«

[2]) Auth. Bericht. 81.

musste[1]). Gegen 6 Uhr des Morgens hörte ich sie herumstreifen und sah kein Mittel, ihnen auszuweichen; doch von Kälte und Regen durchdrungen und immer schwächer durch den Blutverlust, fasste ich den verzweifelten Entschluss, nach Rastatt zurückzukehren. Ich erblickte auf dem Wege die nackten Leichen meiner beiden Collegen.« Ausser Athem und mit Blut bedeckt, langte er endlich bei dem preussischen Gesandten, dem Grafen Görtz in Rastatt an.

In seinem zweiten Bericht erzählt Debry seine Rückkehr nach Rastatt etwas ausführlicher. Nachdem er von dem hohlen Baum herabgeklettert war, will er sich in einem dichten Gebüsch verborgen haben, um von den umherstreifenden Husaren, welche »Vedetten ausstellten«, nicht bemerkt und getödtet zu werden. »Diese Lage konnte nicht lange währen; ich litt die heftigsten Schmerzen. Es schlug 6 Uhr in Rastatt. Ich entschloss mich, sogleich dahin zurückzukehren und, falls ich nicht am Thore niedergehauen würde, mich in das Haus des ersten besten Gesandten zu werfen. Als ich den Wald verlassen hatte, sah ich zwanzig Schritte vor mir zwei Fussgänger, welche auf eben dem Wege in der Wiese giengen. Ich eilte, sie einzuholen, um weniger bemerkt zu werden. Meine fürchterliche Gestalt, mit Koth und Blut bedeckt, setzte sie in Schrecken. Ich erklärte ihnen, so gut ich konnte, dass ich einer der französischen Gesandten und von Mördern angefallen sei. Sie nahmen mich in ihre Mitte . . . Einzelne Personen standen an dem Orte, wo die Greuelscene den Tag vorher vorgefallen war. Bei meiner Annäherung entfernten sie sich. Ich gieng schnell vorüber, aber doch nicht schnell genug, ohne die zerhackten Leichen meiner armen Collegen zehn Schritte von einander zu sehen. Sie waren ganz nackend und schienen abgewaschen zu sein. Der Regen,

---

[1]) Nach dem »Authentischen Bericht« will aber Debry, da er sich im Regen nicht auf die nasse Erde legen wollte, »ohngeachtet des stark verwundeten linken Armes, auf einen Baum« geklettert sein, »wo er sich, zuweilen vor Mattigkeit halb schlummernd bis zum anbrechenden Tage erhielt und dann den Weg nach der Stadt suchte«. Nach seinem »Narré fidèle« soll Debry erst bei Tagesanbruch auf einen hohlen Baum geklettert, aber gleich wieder herunter gestiegen sein, »weil ich da zu sichtbar sass«.

welcher stromweise herabfiel, begünstigte mich. Ich gieng durch zwei Posten, ohne bemerkt zu werden und kam endlich ausser Athem, kraftlos und blutig bei dem Grafen Görtz an«.

Den Gesandten in Rastatt erzählte Debry seine Rückkehr etwas anders. Da wusste er noch nichts von den zwei Personen, die ihn in ihre Mitte genommen haben sollen, sondern will sich »unter dem zusammengedrängten Volke, das aus der Stadt zur Besichtigung der Leichen gekommen war«, verborgen haben und auf diese Art »neben kaiserlichen Patrouillen ohnbemerkt« vorbeigekommen und »endlich durch das Thor, ohne von der österreichischen Wache angehalten zu werden«, in die Stadt gelangt sein[1]. Endlich existiert über die Rückkehr Debry's noch eine Version, die dieser nicht gekannt oder ganz und gar vergessen zu haben scheint. »Als der Morgen (des 29. April) anbrach,« so erzählt ein Augenzeuge[2]), »war eine grosse Zahl Neugieriger um die vor der Georgi-Vorstadt liegenden Leichen versammelt. Unter dem Haufen befand sich auch der jüngst erst verstorbene Schuhmacher Otto, der sich als Lehrling mehrere Jahre in Paris aufgehalten und dort die französische Sprache erlernt hatte. Er gieng einige Schritte seitwärts in den Wald, kam zu dem hohlen Baume, wohin Jean Debry geflüchtet war, sprach ihn auf französisch an und lieh, von Mitleid ergriffen, dem zitternden Franzosen seine Jacke und Mütze, damit derselbe unbemerkt entkommen könne«.

In dem Hause des Grafen von Görtz angekommen, theilte man ihm sofort mit, dass seine Frau und Kinder sich wohl und in voller Sicherheit befänden, worauf »derselbe Mann, der bisher nur revolutionäre Wildheit gezeigt, auf seine Kniee stürzte, die Hände faltete und mit lauter Stimme betete: Divine providence, si j'ai méconnu tes bienfaits jusqu'ici, pardonne[3])« . . . . .

Ueber die Ermordung Bonnier's kann wohl die Aussage des Vincent Laublin, »attaché au service du citoyen

---

[1]) Authent. Bericht. Nach seinem »Narré« will Debry an zwei Posten vorübergegangen sein, ohne bemerkt zu werden.

[2]) Bei Mendelssohn, Gesandten-Mord, 30. 31.

[3]) Mendelssohn, Gesandten-Mord, 31. 32.

Bonnier«, der auf dem Bocke des dritten Wagens, dem Bonnier's, sass und von dort jedenfalls gut sehen konnte, wenn überhaupt etwas zu sehen war, als Grundlage angenommen und mit den Aussagen der übrigen Augenzeugen verglichen werden.

Laublin erzählt, dass beim Anlangen des ersten Wagens an der Rheinauer Brücke sieben oder acht Szekler-Husaren »Halt« gerufen und nach Bonnier gefragt hätten[1]. Als hierauf Debry seinen Pass zum Wagen hinausgereicht habe, sei dieser zerrissen, der Minister selbst aus dem Wagen gezogen und niedergehauen worden. Während die Husaren dann den Secretär und den Kammerdiener Debry's aus dem zweiten Wagen gerissen, den Kammerdiener in die Murg geworfen, den Secretär aber geschlagen und geplündert hätten, sei Laublin vom Bocke gesprungen und habe am Schlage zu Bonnier gesagt, er solle sich retten, man morde und Jean Debry sei schon getödtet. Bonnier antwortete, das sei unmöglich; »allein, da er das Geschrei der in den ersten Wagen befindlichen Personen hörte, befahl er mir, den Schlag zu öffnen; wir waren aber schon von 14 oder 15 Husaren umringt, »criant en langue allemande: sortir de voiture vite!« Der Schlag wurde zertrümmert, zwei Husaren rissen Bonnier hervor und säbelten ihn nieder. Sie hieben ihm den Hals ab; ihrer vier traten auf seinen Körper, durchbohrten ihn, zerstiessen ihm die Rippen und verstümmelten ihn auf alle Art. Während dieses Gemetzels beraubten andere den Wagen, zerhieben ihn, schlugen und plünderten mich. Plötzlich raffte ich mich auf und entwischte aus ihren Händen. Ich lief, um mich in die Murg zu werfen, da ich aber sah, dass mir Keiner nachsetzte, folgte ich dem Canal und gelangte in Rastatt an. Während dieser Ereignisse, die mit Blitzesschnelle vorgegangen waren[2]), rief ein Officier dieser Husaren, dessen Grad ich nicht bestimmen kann und welcher das

[1]) Auch der Kammerdiener Debry's, dann sein Secretär Belin, dann der Kutscher Bonnier's, Troyon, endlich der badische Kutscher Kaspar, der bekanntlich Debry's Wagen führte, bestätigen, dass zuerst und vornehmlich nach Bonnier gerufen worden sei. Dementgegen erklärte Debry, dass ein Husar »schon von weitem« gerufen habe: »Le ministre Jean Debry!«

[2]) Qui s'étaient succédés avec la rapidité de l'éclair.

Massacre zu leiten schien, in deutscher Sprache: »Schlagt diese Schurken von Patrioten nieder! Schlagt sie nieder[1])!«

Der Gesandte Roberjot befand sich mit seiner Gemahlin während der Fahrt im fünften Wagen. »Bald nachdem die Vorstadt passiert war,« so erzählt Madame Roberjot, »wurden wir von einer starken Abtheilung Cavallerie des Regiments Szekler angegriffen, welche mit fürchterlichem Geschrei über die ersten Wagen herfielen und allenthalben Säbelhiebe austheilten. Mein Mann liess sogleich den Kutschenschlag öffnen und wir stiegen heraus; der erste Gedanke war, unsere Rettung zu suchen. Wir kamen an den Schlag des Wagens des Bürgers Boccardi, welcher dem unsrigen folgte, da wir aber Niemand mehr darin sahen, so glaubte mein Mann, dass der Bürger Boccardi und sein Bruder ausgestiegen wären, um ihr Recht zu behaupten, der französischen Gesandtschaft folgen zu können und dass sie sich deswegen mit einigen Patrouillen in Streit befänden. Wir giengen zurück[2]). Kaum waren wir an dem Schlage unseres Wagens, als die Szekler auf uns losstürzten. Sie fragen meinen Mann, ob er Roberjot sei; er antwortete ihnen: Ja; ich wiederholte es ihnen auch[3]). Auf diese Antwort fangen sie an, ihn zu plündern; sie nehmen ihm seine Uhren weg, seine Brieftasche und seine Börse[4]). Ein anderer Husar

[1]) »Hâchez ces coquins de patriotes! hâchez!« Unter die Commandoworte des k. k. Heeres dürfte dieser Satz schwerlich gehört haben, warum aber den ungarischen und walachischen Husaren gerade in deutscher Sprache die Massacre befohlen worden sein soll, die sie schwerlich verstanden, ist nicht ganz verständlich.

[2]) Ueber dieses Verlassen des Wagens, Forteilen und Zurückkehren des Ehepaares Roberjot enthält die Aussage des Kammerdieners Roberjot's, Venon, nichts. In Rastatt aber soll er dies, nach dem »Auth. Bericht«. 4. Zusatz, bestätigt haben.

[3]) Nach der Aussage Venon's wurde zuerst der Küchenchef Roberjot's, Rozier, seiner Uhr und seines Reisesackes, beides im Werthe von 1200 Francs, beraubt, dann sollen sie Venon's Mantel, Uhr und Reisesack, in welchem Effecten und 26 Louisd'or enthalten waren, genommen haben.

[4]) Hievon weiss der Kammerdiener nichts; nach seiner Pariser Aussage hätten die Husaren dreimal gefragt: »Bist du auch Roberjot?« worauf ein »Fourier« dem Minister einen Säbelhieb gab, der ihm fast den Kopf abschlug.

von ziemlich grossem Wuchs und besserem Aussehen als die übrigen (er schien mir ein Officier zu sein) gab meinem Gemahl den ersten Säbelhieb, auf welchen mehrere folgten, indess andere Husaren mich verhinderten, ihn mit meinem Körper zu decken, mich hielten und mich zwangen, dieses abscheuliche Blutbad anzusehen[1]. Mein unglücklicher Gatte fällt unter ihren Hieben; diese Unmenschen verlassen ihn noch lebendig und eilen zu dem Wagen des Bürgers Boccardi. Als sie Niemanden darin finden, kommen sie wieder zu uns. Mein Bedienter hatte mich in den Wagen gehoben; ich merkte, dass mein Mann sich noch bewegte und sagte daher zu meinem Bedienten: Ach, wenn wir ihn retten könnten! In diesem Augenblick fielen die Mörder wieder über ihn her und machten ein schreckliches Gemetzel. Alles, was in dem Wagen zur Hand war, wurde jetzt geraubt; die eingepackten Papiere wurden auf die Erde und grösstentheils in den Fluss geworfen. Der Schlag wurde darauf zugemacht; aber jeden Augenblick kamen andere Husaren, um die Plünderung zu vollenden; doch konnten sie den Schlag nicht öffnen. Eine Viertelstunde nach der Mordthat stiegen zwei andere Husaren auf den Vorderwagen und löschten die beiden Lichter in den Laternen aus. Nun glaubte ich, dass mein letzter Augenblick gekommen wäre und dass man mich auch ermorden werde. Ich sagte zu meinem Bedienten, der mich nie verliess: Es ist um uns geschehen; unsere letzte Stunde ist da. Die Missethäter giengen aber fort, nachdem sie die beiden Lichter ausgelöscht hatten und wir blieben über eine Stunde mitten auf der Heerstrasse, ohne Jemand zu sehen oder zu hören.«

In seiner gerichtlichen Aussage erwähnt Venon mit keinem Wort, dass Roberjot nicht gleich todt blieb, dass

[1] In seiner Pariser Aussage behauptet Venon, ein Husar habe auch zweimal nach Madame Roberjot gehauen, doch habe der erste Hieb den Kutschschimmel getroffen, während den zweiten Venon mit dem rechten Arm auffieng, ohne dabei verwundet zu werden. In Rastatt wusste er hievon nichts: da erzählte er sogar, ein Husar habe ihm, nachdem Venon sich als Bedienter bezeichnet, auf die Schulter geklopft mit den Worten: »Bedienter bleib, nichts bös!«

die Husaren wieder zurückkehrten und ihr Werk vollendeten, überhaupt gar nichts von dem, was Madame Roberjot hier erzählt. Er sagt nur, dass er die Dame in den Wagen gehoben und selbst hineingestiegen sei und schliesst: »Alle anderen Franzosen waren der Wuth der Mörder entronnen. Ich blieb mit der Bürgerin Roberjot allein unter den Henkern bis Mitternacht. Den folgenden Morgen übergab mir der Unterofficier, welcher mich am Abend vorher festgehalten hatte, einen Beutel mit 2400 Francs und 43 Louis in Silber.« In Rastatt dagegen soll Venon, nach dem »Auth. Bericht« viel mittheilsamer gewesen sein. Da soll er diese Erzählung der Madame Roberjot bestätigt und hinzugefügt haben, dass sie, als ihr Mann noch Lebenszeichen von sich gab, gerufen habe: »Mon ami n'est pas mort, ah, sauvez, sauvez!« Die Husaren wären dadurch aufmerksam gemacht worden und hätten sich beeilt, dem unglücklichen Roberjot den Rest zu geben. »Der Kammerdiener aber hielt die bedauernswerthe Frau, die immer auch für sich den Tod begehrte, mit Gewalt im Wagen, indem er ihr Gesicht an seine Brust drückte und ihr mit den Fingern das Ohr verstopfte, damit sie ihres Mannes letztes Aechzen nicht hören sollte.«

Auf diese Art soll, nach Angabe jener Personen, die sich in unmittelbarer Nähe der Mörder befunden oder befunden haben wollen, die Verwundung Debry's, die Ermordung Bonnier's und Roberjot's vor sich gegangen sein.

Es ergiebt sich aber doch die Nothwendigkeit, diese Aussagen einer eingehenderen Betrachtung zu unterziehen.

Was schon bei der ersten flüchtigen Lectüre der Aussagen Debry's und seines Gefolges förmlich in die Augen springt, das sind die offenen Widersprüche zwischen den Erzählungen Debry's und den Aussagen eines Theiles der übrigen, auf dem Schauplatze gewesenen Personen.

Debry behauptet, die Wagen der Franzosen wären von 60 Husaren angefallen worden. Das ist falsch. Nach der Aussage aller übrigen Personen, von denen manche, wie beispielsweise der badische Postillon Kaspar und der Kutscher Debry's, Sigrist, jedenfalls von ihrem Kutschbocke aus mehr sehen konnten als Debry, wurden die Wagen von einer ganz bedeutend geringeren Anzahl von Leuten, 3 bis 6, angehalten.

Nach der Behauptung Debry's sei von den Attentätern zuerst nach ihm gefragt worden. Das ist unwahr. Nach den übereinstimmenden Aussagen aller Franzosen, die diesen Punct überhaupt berührten, wurde zuerst und zwar wiederholt, nach Bonnier gerufen.

Nachdem Debry, seiner Angabe zu Folge, eine Unmenge von Hieben erhalten hatte, will er sich in einen Graben gewälzt und sich todt gestellt haben; der »Authentische Bericht« hingegen sagt auf Grund der späteren Erzählung Debry's, dieser sei von den Attentätern in den Graben geworfen worden.

Während Debry nach seiner ersten Aussage zuerst geplündert und dann erst mit Säbelhieben behandelt worden ist, erzählte er den fremden Gesandten am Morgen, dass man ihn erst geplündert habe, während er in dem Graben gelegen sei.

Von ganz besonderer Wichtigkeit ist der Umstand, in welcher Sprache von den Attentätern gesprochen wurde; es ist nun interessant, wie Jean Debry es erst nach und nach für nothwendig fand, das »schlechte Französisch«, in welchem er und seine Collegen von den Mördern angesprochen worden sein sollen, hervorzuheben.

In seinem ersten Bericht erzählt er, dass die Attentäter nach ihm gefragt, ohne auch nur mit einem Wort zu erwähnen, in welcher Sprache dies geschehen; es scheint also, dass Debry die Sprache und Sprechweise dieser Leute durchaus nicht aufgefallen war und da er selbst weder deutsch, noch ungarisch oder walachisch verstand, dürften diese Fragen wohl in ganz correctem Französisch gestellt worden sein. Ja, selbst nach seiner Rückkehr nach Rastatt am Morgen des 29. April, erzählt er den fremden Gesandten noch ausdrücklich, dass er, »und zwar in französischer Sprache, mit den Worten: ‚Est-ce que tu es Jean Debry'« gefragt worden sei. Erst in seinem zweiten Bericht erinnert er sich auf einmal, dass die Mörder eigentlich doch »mit schlechtem französischem Accent« gesprochen und richtig bestätigen jetzt auch die Frau und die Töchter Debry's und sein Secretär

Belin das »schlechte« Französisch; ja, der Kutscher Debry's, Sigrist, thut noch ein Uebriges, indem er versichert, er habe bemerkt, »dass kein einziger Husar französisch sprach« und setzt sich damit, offenbar aus Uebereifer, in directen Widerspruch zu der Behauptung seiner eigenen Herrschaft.

Es ist nun recht merkwürdig, dass nur Personen, die unmittelbar abhängig von Debry waren, das schlechte Französisch der Mörder erwähnen und nachdrücklich hervorheben — nur diese; alle andern, welche überhaupt die Sprache der Mörder erwähnen, sagen aus, diese hätten — deutsch gesprochen. Welche von beiden Parteien hier die Unwahrheit sagt, Jean Debry und seine Leute oder die übrigen Franzosen, lässt sich jetzt begreiflicher Weise nicht mehr constatieren; was aber unerschütterlich feststeht, ist: dass die Mörder nur französisch oder deutsch, oder aber französisch und deutsch gesprochen haben.

Ueber die Art seiner Verwundung spricht Debry in seinen Berichten nur im Allgemeinen; später jedoch erinnerte er sich ganz genau; er will nicht weniger als 24 Wunden, nach den Aussagen seines Kammerdieners 40 Säbelhiebe und 31 Wunden davongetragen haben. Diese Angaben stehen in schärfstem Widerspruche zu den Aeusserungen von Augenzeugen. Der »Authentische Bericht« sagt: »Seine Kleidung war ganz zerhauen. Er war am linken Arm, an der Schulter und über der Nase verwundet; ein Hieb auf den Kopf hatte wegen Hut und Perrücke nur eine Contusion veranlasst.« Noch befremdender klingt die Aussage eines andern Augenzeugen, des dänischen Legationsrathes von Eggers[1]. »Sein Ansehen« (als Debry am Morgen des 29. in das Zimmer des Grafen Görtz trat) schreibt dieser, »war schrecklich verstört. Gesicht und Haare waren mit Blut überlaufen. Auch hatte er eine ziemliche Schmarre über die Nase; sie schien jedoch nicht von einem Hieb herzurühren. Ich war bei dem ersten Verband zugegen. Debry fiel beinahe in Ohnmacht (!). Indess erklärte der Wundarzt die Hauptwunde am linken Arm für gar nicht gefährlich. Die anderen beiden waren

[1] Briefe über die Auflösung des Rastatter Congresses, den Gesandten-Mord und den Wiederausbruch des Krieges im Jahre 1799. Braunschweig 1809. I. 403.

unbedeutend. Am Kopf fanden sich, als er abgewaschen war, blos Contusionen. Auch das Fieber war nicht stark. Ueberhaupt fand der Wundarzt ihn über alle Erwartung gut!«

Es muss zugegeben werden, dass dieser ärztliche Befund, verglichen mit den Aussagen Debry's und seiner Leute, umso mehr befremden muss, wenn man bedenkt, wie gründlich die beiden Collegen dieses Gesandten ermordet wurden und welch' furchtbare Waffe der damalige Cavalleriesäbel war. Mit einer solchen Waffe werden, selbst wenn die Hiebe nicht so hageldicht niedersausen, wie Debry erzählt, denn doch nicht nur »eine ziemliche Schmarre«, »eine gar nicht gefährliche Hauptwunde« und zwei »unbedeutende« Wunden verursacht!

Sind schon die bisher nicht untersuchten Aussagen Debry's, in Folge des Widerspruches, in welchem sie zu jenen anderer Personen stehen, geeignet, die Glaubwürdigkeit dieses Gesandten stark zu erschüttern, so muss dies in umso höherem Grade der Fall sein, wenn man sieht, dass Debry sogar sich selbst widerspricht, oder geradezu die Unwahrheit sagt.

Während nämlich der »Authentische Bericht«, natürlich auf Grund der Erzählung Debry's, sagt, dieser sei nach seinem, wie zugegeben werden muss, mehr als wunderbaren Entkommen aus den Mörderhänden sofort »ohngeachtet des stark verwundeten linken Arms auf einen Baum« geklettert, »wo er sich zuweilen vor Mattigkeit halb schlummernd bis zum anbrechenden Tag erhielt«, weiss Debry in seinem ersten Bericht von diesem Baum überhaupt nichts und in seinem »Narré fidèle« will er ihn erst erklettert haben, nachdem er bis Tagesanbruch im Walde umhergeirrt war. Wie dem »stark verwundeten« Mann das Kunststück, den Baum mit einem Arm zu erklettern, gelingen konnte, ist jedenfalls ebenso räthselhaft wie seine Rettung überhaupt. Allerdings findet das Räthsel seine Lösung durch die von Seite des Arztes und von Augenzeugen bestätigte Thatsache, dass Debry ausser einigen höchst unbedeutenden Contusionen überhaupt nicht über »Wunden« verfügte. Wie mag es wohl gekommen sein, dass gerade Jean Debry, der als erster der Wuth der Mordgesellen ausgesetzt war, nur mit einigen durchaus harmlosen Contusionen bedacht wurde, während man seine beiden Collegen förmlich zerhieb?

Ob nun Jean Debry die Nacht auf einem Baume, in einem Gebüsche oder sonst wo zugebracht haben mag, ist schliesslich gleichgiltig: Thatsache ist, dass er sich in seinen Angaben darüber direct widerspricht; dass er, genau genommen, nicht angeben kann oder will, wo er die Nacht über gewesen. Während er nämlich, wie bekannt, behauptet, dass er nicht nur die Nacht im Walde zugebracht, sondern auch gegen Morgen umherstreifende Husaren gesehen hat, welche »Vedetten ausstellten«, erzählt der »Authentische Bericht«: es hätten noch in der Nacht einige Diplomaten den Rittmeister Burkhard gebeten, dem badischen Major Harrant eine Escorte zu bewilligen, damit er mit ihr nach Jean Debry suchen könne, der vielleicht noch am Leben sei. »Der mitunterschriebene Reichsgraf von Solms-Laubach erbot sich, ihn zu begleiten und mit seiner, dem französischen Minister bekannten Stimme, dessen Namen zu rufen. Der Rittmeister bewilligte die Escorte und gegen Anbruch des Tages, Morgens um 4 Uhr, ritten der Graf Solms, der Major von Harrant nebst zwei badischen Husaren unter Escorte von einem kaiserlichen Corporal und einem gemeinen kaiserlichen Husaren, ab und durchsuchten die ganze Gegend und besonders das Holz bis nach Steinmauern und Plittersdorf. Sie hatten nicht das Glück, den Minister Jean Debry zu finden, aber sie erfuhren einige zur Aufklärung dieser Geschichte höchst erhebliche Umstände. Wie nämlich der Major von Harrant sich bei dem Schulzen in dem Dorfe Rheinau nach irgend einer Spur erkundigte und dessen Nachforschung aufgab, erfuhr er, dass auch die kaiserlichen Husaren dort bereits eben diese Erkundigung nach einem sich geflüchteten blessierten Franzosen, an dessen Wiedereinbringung ihnen Alles gelegen, angestellt, dabei aber ausdrücklich und angelegentlichst verlangt hätten, wenn man diesen, von ihnen nach seinem Aeusseren und Kleidung beschriebenen Franzosen fände, solle man ihn ja nicht nach Rastatt, sondern um die Stadt herum auf einem bezeichneten Weg zu ihnen nach Muggensturm bringen, oder ihn nur sicher verwahren und melden, dass sie ihn abholen könnten.«

War also Jean Debry wirklich im Walde, wie ist es möglich, dass er diese Freunde, die ihn mit lauter Stimme riefen, nicht sah und nicht hörte[1])?

Ist es gegenüber diesen Widersprüchen, Räthseln und Unwahrheiten in den Erzählungen Debry's, des Hauptzeugen in dieser Affaire, gestattet, ihnen Glauben zu schenken?

Wir gehen weiter. Debry selbst gibt an, er habe bei seiner Rückkehr nach Rastatt an dem Mordplatze »einzelne Personen« gesehen, die sich bei seiner Annäherung entfernten. Das ist falsch. Nach übereinstimmenden Aussagen aller Augenzeugen standen bereits am frühen Morgen eine grosse Menge Neugieriger dort, was auch vollständig begreiflich ist, da ja das Ereigniss in Rastatt geradezu ungeheuerliches Aufsehen erregt hat und erregen musste. Diese Aussage Debry's widerspricht aber auch, wie bereits erwähnt, seiner im »Authentischen Bericht« wiedergegebenen Erzählung.

Dieser Bericht weiss nichts von den zwei Personen, die ihn begleitet haben sollen, sondern behauptet, dass Debry sich gerade »unter dem zusammengedrängten Volke« verborgen habe und auf diese Art in die Stadt gelangt sei. Was hat nun Debry gesehen — dicht zusammengedrängte zahlreiche Menschen oder einzelne Personen?

Wenn Debry behauptet, er habe bei seiner Rückkehr nach Rastatt die Leichen seiner beiden unglücklichen Collegen gesehen, »ganz nackt und abgewaschen«, so sagt er auch hier die Unwahrheit. Nach dem amtlichen, an Ort und Stelle aufgenommenen »Inspections-Protokoll« war die Leiche des Ministers Roberjot bis auf einen Fuss vollständig, diejenige Bonnier's mit Weste und Hemd bekleidet[2])!

Bei Rastatt angelangt, passierte Debry, wie bereits nach seinen Aussagen erwähnt, das von Szekler-Husaren besetzte

---

[1]) Selbst Obser, der, vielleicht im Eifer der Polemik gegen Böthlingk, sich zu fast leidenschaftlicher Vertheidigung Debry's hinreissen lässt, muss zugeben, dass die Erzählung dieses Gesandten über seinen Aufenthalt in der Nacht vom 28. zum 29. April »nicht genügend aufgeklärt erscheint«. (Zeitschr. f. d. Gesch. d. Ober-Rheins. N. F., IX. Bd. 49 ff.)

[2]) Auth. Bericht. 35.

Thor und eilte in das Haus des preussischen Gesandten Grafen Görtz. Hiebei fällt auf, dass Debry, der in allen seinen Aussagen nicht genug betonen kann, welcher Schauer und welche Angst ihn beim Anblick eines Szeklers geschüttelt; der auch am 29. Mittags, da er unter Escorte österreichischer und badischer Husaren, unter Begleitung des Majors Harrant und des preussischen Legations-Secretärs Jordan die Reise an den Rhein antrat, gefürchtet haben will, von den Szekler-Husaren ermordet zu werden; der in einem jeden dieser Leute einen der Mörder gesehen haben will; dass Debry, sagen wir, den geradezu heroischen Muth fand — ob allein, ob in Begleitung zweier gutmüthiger Landleute, bleibt sich gleich — zwischen »zwei Posten« oder, besser gesagt, bei einer Wache vorüberzugehen, die doch aus denselben gefürchteten Szeklern bestand? Es scheint doch, dass Jean Debry diese Leute weder gefürchtet, noch verabscheut hat, sonst hätte er wohl auch auf anderen Wegen in das Haus des Grafen Görtz gelangen können. Dass man nach Rastatt kommen konnte, auch ohne die Thorwachen zu passieren, das haben, wie wir noch sehen werden, die Personen aus dem Gefolge Debry's sehr genau gewusst.

Uebrigens werden wir noch weiterhin sehen, dass die Szekler-Husaren thatsächlich auch anderen, von Natur aus ängstlicheren Leuten als Jean Debry nichts weniger als »fürchterlich« erschienen!

Zum Schluss noch eine Bemerkung, die geeignet ist, das ganze Benehmen Jean Debry's zu charakterisieren. Im Hause des Grafen Görtz angelangt, wirft sich dieser Mann, der bisher in der auffallendsten Art seinen Atheismus zur Schau getragen, auf die Kniee, erhebt die Hände gen Himmel und ruft: »Divine providence! si j'ai méconnu tes bienfaits jusqu'ici, pardonne!« Das ist nicht nur comödiantenhaft, das ist innerlich unwahr! Ein Mensch, der soeben einer furchtbaren Gefahr entgangen ist, ruft kaum, wie ein geschminkter Held Corneille's die »divine providence«, sondern aus dem geängstigten Herzen einfach und natürlich »Gott« an.

Was die anderen Aussagen bezüglich des Ueberfalles auf Frau Debry anbelangt, so kommen natürlicher Weise nur jene des Kutschers Kaspar, der den Wagen Debry's geführt, der Damen dieses Gesandten, endlich noch allenfalls jene des Kutschers Sigrist in Betracht. Denn diese Personen allein konnten möglicher Weise irgend etwas gesehen haben.

Aber auch die Aussagen dieser Personen gehen oft so weit auseinander, widersprechen sich so häufig, dass es geradezu unmöglich ist, sich darnach eine klare Vorstellung von dem Verlaufe dieses Ereignisses zu bilden.

Schon über die Anzahl der Attentäter widersprechen die Angaben dieser Personen untereinander noch mehr jenen Debry's selbst. Kaspar spricht von sechs, die Damen Debry's von 12—15 Husaren. Sigrist, der Kutscher Debry's, sieht »wenigstens 60—70 Husaren von dem Regimente der Szekler, theils zu Fuss, theils zu Pferde hervorkommen, welche bei ihrer Ankunft auf deutsch riefen: »Halt!« Einer trat vor und fragte nach Bonnier, Roberjot und Debry. Drei Husaren zu Fuss fielen über den ersten Wagen her etc.« Es ist bezeichnend, dass gerade der Kutscher Debry's 60—70 Husaren gesehen haben will, also ungefähr dieselbe Zahl, die sein Herr angibt, während der unabhängigere Kaspar nur sechs nennt, also ganz bedeutend weniger, ja dass sogar die Frau und die Töchter Debry's nur 12—15 sahen. Der Kutscher Kaspar weiss weder etwas von einem »Halt!«-Rufen, wie Sigrist behauptet, noch hat er den Ruf »Heraus!« gehört, den die Damen Debry's vernommen haben wollen. Dagegen behauptet Kaspar, dass auf der einen Seite des Wagens Debry, auf der anderen seine Damen herausgerissen worden, was unwahr ist, da weder Sigrist, noch die Damen selbst etwas davon wissen. Im Gegentheil wurde sogar eine der Töchter Debry's, die aus dem Wagen sprang, nachdem Debry bereits zusammengestürzt war, von den Husaren wieder hineingehoben. Nach der Aussage Debry's und Sigrist's sollen sich die Husaren, nachdem ersterer in den Graben gefallen war, zu dem zweiten Wagen begeben haben. Dadurch würde es sich allenfalls erklären, wie es dem Gesandten möglich wurde, sich aufzuraffen und in den Wald — oder wohin er sich sonst geflüchtet haben mag — zu eilen. Nach den Aussagen der Damen Debry's hingegen war der Wagen ununterbrochen von Husaren umgeben, die sogar in demselben nach Debry gesucht haben sollen! Wie unter diesen Verhältnissen Debry entkommen konnte, ist ganz und gar unbegreiflich. Da es aber zweifellos feststeht, dass Debry sich gerettet hat, so muss in diesem Puncte seiner Aussage Glauben geschenkt und thatsächlich angenommen werden, dass die Mörder sich von dem ersten zum zweiten Wagen begeben hatten, wodurch Debry Gelegenheit fand, zu entkommen. Wenn 60—70 Reiter dagewesen, so dürfte der Wagen Debry's noch lange nicht von denselben frei geworden sein, bis die ersteren zum zweiten kamen. Die Aussage der Damen verliert in diesem Falle umso mehr an Glaubwürdigkeit, als sie in dem ersten tödtlichen Schrecken wohl ziemlich unzurechnungsfähig waren. Das Durchsuchen dieses Wagens durch die Husaren muss also auf einen späteren Zeitpunct verlegt werden.

Der Kutscher Kaspar weiss sonst nichts über die weiteren Vorfälle; es ist dies umso wahrscheinlicher, als er selbst einen Schlag erhalten haben will und sich sofort »zwischen seinem Sattel- und Handgaul herabgelassen« hat. Umso mehr weiss Sigrist. Dieser phantasievolle Mann will nicht nur eine Art Plaidoyer für seinen Herrn gehalten[1], sondern auch gesehen haben, wie der Secretär Debry's sich in der Haide verbarg und der Kammerdiener in die Murg entkam. Aber noch mehr hat er gesehen. Er sah, wie der Minister niederstürzte, »seine Kräfte zusammenraffte« (!) und sich in den Wald flüchtete! Nachdem Sigrist weiter gesehen, dass man keinem der markgräflichen Kutscher etwas zu Leide gethan und constatieren kann, dass sich während des Mordes und der Plünderung kein Officier zeigte, bemerkte er ausserdem, wie bereits erwähnt, »dass kein einziger Husar französisch sprach«. Es genügt die flüchtige Lectüre dieser Aussage, um ruhig zu behaupten: Der Mann lügt! Was er alles gesehen haben will, kann in jener Nacht überhaupt kein Mensch gesehen haben. Dieser Aussage irgend eine Bedeutung beilegen, hiesse sich selbst belügen. Doch mag ein einziger Punct aus dieser Erzählung hervorgehoben werden, da er

---

[1]) Von dem Niemand sonst etwas weiss, weder Debry, noch seine Damen, noch Kaspar.

nicht ohne Bedeutung zu sein scheint. Sigrist hat, so sagte er, seinen Herrn in den Wald fliehen sehen und musste demnach die bestimmte Hoffnung hegen, dass er sich gerettet habe. Und die Frau und die Töchter Debry's jammern und flehen die ganze Nacht um ihr Familienoberhaupt; sie beschwören die Husaren, ihnen zu sagen, was aus ihm geworden, und dieser entmenschte Kutscher hört das mit an und sucht und findet keine Gelegenheit, den armen Frauen zuzuflüstern: »Ich habe ihn fliehen gesehen, er ist gerettet!« ... Das glaube, wer will.

Aber auch, nachdem alle Gefahr vorüber, nachdem die Wagen nach Rastatt zurückgekehrt sind, erwähnt er kein Wort davon, dass er seinen Herrn in den Wald fliehen gesehen habe!!

So beschaffen sind die Erzählungen über den Anfall auf Jean Debry. Dass das Meiste in diesen Erzählungen erfunden ist, liegt auf der Hand; was aber wahr daran ist, wird an späterer Stelle im Zusammenhang mit dem Wahren aller übrigen Aussagen aneinandergereiht werden.

Was Vincent Laublin über die Ermordung des Gesandten Bonnier erzählt, steht zum Theil in directem Widerspruche mit der Aussage des Kutschers Ohnweiler, der den Wagen Bonnier's führte und neben Laublin auf dem Bocke sass. Nach der Aussage Laublin's muss zwischen dem Ueberfall des ersten Wagens und dem Bonnier's ein gewisser Zwischenraum gewesen sein; denn Laublin fand ja Zeit, vom Bocke zu springen und dem Minister zu sagen, er solle sich retten. Hierauf antwortete Bonnier, das sei unmöglich und befahl, erst den Schlag zu öffnen, nachdem er Geschrei gehört. Ohnweiler hingegen weiss von all' dem nichts, sondern behauptet, es seien gleichzeitig Husaren auch an seine Chaise gekommen. Da bereits constatiert wurde, dass die Attentäter thatsächlich nach und nach, von einem Wagen zum anderen giengen, so scheint in diesem Fall die Aussage Laublin's die richtige zu sein; jene Ohnweiler's ist umso weniger glaubwürdig, als er auch sonst Unrichtiges behauptet, so z. B., dass in dem zweiten Wagen der Koch Bonnier's gesessen sei, während dieser thatsächlich sich im siebenten Wagen befand. Begreiflich wird es übrigens, dass dieser Kutscher Unrichtiges aussagt, denn er betheuert selbst, »dass er in seiner Lage kaum auf sich selbst denken« konnte.

Was Laublin weiter erzählt, ist allerdings dafür nichts weniger als glaubwürdig. Schon dass er behauptet, gesehen zu haben, wie Bonnier misshandelt wurde und eine detaillierte Beschreibung davon liefert, muss Misstrauen erregen. Wie, ein furchtsamer Mensch — und dass sämmtliche Diener der Gesandten zum mindesten unglaublich feig gewesen sein mussten, bedarf eigentlich keiner näheren Begründung — hat Zeit und Lust, genau zu sehen, wie man einen Anderen misshandelt, während er selbst »geschlagen und geplündert wird«? Merkwürdig ist auch, dass Laublin zwar seinem Herrn den guten Rath gegeben haben will, zu fliehen, sich aber wohl hütet, den Schlag zu öffnen und erst auf einen bezüglichen Befehl wartet. Im Falle einer Gefahr ist doch jedenfalls die erste Bewegung eines Bedienten, den Schlag weit aufzureissen und dann erst mit seinen guten Rathschlägen zu kommen; merkwürdiger aber noch, als diese befremdende Unterlassung ist, was Laublin, der übrigens genöthigt ist, hervorzuheben, dass die Ereignisse mit Blitzesschnelle vorgiengen, gehört haben will, die Husaren hätten und zwar in deutscher Sprache, gerufen: »Heraus aus dem Wagen!« Und noch mehr: »Hâchez ces coquins de patriotes! Hâchez!« Das ist nun sehr merkwürdig. Viel befremdender nämlich, als der an und für sich befremdende Umstand, dass die Szekler-Husaren französisch und deutsch gesprochen haben sollen, ist es, dass sie mit Debry französisch und mit Bonnier deutsch sprachen. Warum sie sich auf einmal eingebildet haben sollen, dass Bonnier sie nicht verstehen würde, wenn sie ihn, so wie Debry, französisch anriefen und sich jetzt der deutschen Sprache bedienten, ist unerfindlich. Das Unbegreiflichste aber ist, dass der Commandant der Szekler nicht nur mit dem Franzosen Bonnier deutsch spricht, sondern sogar den aufgelegten Unsinn begeht, seiner ungarischen und walachischen Mannschaft Worte zuzurufen, die ihr ganz und gar unverständlich sein mussten. Denn der Zuruf »Hâchez ces coquins etc.« kann, wenigstens nach Aussage des Dieners, doch nur an die Mannschaft gerichtet gewesen sein und nicht etwa an den Franzosen Laublin oder sonst Jemanden aus dem Gefolge des Gesandten! Es bedarf wohl keiner weiteren Erklärung dieser Seltsamkeit. Wenn Laublin die von ihm angeführten Worte gehört hat — und es ist kein Grund, daran zu zweifeln — so wurden sie in französischer Sprache gerufen und nicht in der deutschen!

In dem zweiten Wagen, also zwischen dem Debry's und dem Bonnier's, sassen Belin, der Secretär und Desmont, der Kammerdiener Jean Debry's. Ihre Aussagen bezüglich des Ueberfalles auf Debry und die Ermordung Bonnier's, sowie ihre eigenen Erlebnisse müssen, da diese beiden Männer immerhin irgend Etwas gesehen haben konnten, ebenfalls berücksichtigt werden.

Desmont sagt: »Als wir aus der Vorstadt eben zwei Flintenschüsse weit gekommen waren, sah ich eine Gruppe der abscheulichen Husaren, welche sogleich über den Wagen des Ministers Jean Debry herfielen, mich angriffen, mir aus den Händen ein Paquet irdener Pfeifen nahmen, mich darauf bei den Haaren packten, von dem Cabriolet herunterrissen, mich aufrichteten und fragten, ob ich Bonnier sei.« Belin erzählt: »Ungefähr 100 Schritte von der Vorstadt sagte mir der Kammerdiener des Bürgers Debry, welcher mit mir in einem Wagen sass, dass er Husaren auf der Heerstrasse sehe. Kaum hatte ich ihm geantwortet, dass sie da sein würden, die Passagiere zu beobachten, als ich commandieren hörte. In dem Augenblicke stürzten viele Husaren, die von ihren Pferden gestiegen waren, auf den Wagen Debry's und rissen mit Gewalt den Schlag der rechten Seite auf. Ich ward aus dem meinigen von verschiedenen Andern gezogen, welche mich in schlechtem Französisch fragten, ob ich der Gesandte Bonnier sei. Ich antwortete: Ich bin nicht Bonnier, sondern gehöre zur Dienerschaft. Der Bürger Debry wurde von zwei Husaren zu Fuss festgehalten; ein dritter zu Pferde gab ihm den ersten Säbelhieb; sein Kutscher, der meinen Wagen fuhr, rief mir zu: er ist todt! Mehrmals suchte ich vergebens, zu entfliehen; einer der Husaren, welche mich hielten, verlangte Hilfe. Die herbeisprengenden Szekler glaubten, ich wäre einer der Minister und fragten mich wieder, ob ich nicht Bonnier sei. Ich versuchte von Neuem die Flucht, aber ich ward in einen Graben geworfen, geschlagen und getreten.«

Eine aufmerksame Betrachtung dieser Aussagen ergiebt seltsame Resultate. Der Diener Desmont, der neben dem Secretär Belin sitzt, sieht in der tiefen Finsterniss eine »Gruppe« Husaren; der Secretär nicht. Dieser muss erst darauf aufmerksam gemacht werden; dann aber sieht auch Belin auf einmal »viele dieser Husaren, die von ihren Pferden gestiegen waren«. Was wohl diese vielen Husaren mit ihren ebenso zahlreichen Pferden gemacht haben mögen?! An den Zügeln können sie sie unmöglich gehalten haben, wenn man berücksichtigt, dass die Reiter den Minister Debry, die Herren Belin und Desmont misshandeln mussten. Dann berücksichtige man ferner, was Belin in der kürzesten Zeit alles thut und leidet! Er wird mit Gewalt aus dem Wagen gerissen, rauft sich mit dem ihn festhaltenden Husaren herum, wird dann in einen Graben geworfen, geschlagen und getreten und ermangelt nicht, in dieser höchst peinlichen Situation die tiefe Finsterniss mit scharfem Auge zu durchdringen und zu sehen, dass Debry von zwei Husaren festgehalten werde, während einer zu Pferde auf ihn losschlug und zu hören, wie der phantasievolle Sigrist rief: »Er ist todt!« Im Uebrigen erklärt er dazwischen, natürlich in gutem Französisch, dass er nicht Bonnier sei, sondern zur Dienerschaft gehöre, was die angeblichen Husaren sehr gut verstehen. Würdigt man endlich noch die früher erwähnte Behauptung Belin's, man habe ihn, nicht etwa zu dem nächstgelegenen Wagen Bonnier's, sondern noch viel weiter, zu dem Roberjot's, geschleppt, um ihm Gelegenheit zu bieten, nicht etwa die Ermordung Bonnier's mit anzusehen, was jedenfalls weniger umständlich gewesen wäre, sondern die Roberjot's, so wird man ruhig behaupten dürfen: der Mann erzählt Dinge, die nie geschehen sein können; er will Dinge gesehen haben, die er nie gesehen haben kann, sowohl wegen der herrschenden tiefen Finsterniss, als auch in Folge des Schreckens, in welchen er versetzt worden sein musste, als er plötzlich und unerwartet aus dem Wagen gerissen und in den Graben geworfen wurde.

Weniger phantasievoll als der Secretär Debry's ist sein Kammerdiener, der es auch nicht für nothwendig findet, das »schlechte« Französisch der Mörder hervorzuheben und schliesslich gesteht: »ich konnte nichts sehen!«

Die Widersprüche in den Erzählungen der Frau Roberjot und ihres Kammerdieners über die Ermordung des dritten französischen Gesandten gehen schon zum Theil aus der einfachen Nebeneinanderstellung derselben hervor. Sie treten noch mehr zu Tage, wenn man sie auch noch mit den Aussagen Glassner's, jenes badischen Kutschers, vergleicht, der den Wagen Roberjot's geführt. Dieser sagt nämlich, dass der Wagen Roberjot's gleichzeitig mit den übrigen von den Husaren angefallen worden, dass der Gesandte aus dem Wagen gerissen und niedergesäbelt worden sei. Das ist zweifellos unrichtig; denn Madame Roberjot erzählt viel zu weitläufig, wie sie und ihr Mann aus dem Wagen gestiegen, sich zu den Boccardi's begaben und erst zurückgekehrt seien, nachdem sie sich überzeugt, dass die Boccardi nicht mehr in ihrem Wagen anwesend waren. Es muss also zwischen dem Ueberfall Debry's, dem Bonnier's und der Ermordung Roberjot's ein zeitlicher Zwischenraum liegen; es müssen die Wagen unbedingt nach und nach, nicht aber auf einmal überfallen worden sein. Es konnte dieser zweifellos nicht unwichtige Umstand bereits früher constatiert werden[1]; die Aussage der Madame Roberjot bestätigt diese Annahme. Die Aussage Glassner's ist aber auch unrichtig, weil er behauptet, Roberjot sei aus dem Wagen gerissen worden, während Madame Roberjot ausdrücklich sagt, sie wären kaum an den Schlag des Wagens angelangt, als sie überfallen wurden. Vollends werthlos wird die Aussage Glassner's durch das eigene Geständniss, er habe aus Angst »seine Besinnungskraft unmöglich beibehalten können«.

Aber auch die Aussage der Madame Roberjot erregt, genauer betrachtet, einiges Misstrauen. Merkwürdig ist schon, dass sie in Uebereinstimmung mit keinem Geringeren als

[1] S. S. 92.

Jean Debry[1]), erzählt, die vorderen Wagen seien unter »fürchterlichem Geschrei« angegriffen worden. Wäre dies wirklich der Fall gewesen und wären bei jener Gelegenheit thatsächlich »allenthalben Säbelhiebe ausgetheilt worden«, so hätte Madame Roberjot, der man doch als einer Frau nicht grösseren Muth zuschreiben darf, als den verschiedenen Männern, die beim ersten Anhalten der Wagen davonliefen, zweifellos ihren Mann nicht wieder zu seinem Wagen zurückkehren lassen, sondern ihn veranlasst zu entfliehen. Sie thut das nicht, sondern kehrt ruhig mit ihm zurück. Es scheint demnach mit Bestimmheit hervorzugehen, dass sie irgend welche Gefahr nicht vermuthet hat, dass man ihr also später erst irgend etwas von »schrecklichem Geschrei« und von »Säbelhieben« erzählt habe. Eine Bestätigung dieser Annahme findet sich in der Aussage des Kammerdieners Roberjot's, Venon. Wenn man nämlich dem 4. Zusatz im »Authentischen Bericht«, wo diese Aussage sich vorfindet, Glauben schenken will, so habe Roberjot, nachdem er mit seiner Gemahlin aus dem Wagen gestiegen und gegen die rückwärtigen Wagen zu gegangen war, gesagt: »Ce n'est rien, rapprochons-nous de ma voiture, elle sera respectée!« Hieraus geht hervor, dass Venon mit seiner Herrschaft zurückgegangen war, da er sonst die Worte des Gesandten nicht gehört hätte, dann, dass von einer drohenden Gefahr, also auch von »Geschrei« und »Säbelhieben« nicht die Rede sein kann, da doch sonst der Minister nicht mit der grössten Seelenruhe gesagt hätte: »Es ist nichts, gehen wir wieder zu unserem Wagen« etc. Oder sollte nicht der Minister, sondern der Kammerdiener beruhigt und zur Rückkehr gerathen haben, trotzdem irgend etwas bei den anderen Wagen geschehen war?

Die Widersprüche und Unrichtigkeiten in der Erzählung der Madame Roberjot sind übrigens begreiflich; sie musste ja durch die Ermordung ihres Gatten so sehr erschüttert worden sein, dass ihren Aussagen hierüber fast jede Glaub-

[1]) Den weiteren Ausführungen vorgreifend, möchten wir doch schon hier kurz bemerken, dass Madame Roberjot später den Gesandten Debry offen beschuldigte, die Ermordung Bonnier's und Roberjot's veranlasst zu haben!

würdigkeit fehlt. Nachdem sie sich später von den furchtbaren Eindrücken dieser Nacht etwas erholt und ruhiger auf jenes Erlebniss zurückblicken konnte, hat sie, wie bereits kurz angedeutet, Beschuldigungen erhoben, die in merkwürdigem Gegensatz stehen zu den erwähnten Aussagen. Viel bedeutsamer sind demnach die verschiedenen Aussagen des Kammerdieners, der im »Authentischen Bericht« unbegreiflicherweise als »Retter« der Madame Roberjot bezeichnet wird, trotzdem sogar den Autoren dieses Schriftstückes bekannt war, dass die Mörder es nur auf das Leben Bonnier's und Roberjot's abgesehen und Niemandem sonst ein Leid zugefügt hatten. Was nun diesen seltsamen »Retter« bewogen haben mag, sich in seiner Pariser Aussage so knapp zu fassen, während er doch nach dem »Authentischen Bericht« so viele interessante Details wusste, ist unerklärbar. Sollte er das Alles auf der Reise vergessen haben? Auch hier steht man wieder, wie so oft, wenn man sich die Mühe nimmt, diese »Quellen« zu prüfen, vor der Frage: »Wer lügt da?« Wir möchten aus der Rastatter Erzählung dieses Herrn nur zwei Puncte hervorheben. Er will Frau Roberjot im Wagen an seine Brust gedrückt und ihr mit den Fingern das Ohr verstopft haben, »damit sie ihres Mannes letztes Aechzen nicht hören sollte!« Abgesehen von der Geistesgegenwart, die der Kammerdiener hiebei entwickelt, indem er nicht etwa an sich und die ihm selbst drohende Gefahr, sondern, von Mitleid ergriffen, nur daran denkt, der unglücklichen Frau beizustehen, dass sie »das letzte Aechzen« ihres Mannes nicht höre, wäre es jedenfalls menschenfreundlicher von ihm gewesen, der Dame statt der Ohren die Augen zuzuhalten und ihr so den entsetzlichen Anblick zu ersparen, — oder sollte der Kammerdiener desshalb so viel Kaltblütigkeit entwickelt haben, weil er wusste, dass ihm selbst keine Gefahr drohe und hat er der unglücklichen Frau die Ohren zugehalten, damit sie die letzten Worte des Sterbenden nicht hören könne, der vielleicht den Namen des Urhebers der Mordthat geröchelt? Dieser Verdacht wurde schon in Rastatt rege, als Venon dort seine Erlebnisse zum Besten gab.

Aber Herr Venon erzählte auch, er habe, während Roberjot niedergehauen wurde, die Frau mit sich in den Wagen gerissen und den Schlag hinter sich zugeworfen. Als aber Roberjot noch Lebenszeichen von sich gegeben, habe dies die Frau sogleich gemerkt und »mit Lebhaftigkeit« gerufen: »Mon ami n'est pas mort, ah, sauvez, sauvez!« Dadurch wären die Husaren aufmerksam geworden und hätten neuerdings auf Roberjot losgehauen.

Und die Mörder Roberjot's, die damit abermals eine Probe ihrer genauen Kenntniss der französischen Sprache ablegen, sollen Szekler- Husaren gewesen sein??

Schliesslich noch eine Angabe Venon's aus seiner Pariser Aussage. In dieser heisst es, wie erwähnt, es seien ihm und dem Küchenchef Roberjot's von den Husaren Effecten im Werthe von 1200 Frcs. und 26 Louisd'ors geraubt worden. Zum Schlusse seines Berichtes aber erzählt Venon, es seien ihm am nächsten Tag 2400 Francs und 43 Louis, also fast genau das Doppelte des Geraubten zurückgegeben worden. Es wird zugegeben werden müssen, dass die Szekler-Husaren, die nach dem Gesagten fünf Sprachen — französisch, deutsch, italienisch, ungarisch und walachisch — beherrscht haben müssten, nicht nur sehr gebildete, sondern auch sehr splendide Leute waren! Bedurfte Venon vielleicht einer Begründung dafür, dass er so viel Geld besass — nach dem Mord?

Noch sollen schliesslich einige Aussagen erwähnt werden, die jedoch an und für sich nur geringen Werth besitzen, da die betreffenden Personen schon beim Anhalten der Wagen Reissaus nahmen.

Der französische Gesandtschafts-Secretär Rosenstiel sass mit seinem Diener im vierten Wagen, also zwischen denen Bonnier's und Roberjot's. Er erzählt, die Wagen seien angehalten worden[1], nachdem sie die Hälfte des Weges zwischen der Vorstadt und der Murgkanal-Brücke erreicht hätten. »In dem Augenblick,« so fährt Rosenstiel fort, »hörte ich Geschrei der Damen. Ich mass es Anfangs dem Eindrucke bei, welchen die Gegenwart der Leute, durch

[1] Von wem sie angehalten wurden, sagt er nicht und unterscheidet sich dadurch vortheilhaft von allen anderen Personen, die, auch ohne das Geringste gesehen zu haben, stets von Szekler-Husaren sprechen.

welche die Wagen angehalten waren, auf die Bürgerinnen Debry gemacht haben konnte; aber ich erfuhr bald die wahre Ursache davon. Mein Bedienter war ausgestiegen, um am ersten Wagen eine unserer Fackeln anzuzünden, damit es auch in der Mitte des Zuges hell sein solle, wenn wir über die Brücke fahren würden. Er kommt an den ersten Wagen, dem Debry's, wo die brennenden Fackeln waren; er sieht, dass Szekler-Husaren, theils zu Fuss, theils zu Pferd auf den Minister einhauen; er wirft seine Fackel weg, reisst sich aus den Händen der Mörder, welche ihm Uhr und Geldbeutel rauben, eilt athemlos zurück und sagt mir, dass gemordet werde, dass man sich schleunig entfernen müsse. Er öffnet dabei den Wagen, zieht mich hinaus und ruft mir zu, dass ich mich retten soll.« Diesen wohlgemeinten Rath befolgte nun Rosenstiel, eilte davon und gelangte durch den Schlossgarten nach Rastatt.

Die Aussage Rosenstiel's zeigt, dass er selbst gar nichts gesehen, sondern dass er das Erzählte von seinem Diener gehört hat. Die Handlungsweise dieses Dieners aber, dessen Aussage man, befremdend genug, nicht verlangt oder mindestens nicht veröffentlicht hat, zeigt auch Eigenthümlichkeiten, die doch nicht übergangen werden dürfen. Dieser Diener war, so erzählt ja Rosenstiel, ausgestiegen, um eine Fackel anzuzünden und hatte sich zu dem ersten Wagen begeben. Der Wagenzug hielt also — aus welcher Ursache? Auf wessen Befehl? Man wird sagen, auf Befehl der Husaren, die ja mit »fürchterlichem Geschrei« auf den Wagen Debry's losgestürzt waren! Das ist nicht möglich. In diesem Falle hätte sich der Diener wohl gehütet, nach vorne zu gehen; auch geht aus der Erzählung Rosenstiel's klar hervor, dass dieser Diener ausgestiegen war, bevor noch Jemand irgendwelche Gefahr witterte; die vordersten Wagen mussten also aus irgend einem anderen Grunde zum Stehen gebracht worden sein. Da aber Debry im ersten Wagen sass, so steht zu vermuthen, dass er den Befehl ertheilt. Weshalb? Der Diener will Szekler gesehen haben, die auf den Minister einhieben; er (der Diener) »wirft seine Fackel weg, reisst sich aus den Händen der Mörder etc.«

Und dieses Märchen hat man ohne das geringste Bedenken bis jetzt geglaubt! Wenn bei den ersten Wagen Fackeln gebrannt hätten und der Diener die einhauenden Husaren gesehen hätte, würde er doch nicht in die »Hände der Mörder« geeilt sein, nur um sich dann wieder »losreissen« zu können! Wenn aber keine Fackeln vorne brannten — und dies ist das Wahrscheinlichere — und wirklich Husaren mit fürchterlichem Geschrei eingehauen hätten, so würde der Diener noch viel weniger nach vorne geeilt sein. Was der Diener da erzählt, ist zweifellos erlogen. Aber verfolgen wir die Aussage Rosenstiel's weiter.

Nachdem der Diener sich, angeblich ausgeplündert, aus den Händen der Mörder gerissen, was an und für sich eine recht respectable Leistung war, öffnet er den Wagen Rosenstiel's, »zieht« diesen heraus und ruft ihm zu, sich zu retten. Vergleicht man die Handlungsweise dieses Dieners mit jener des Dieners von Bonnier, so fällt ein nicht ganz unwesentlicher Umstand auf: der Diener jenes Gesandten, auf dessen Ermordung es in erster Linie abgesehen war, öffnet den Wagenschlag nicht; der Diener Rosenstiel's thut dieses nicht nur sehr eilig, sondern »zieht« auch seinen Herrn heraus. Sollte dies von beiden nicht absichtlich geschehen sein? In diesem Falle wäre es zweifellos, dass der Diener Bonnier's den Mördern Zeit schaffen wollte, den Gesandten zu finden, während der Diener Rosenstiel's nur darauf bedacht war, seinen Herrn, auf dessen Ermordung es ganz bestimmt nicht abgesehen war, so schleunig als möglich aus dem Wege zu schaffen. Fürchtete er etwa, dass sein Herr da bleiben könnte als unliebsamer Zeuge der Ermordung? Wir erinnern uns hier auch an die Erzählung der Frau Roberjot und müssen es wieder als ganz unbegreiflich erklären, warum ihr Gatte, auf dessen Ermordung es ebenfalls abgesehen war, zu seinem Wagen zurückkehrte; warum auch der Kammerdiener dieses Gesandten so merkwürdig ähnlich wie der Bonnier's und so seltsam verschieden wie der Rosenstiel's gehandelt hat. Man mag von dem Benehmen der Dienerschaft der Franzosen denken, wie man will; zu bedauern ist unter allen Umständen, dass man diese Leute nicht einem sehr ernsten Verhör unterzog, dass selbst Herr von Görtz, der doch so eifrig war, Schuldbeweise gegen die Szekler-Husaren zusammen zu bringen, ganz ausser Acht liess(?), gerade die nächsten Augenzeugen von einer Commission inquirieren zu lassen und zu verwundern, dass man auch viel später noch ihren widerspruchsvollen, zum Theil nachweisbar erlogenen Aussagen die Bedeutung einer Quelle beimass!

Einer der Ersten, die nach Rastatt zurückkehrten, war also der Gesandtschafts-Secretär Rosenstiel. Ob auch sein Diener nach Rastatt zurückeilte oder es vorzog, trotz der Gefahr bei den Wagen zu bleiben, lässt sich nicht mehr feststellen. Mit seinem Herrn zugleich ist er nicht zurückgelaufen; denn dieser erwähnt seinen Diener nicht mehr — er scheint ihn also vollständig aus den Augen verloren zu haben. Wenn auch die Handlungsweise Rosenstiel's, der über Hals und Kopf die Flucht ergreift, bevor er eigentlich weiss, ob überhaupt irgend eine Gefahr drohe, als übertriebene Furchtsamkeit dieses Mannes erklärt werden kann, verwunderlich bleibt es immerhin, dass weder er, noch sein Diener, daran dachten, auch Roberjot, dessen Wagen die Beiden doch passieren mussten, auf diese Gefahr aufmerksam zu machen.

Der ligurische Gesandte Boccardi sass mit seinem Bruder im sechsten Wagen, der dem Roberjot's folgte. Schon aus der Aussage der Frau Roberjot ist bekannt, dass die Boccardi's bereits davongelaufen waren, als sie mit ihrem Gatten zu dem Wagen kam. Es ist weiter bekannt, dass Frau Roberjot und ihr Gatte wieder ruhig zu ihrem Wagen zurückkehrten, nachdem der Minister gesagt: »Es ist nichts; kehren wir wieder zu unserem Wagen zurück.« Und nun höre man, was der Gesandte Boccardi erzählt: »Wir waren auf der Allee längs dem Murg-Kanal etwa 500 Schritte von Rastatt angelangt, als plötzlich die Wagen anhielten. Ich glaubte Anfangs, dass die Damen die Brücke zu Fuss überschreiten wollten, wie ich es ihnen gerathen, da sie während des Thauwetters stark beschädigt worden war. Ich sagte dies meinem Bruder und wir bereiteten uns vor, ihnen den Arm zu bieten. Noch hatte ich nicht zu Ende gesprochen, als ich ein über alle Beschreibung gehendes Schauspiel sah und hörte.(!) Ich sehe(!), wie die ersten Wagen von den Husaren, mit dem Säbel in der Faust überfallen werden; mehrere von ihnen bemächtigen sich der Fackeln, welche die Bedienten hielten. (!) Die Kutscher steigen von ihren Kutschböcken und fliehen nach allen Seiten. (!!) Ich höre die Säbelhiebe auf die Fuhrwerke und die Personen niederfallen, das schreckliche Geheul der Mörder, das Geschrei der Schlachtopfer. Mein Bruder. Zeuge dieser fürchterlichen Scene ruft: ‚Wir werden überfallen! Retten wir uns!' Wir springen aus dem Wagen. Mein Bruder sagt: ‚Fliehe in den Wald!' Ich eile dahin, indem ich über den Graben springe, aber ich wäre in den Tod gelaufen, statt ihm zu entgehen, denn mein Kammerdiener, der mir folgte. sah von ferne die Husaren über die Felder ventre à terre gegen uns losstürmen, die Säbel in der Hand.« (!)

Berücksichtigt man, dass der Verfasser dieser romantischen Erzählung, Boccardi, im sechsten Wagen sass und zwar, wie selbstverständlich, in einem geschlossenen Reisewagen; dass Roberjot und seine Gemahlin, die in dem fünften Wagen gesessen, dann ausgestiegen, aber ruhig wieder zurückgekehrt waren, so bedarf es keines weiteren Beweises mehr, um zu behaupten, dass die Erzählung Boccardi's unwahr, also werthlos ist. Merkwürdig ist nur, dass auch die beiden Boccardi's von ihrem Kammerdiener auf die angeblich »ventre à terre« heranstürmenden Husaren aufmerksam gemacht wurden, eine cavalleristische Leistung, die, mit Rücksicht auf das Terrain und die tiefe Finsterniss geradezu unerhört wäre. Drängt sich nicht auch hier der Gedanke auf, dass Boccardi überhaupt nur das erzählt, was ihm von seinem Kammerdiener erzählt wurde; dass auch diesem, sowie dem Diener Rosenstiel's daran gelegen gewesen, seine Herrschaft möglichst rasch vom Schauplatze zu entfernen? Selbst wenn man aber dem Möglichen und Wahrscheinlichen, was Boccardi erzählt, Glauben schenken will, so bleibt davon nichts Anderes übrig, als dass sein Kammerdiener Husaren über das Feld reiten gesehen hat, während bei den vorderen Wagen bereits gemordet wurde[1]). Es konnten demnach die über

[1]) Boccardi sagt ja ausdrücklich, dass sein Kammerdiener die Husaren »von ferne« heranreiten sah, das heisst jedenfalls, sie waren noch ziemlich weit vom Schauplatz entfernt. Wären sie übrigens nahe gewesen, so hätten sie wohl die Fliehenden noch erreicht!

das Feld heranreitenden Husaren offenbar nicht identisch sein mit den bei den vorderen Wagen befindlichen Mördern; Boccardi bestätigt damit, dass die Husaren, über das Feld reitend, sich der bereits überfallenen Wagencolonne näherten. Das gerichtliche Verhör der Husaren ergiebt, dass beide Patrouillen die Murg-Brücke passierten, also auf der Strasse auf die Wagencolonne stiessen, das schliesst die nächtliche Galoppade über die Felder völlig aus. Wären die Husaren über die Felder geritten (siehe Plan), so konnte von den Fliehenden Niemand nach Rastatt gelangen, ohne den Reitern in die Hände zu fallen. Weiter ergiebt sich aus dem Berichte Boccardi's, dass er und sein Bruder, die ja sofort nach dem Anhalten der vorderen Wagen die Flucht ergriffen, unter den ersten in Rastatt Angekommenen waren.

Ein Anderer aus dem Gefolge, der ebenfalls mit wenig männlicher Beschleunigung sein Heil in der Flucht suchte war Troyon, der Kutscher Bonnier's. Auf welchem Wagen dieser Mann sich befand, lässt sich nicht mehr genau feststellen; den Wagen, in welchem Bonnier sass, lenkte bekanntlich der badische Kutscher Ohnweiler. Troyon erzählt, er habe sich »hinter dem Fuhrwerke« Bonnier's befunden und sei nach dem Anhalten der Wagen abgesprungen. Dann will er die Ermordung Bonnier's gesehen haben, was nicht glaubhaft klingt, da er selbst »an das Ufer des Flusses« geworfen wurde, wobei man ihm »den Säbel nahm, mit dem er sich bewaffnet hatte.« Dieser Mensch ist der einzige, welcher zu begründen sucht, warum auch er keinen Versuch gemacht, seinem Herrn Hilfe zu leisten — freilich klingt diese Begründung komisch genug. »Ich sah,« sagte er, »dass ich weder den Personen zu helfen, noch die Effecten zu retten im Stande war und konnte das fürchterliche Geschrei der Gattinnen und Kinder der Minister nicht aushalten (!); dazu kam noch, dass zwei Husaren mir meine Uhr und an sieben bis acht Geldstücke, von 24 Francs jedes, nebst einem Theil meiner Habseligkeiten raubten: daher flüchtete ich mich nach der Stadt.« Das empfindsame Herz dieses Braven in allen Ehren! — schöner wäre es wohl gewesen, wenn er von

»dem Säbel, mit dem er sich bewaffnet hatte,« den richtigen Gebrauch gemacht hätte. Im Uebrigen muss noch zugegeben werden, dass diese Diener und Kutscher reichlich mit Geld versehen gewesen sein müssen: weiss doch Troyon nicht einmal genau, ob ihm sieben oder acht Goldstücke, »jedes zu 24 Francs,« geraubt wurden!

Aus der Gegenüberstellung dieser verschiedenen Aussagen und aus der genauen Analyse derselben ergeben sich sichtlich nicht nur eine ganze Menge der verblüffendsten Widersprüche, sondern es lässt sich auch unschwer feststellen, dass einzelne Angaben erfunden oder geradezu erlogen sind. Die Widersprüche, die Unrichtigkeiten, die Ungenauigkeiten, die Verwechselungen, die in diesen Aussagen vorkommen, lassen sich allerdings zum Theil durch einen sehr wichtigen Umstand erklären: Durch die tiefe Finsterniss, die auf dem Schauplatz des Mordes geherrscht.

Es giebt über das blutige Ereigniss vom 28. April auch eine nicht geringe Anzahl bildlicher Darstellungen. Die neueste uns bekannt gewordene befindet sich in einem den Siegen der französischen Armee gewidmeten Album[1]). Auf diesem, den Rastatter Gesandten-Mord darstellenden Bilde sieht man links im Vordergrunde Jean Debry liegen, dem ein Husar den Arm aufhebt, offenbar um sich zu überzeugen, ob der Gesandte schon todt sei; wenige Schritte weiter rechts befindet sich der bereits ermordete Bonnier, hinter ihm, in etwas theatralischer Lage, Roberjot, dessen Gattin sich auf die zuschlagenden und stechenden Husaren stürzen will, aber von einem Szekler zurückgehalten wird. Rechts im Vordergrunde sieht man einen Husaren in einem Koffer nach Papieren suchen, während ein zweiter eine Anzahl Schriftstücke einem dritten zu Pferde sitzenden reicht, der diese in Empfang nimmt. Die ganze Scenerie ist von hellem Lichte überstrahlt, so dass man nicht nur die Uniformen, sondern auch die Gesichtszüge eines jeden Husaren ganz genau unterscheiden

[1]) Album Militaire. Victoire et conquêtes des Armées françaises.

kann[1])! Freilich, wenn man sich die Scene so vorstellte, im strahlenden Lichte irgend einer künstlichen Sonne, darf es billig Wunder nehmen, dass man heute noch immer nach den Mördern sucht! Wir Andern, die wir besser unterrichtet sind als der hellsehende Maler und der unwissende Erklärer seines Bildes, wissen, dass der Schauplatz der Mordthat in die tiefste Finsterniss gehüllt war. Die Nacht des 28. April war, wie bereits erwähnt, nicht nur eine aussergewöhnlich dunkle, sondern Schnee, Regen und Schlossen durcheinandergemischt und von einem starken Sturm gepeitscht, erschwerten das Durchdringen der Finsterniss noch mehr. Dem Wagenzuge der Gesandten wurde eine einzige Fackel vorangetragen[2]). Der Mann aber, welcher diese Fackel trug, war unter den ersten Personen, die unmittelbar nach dem Ueberfall in Rastatt ankamen[3]); es wurde ihm also offenbar die Fackel von irgend Jemandem aus der Hand geschlagen[4]), oder hat er sie im ersten Schrecken, oder aus einem anderen Grunde freiwillig selbst fortgeworfen und sich unter dem Schutze der Dunkelheit geflüchtet. Berücksichtigt man diesen höchst wichtigen Umstand, so wird man auch den Werth der erwähnten Aussagen richtig würdigen; man wird auch begreifen, wie darin solch handgreifliche Unrichtigkeiten und Widersprüche vorkommen können; man wird aber in erster

---

[1]) Interessanter als das Bild ist die dazu gehörige Legende. Die Gesandten verlangten, so werden wir belehrt, nachdem sie den Ausweisungsbefehl erhalten, eine Escorte. »On la leur refusa et on les força à partir de nuit. À 50 pas de la ville, leur convoi, où se trouvèrent leurs femmes et leurs enfants, fût assailli par un détachement de hussards qui les sabrèrent, tuèrent Bonnier et Roberjot, laissèrent Jean Debry pour mort et volèrent tous les effets, mais surtout les papiers des ministres français. Ce crime, le plus odieux de tous ceux commis contre le droit de gens, avait été prémédité et accompli par le gouvernement autrichien, pour connaitre les liaisons des petites puissances avec la République!« So werden geschichtliche Lügen popularisiert!

[2]) Aussage Debry's und Belin's, dann »Auth. Bericht«. Legations-Secretär Rosenstiel spricht zwar von mehreren brennenden Fackeln (»les flambeaux allumés«), doch ist seiner Aussage kein Gewicht beizulegen, da er, wie bereits erzählt, beim ersten Lärm davonlief.

[3]) Auth. Bericht, 23.

[4]) Auth. Bericht, 19.

Linie behaupten dürfen, dass diese Leute über die Gattung der Mörder vollständig im Unklaren gewesen sein müssten. Erst als die Fackeln[1]) wieder brannten, sahen sie — Szekler-Husaren vor sich, denn diese haben die Fackeln erst wieder angezündet!

Berücksichtigt man nun den wichtigen und in der Literatur über den Gesandten-Mord leider viel zu wenig gewürdigten Umstand, dass die Mörder unter dem Schutze einer ungewöhnlich finsteren und stürmischen Nacht gehandelt: sondert man dann, wie schon aus diesem Grunde allein dringend geboten, aus den Aussagen Debry's und seines Gefolges das Mögliche von dem Unmöglichen, das Uebereinstimmende vom Widersprechenden, bei selbstverständlicher Ausscheidung der offenen Unwahrheiten und Lügen, so lässt sich bezüglich des Ueberfalls von Debry und der Ermordung Bonnier's und Roberjot's Folgendes feststellen:

Die Zahl der Attentäter kann sich auf sechs, höchstens acht Mann belaufen, von denen einer zu Pferd, die andern aber alle zu Fuss waren; die eine brennende Fackel wurde sofort verlöscht und zwar durch die Attentäter oder durch den Fackelträger selbst; die Attentäter riefen wahrscheinlich den Namen Bonnier's, möglicherweise auch den Roberjot's, ganz gewiss aber nicht den Debry's; sie fragten sowohl Bonnier, als auch Roberjot ausdrücklich und wiederholt nach ihrem Namen, offenbar, um sich zu überzeugen, dass sie nicht eine andere Person ermordeten; es war demnach unbedingt auf die Ermordung von Bonnier und Roberjot und nur auf diese beiden abgesehen; gesprochen wurde von den Attentätern französisch oder deutsch, möglicherweise auch beide Sprachen. Die Attentäter überfielen nicht zu gleicher Zeit sämmtliche Wagen, sondern sie giengen von

[1]) Dass zwar mehrere Fackeln in den Wagen der Franzosen vorhanden waren, aber nicht brannten, bestätigt Rosenstiel, welcher erzählt, sein Bedienter sei, nach dem Anhalten der Wagen ausgestiegen »pour allumer à la tête des voitures un des flambeaux que nous avions«. Warum nicht mehrere Fackeln brannten, ist umso weniger begreiflich, als die Nacht sehr finster war und man, als im Kriege befindlich, immerhin irgendwelche Störung während der Reise mit Recht erwarten durfte.

dem einen zum andern; trotzdem aber geschah der Ueberfall der Wagen und die Ermordung Bonnier's und Roberjot's überraschend schnell. Es muss also mit Bestimmtheit angenommen werden, dass die Mörder sich beim Wagen Debry's nur sehr kurz aufgehalten haben und die Dienerschaftswagen unbeachtet bei Seite lassend, sich nur schnell auf die Wagen Bonnier's und Roberjot's warfen, dass sie also sichtlich — sehr grosse Eile hatten.

Auf Grund dieser vorläufigen Ergebnisse unserer Untersuchungen wollen wir nun feststellen, ob sich Anhaltspuncte ergeben, dass Szekler-Husaren die Mörder waren.

Selbst wenn nicht schon aus den Erzählungen der Franzosen hervorgienge, dass nur sechs bis acht Personen die Wagen überfielen und die beiden Gesandten ermordet haben, so würde ein Blick auf den Plan der Umgebung von Rastatt und auf den Platz, wo der Mord verübt wurde, genügen, um zu der Ueberzeugung zu gelangen, dass 32 Szekler-Husaren — denn so viele wurden des Mordes beschuldigt und vor Gericht gestellt — nicht einmal Raum hatten, jene Evolutionen auszuführen, die ihnen von Manchen zugeschrieben werden. Die Rheinauer Strecke, zu beiden Seiten mit Bäumen bepflanzt, war rechts von einem Graben, links von der Murg begleitet. Ungefähr einen halben Kilometer weit vom Rheinauer Thal begann rechts der Strasse der »Rastatter Zey-Wald«, der sie begrenzte und weiter in den »Rheinauer Zey-Wald« übergieng. Die vordersten Wagen müssen unmittelbar an der ersten, über die Murg führenden Brücke angelangt gewesen sein, als sie angefallen wurden; denn nicht nur Debry giebt an, dass er aus dem Graben in den Wald entfloh — was doch nicht gut möglich gewesen wäre, wenn dieser ihn nicht durch seine Nähe förmlich dazu eingeladen hätte — sondern auch Boccardi sagt, er habe geglaubt, »dass die Damen die Brücke zu Fuss überschreiten wollten.« Ein Blick auf den Situations-Plan von Rastatt zeigt deutlich die Unmöglichkeit, dass Reiter-Abtheilungen von rechts und links heransprengten. Auf der einen Seite hinderte der Wald, auf der anderen die Murg ein derartiges Manöver; nun waren aber die Wagen der französischen Gesandten, wie die damaligen Reiseequipagen alle, sehr breit, nahmen wohl mindestens die Hälfte der Strasse ein, so dass auf dem freibleibenden Raum kaum so viele Reiter auch nur ihre Pferde hätten umwenden können. Es ist also schon nach der Beschaffenheit des Platzes anzunehmen, dass der Angriff nur von vorne oder von rückwärts oder aber von diesen beiden Seiten zugleich hätte erfolgen können. Er erfolgte bekanntlich nur von vorne, indem der erste Wagen, der Debry's, angehalten wurde. Dadurch aber hatten die Insassen der rückwärtigen Wagen vollauf Zeit zu entfliehen, während die Attentäter bei den vorderen beschäftigt waren und thatsächlich gelang es ja auch, wie bekannt, den Herren Boccardi, Rosenstiel etc. davon zu laufen, bevor noch Jean Debry den berühmten »Kratzer« auf der Nase erhalten hatte. Ja, sogar der unglückliche Roberjot wäre ganz zweifellos entkommen, wenn ihn ein unglückseliges Verhängniss — oder ein sonstiger Grund — nicht wieder zu seinem Wagen zurückgeführt hätte. Dies festgehalten, drängt sich nun förmlich die Frage auf, wie die Szekler-Husaren, geführt von militärisch geschulten Commandanten, einen derart ungeschickten Ueberfall inscenieren konnten? Sie waren ja zahlreich genug, um sich zu theilen: eine Gruppe bleibt auf der Strasse, um die Wagen anzuhalten, die andere stellt sich jenseits der kleinen, über die Murg führenden Brücke, lässt die Wagen passieren und reitet dann auf die Strasse, die sie absperrt, damit keines der Opfer entfliehen könne. Statt so zu handeln, sollen sie in einen Klumpen geballt auf den vorderen Wagen »mit fürchterlichem Geschrei« losgestürzt sein, damit der grösste Theil der Gesellschaft Gelegenheit fand, zu entfliehen? Nein: das Attentat wurde von wenigen Leuten ausgeführt, die sich natürlicherweise nicht auf die grosse Strecke, die von acht oder neun mit zwei, vielleicht auch mit vier Pferden bespannten Wagen eingenommen war — mindestens 160 bis 200 Schritte — vertheilen konnten und durften. Die Attentäter haben, wie die Franzosen selbst angeben, französisch und deutsch gesprochen. Von den Szekler-Husaren sprach nicht ein einziger französisch; selbst von jenen Officieren des Szekler-Regiments, die hier in Betracht kommen, verstand diese Sprache nur der Oberlieutenant-Auditor Ruziczka der, wie später nachgewiesen werden wird, von Rastatt nach

Rothenfels zurückkehrte und die Nacht dort zubrachte, dann »ein wenig«, der Unterlieutenant Fontana, der in jener Nacht bekanntlich bei Plittersdorf stand. Deutsch verstanden allerdings alle diese Officiere und auch der eine Unterofficier, der später vor Gericht gestellt wurde -- aber giebt es wirklich Jemanden, so müssen wir wiederholen, der glauben könnte, dass dieser Unterofficier mit seinen Leuten in einer Sprache gesprochen, ihnen Befehle ertheilt hat, in einer Sprache, die von der Mannschaft nicht verstanden wurde? Dass aber die Worte: »Schlagt sie nieder, die Schufte von Patrioten« etc. wirklich, ob deutsch oder französisch gerufen wurden, gilt als zweifellos.

Aus den Aussagen aller Franzosen geht mit Bestimmtheit hervor, dass die Attentäter die grösste Eile hatten, dass der Ueberfall, die Ermordung thatsächlich »mit Blitzesschnelle« ausgeführt wurden. Diese That ist demnach von Leuten verübt worden, die eine Entdeckung, eine Störung zu fürchten hatten; welche Entdeckung, welche Störung hatten denn die Szekler-Husaren zu fürchten? Ob sie beauftragt worden sein sollen, den Mord zu verüben, oder ob sie ihn aus eigenem, frevelhaftem Antrieb ausgeführt, eine Störung hätten sie schwerlich zu befürchten gehabt. Sie konnten, in der oben ausgedrückten Weise den Mord sicher, fast möchte man sagen, bequem ausführen und ruhig wieder davon reiten. Anders, wenn der Mord von sonstigen Personen verübt wurde. Diese konnten und mussten fast mit Bestimmtheit befürchten, von irgend einer Seite gestört und ertappt zu werden. War doch Krieg in der ganzen Rheingegend, wusste doch jedes Kind in Rastatt und Umgebung, dass kaiserliche Patrouillen bei Tag und Nacht umherstreiften. Ist es da zu verwundern, wenn der Ueberfall »mit Blitzesschnelle« vor sich gieng? Immerhin war auch für die Szekler-Husaren eine Gefahr vorhanden, gestört oder sogar ertappt zu werden, weil die Mordthat fast in unmittelbarer Nähe von Rastatt, etwa 200 Schritte vom Rheinauer Thor verübt wurde. Selbst wenn nämlich die Husaren ebenso vorsichtig gewesen, als sie unvorsichtig und ungeschickt gewesen sein sollen und in der angedeuteten Art zu verhindern gesucht hätten, dass Einer oder der Andere des

Gefolges entwische und Rastatt allarmiere, hätte dies eintreten, hätte einer oder der andere Diener, Fackelträger, Kutscher etc. unter dem Schutze der Finsterniss entkommen und Hilfe aus Rastatt bringen können. Die Thore der Stadt waren allerdings besetzt, aber es ist bekannt, dass dadurch weder die Herren Boccardi, noch Rosenstiel oder die verschiedenen anderen Leute verhindert worden waren, von der Wache ungesehen und ungehindert nach Rastatt zu gelangen. Da ist man doch gezwungen, zu fragen, warum denn die Szekler sich nicht einen von Rastatt entfernteren Ort gesucht, um ihre That zu verüben? Ihnen stand ja hiezu der ganze Weg bis an den Rhein zur Verfügung; ja, wenn sie die Wagen in der Nähe des Stromes überfallen hätten, würde sich sogar der Verdacht der Thäterschaft leicht und fast von selbst auf Personen jenseits des Rheines gelenkt haben. Ist demnach schon die Art, wie die Mordthat von den Szekler-Husaren verübt worden sein soll, eine fast verblüffend ungeschickte, so ist der Ort der That womöglich noch ungeschickter gewählt und es müsste mit seltsamen Dingen zugegangen sein, wenn sich unter den vielen Husaren kein einziger gefunden hätte, auf diese aufgelegten Ungeschicklichkeiten aufmerksam zu machen. War jedoch der Mord nicht von den Szekler-Husaren begangen, sondern von sechs bis acht anderen Personen, so kann weder die Art, wie die That ausgeführt worden, noch die Wahl des Ortes als ungeschickt bezeichnet werden. Die etwas schwerfällige Art der Ausführung war eben durch die geringe Zahl der Attentäter bedingt, die Wahl des Ortes aber durch seine verhältnissmässig grosse Sicherheit vor Störung.

Unmittelbar vor Rastatt brauchte man nicht umherstreifende Patrouillen zu befürchten, da ja die Stadt selbst und auch die vorliegenden Orte besetzt waren und die meisten Patrouillen selbstverständlich in der Nähe des Rheines streifen mussten. Traf dennoch irgend eine unvorhergesehene Störung ein, so lag Rastatt in nächster Nähe und konnte leicht, trotz der Wachen, erreicht werden. Wenn nun gar Mithelfer der Mörder, wenn die Mörder selbst unter dem Gefolge der französischen Gesandtschaft gesteckt haben sollten — und dieser Verdacht, der sich bei aufmerksamer Lectüre der verschiedenen abenteuerlichen Aussagen und bei aufmerksamer

Beobachtung des Verhaltens der Dienerschaft fast zwingend aufdrängt, ist gewiss nicht unbegründet — dann ist die Wahl des Ortes eine geradezu ausgezeichnete. Es war dadurch möglich, überflüssige und gefährliche Männer, durch Vorspiegelung grosser Gefahr rasch vom Schauplatze zu entfernen; es war aber auch den Mördern selbst die Möglichkeit geboten, schnell und sicher auf genau bekannten Gartenwegen, etwa durch den Schlossgarten, ungeachtet der besetzten Thore, nach Rastatt zu gelangen und eventuell dem Verdacht der Thäterschaft eine andere Richtung zu geben. Wie dem nun immer gewesen sein mag, eines ist sicher: Szekler-Husaren hätten weder diesen Ort der Mordthat, noch diese Art ihrer Ausführung gewählt.

Eine aufmerksame und unbefangene Prüfung der bis jetzt auf Grund der französischen Aussagen selbst angeführten Thatsachen ergiebt demnach schon eine Reihe von Argumenten, die ganz entschieden zu Gunsten der beschuldigten Szekler-Husaren sprechen. Und diese Argumente mussten nicht mühsam ersonnen werden, sie drängen sich Jedem auf, sie liegen ja auf der Strasse!

Anderseits jedoch lässt sich aus den Aussagen der Franzosen selbst und aus ihrem Verhalten auf dem Schauplatz eine Reihe von Thatsachen constatieren, die hier schon präcise zusammengefasst werden müssen.

Aus der Aussage Jean Debry's bezüglich der Sprache und Sprechweise der Attentäter geht hervor, dass ihm daran gelegen war, zu beweisen, er sei von Leuten angefallen worden, die schlecht französisch sprachen, also jedenfalls nicht Franzosen gewesen seien.

Die Rettung Debry's ist, mit Hinblick auf die gründliche Ermordung seiner Collegen, im wahren Sinne des Wortes einem Wunder zuzuschreiben. Da aber Debry wohl überzeugt war, dass man an derartige Wunder zu glauben sich schwer entschliessen würde, so schrieb er seine Rettung der ebenso wunderbaren Widerstandskraft seiner aussergewöhnlich dicken Kleidung[1]) und seiner — Perrücke zu, vergass dabei

[1]) Es wird erzählt, dass er — aus Vorsicht? — nicht weniger als neun Kleidungsstücke übereinander angezogen habe.

aber, dass seine Collegen, besonders der kränkliche Bonnier, ebenfalls der rauhen Witterung entsprechend gekleidet gewesen sein dürften und auch Perrücken trugen.

Dem Gesandten Debry war es offenbar sehr stark darum zu thun, den Glauben zu erwecken, das Attentat habe auch seiner Person gegolten, da er nicht nur im Gegensatz zu allen Anderen behauptet, es sei auch nach ihm gerufen worden, sondern auch von einer Menge von Wunden spricht, die er erhalten haben will, im vollen Gegensatz zu dem ärztlichen Befund, der blos einige ganz unbedeutende Contusionen und Hautabschürfungen constatiert hat, die sich Debry ganz leicht während seiner nächtlichen Wanderung im Walde oder wo er sonst die Nacht über gewesen sein mag, zugezogen haben kann. Schliesslich geht aus den Aussagen Debry's, die er schriftlich niedergelegt hat und jenen, die er den fremden Gesandten gemacht hat, mit unwiderleglicher Bestimmtheit hervor, dass Debry über seinen Aufenthalt während der Nacht des 28. April nichts Bestimmtes angeben kann und dass er über seine Rückkehr nach Rastatt nachweisbar Unwahres ausgesagt hat.

Aus den Aussagen geht ferner hervor, dass die Herren Boccardi und Rosenstiel, also Personen, die einen höheren Rang in der französischen Gesandtschaft einnahmen, entflohen, bevor sie überhaupt irgend etwas Gefahrdrohendes gesehen oder gehört; dass sie vielmehr auf dringendes Anrathen ihrer Diener, die doch selbst noch gar keine Ahnung von irgend welcher Gefahr hätten haben können, die Flucht ergriffen. Bei Betrachtung dieser Handlungsweise der Diener drängt sich demnach die Vermuthung auf, dass diese bestrebt gewesen sein müssen, ihre Herren von dem Ort der Mordthat zu entfernen. Im Gegensatze zu der Handlungsweise dieser Diener aber, steht jene des Kammerdieners von Roberjot — eines Mannes, auf dessen Ermordung es unbedingt abgesehen war — gerade er unterlässt es, seine Herrschaft zur Flucht zu bewegen, trotzdem er weiter vorne im Zuge befindlich, eher als der Diener Boccardi's irgend etwas Gefahrdrohendes hätte sehen oder hören können.

Zum Schlusse ergiebt sich aus den Aussagen der Franzosen selbst eine Thatsache, die, trotzdem ihr Bedeutung nicht abgesprochen werden darf, bisher von Niemandem beachtet wurde, die Thatsache, dass keiner der Diener oder Kutscher, kein einziger, auch nur den leisesten Versuch unternommen hat, den Mördern, wer immer sie gewesen sein mögen, Widerstand zu leisten. Diese Thatsache ist umso befremdender, als das männliche Gefolge der französischen Gesandten nicht nur sehr zahlreich[1]), sondern auch bewaffnet war[2]). Da doch nur ein kleinerer oder grösserer Theil dieser Personen der Feigheit geziehen werden darf, so muss logischer Weise weiter geschlossen werden, dass der andere Theil des Gefolges ein Interesse gehabt habe, die Ermordung von Bonnier und Roberjot nicht zu verhindern! Nun vergleiche man diese aus den Aussagen der Franzosen selbst sich ergebenden Folgerungen mit den Vorgängen unmittelbar vor der Abreise der französischen Gesandtschaft. Da muss es schon als ein ganz eigenthümlicher Zufall bezeichnet werden, dass der von den französischen Gesandten selbst bestimmte Termin für ihr weiteres Verbleiben in Rastatt, gerade am 28. April Abends ablief; ganz besonders merkwürdig aber ist und bleibt es, dass sie die ihnen von Barbaczy bestimmte Frist von 24 Stunden nicht annahmen. Man achte doch nur, unter welchen Verhältnissen die Franzosen abreisten; man hält sie bei dem Thore an, man verweigert ihnen eine Escorte, nachdem Barbaczy schon früher erklärt hatte, er könne für die Sicherheit des diplomatischen Corps nicht mehr garantieren, obwohl dem österreichischen Militär die Pflicht der persönlichen Unverletzbarkeit stets heilig bleiben werde; es wird ihnen von wohlwollenden

---

[1]) Wie stark dieses Gefolge war, lässt sich nicht mehr feststellen, da nicht von allen diesen Personen Aussagen vorhanden sind. Nach den vorhandenen allein aber geht hervor, dass die drei Gesandten von nicht weniger als zwanzig Männern (ohne Fackelträger) begleitet wurden.

[2]) Nicht nur der Kutscher Bonnier's, Troyon, spricht, wie erwähnt, von einem Säbel, mit dem er sich bewaffnet hatte, sondern auch Debry's Secretär, Belin, erwähnt eines Degens, der im Wagen Rosenstiel's gelegen und den die Husaren genommen, aber wieder in den Wagen gestellt hätten. Uebrigens bedarf es hiezu wohl keiner Beweise; man reiste zu jener Zeit selbst bei einfachen Postreisen nicht ohne Waffen, meist Pistolen.

Bekannten dringend von der Reise bei Nacht, bei Sturm und Schnee und Hagel abgerathen: trotzdem entschliesst sich ein von Natur aus ängstlicher und misstrauischer Mensch wie Bonnier, den alle möglichen bösen Ahnungen martern, entschliessen sich die Frauen der Gesandten zur Abreise, blos weil, wie Debry später sagte, ein »übel angebrachtes Ehrgefühl« ihn wünschen liess, Rastatt innerhalb des von den Gesandten selbst gesetzten Termins, nicht innerhalb der Frist, die Barbaczy bestimmt hatte, zu verlassen[1]). Glaubt man da nicht leibhaftig eine geheimnissvolle Hand zu sehen, welche die Unglücklichen vorwärts trieb mit weit zwingenderen Gründen, als es ein »übel angebrachtes Ehrgefühl« ist; welche dann die Mörder zu so fieberhafter Eile trieb, dass sie den Gesandten Debry nur ganz unbedeutend verwundeten, während seine Collegen zerstückelt wurden; welche sie spurlos verschwinden liess — vielleicht nach Rastatt selbst zurück — als das Getöse der anreitenden Husaren-Patrouillen hörbar wurde?

Es finden sich endlich in den Erzählungen der Franzosen noch einige Details, die, so wenig sie bis jetzt auch beachtet wurden oder gerade desswegen, nicht übergangen werden dürfen. So erzählt der Gesandte Boccardi, dass er, während noch die Wagen beim Rheinauer Thore standen, bemerkt habe, wie ein in nächster Nähe seines Wagens stehender Husar ihn aufmerksam betrachtete. »Einen Augenblick später nähert sich diesem Husaren ein in einen grauen Reiserock[2]) gekleideter Mensch und sagt ihm etwas in's Ohr, wobei sie mich Beide genau ansehen. Mein Bruder fasste das letzte Wort ihres Gespräches auf: ligurischen, ligurien. Gleich darauf verschwanden Beide, indem sie zur Barrière giengen. Der Mann im grauen Reiserock sei später unter den Mördern gesehen und erkannt worden[3]).« Debry bestätigt die letzterwähnte Behauptung Boccardi's, indem er in seinem »Narré fidèle« sagt: »Es scheint eine Thatsache zu sein, die hier angeführt werden muss, dass ein gewisser Georges, der von

[1]) Hüffer, Diplomatische Verhandlungen. III/2, 315.

[2]) Houppelande grise.

[3]) Der Bericht Boccardi's. Obser. a. a. O., 230.

den Dienern des kaiserlichen Commissärs Metternich in Rastatt zurückgeblieben war, sich unter den Szekler-Husaren befand und ihnen meinen Collegen Bonnier zeigte.« Auch Vincent Laublin will, noch während die Wagen der Gesandten beim Thore warteten, einen Kutscher, der im Dienste des Grafen Metternich gewesen, in einem grauen Frack und runden Hut bemerkt haben. Dieser Kutscher sei, so erzählt Laublin weiter, mit einem Szekler-Husaren um die Wagen herumgegangen und habe ihm die Wagen und jeden einzelnen Gesandten genau angegeben. Während des Ueberfalls sei dieser Kutscher unter den Husaren gewesen und habe, als diese beim Wagen Debry's nach Bonnier gefragt, geantwortet: »Es ist nicht Bonnier, sondern Jean Debry.« Schliesslich macht Laublin noch die verblüffende Mittheilung, er habe diesen Kutscher, »welcher die Husaren bei der Mordthat nicht verliess, in verschiedene Häuser gehen und daselbst das gestohlene Silbergeld umsetzen sehen«.

Was nun diesen fraglichen Georges anbelangt, so war er eine Zeit lang Aushilfsdiener beim Grafen Metternich und von diesem schon vor seiner Abreise aus Rastatt entlassen worden. An dem Umstande, dass dieser Mann mit den Szekler-Husaren vor der Abreise der Franzosen um die Wagen derselben herumgegangen und Jenen die einzelnen Gesandten gezeigt, ist allerdings durchaus nichts Verdächtiges »oder lag etwas Auffallendes darin, dass sich um die zur Abfahrt bereiten Wagen der französischen Minister neugieriges Volk ansammelt, worunter auch Husaren, die erst vor wenig Stunden angekommen waren und für welche darum in der ihnen unbekannten Stadt Alles neu und sehenswürdig war? Oder dass ein dienendes Individuum sich nach Art solcher Leute mit seiner persönlichen Kenntniss aller in den Wagen sitzenden Personen wichtig machte und den Fragenden Auskunft gab: ‚Das ist Der, und Jener heisst so' etc.«[1]).

Wenn also auch an diesen Ciceronediensten des Mannes nichts Verdächtiges gefunden werden kann, so ändert sich die Sache, wenn erzählt wird, Georges habe sich bei dem Morde unter den

[1]) Helfert, a. a. O., 236.

Husaren befunden und auch dort den Cicerone gespielt! Giebt es nun wirklich Jemanden, welcher glauben könnte, Rittmeister Burkhard habe seinen Husaren einen »Führer« mitgegeben, der ihnen, wie Debry, Boccardi und Laublin glauben machen wollen, die französischen Gesandten bezeichnete und damit das Geheimniss eines furchtbaren Verbrechens in die Hände eines obscuren, entlassenen Bedienten gelegt? So naheliegend es nun auch wäre, mit dieser Frage den mysteriösen Georges und seine Ciceronedienste endgiltig abzuthun, müssen wir diesem Detail in den Aussagen Debry's etc. doch noch einige Aufmerksamkeit widmen. Es wurde von Debry sowohl, als später auch von Historikern die Vermuthung ausgesprochen, die Wagen der französischen Gesandten seien von Burkhard absichtlich beim Thore aufgehalten worden, damit die mit dem Attentat beauftragten Husaren Zeit gewännen, sich in den Hinterhalt zu legen und die Reisenden zu erwarten. Wenn nun jener Georges mit den Husaren beim Thore war und ihnen jeden Gesandten zeigte, »offenbar« aus dem Grunde, um die Opfer nicht zu verfehlen, wenn er dann auch unter den mordenden Husaren gesehen wurde, so müssten zweifellos die beim Thore gestandenen Husaren die Mörder gewesen sein. Aber diese Husaren sind ja doch in aller Geschwindigkeit auf die Rheinauer-Strasse gesandt worden, behaupten Debry und mit ihm einzelne Historiker, folglich konnten sie nicht mit Herrn Georges ruhig beim Thore stehen und sich an dem Anblick der Wagen und ihrer Insassen erfreuen! Oder waren sie auch beim Thor und gleichzeitig auch auf der Rheinauer-Strasse? Oder sind sie den Wagen der abziehenden Gesandten gefolgt? Dann hätte aber der Angriff von rückwärts erfolgen müssen und dies war thatsächlich nicht der Fall. Da doch zugegeben werden muss, dass Georges und die fraglichen Husaren nicht gleichzeitig an zwei verschiedenen Orten gewesen sein können; da es einerseits sehr leicht möglich ist, dass Boccardi und Laublin den fraglichen Georges thatsächlich unter den bei dem hell erleuchteten Thore stehenden Husaren gesehen haben können, anderseits ausgeschlossen ist, dass man bei der auf dem Schauplatz der That herrschenden Finsterniss die Gesichtszüge eines Menschen erkennen konnte, so geht daraus hervor, dass auf dem Mordplatz von der überfallenen Gesellschaft selbst, wenigstens ein Mensch im bürgerlichen Gewande constatiert wird! Dass aber dieser Mensch in der »Houppelande grise« nicht identisch sein kann mit dem beim Rheinauer Thore gestandenen Georges, ist aus den angeführten Gründen sicher. Es giebt dafür auch weitere Beweise. Wenn Georges, der die französischen Gesandten sehr genau kannte, unter den Husaren auf dem Schauplatz der That war, um ihnen die Opfer genau zu bezeichnen, warum fragten denn die Mörder wiederholt und nachdrücklich in französischer Sprache: »Est-ce que tu es Bonnier, Roberjot« etc.? Entweder die Husaren brauchten einen »Führer«, der ihnen die Opfer bezeichnete, dann war das wiederholte dringende Fragen überflüssig, oder sie überzeugten sich durch Fragen von der Identität der betreffenden Person, dann war es geradezu verbrecherischer Leichtsinn, einen weggejagten Bedienten zum Mitwisser der schrecklichen That zu machen. So leichtsinnig und so — albern war sicher nicht einmal der allerjüngste Recrut im ganzen Szekler-Regiment [1]).

Wenn man endlich Laublin wirklich glauben will, dass er den Diener »gestohlenes Silbergeld« habe wechseln »gesehen«, so muss man auch fragen, wesshalb Laublin nicht schon in Rastatt darauf aufmerksam gemacht hat und wesshalb die Rastatter Polizei dies geschehen liess und wie es kam, dass die Verfasser des »Authentischen Berichts« sich diesen Mitverschworenen der »Szekler-Husaren« entgehen lassen konnten?

Bei aufmerksamer Prüfung dieser Aussagen bezüglich des Herrn Georges bleibt demnach wohl nur eine, allerdings nicht unbedeutende Thatsache bestehen: dass, wie bereits erwähnt, die Anwesenheit eines Menschen in bürgerlichem Gewande auf dem Mordplatze von den Franzosen selbst bestätigt wird.

---

[1]) Einer der, man möchte sagen, naivsten Beiträge zur Geschichte des Rastatter Gesandten-Mordes ist zweifellos das Büchlein von Zandt »Der Rastatter Gesandten-Mord«. Zandt lässt diesen Georges »in Szekler-Husaren-Uniform verkleidet«, die Mordthat »leiten«! Wo bleibt denn dann die Houppelande grise?

Was das Verhalten der auf dem Schauplatz der That erschienenen fremden Personen anbelangt, lauten die Aussagen der Franzosen ganz verschieden. Belin sagt bekanntlich, er sei aus dem Wagen gerissen, in einen Graben geworfen, geschlagen und getreten worden. »Mein Hut war zehn Schritte von mir niedergefallen,« erzählte er gleich darauf weiter, »als ich nach ihm fragte, oder vielmehr zu verstehen gab, dass ich ihn suchen wolle, führte man mich dahin!« Dann will Belin wieder gepackt und »in die Höhe gehoben« worden sein, um Zeuge der Niedermetzelung des Ministers Roberjot zu sein. »Der Hirnschädel lag einige Schritte weit von dem Körper; ich sah, wie ein Szekler ihn aufnahm, mir ihn zeigte, ihn besah und in seine Säbeltasche steckte!« Ebenso wollen auch Laublin, Desmont und Troyon misshandelt und beraubt worden sein.

Entgegen den Behauptungen dieser Personen, wissen die übrigen in den Wagen Gewesenen nichts von übler Behandlung durch die Husaren zu erzählen. Insbesondere sind die Schilderungen des Benehmens dieser Soldaten von Seite der Damen Debry's in hohem Grade bemerkenswerth. »Nach ihren Geberden zu urtheilen,« erzählt eine Tochter Debry's, nachdem sie berichtet, wie ihr Vater überfallen worden war, »waren sie[1]) über die Art uns zu behandeln, sehr uneinig. Einige drohten uns, Andere winkten uns, auszusteigen, Andere dagegen bewachten uns beständig, um uns daran zu hindern. Wir wollten uns retten, aber es war uns nicht einmal möglich, es zu versuchen . . . Ich beschwor sie (in deutscher Sprache?) knieend und mit gefalteten Händen, mir zu sagen, wo mein Vater sei. Ich erhielt keine Antwort als diese (in welcher Sprache?): Ihr habt keinen Vater mehr; er ist todt! Ein junger Husar, der am Schlage war, schien von unseren Klagen gerührt. Durch eine unwillkürliche Bewegung fasste ich seine Hand und flehte sein Mitleid an. Er drückte lange die meinige und die Hand der Bürgerin Debry mit der lebhaftesten Rührung . . Ich musste auch die Neugierde Einiger befriedigen, ihnen sagen, dass ich keine Deutsche, sondern eine Französin

[1]) Die Husaren.

sei, dass ich zum ersten Mal in Deutschland reise und wenig von dieser Sprache wisse. Einigen Andern bewies ich das, indem ich mehrere Male ihre Worte wiederholen liess, ohne sie zu verstehen. Ich erinnere mich, dass Einer von ihnen über meine Unwissenheit ungehalten war und mir sagte, ich verstünde wohl, wenn ich nur wolle. Ein Anderer sah uns aufmerksam an und sprach in fragendem Tone: due figliuole? Ich antwortete ihm, dass wir zwei junge Mädchen wären und eine Frau. Seine Aeusserung von Mitleid bei dieser Antwort erfüllte mein Herz mit Verzweiflung. Ich legte sie in dem Sinne aus: Wie sehr beklage ich Euch; Ihr habt Alles verloren!« Später zeigte sich das Mitleid der Husaren noch deutlicher. Nachdem mehrere von ihnen aus einer Flasche Branntwein getrunken, sagte einer: »Man muss die Flasche auch diesen Damen anbieten« und sogleich wurde sie ihnen hingereicht. »Der Husar sagte zu der Bürgerin Debry, es würde ihr wohl thun und mir wiederholte er das Nämliche. Ich bedankte mich und sagte, ich sei zu traurig, als dass ich trinken könnte. Er antwortete: Ich müsse dies nicht sein; man werde uns kein Leid zufügen!«

Das Benehmen der Husaren gegenüber den Damen Debry's ist, verglichen mit den Erzählungen Belin's, Desmont's, der Frau Roberjot, fast unerklärlich. Das Mädchen fragt nach dem Vater und findet Mitgefühl bei diesen Husaren. Einer von ihnen — dessen Hand das Mädchen seltsamer Weise ohne zu schaudern erfasst — drückte lange die ihrige und die der Bürgerin Debry »mit der lebhaftesten Rührung«! Auch andere richten freundliche Fragen an die Mädchen und die Gattin Debry's, einer bietet ihnen sogar in derber soldatischer Gutmüthigkeit seine — Branntweinflasche zum Trinken an! Wer erkennt unter diesen gutmüthigen Leuten dieselben Mordgesellen wieder, welche die widerstandslosen Gesandten zerstückeln, Alles, was ihnen in den Weg kommt, misshandeln, das arme Weib zwingen, der Ermordung ihres Gatten zuzusehen, die blutige Hirnschale des ermordeten Roberjot in die — Säbeltasche stecken?

Diese Verschiedenheit in dem Benehmen der Attentäter, dem Gefolge der französischen Gesandten gegenüber, lässt sich kaum erklären, wenn man annimmt, dass ausschliesslich Szekler-Husaren auf dem Schauplatze der That anwesend waren. Selbst die an und für sich leicht begreifliche Gutmüthigkeit in ihrem Benehmen gegenüber den Frauen Debry's, wird räthselhaft, wenn man sich der Erzählung der Frau Roberjot und ihres »Retters« erinnert, die behaupten, sie sei gezwungen worden, die Ermordung ihres Gemahls mitanzusehen. Wenn die Mörder eine solche Brutalität begangen, wesshalb benahmen sie sich so freundlich, so gutmüthig gegenüber den Damen Debry's? Ja, man sollte glauben, dass sie eher Grund gehabt hätten, diese Damen unfreundlich, sogar hart zu behandeln, da ihnen Debry selbst entschlüpft war und dieser Umstand jedenfalls nicht beitragen konnte, sie besonders liebenswürdig gegen seine Angehörigen zu stimmen. Dann beachte man doch die Erzählung Belin's. Zuerst wird er furchtbar misshandelt, wobei ihm der Hut zu Boden fällt. Es ist doch nicht gut anzunehmen, dass Belin, gerade während er sich unter den Püffen und Stössen krümmte, besondere Lust empfunden haben kann, nach seinem Hut zu suchen; ganz gewiss hat er erst nach einiger Zeit der Erholung, der Sammlung daran gedacht. In der Dunkelheit wendet er sich an Jemanden, den er in seiner Nähe mehr hört, als sieht und fragte »oder vielmehr gab zu verstehen«, dass er diesen Hut suchen wolle. »Man führte mich dahin!« erzählt Belin. Dieses unscheinbare Detail ist nun geradezu erstaunlich! Wie, dieselben Mordgesellen, die Belin vor Kurzem noch ohne den geringsten Anlass — denn Niemand, auch Belin nicht, hat auch nur den leisesten Versuch unternommen, den Mördern irgend welchen Widerstand zu leisten — misshandelt, »getreten und geschlagen«, fassen ihn nun freundlich unter dem Arm und helfen ihm den Hut suchen?....

Aber derselbe Belin, dem wir dieses interessante Detail verdanken, erzählt weiter, er sei später von Husaren in den Wagen Rosenstiel's gebracht worden, aus dem er entfliehen wollte. »Mehrmals öffnete ich den Schlag,« so sagt er, »aber immer traten die Husaren hervor, um zu sehen, woher das Geräusch käme. Ich fieng wieder an, um sie daran zu gewöhnen und sie glauben zu machen, dass es die Pferde thäten. Endlich wollte ich ihn leiser öffnen: allein der Kutscher dieses

Wagens hörte es, machte den Schlag wieder zu oder legte wenigstens die Hand daran. Er konnte keine andere Absicht dabei haben, als mir das Aussteigen zu verwehren. Dieser Kutscher ist im Dienste des Markgrafen. So lange die Plünderung der Papiere dauerte, gieng er um den Wagen hin und her und unterhielt sich mit den Räubern. Ich sah sogar, dass er zwei Mal auf den Vordertheil desselben stieg und die ledernen Taschen durchsuchte, welche an dem Kutschersitze hiengen.«

Also wieder derselbe vertrauliche, fast freundschaftliche Verkehr einer der überfallenen Personen mit den Szekler-Husaren! Und hier wollen wir uns wieder an die Erzählung Debry's über seine Rückkehr nach Rastatt am Morgen des 29. April erinnern. In seinen beiden schriftlichen Aussagen sowohl, als auch in seiner Erzählung, welche die Grundlage des »Authentischen Berichtes« bildet, bezeichnet er mit voller Bestimmtheit die Szekler-Husaren als die Attentäter; ebenso geht aus allen seinen Erzählungen hervor, dass es bei dem Attentate auch auf seine Person abgesehen war, ja, er lässt sogar durchblicken, dass es in erster Linie auf ihn abgesehen gewesen [1]). In dem Bericht über seinen Aufenthalt im Walde betont Debry nachdrücklich, er habe sich vor dem Tage gefürchtet, der ihn den österreichischen Patrouillen überliefern musste [2]). Es erscheint also, nach diesen Aussagen Debry's, als zweifellos, dass er eine Begegnung mit Szekler-Husaren gefürchtet haben muss, was sehr begreiflich ist. Denn, war Debry überzeugt, dass die Husaren in Folge eines Auftrages den Ueberfall unternommen — und dies bezeichnet er bestimmt als seine Ueberzeugung [3]) — so musste er voraussetzen, dass sie ihn auch am Morgen tödten würden, falls sie seiner habhaft werden konnten; ja, noch mehr, er musste erwarten, dass die Wachen bei den Thoren beauftragt

[1]) Er erzählte bekanntlich, ein Husar habe »schon von Weitem« gerufen: »Le ministre Jean Debry!« (Vgl. S. 77, Anmerkung 6.)

[2]) S. S. 78.

[3]) Wie Debry angab, wurden die Gesandten beim Thore angehalten, »um die Ausführung der scheusslichen That zu organisieren, welche auch erfolgte und, ich sage es mit Ueberzeugung, schon vorher in ihrem ganzen Umfange bestellt und abgeredet worden war«.

worden waren, ihn bei seiner Rückkehr abzufassen. Und der Mann hat die grenzenlose Verwegenheit, knapp an der aus Szekler-Husaren bestehenden Wache vorüberzugehen! Das ist doch fürwahr eine Kühnheit, die dem Wunder gleicht. durch welches Debry den Mörderhänden entkam. Man wird entgegnen, dass dem Gesandten nichts Anderes übrig blieb. als nach Rastatt zurückzukehren[1]; dort allein konnte er Schutz finden, während er in den umliegenden Ortschaften leicht von umherstreifenden Patrouillen aufgegriffen werden konnte. Das mag richtig sein, erklärt aber den tollkühnen Entschluss Debry's, an der Wache vorüber nach Rastatt zurückzukehren, noch immer nicht. Er hätte doch diesen, für ihn höchst gefährlichen Weg, der ihn gerade in die Hände seiner angeblichen Verfolger führen musste, vermeiden und jenen einschlagen können, den die viel vorsichtigeren Herren Rosenstiel, Boccardi etc. gewählt hatten! Das thut Debry nicht. Er geht ruhig an der Wache vorbei, die doch nach seinen Erzählungen aus Leuten jener fürchterlichen Truppe bestand, die ihn wenige Stunden früher mit einer Unzahl Wunden bedeckt! Und diese Tollkühnheit hat der Mann nach dem tödtlichen Schrecken eines durch ein Wunder überstandenen Ueberfalls, nach dem die Angst erhöhenden Aufenthalt in einem Walde, wo er die Mörder nach sich suchen hörte und sah? Nein! Hätte Debry wirklich die Szekler-Husaren für die Attentäter gehalten; hätte er wirklich geglaubt, dass der Ueberfall seiner Person gegolten: hätte er überhaupt ein Gefühl der Furcht, der Besorgniss vor diesen Husaren empfunden, nie und nimmermehr würde er gewagt haben, die Thorwache zu passieren. Wenn Rosenstiel und die Boccardi's in stockfinsterer Nacht geheime Wege kannten, die nach Rastatt führten, so hätte sie Debry am hellen Tage auch ohne jede Schwierigkeit zu finden gewusst. Diese eigenthümliche Furchtlosigkeit Debry's gegenüber den Szekler-Husaren stimmt aber ganz auffallend überein mit der seiner eigenen weiblichen Angehörigen, die Gelegenheit suchten und fanden, in fast freundschaftlicher Weise mit eben diesen Szekler-Husaren zu conversieren. Man erkläre

[1] Er selbst sagt bekanntlich auch, er habe den »verzweifelten« Entschluss gefasst, nach Rastatt zurückzukehren.

doch diese psychologischen Räthsel! Ein Mann, der angeblich in furchtbarer Weise misshandelt wird und nur durch ein Wunder dem Tode entgeht, eilt, nach Stunden reiflicher Ueberlegung, also nicht etwa in sinnloser Angst, einer Wache derselben Truppe in die Hände, einer Wache, die, nach all' seinen Voraussetzungen, den Auftrag erhalten haben musste, ihn zu ergreifen und dem Tode zuzuführen! Und Frau und Tochter dieses Mannes sprechen ohne Angst durch Stunden mit Soldaten, die den Vater ermordet haben sollen, ergreifen ruhig und vertrauensvoll die ihnen entgegengestreckten blutbefleckten Hände! Aber auch der eine markgräfliche Kutscher, von welchem Belin zu erzählen weiss, fürchtet die Husaren nicht; er »unterhielt« sich mit ihnen und hilft ihnen bei der Visitation der Wagen!

Prüft man die, auch in Bezug auf das Verhalten der auf dem Schauplatze der That erschienenen Personen, widersprechenden Aussagen der Franzosen und vergleicht diesen Theil der Aussagen mit den bereits früher erwähnten, so lassen sich folgende unumstössliche Thatsachen feststellen:

1. Ein Theil der Augenzeugen — es mag diese Bezeichnung, so wenig sie auch zutrifft, beibehalten werden — sagt bestimmt, die auf dem Schauplatz erschienenen Personen hätten französisch, ein anderer behauptet, sie hätten deutsch gesprochen und nur wenige erwähnen ausdrücklich der ungarischen Sprache. Unter diesen letzteren befinden sich, was jetzt schon hervorgehoben werden muss, die Damen Debry's.

2. Ein Theil der Augenzeugen und zwar jener Theil, der bei dem vorderen Wagen war, giebt eine nur geringe Anzahl von Attentätern an, während der andere von einer bedeutend grösseren Anzahl spricht.

3. Während die Einen von haarsträubenden Handlungen der Mörder sprechen, erzählen die Anderen von Zügen und Handlungen, die geradezu auf Gutmüthigkeit und Wohlwollen schliessen lassen.

Diese in die Augen springenden Widersprüche in den Aussagen der Augenzeugen lassen sich nun absolut nicht in

Einklang bringen; sie bleiben ganz und gar unverständlich, wenn man die Mörder Bonnier's und Roberjot's identificiert mit den Szekler-Husaren. Wenn die Mörder deutsch oder französisch gesprochen haben, so können es nicht Szekler gewesen sein; wenn die Wagen von sechs bis acht Mann überfallen wurden, so können dies nicht Husaren gewesen sein, die ja zahlreicher waren und wenn Debry und seine Damen von Szeklern überfallen worden wären, so hätten sich Debry und seine Damen ganz anders gegen jene verhalten müssen, als dies thatsächlich der Fall war.

Will man demnach die einander widersprechenden Aussagen und Handlungen der Augenzeugen in Einklang bringen, will man sie überhaupt verstehen, so muss man nicht nur das darin enthaltene Unwahrscheinliche und Unmögliche von dem Wahrscheinlichen und Möglichen scheiden, sondern auch den Seelenzustand der in Todesangst gewesenen Personen, die jeden Begriff von Raum und Zeit verlieren, Wahres und Falsches, Wirkliches und mit der aufgeregten Phantasie Geschautes, dann aber auch manches Suggerierte durcheinander mischen. Berücksichtigt man dies, so geht aus den Aussagen der Franzosen selbst hervor, dass zwei Zeitabschnitte unterschieden werden müssen:

ein sehr kurzer, in welchem der von einer geringen Anzahl Personen ausgeführte Ueberfall vor sich geht

und ein zweiter, bedeutend längerer, während dessen andere Personen, die sich nicht nur in der Zahl und in der Sprache, sondern auch in dem Benehmen wesentlich von den Mordgesellen unterscheiden, auf dem Schauplatz erscheinen.

Ist diese Annahme richtig — und ihre Richtigkeit geht nach dem bereits Festgestellten von selbst hervor — so können die Szekler-Husaren nicht mit den zuerst erschienenen Mördern identificiert werden, da sie sich in der Zahl, in der Sprache und im Benehmen selbst durchaus von jenen unterscheiden. Dies erhellt wohl vollständig aus den schon bisher aus den Aussagen der Franzosen constatierten Thatsachen.

Wenn nun auch aus den Aussagen der Franzosen selbst eine Fülle von Beweisen mühelos abgeleitet werden kann, die zu Gunsten der beschuldigten Husaren sprechen; wenn aus einem Theil dieser Aussagen auch hervorgeht, dass die Husaren die Mörder **nicht** gewesen sein können; wenn selbst aus den verschiedenen Widersprüchen der einzelnen Aussagen geschlossen werden muss, dass der Ueberfall von einer kleinen Anzahl französisch oder auch deutsch sprechender Personen ausgeführt wurde, die nicht mit den Szeklern identisch sein können; dass also diese Szekler erst später, nachdem die Mordthat bereits verübt war, auf dem Schauplatz erschienen: so bleibt immer noch ein sehr begründeter Einwand übrig. Man könnte nämlich einwenden, dass die Aussagen der Franzosen zwar zweifellos an inneren Widersprüchen litten, die schwer zu erklären seien; dass selbst die Art, wie der Ueberfall dargestellt werde, unwahrscheinlich sei, wenn er von Szekler-Husaren ausgeführt worden; kurz, es könne alles hier zu Gunsten der Szekler Angeführte zugegeben werden; nichtsdestoweniger bleibe aber die Thatsache bestehen, dass sowohl in den Aussagen der Franzosen, als auch in dem viel bedeutenderen, von den in Rastatt zurückgebliebenen Gesandten unterfertigten »Authentischen Bericht« die **Szekler-Husaren** mit voller Bestimmtheit als die Thäter bezeichnet werden. Ob diese die That auf diese oder auf eine andere Art verübt, sei schliesslich Nebensache; Hauptsache sei vorläufig die Feststellung der **Mörder** und über diese sei, nach den erwähnten Documenten, kein Zweifel übrig!

Zur Widerlegung dieses, wie gesagt, ganz richtigen Einwandes, ist es nöthig, zu untersuchen:

1. **Die Entstehung, die Art und Beschaffenheit und somit der Werth der angeführten Documente;**

2. **ob thatsächlich noch in der Nacht des 28. April, ob selbst am 29. Morgens die Szekler-Husaren mit Bestimmtheit als die Mörder bezeichnet wurden.**

Die Aussagen der Franzosen sind nicht etwa auf Grund eines gewissenhaften gerichtlichen **Verhörs** entstanden; es sind nur angeblich durch den juge de paix in Strassburg aufgenommene »summarische Protokolle«. Dass dadurch allein der Werth dieser, ohne jede Untersuchung, ohne jede Kritik, aufgenommenen Aussagen bedeutend sinkt, ist doch natürlich und es kann nur auf das Tiefste bedauert werden, dass man sich darauf beschränkte, die einander widersprechenden Aussagen, von denen einzelne klar zu Tage liegende Unwahrheiten enthalten, niederzuschreiben; anderseits ist es doch unbegreiflich, dass selbst dem juge de paix, dass überhaupt Niemandem die Widersprüche in diesen Aussagen auffielen. Mit diesen offenbaren Widersprüchen aber muss gerechnet werden; es geht nicht an, sie zu übersehen oder sie aus irgend welchem harmlosen Grund — unerklärlich zu finden. Haben die französischen Gerichte sich mit den Räthseln dieser Aussagen stillschweigend zufrieden gegeben, so hatten sie, wie nachgewiesen werden wird, ihre guten Gründe; vor dem Forum der Geschichte bestehen diese Gründe nicht. Der Hauptankläger und Hauptzeuge in einer Person aber, Herr Jean Debry, widerspricht sich in seinen Aussagen selbst; er hat aber auch notorische Unwahrheiten gesagt; noch mehr, es lässt sich aus seinen Aussagen nachweisen, dass er die bestimmte Absicht hatte, die Szekler-Husaren und nur diese als die Mörder erscheinen zu lassen[1]); er bemüht sich aber auch nachweisbar, als Opfer des Ueberfalles zu erscheinen, ja sogar als das Hauptopfer. Eine Beeinflussung der Aussagen der übrigen Personen durch Debry, besonders der direct von ihm abhängigen, ist nachweisbar und dies vermindert den Werth der Aussagen dieser Personen ganz bedeutend.

Und diese Aussagen sollen den Werth unumstösslicher »Documente« besitzen?

Was von den Aussagen der Franzosen gilt, gilt zum Theil auch von jenen der markgräflichen Kutscher. Auch diese wurden nicht verhört, sondern mit ihnen nur ein »summarisches Protokoll« aufgenommen und dieser Vorgang muss noch mehr befremden, als der der Franzosen. Hatten diese gute Gründe, die Szekler-Husaren um jeden Preis als die Schuldigen erscheinen zu lassen, so hätten die badischen Behörden, sollte man meinen, ganz besondere Ursache gehabt, die Wahrheit zu erforschen. Oder wollten sie dies nicht? Es wird sich zeigen, dass leider auch die badischen Behörden es vorziehen mussten, den Makel der Schuld auf den Szeklern

---

[1]) Vgl. seine Aussagen über die Sprache der Mörder. Siehe S. 85 ff.

haften zu lassen und dieser Umstand ist wohl nicht geeignet, die »summarischen Protokolle« der markgräflichen Kutscher glaubwürdiger zu machen. Noch tiefer sinkt aber der Werth dieser Aussagen, wenn die Kutscher, wie bekannt, betonen, dass sie während des Ueberfalles »ihre Besinnungskraft unmöglich beibehalten können [1])«. Die Werthlosigkeit derartiger »summarischer« Angaben wurde übrigens zu jener Zeit schon erkannt und verurtheilt. »Es ist sehr gefährlich,« heisst es in einer damals von österreichischer Seite veröffentlichten Schrift, »von ungebildeten Leuten dieser Art nur summarische Depositionen aufzunehmen, indem sie darin sehr oft nicht nur aussagen, was sie gesehen, sondern auch was sie vermuthen und was sie schlechterdings nicht wissen können. Man hätte ihnen articulierte Fragen zur Beantwortung vorlegen, von ihnen vernehmen sollen, woran sie wissen konnten, dass es k. k. Husaren gewesen, wie gross ihre Anzahl war, was sie für Kleider getragen, von welcher Farbe u. s. w., ob sie das Alles versichern und dafür stehen können u. s. w. Alles dieses wäre nöthig gewesen zu erheben.«

Es wird gezeigt werden, dass sich diesem Urtheil der erwähnten Schrift auch solche Personen anschlossen, denen man Voreingenommenheit für Oesterreich nicht vorwerfen kann. Dass aber nicht einmal alle badischen Kutscher, dass auch nicht der badische Fackelträger »summarisch« einvernommen wurden, kann nur bestätigt, aber nicht erklärt werden [3]).

---

[1]) Schon ein gewiss unverfänglicher Zeuge, der dänische Legationsrath von Eggers, hob dies hervor: »Es ist aus den Aussagen (der badischen Kutscher) schon an sich klar genug,« sagte er, »dass diese äusserst geängstigten Menschen nicht im Stande waren, auf irgend etwas genau Acht zu geben.« (Briefe über die Auflösung des Rastatter Congresses. I, 426.)

[2]) Kurze Bemerkungen über den »Authentischen Bericht«, die Ermordung der französischen Gesandtschaft vorwärts Rastatt betreffend. (Haus-Hof- und Staats-Archiv.)

[3]) Zandt erklärt diese seltsame Unterlassung höchst bezeichnend. Er sagt, fünf Wagen seien »von markgräflich badischen Stallbedienten geführt« worden. »Das Zeugniss von diesen wurde nicht verlangt, es hiess: da sie nicht französisch und ungarisch verständen, so wüssten sie nicht, ob die Husaren Szekler oder Franzosen gewesen seien.« (!!) Also noch am 29. oder 30. April wusste man nicht, ob die Mörder Szekler oder Franzosen gewesen? Noch am 29. oder 30. April versuchte man dies festzustellen? Und die Aussagen der Franzosen und die sicheren (?) Angaben Debry's, worauf die Daten des »Authentischen Berichtes« beruhen??

Was nun den »Authentischen Bericht« anbelangt, so beruht er ausschliesslich auf den Erzählungen des durch »ein Wunder« entkommenen Jean Debry, dann Einzelner jener Personen, die während des nächtlichen Ueberfalles auf dem Schauplatze waren. Dass dieser Umstand allein genügt, die Authenticität des Inhaltes dieser Schrift in Frage zu stellen, bedarf nach dem bereits Gesagten keines Beweises; noch bedenklicher aber wird der Inhalt dieses »Documentes«, wenn man die Person und die Gesinnungen seines Verfassers einer aufmerksameren Prüfung unterzieht. Dieser, der preussische Gesandte von Dohm, war in Gemeinschaft mit seinem Collegen, dem Grafen Görtz, von allem Anfang an mit geradezu fieberhafter Geschäftigkeit bemüht, das blutige Ereigniss politisch auszubeuten, gegen Oesterreich zu hetzen und jedem Versuch, die angeklagten kaiserlichen Husaren von dem Verdacht zu reinigen, entgegenzuarbeiten. Als Dohm auf seiner Heimreise nach Pforzheim kam, wo er einige Zeit zu verweilen sich vorgenommen hatte, spielte er jetzt den Eilfertigen, »denn nach solchen Vorfällen könne man sich hier nicht aufhalten. So lange wir noch solche Uniformen um uns sehen«, setzte er mit gleissnerischer Unruhe hinzu, indem er auf vorübergehende österreichische Soldaten wies, »halten wir uns unseres Lebens nicht sicher«. Und einige Postmeilen weiter, in Aalen, bezeichnete er geradezu seinen ehemaligen Rastatter Genossen, den Grafen Lehrbach, als den moralischen Urheber der That, dem es darum zu thun gewesen sei, »das französische Gesandtschafts-Archiv zu erbeuten, um sich über die von den Franzosen in Süd-Deutschland geplante revolutionäre Verschwörung und über die alemannische Republik zu unterrichten[1]«.

Dohm fand in seinen Bestrebungen die lebhafteste Unterstützung auch seiner Collegen, des Grafen Görtz und dessen Schwiegersohnes, des bayerischen Gesandten Freiherrn von Rechberg, einen der Mitunterfertiger des »Authentischen Berichtes«. Auf dem ganzen Wege von Karlsruhe liess Graf Görtz es sich angelegen sein, den Rastatter Vorfall zu Ungunsten Oesterreichs auszubeuten, indem er der Sache den Schein gab, »als wenn zu diesem Ereigniss selbst ein stiller

[1] Helfert, Der Rastatter Gesandten-Mord, 123. 124.

eigener Befehl von dem kaiserlichen Hof vorhanden gewesen wäre [1])«. In Augsburg, wo Graf Görtz in Begleitung seines Schwiegersohnes am 3. Mai durchreiste, erzählten beide »in den unbescheidensten Ausdrücken und in dem falschesten Colorit die Ermordungsgeschichte [2])« und Ersterer stellte sich dabei so an, als ob Graf Lehrbach ihm auszuweichen suche, wesshalb dieser ihn, als er in München erschien, geflissentlich in der Gesellschaft aufsuchte [3]).

Dass übrigens Graf Görtz selbst Fälschungen nicht scheute, um die Schuld der österreichischen Husaren und die der österreichischen Regierung nachzuweisen, lässt sich an einem Vorgang ersehen, der zugleich Gelegenheit bietet, eine etwas mysteriöse »Belauschungsgeschichte« zu erwähnen, die eine grosse und für manche Historiker verhängnissvolle Rolle in der Literatur über den Gesandten-Mord gespielt hat.

Graf Lehrbach war, mit einem grossen Lieferungsgeschäft für die kaiserliche Armee betraut, Ende April von Augsburg nach München gereist und hatte dort in einem Gasthofe Wohnung genommen. Auf Veranlassung der bayerischen Regierung wurde nun, so wird erzählt [4]), ein Beamter (oder zwei?) in ein Nebenzimmer einquartiert mit dem Auftrage, die Gespräche Lehrbach's mit seinem Secretär Hoppe zu belauschen und niederzuschreiben. Die »Protokolle« über diese belauschten Gespräche liegen jetzt gedruckt vor [5]) und enthalten thatsächlich manche Kleinigkeiten, die nur auf vertraulichem Wege erlangt werden konnten — nichtsdestoweniger bleibt die Erklärung über die Art der Entstehung dieser »Protokolle« höchst mysteriös. Dass es gar so leicht gemacht werden konnte, eine immerhin nicht unbedeutende Person, wie Graf Lehrbach war, der doch wohl mehrere Zimmer im Hôtel bewohnte, ganz gemüthlich und ungestört Stunden

[1]) Schreiben des Churfürsten von Trier. Helfert, a. a. O., 124.

[2]) Haus-Hof- und Staats-Archiv. Graf Fugger an den kaiserlichen Commissär Hügel. Augsburg, 3. Mai 1799.

[3]) Helfert, a. a. O., 124.

[4]) Vgl. Sybel, Historische Zeitschrift. 39. Band, S. 46 ff. Hüffer, Diplomatische Verhandlungen, III, p. 345.

[5]) Historische Zeitschrift, 39. Band.

lang zu belauschen, ist jedenfalls auffallend, noch auffallender aber ist es, dass der preussische Gesandte Graf Görtz diese auf Veranlassung der bayerischen Regierung durch »Horcher« aufgenommenen und politischen Zwecken dienenden Protokolle bereits am 7. Mai, also kaum 48 Stunden nach »Belauschung« des letzten Gespräches Lehrbach's, kannte. Jedenfalls ist es merkwürdig, dass die bayerische Regierung den Wortlaut von Gesprächen befreundeter Diplomaten, zu deren Kenntniss sie auf nicht gerade vornehme Weise gelangte, sofort dem preussischen Gesandten mittheilte. Sei dem nun wie immer, bezeichnend ist es jedenfalls für den Grafen Görtz, auf welche Weise er den Inhalt dieser belauschten Gespräche für seine Zwecke verwerthete. Am 7. Mai traf der dänische Secretär Baron Eyben[1]) in München ein und überreichte dem Grafen Görtz das Antwortschreiben des Erzherzogs Carl auf den »Gemeinschaftlichen Bericht«. »Görtz hatte nichts Eiligeres zu thun, als aus dem, was der Horcher von Lehrbach's Gesprächen mit Hoppe aufgezeichnet hatte, eine Mittheilung zu machen, die er durch boshafte Zusätze noch vergiftete. Denn wenn der Horcher von dem Anfang des Barbaczy'schen Briefes nur die Worte gehört hatte: »Nun ist Alles vollendet,« so fügte Görtz eigenmächtig noch hinzu: »Die Gesandten sind nicht mehr.« Aus diesen Worten und weil Lehrbach auf die Nachricht von der Wegnahme der Papiere geäussert hatte, man werde eine Abschrift der wichtigsten wohl bald erhalten, folgerte Görtz, Lehrbach und, weil er allein die Verantwortung nicht habe auf sich nehmen können, auch die österreichische Regierung habe um den Mord vorher gewusst und ihn gebilligt[2])«. Beachtet man nun diese »Correcturen« des Grafen Görtz und bedenkt, dass gerade aus diesen »Protokollen«, man mag über ihre Entstehung und ihren Inhalt denken wie man will, die volle Unschuld Lehrbach's hervorgeht, so wird man zugeben, dass der preussische Gesandte, Graf Görtz, in seinem Kampfe gegen Oesterreich sich solcher Mittel bediente, deren Anwendung man selbst den gewissen-

[1]) Ueber dessen Mission bei Erzherzog Carl wird noch gehandelt werden.

[2]) Hüffer, Der Rastatter Gesandten-Mord. 57.

losesten Diplomaten seiner Zeit nicht verzeihen darf. Aber der Umstand, dass Graf Görtz Actenstücke »corrigierte« und »ergänzte«; dass er in diesen genau das Gegentheil von dem las und weiterverbreitete, was darin enthalten war, beweist auch, dass Graf Görtz unter jeder Bedingung den Mord von bestimmten Personen, und zwar von österreichischen begangen wissen wollte; dass er, um das zu beweisen, selbst Fälschungen nicht verschmähte. Da drängt sich nun die Frage auf, ob denn gerade für Görtz die Anwendung solcher Mittel nothwendig war, um etwas zu beweisen, was doch, wenn man dem »Authentischen Bericht« Glauben schenken will, gar keines weiteren Beweises bedurfte! Dort wird ja steif und fest behauptet, dass »Seculy-Husaren« die Mörder waren; dort wird mit behaglicher Breite erzählt, wie sie den Mord begangen und was der »Bericht« selbst discret verschweigt, das erzählen weitläufig die »Zusätze«. Oder sollte doch Graf Görtz selbst nicht ganz überzeugt gewesen sein von der Wahrheit und Richtigkeit dessen, was der »Bericht« enthielt und desshalb zu so ungewöhnlichen Mitteln gegriffen haben, um unumstössliche Beweise herbeizuschleppen? Eines wird jedenfalls zugegeben werden müssen: das gehässige Vorgehen Dohm's, die perfide Handlungsweise des Grafen Görtz sind nicht geeignet, die Authenticität eines Berichtes zu erhöhen, der fast ausschliesslich das Werk dieser beiden Herren ist!

Dass der bayerische Gesandte, Freiherr von Rechberg, nicht säumte, es den preussischen Gesandten gleichzuthun, ist natürlich. »Was die verwegene Deutung anbelangt,« schrieb der Reichs-Vicekanzler, Fürst Colloredo, an den österreichischen Gesandten am churpfalz-bayerischen Hofe, Grafen Seilern, »welche der churpfälzische Sub-Delegierte Freiherr von Rechberg dem unglücklichen Vorfall bei Rastatt mit den französischen bevollmächtigten Ministern in seinem diesfallsigen Bericht zu geben sich erdreistet hat, so war eine solche Darstellung von dem Schwiegersohne des Grafen von Görtz eben nicht unerwartet; da aber Euer Excellenz bemerken, dass erwähnter Bericht unter der Hand circuliere, so wollen Dieselben sich alle Mühe geben, eine Abschrift davon zu erhalten und solche sodann hieher gelangen lassen; inzwischen hoffe ich, dass die voreiligen und boshaften Urtheile der Uebelgesinnten bald zu ihrer eigenen Beschämung gereichen werden, da es immer mehr Wahrscheinlichkeit gewinnt, dass nicht kaiserliche Soldaten, sondern unbekannte und allem Anscheine nach selbst Franzosen die Urheber der vorgefallenen Gräuelthaten sind [1]).«

Fand also während der Reise der preussischen Gesandten der »Authentische Bericht«, der sich begreiflicher Weise möglichst objectiv darzustellen suchte und dessen Herausgeber versicherte, »dass es dabei einzig und allein auf historische Wahrheit und sorgfältigste Genauigkeit ankam, um zu vermeiden, dass keine dunklen, unvollständigen oder schwankenden Nachrichten verbreitet würden,« einen gründlichen und verständigen Commentar, so säumte man preussischerseits auch nicht, die Presse auszunützen, um jedem auf Vertheidigung der österreichischen Regierung und der Szekler-Husaren hinzielenden Versuch entgegenzuarbeiten.

In dieser Beziehung machte sich besonders die im Dienste Preussens stehende, in Ansbach erscheinende »Deutsche Reichs- und Staats-Zeitung« hervorragend bemerkbar, deren Herausgeber Davidsohn — oder Lange, wie er sich später nannte — eine Anzahl Aufsätze über den Gesandten-Mord brachte, die nachweisbar auf Mittheilungen der Herren von Dohm und Görtz beruhten. Unter diesen Aufsätzen zeichnete sich besonders einer aus, den das 38. Stück vom 10. Mai 1799 brachte und worin, wie Minister Thugut dem österreichischen Geschäftsträger in Berlin, Hudelist, schrieb: »nicht nur mit einer Gehässigkeit, Bitterkeit und Ungebundenheit, wie dies mitten im Krieg kaum von einem französischen Blatt zu erwarten war, sondern mit einer Frechheit, die alle Vorstellung übersteigt, sogar der k. k. Hof als Veranlasser des Meuchelmordes angegeben« wurde [2]).

Aber nicht nur durch bezahlte Federn suchte man Alles, was etwa für die Schuldlosigkeit der österreichischen Regierung und der Szekler-Husaren sprach, zu widerlegen, Dohm selbst verschmähte es nicht, in Häberlin's »Staats-Archiv« [3]),

[1]) Haus-Hof- und Staats-Archiv. Wien, 11. Mai 1799.

[2]) Helfert, a. a. O., 125.

[3]) Staats-Archiv. Angelegt und geordnet von dem Geheimen Justizrath Häberlin zu Helmstedt. Jahrg. 1799, IV. Band, 14. St., 258 ff.

allerdings ohne Nennung seines Namens eine zu Gunsten Oesterreichs erschienene Schrift leidenschaftlich anzugreifen und zu behaupten, dass es kein Oesterreicher, kein Deutscher, Niemand, der auf Anstand halte, bestreiten dürfe, dass Szekler-Husaren die Mörder der französischen Gesandten gewesen.

Uebrigens bewiesen auch zwei Berichtigungen, die sofort nach der Veröffentlichung des »Gemeinschaftlichen Berichtes« eingesandt wurden, dass mit »dem Befragen aller und jedes Zeugen über die einzelnen Handlungen« denn doch nicht so genau verfahren worden sei, wie im »Vorbericht« hervorgehoben wurde. Der churmaynzische Hof- und Regierungsrath Freiherr von Münch, Protokollführer beim Rastatter Congress, sah sich nach dem Erscheinen des Berichtes der Gesandten veranlasst, diejenigen Stellen, welche ihn selbst betrafen, richtig zu stellen. »Da ich bei Fassung dieses Berichtes,« schrieb er, »weder in Karlsruhe anwesend war, noch von einem der Herren Verfasser derselben um Mittheilung der mich betreffenden Umstände angegangen wurde, dieser Bericht aber gegenwärtig die vollkommenste Publicität erhalten hat und mir im Allgemeinen sowohl, als insbesonders in dieser Sache daranliegt, keine meiner Handlungen auch nur im Mindesten entstellt zu finden, so sehe ich mich in dem Falle, die gedachten Stellen in Demjenigem, was mich selbst betrifft, zu berichtigen.«

In dem »Gemeinschaftlichen Bericht« (S. 16, 17) heisst es:

»Wie die französische Gesandtschaft an's Thor kam, wurde ihr das Herausfahren verweigert. Die drei Minister stiegen sogleich aus und giengen mit Zurücklassung der Wagen, worin sich ihre Familie und Suite befand, auf's Schloss zum churmaynzischen Minister. Kein Mensch konnte diesen Widerspruch zwischen der Einleitung, binnen 24 Stunden abzureisen und dieses Anhalten am Thore begreifen. Der mitunterzeichnete dänische Gesandte, welcher mit vielen Anderen sich auf dieses neue Ereigniss zugleich zu dem churmaynzischen begeben, gab nach seinen nur erwähnten Unterredungen mit dem Rittmeister hierüber die Aufklärungen, welche der von Freiherrn von Albini an diesen Officier abgesandte Legations-Secretär Freiherr von Münch auch bald officiell dahin bestätigte, dass bei Besetzung der Thore der Befehl, Niemand herauszulassen, ertheilt, die Ausnahme wegen der französischen Gesandtschaft aber zuzusetzen vergessen sei. Dieses, versicherte der Freiherr von Münch, sei nun geschehen und die französischen Minister könnten ohne Hinderniss reisen.«

Die Berichtigung dieses Punctes durch den betheiligten Freiherrn von Münch lautet:

»Von des Herrn Directorialis Excellenz bin ich nicht an den k. k. Husaren-Rittmeister gesandt worden, sondern als der Herr Directorialis von den französischen Gesandten vernommen hatte, dass sie zum Stadtthore nicht hinausgelassen werden, gab er mir sogleich den allgemeinen Auftrag, mich eilends zu verwenden, damit das Anhalten am Thore aufgehoben würde. Ich begab mich an dieses Thor und fand daselbst neben der badischen Thorwache ein k. k. Husaren-Commando und den markgräflich badischen Major von Harrant, welchen ich sogleich um die Ursache des Anhaltens befragte; er erwiderte: er habe bereits einen badischen Officier, wenn ich mich recht erinnere, den Platz-Adjutanten an den k. k. Rittmeister desshalb abgeschickt und durch denselben die Antwort zurückerhalten, dass bei Besetzung der Thore der Befehl, Niemanden herauszulassen, ertheilt, die Ausnahme wegen der französischen Gesandtschaft aber zuzusetzen vergessen worden sei, solches aber gegenwärtig geschehen sei und die französischen Gesandten ohne Hinderniss reisen könnten; der hiebei zu Pferde gewesene k. k. Husaren-Unterofficier bestätigte all' dieses und der badische Major von Harrant fügte bei, er wünsche den französischen Gesandten nunmehr sagen zu können, dass sie ohne Anstand reisen könnten, da sie aber aus dem Wagen gestiegen und fortgegangen seien, so wisse er sie nicht zu finden. Ich antwortete ihm hierauf, dass sie sämmtlich bei dem Herrn Directorialen seien und dass ich sogleich übernehmen würde, sie von all' diesem zu unterrichten. Ich brachte dahin dasjenige, was der gemeinschaftliche Bericht meine officielle Bestätigung nennt.«

In dem »Gemeinschaftlichen Bericht« (S. 17, 18) heisst es:

»Diese (die französischen Gesandten) fanden indess jetzt nöthig, um nicht durch andere auf ihrem Wege nach Plittersdort vielleicht befindliche Patrouillen abermals angehalten zu werden, um eine militärische Escorte anzusuchen. Der churmaynzische Legations-Secretär übernahm dieses dem Rittmeister vorzutragen und die französischen Gesandten fuhren nun wieder in einem markgräflichen Wagen nach dem Thore zu den Ihrigen.«

Freiherr von Münch berichtigt:

»Ich übernahm nicht, dem k. k. Rittmeister den Wunsch der französischen Gesandten vorzutragen, sondern blos im Allgemeinen, mich nach Möglichkeit zu verwenden, damit die französischen Gesandten eine Escorte bekämen. Ich gieng sogleich an's Thor und sprach den daselbst commandierenden Unterofficier um die Escorte an; er antwortete mir, dass er hiezu keine Ordre habe, folglich eine Escorte zu geben nicht vermöge. Gemeinschaftlich am Thore mit dem zugleich anwesenden badischen Minister von Edelsheim, veranlasste ich diesen Unterofficier sodann, sogleich zu dem commandierenden Officier zu reiten und ihm den Wunsch der französischen Gesandten zu hinterbringen. Ich habe nachher diesen Unterofficier nicht wieder gesehen und wegen seinem langen Ausbleiben wurde sodann der badische Major von Harrant selbst von dem Herrn Minister von Edelsheim an den k. k. commandierenden Officier abgeschickt [1].«

So klar war übrigens einzelnen Congress-Mitgliedern damals schon die Absicht der preussischen Gesandten, als sie das Verfassen des »Authentischen Berichtes« anregten, dass, wie Freiherr von Hügel meldete, »der fürstlich Taxis'sche Privat-Abgeordnete, Geheimer Rath von Vrints, zu Fuss Karlsruhe verliess und seinen Wagen anderen Morgens nachkommen liess, um die Unterschrift dieses Berichtes zu vermeiden, zu der er schon eingeladen war [2]«.

Durf schon aus dem Umstand, dass diejenigen Personen, welche auf das Zustandekommen des »Authentischen Berichtes« den meisten Einfluss hatten, nicht nur nicht vorurtheilslos,

---

[1] Haus-Hof- und Staats-Archiv. Diese Berichtigungen sind vom 14. Juni 1799 datiert.

[2] Haus-Hof- und Staats-Archiv. An den Reichs-Hof-Vicekanzler, 7. Mai 1799.

sondern geradezu einseitig und mit dem bestimmten Zwecke, Oesterreicher und nur diese zu verdächtigen, zu Werke giengen, die Objectivität dieses Documentes in Frage gestellt werden, so muss die Richtigkeit der die Mordthat selbst betreffenden Daten noch mehr bezweifelt werden, als sie sich zum grossen Theil auf die nichts weniger als glaubhaften Angaben Jean Debry's stützen oder auf jene von Leuten, die zwar auf dem Schauplatz anwesend waren, aber von der Mordthat selbst wenig oder gar nichts gesehen und desshalb darüber falsch oder geradezu unwahr ausgesagt haben. Dass demnach dem »Authentischen Berichte« in nur ebenso beschränktem Ausmasse Glaubwürdigkeit zugeschrieben werden kann, als den Aussagen Jean Debry's und seines Gefolges, ist gewiss zweifellos.

Nun aber soll untersucht werden, ob in der Nacht des 28. April, ob selbst am 29. die Szekler-Husaren mit Bestimmtheit als die Mörder Bonnier's und Roberjot's bezeichnet wurden.

Am 29. April machte der bereits genannte dänische Legationsrath Eggers den noch in Rastatt anwesenden deutschen Gesandten den Vorschlag, nicht, wie geplant, gleich abzureisen, sondern noch einige Tage da zu verweilen. »Die Verlängerung unseres Aufenthaltes,« so sprach er damals, »wäre das einzige Mittel, die Wahrheit jemals an den Tag zu bringen. Ganz Europa richte seine Augen auf uns; das Völkerrecht fordere unsere möglichste Wachsamkeit. Wir würden gerade in dem ersten Augenblick der Rührung alle mögliche Unterstützung finden. Dem kaiserlichen Militär liege selbst Alles daran, die Sache an das Licht zu bringen. Jetzt, aber auch nur jetzt sei dies möglich. Benützte man nicht den Augenblick, die Localitäten, den Character, die Talente der noch anwesenden Mitglieder des diplomatischen Corps, so sei nie daran zu denken, die Wahrheit zu ergründen. Eben, da wir noch beisammen wären, müssten wir alle Data aufnehmen, vergleichen, ordnen. Daraus würde nachher der verständige Richter die Untersuchung führen, die natürlich ausser unserem Gesichtskreise lag. Aber wenn wir ihm nicht auf der Stelle die Data verschaffen, so entzögen wir ihm die Materialien und es sei nicht möglich, dass auch die sorgfältigste Untersuchung nachher je zu etwas führen könne. Ich berief mich hier mit Wärme auf meine eigene Erfahrung aus so vielen peinlichen Acten. Ein irgend geübter Geschäftsmann könne in einer solchen Untersuchung, unter solchen Umständen vorgenommen, unglaublich viel ausrichten. Wir müssten von dem Obersten begehren, dass alle in der Gegend von Rastatt commandierten Husaren Mann für Mann gestellt würden, um verhört zu werden von badischen Officianten in Gegenwart einiger von uns. Alle Personen von der französischen Gesandtschaft sowohl, als alle anderen diplomatischen Personen würden eingeladen, ihre Berichte vor der Commission zu geben und zu gestatten, dass man sie durch Fragen und Gegeneinanderstellung zu erläutern suchte. Was von der badischen Regierung abhienge, würde ohne Zweifel befehligt, vor der Commission zu erscheinen, ihr alle mögliche Unterstützung zu geben. Wir hatten so viele Vortheile durch Zeit, durch Lage, durch Umstände, eine Menge fähiger Männer, welche die Beschleunigung der Arbeit ungemein erleichterten. Noch konnte man an Ort und Stelle Alles in Augenschein nehmen, auch solche Umstände in das Licht setzen, die geringfügig scheinen und oft zur Entdeckung der Wahrheit so Vieles beitragen. Und wenn acht Tage über diese Untersuchung vergiengen, — sie wären vielleicht die nützlichsten unseres Lebens. Unsere Höfe, die badische Regierung, der kaiserliche Hof, die französische Regierung, die Menschheit selbst würden sie uns verdanken.« So sprach Eggers vergeblich und noch viel später schrieb er darüber: »Noch jetzt bin ich in meinem Gewissen überzeugt, dass das die Hauptursache ist, wesswegen von der eingeleiteten öffentlichen Untersuchung nie etwas bekannt geworden ist. Man untersuche doch nur z. B. die gleich aufgenommenen Protokoll-Aussagen der Kutscher, die bald darauf gedruckt wurden und urtheile, wie viel Licht man aus der Vergleichung derselben mit den Aussagen der Husaren, die nach Rastatt commandiert waren und wiederum mit den Berichten der geretteten Personen von der französischen und ligurischen Gesandtschaft erhalten konnte, wenn sie an Ort und Stelle und in demselben Augenblick geschehen wäre. So ausgemacht es mir scheint, dass die Wahrheit jetzt nie an den Tag kommen wird, so gewiss bin ich, sie wäre auf das Vollkommenste ausgemittelt, wenn man meinen Vorschlag gehörig befolgt hätte [1]).«

Enthält dieses Schreiben des Legationsrathes Eggers einestheils eine ebenso scharfe, als gerechte Verurtheilung der geringen Thätigkeit der badischen Behörden und der deutschen Gesandten, die es unbegreiflicher (?) Weise unterliessen, alle auf dem Schauplatze der Mordthat gewesenen Personen eingehend zu verhören, trotzdem der Vorschlag dazu von Einem aus ihrer Mitte selbst gemacht wurde, so geht auch schon aus diesem Schreiben allein klar und deutlich hervor, dass man damals in Rastatt und unmittelbar nach der That nicht wusste, wer die Mordthat begangen; dass die Szekler-Husaren nur desshalb des Mordes verdächtigt wurden, weil sie auf dem Schauplatz erschienen waren und man sonst Jemanden nicht verdächtigen konnte oder — wollte. Eggers selbst, der Jean Debry nach dem Vorfall gesehen, mit Rosenstiel, mit Madame Roberjot, mit dem Kammerdiener ihres ermordeten Gatten gesprochen — also mit Leuten, die später wie auf Commando einstimmig die Szekler-Husaren des Mordes beschuldigt, Eggers, sagen wir, ist, wie dieses Schreiben beweist, nichts weniger als überzeugt, dass die Szekler die That begangen. Und da er mit den genannten Personen gesprochen, sollte nicht seine erste Frage gewesen sein: wer waren die Attentäter? Die Antwort muss entschieden sehr unbestimmt gelautet haben, warum sonst sein lebhaftes Bedauern über die Unterlassungssünde seiner Collegen?

Aber nicht nur Eggers, der doch Gelegenheit hatte, die überfallenen Personen zu befragen, war im Unklaren über die Thäter; jene selbst waren es ebenso. Als ein Rastatter Kaufmann noch in der Nacht vom 28. auf den 29. April den Kammerdiener Roberjot's nach den Mördern fragte, antwortete dieser: »Was weiss ich? Es waren Leute von verschiedener Farbe und Uniform; einige trugen Hüte, andere sprachen französisch [2]).«

---

[1]) Eggers, Briefe. I. 390 ff.

[2]) Helfert, a. a. O., 110.

Der darmstädtische Legations-Secretär Bast, der zur Zeit des Mordes noch in Rastatt war und über den Vorfall einen Bericht verfasst hat, sagt: »Die Gesandten wurden ungefähr 100 Schritte von der Vorstadt von einem Trupp Reiter überfallen. Der Minister Jean Debry, welcher voranfuhr, wurde französisch angeredet und gefragt, ob er ein französischer Minister sei etc.[1]«. Ganz allgemein also spricht er von »Reitern« und fügt dem bestimmt hinzu, dass sie französisch gesprochen. Und während seines ganzen Berichtes nennt er mit keiner Silbe die Szekler-Husaren, erst zum Schlusse erzählt er wahrheitsgetreu, dass in der Nacht die Wagen der Franzosen »von Szekler-Husaren eingebracht wurden«. Und Bast wird doch jedenfalls, ebenso wie Eggers, seine Informationen von den Betheiligten geholt haben; wird ebenso, wie jener, zweifellos zu allererst gefragt haben: »Wer hat Euch überfallen?« Die Antwort hat, wie man aus seinem Bericht ersieht, höchst unbestimmt gelautet: »Ein Trupp Reiter, die französisch sprachen!«

Ebenso unbestimmt berichtete die »Darmstädter Zeitung« in einer Karlsruher Correspondenz vom 29. April: »Eine halbe Viertelstunde vor der Stadt wurden sie (die Gesandten) von bewaffneten Männern zu Pferd angefallen, die sogleich die Fackeln auslöschten, die Gesandten aus den Wagen rissen, mörderisch behandelten und gänzlich beraubten[2])«.

In seinem dienstlichen Bericht an den Markgrafen Carl Friedrich spricht der badische Minister Edelsheim ganz allgemein von »einer Abtheilung zu Pferd«, welche die Gesandten überfallen und von einem »unerklärbaren« Unglück[3]). Wenn auch dieser Bericht, wie der Herausgeber bemerkt, erst früh Morgens niedergeschrieben wurde, bevor noch Jean Debry nach Rastatt zurückgekehrt war, hätten doch Boccardi, Rosenstiel und das ganze übrige Gefolge, die Alle schon gegen 2 Uhr Morgens in Rastatt eingetroffen, die Mörder mit Bestimmtheit bezeichnen können. Dass sie es nicht gekonnt oder gewollt, dass sie erst viel später, wie auf Befehl, die

[1]) Heidenheimer, a. a. O., 155 ff.

[2]) Heidenheimer, a. a. O., 148 ff.

[3]) Obser, Politische Correspondenz Carl Friedrich's von Baden. III, Nr. 301. Edelsheim an den Markgrafen. Rastatt, 29. April.

Szekler-Husaren als die Verbrecher bezeichneten, dafür spricht auch dieser Bericht deutlich genug.

Noch am 30. April bezeichneten Briefe aus Rastatt die Thäter einfach als »Räuber« oder »Mörder« ohne die österreichischen Husaren überhaupt zu erwähnen und am 1. Mai ist man erstaunt, dass »keiner bei den neun bespannten Wagen anwesend gewesenen vielen markgräflichen badischen Hof- und anderen Postillons, ja, nicht einmal einer der vielen Bedienten, oder einer in den Wagen Gesessenen, als Rosenstiel, die beiden Boccardi und Jemand von den Frauen anzugeben gewusst haben, von welchen Personen sie angefallen worden seien oder nicht, ob es deren viele gewesen, wer die vielen Fackeln, welche die Bedienten in den Händen gehabt, alle zu gleicher Zeit ausgelöscht habe. Auch solle Madame Roberjot den Umstand angegeben haben, dass, während ihr Mann von ihrer Seite aus dem Wagen gerissen worden, der Kammerdiener desselben hineingesprungen sei und ihr die Ohren zugehalten habe, damit sie das Winseln des Sterbenden nicht hören möge. In der ersten Betäubung war man in Rastatt unschlüssig, ob dieses aus Mitleid oder Mitschuld geschehen sei. Und da die Ermordung so gar nahe bei Rastatt vorfiel, anstatt dass fremde Mörder den Wald bei Plittersdorf über der Murg noch füglicher hätten benutzen können, da von dem ganzen Gefolge der Minister kein Mensch misshandelt, ja nicht einmal ein Postillon oder auch nur ein Pferd verletzt worden ist, so bleibt dieser Vorfall noch zur Zeit unerklärbar, besonders da sich der k. k. Officier immer geweigert hatte, die französischen Minister zur Nachtzeit abreisen zu lassen und sie dringend bitten liess, den Tag zu erwarten, sofort erst dann die Erlaubniss zur Abreise gab, als man ihm mit Ungestüm zusetzte und den Widerspruch mit Empfindlichkeit zu erkennen gab, dass man den Ministern 24 Stunden zur Abreise anberaumt habe und nun, da sie die erste dieser Stunden sogleich nutzen wollten, Anstand mache, den gegebenen Befehl vollziehen zu lassen. Ein Vorfall, der sich kurz vorher mit dem Kammerdiener der beiden Boccardi ereignet hatte, welcher seinen eigenen Herrn ermorden wollen und das Missvergnügen der französischen

Bedienten mit ihren Herren giebt in Verbindung zu oberwähnten Umständen zu allerlei Vermuthungen Anlass, welche jedoch erst durch die Kundwerdung des Näheren sich für das darlegen müssen, ob sie gegründet sind oder nicht[1])«.

Mit diesen Nachrichten stimmten, wie der kaiserliche Concommissär in Regensburg, Freiherr von Hügel, an den Reichs-Hof-Vicekanzler schrieb, »verschiedene aus dortiger Gegend und aus Karlsruhe eingelaufene Privatbriefe überein und lassen nicht nur die Urheber der Ermordung ungewiss, sondern entfernen beinahe allen Zweifel, dass es wenigstens k. k. Vorposten- und Szekler-Husaren nicht waren, welche den Mord und Raub verübt haben. Ein aus Strassburg eingelaufenes Schreiben von einem Ohrenzeugen, der die Erzählung mitanhörte, welche Rosenstiel von dem Vorfall am 29. Abends in Strassburg gemacht hat, bestätiget es ferner, dass die angreifenden Personen sowohl untereinander, als mit den französischen Ministern französisch sprachen[2])«.

»Auch meine, schon vorgestern erhaltene Nachricht,« schrieb Graf Fugger am 3. Mai aus Augsburg, »ob sie gleich aus französischer Quelle und zwar aus dem Munde des geretteten Jean Debry geflossen, bestätigt, dass nicht Szekler, sondern solche die Thäter waren, die französisch sprachen[3])«. Erst dem unermüdlichen Eifer der preussischen Gesandten gelang es allmälig, die Ueberzeugung hervorzurufen, Szekler-Husaren hätten den Mord verübt. Aber nicht ein Soldatenexcess soll nun die That gewesen sein, sondern ein politischer Mord, verübt auf Befehl des österreichischen Cabinets. Die Absicht der preussischen Diplomaten ist klar. Unter so günstigen Umständen musste Oesterreich, der politische Gegner Preussens, blossgestellt, um jeden Preis gebrandmarkt werden. Diesen Standpunct nahmen auch die späteren Historiker der gleichen Richtung ein, vertheidigten ihn mit dem ganzen Aufwand ihrer Gelehrsamkeit und Dialectik und wichen erst Schritt für Schritt zurück, als unwiderlegliche Beweise die vollständige Unschuld des österreichischen Cabinets darlegten.

---

[1]) Haus-Hof- und Staats-Archiv. Bericht des Speyer'schen Hofrathes Oehl. Bruchsal, 1. Mai 1799.

[2]) Haus-Hof- und Staats-Archiv. Regensburg, 7. Mai 1799.

[3]) Haus-Hof- und Staats-Archiv. An Hügel.

Wenn nun auch die Aussagen Jean Debry's und seines Gefolges eine fast erdrückende Fülle von Widersprüchen, Unwahrheiten und Lügen enthalten, wodurch ihre Glaubwürdigkeit fast jeden Werth verliert; wenn schon hieraus, dann aus der Art der Entstehung des »Authentischen Berichtes« die geringe Glaubwürdigkeit dieses Documentes hervorgeht; wenn es schliesslich eine unumstössliche Thatsache ist, dass man am 28. und 29. noch ganz und gar im Unklaren über die Person der Mörder war; so giebt es doch noch eine Reihe von Erzählungen und Behauptungen, die zum Theil nicht von den Franzosen herstammen, wohl aber ihre Beschuldigungen, scheinbar wenigstens, unterstützen. Sie sollen demnach, ebenso wie die abenteuerlichen Erzählungen Jean Debry's und seines Gefolges, die gebührende Beachtung finden.

Vincent Laublin erzählt: »Die Szekler zeigten den Einwohnern (von Rastatt) ihre Säbel, die noch vom Blute gefärbt waren, rühmten sich, die französischen Gesandten ermordet zu haben und ärgerten sich, dass Jean Debry ihnen habe entgehen können, da sie doch geglaubt hätten, ihn todt in dem Graben liegen zu lassen.« Der 14. Zusatz des »Authentischen Berichtes« sagt, dass von den Husaren »nachher Uhren, Tabaksdosen und dergleichen in Rastatt verkauft worden, ohne dass sie solches zu verheimlichen gesucht«.

Eine andere Anecdote, die nachträglich in Rastatt entstand, lautet:

»Bei dem Vorrücken der Szekler-Husaren von Gernsbach nach Rastatt am 28. April 1799 erbat sich ein Officier derselben von der Wirthin des Gasthofes »Zum Bock« in Gernsbach (sie hiess »Hennenhofer«)[1]) Silbergeld für einen doppelten Louisd'or von 22 Gulden, unter der Bedingung, denselben, wenn er könne, wieder einzuwechseln. Die ausgerückten Husaren kamen schon am folgenden Tage zurück[2]

[1]) Der Name mag für Kenner der badischen Geschichte der Zeit der Grossherzoge Carl und Ludwig nicht uninteressant sein. Es handelt sich hier wohl um die Mutter des bekannten Johann Heinrich David von H.

[2]) Es ist nicht der geringste Anhaltspunct dafür da, dass die Escadron Burkhard am 29. nach Gernsbach zurückgekehrt sei.

und nun wechselte obiger Officier nicht nur den doppelten Louisd'or, sondern so viel Gold, als er erhalten konnte, gegen Silber und Agio ein[1]). Von den gemeinen Husaren wurden angeblich in Gernsbach Kleidungsstücke von Bonnier verkauft, auch kam diese Wirthin dazu, wie bei ihr einquartierte »Officiere einen dunkelblauen Mantel zerschnitten, um sich Uniformen daraus machen zu lassen[2])«.

Der »18. Zusatz« im »Authentischen Bericht« lässt über die Person der Mörder gar keinen Zweifel mehr übrig. In diesem »Zusatz« wird erzählt, dass bei Gelegenheit des Begräbnisses von Bonnier und Roberjot in der Rastatter Wirthsstube »Zum Engel« ein »glaubhafter Mann, in Gegenwart vieler in dem Zimmer versammelten Gäste«, gefragt worden sei, »ob er den Husaren sehen wolle, welcher Roberjot ermordet habe. Wie Jemand solches bejahte, zeigte man ihm den Husaren, welcher an der Ecke eines Tisches sass und da jener sich ihm näherte und von der unglücklichen Begebenheit zu sprechen anfieng[3]), seine That keineswegs leuguete, sondern sie vielmehr, bewegt durch den vorbeigegangenen Leichenzug, mit vielen Thränen und unter Händeringen eingestand[4]). Der Husar, welcher schon ein ältlicher Mann zu sein schien und mehrere Feldzüge mitgemacht hatte, sagte dabei, er bereue es auf das Schmerzhafteste, die That begangen zu haben, ob er gleich durch den Befehl seines Officiers sie zu vollführen genöthigt gewesen sei. Dieser Officier habe nämlich nicht allein ihn wiederholt dazu angehalten und auf ihn, bei seiner bezeigten Abneigung, heftig geschimpft, sondern ihm auch auf das Fürchterlichste gedrohet; ja, in dem Augenblick, da er den Streich vollführen sollen und wie ihm sein Arm gleichsam den Dienst versaget, habe der Officier

---

[1]) Im österreichischen Heere wurden die Officiersgagen bis in die Fünfziger-Jahre des 19. Jahrhunderts zu Monatsschluss nachträglich ausbezahlt. War dieses unheimliche Geld, bei dem die würdige Frau Hennenhofer offenbar einigen Blutgeruch wittert, nicht vielleicht die bescheidene Gage des Officiers, der das schwere Silbergeld nicht gerne in die Rocktasche steckte, sondern lieber einige Goldstücke dafür einwechselte?

[2]) Zandt, Der Rastatter Gesandten-Mord. Karlsruhe, 1869. 35.

[3]) Zum bessern Verständniss des Szeklers wohl in gewähltem »Rastatterisch«?

[4]) Ungarisch oder rumänisch?

hinter ihm gestanden und ihm auf der Stelle den Kopf zu spalten gedrohet, wofern er noch zaudere, so dass er dann, wie ausser sich, ganz blind auf das unglückliche Schlachtopfer eingehauen habe«.

Eine andere Erzählung, die allerdings nicht vom Gefolge der französischen Gesandten, sondern von jenem Schiffer Zabern herrührt, der am 25. April von Szekler-Husaren aufgehoben wurde, lautet: Er (Zabern) habe am Morgen des 28. April in Gernsbach, woselbst er sich befand, eine Bewegung unter den dort befindlichen Szekler-Husaren wahrgenommen, auch habe sich das Gerücht verbreitet, dass man Massregeln gegen die französische Gesandtschaft getroffen. Thatsächlich habe er um 2 Uhr Nachmittags einen Oberst, einen Auditor-Lieutenant, beide Oesterreicher, dann einen Unter-Lieutenant, Namens Fontana, Italiener von Geburt, nebst 16 Husaren zu Pferde steigen und gegen Rastatt reiten gesehen. Sofort nach deren Abmarsch hätten die Bewohner des Ortes gewusst [1], dass diese Truppe abmarschiert sei, um unsere Minister zu massacrieren und hätten unter sich gesprochen, dass aus diesem Unternehmen nichts Gutes für sie hervorgehen werde [2]. Am nächsten Morgen [3] seien dieselben Soldaten, gefolgt von einem Wagen, der mit allen möglichen Effecten gefüllt war, nach Gernsbach zurückgekehrt und er (Zabern) habe im Gasthause zum »Schwarzen Adler« den Lieutenant Fontana sagen gehört, er habe mit den französischen Ministern gesprochen und sei gezwungen gewesen, zu thun, was er gethan [4].

Bevor wir diese Anecdoten einzeln betrachten, möchten wir doch einige einleitende Bemerkungen vorausschicken. Es ist wohl selbstverständlich, dass ein derartiges Ereigniss, wie es die Ermordung zweier Gesandter war, in Rastatt selbst und in der Umgebung grosses, ja sogar gewaltiges Aufsehen erregen musste; giebt doch ein ganz gewöhnlicher Mord den

[1]) Les habitants du lieu ont su, que cette troupe s'était mise en marche pour massacrer nos ministres.

[2]) Que cette entreprise ne leur prognostiquait rien de bon.

[3]) An welchem Fontana in Plittersdorf sich von Debry und dem französischen Courier verabschiedet.

[4]) Martens, Nouvelles causes célèbres du droit des gens. Leipzig und Paris. 1843. II, 126, 127.

Bewohnern und — Bewohnerinnen kleiner Städte reichlichen und willkommenen Stoff und Anlass zu eifrigem Meinungsaustausch, zu Vermuthungen, Ahnungen und Erinnerungen. Wie erst, wenn die blutigen Opfer Vertreter der, besonders in der Rheingegend allseitig gefürchteten französischen Republik waren!

Nicht weniger selbstverständlich ist es, dass auch die Vermuthungen, wer den Mord begangen, sehr rege wurden und sich in erster Linie gegen Jene wendeten, die ihn allenfalls begangen haben konnten: die Szekler-Husaren. Diese waren ja im Kriege gegen die Franzosen, hatten vor wenigen Stunden Rastatt besetzt und die Gesandten aus der Stadt gewiesen, ihre Patrouillen streiften in der Gegend umher — ist es ein Wunder, wenn bei Einzelnen der Verdacht sich geregt haben mochte, dass die Szekler den Mord begangen?? Wenn nun noch Jemand auftrat, dem daran gelegen war, die Szekler-Husaren und nur sie des Mordes zu beschuldigen und der desshalb im Geheimen zuerst und dann immer lauter behauptete, die Szekler bei der Mordthat gesehen zu haben: der Wunden aufzuweisen versucht, die er von ihnen und nur von ihnen erhalten haben will, leere Taschen zeigt, die die Husaren und nur sie geleert; wenn dies der Fall war — und er war es — ist es ein Wunder, wenn man ihm glaubt, wenn man sich plötzlich erinnert, dieses oder jenes Verdachterregende gesehen zu haben, dessen tiefe Bedeutung man jetzt erst erkenne; wenn man harmlose Aussprüche der angeblich Schuldigen dreht und wendet, bis sie bedeutungsvoll werden, Handlungen der unschuldigsten Art, wie das Wechseln einiger Geldstücke, in Zusammenhang bringt mit dem Morde? Und wenn es Jemanden gegeben haben sollte, dem daran gelegen war, nur die Szekler als die Mörder hinzustellen — und es gab manche Leute, denen dringend daran gelegen war — ist es ein Wunder, wenn Anecdoten erfunden wurden, absurd, unsinnig in des Wortes verwegenster Bedeutung, trotzdem aber oder vielleicht gerade desswegen »glaubhaft«, weil von einem ganz und gar unbekannten, aber eben desshalb höchst »glaubhaften Mann« erzählt? Aber die Historie, diese ernste und strenge Wissenschaft, die unbeirrt von Hass, Liebe oder Furcht ihres Weges geht, Wahrheit suchend; die manchmal mit starker und rauher Hand Wahres vom Falschen, Mögliches vom Unmöglichen scheidet, sie sollte doch gefeit sein vor solch unsinnigem Anecdotenkram. Die Literatur über den »Rastatter Gesandten-Mord« hat diese sonst so selbstverständlich scheinende Voraussetzung nicht bestätigt.

Es ist doch wohl klar, dass die Szekler-Husaren, wenn sie die Mörder waren, gerade das Entgegengesetzte von dem gethan haben würden, was Laublin sie thun lässt; ob sie in Folge eines Befehles oder aus eigenem Antrieb den Mord verübt hätten, jedenfalls würden sie sich gehütet haben, mit ihrer That zu prunken und den braven Bewohnern von Rastatt ihre Säbel, »die noch vom Blute gefärbt waren« (!), zu zeigen. Wir fürchten eine Geschmacklosigkeit zu begehen, wenn wir uns weiter mit dieser von ausgesprochener Dummheit oder Bosheit dictierten Anecdote beschäftigen.

Weniger unsinnig und desshalb schon glaubwürdiger klingt die, vorsichtiger Weise unter die »Zusätze« verwiesene Angabe des »Authentischen Berichtes«, die Husaren hätten Werthsachen, die aus dem Besitz der Ermordeten herstammten, verkauft. Allerdings ist der Ursprung dieser Angabe, die an und für sich durchaus nicht beweist, dass die Szekler gemordet hatten, nachzuweisen, was nicht zur Erhöhung ihrer Glaubwürdigkeit beiträgt. Sie stammt nämlich von dem preussischen Gesandten Dohm her[1]), dem Verfasser des »Authentischen Berichtes«, dessen Authenticität, wie bereits dargelegt, ebenso fraglich ist, als die Unbefangenheit und Objectivität seines Verfassers. Nichtsdestoweniger kann ruhig zugegeben werden, dass Szekler-Husaren wirklich solche Effecten in Rastatt verkauft haben könnten. Was ist damit bewiesen? Vor Gericht befragt, ob seine Husaren von den Wagen der Gesandten nicht etwas »mitgenommen« hätten, verneint Rittmeister Burkhard, fügt aber hinzu: »Die Wagen sind bei der Nacht nach Rastatt gekommen, wo bei dem ungemein grossen Zusammenlauf von Menschen sich mancher Arme nicht wird vergessen und auch von der Dienerschaft, ohne dass man es merken konnte, in den einen

[1]) Bericht Dohm's vom 8. Mai. Hüffer, Diplomatische Verhandlungen, III, 327.

oder anderen Wagen hineingelangt und auch Manches herausgenommen haben wird!« Des Mordes an den französischen Gesandten können wir die Szekler-Husaren wahrlich nicht beschuldigen, glauben jedoch ihnen nicht allzu sehr Unrecht zu thun, wenn wir auch unter ihnen einige »Arme« vermuthen, die gelegentlich in »den einen oder andern Wagen«, vielleicht sogar in die eine oder andere Tasche »hineingelangt« haben. Möglich wäre nicht minder, dass irgend ein Husar, der an der Stelle der Mordthat eben mit den Andern die Wagen bewachte, sogar auf der Strasse etwa eine einem der Ermordeten gehörige Uhr gefunden und sie in seine fernere Obsorge genommen habe. Man darf desshalb nicht allzu streng mit den wilden Szeklern in das Gericht gehen, kommen derartige Annexionen fremden Eigenthums doch auch in ganz modernen Kriegen vor! Auch ist es nicht ausgeschlossen, dass hie und da Einer eine derartig erwirthschaftete Uhr u. dgl. gelegentlich in Rastatt selbst an vertraute Personen verkauft hat; dass diese es dann weitererzählten und dass auf diese Art das Gerücht, entsprechend vergrössert, immer weiter wanderte. Gerade der Umstand, dass die Szekler-Husaren sich unschuldig an dem Morde wussten, durfte sie dreist machen und sie das Wagniss unternehmen lassen, selbst unrechtmässig erworbenes Gut ungescheut zu verkaufen. Daraus schliessen, dass sie die Mörder waren, heisst doch der Logik in das Gesicht schlagen! Uebrigens müssen wir hier schon eine Frage aufwerfen, die sich uns später immer häufiger aufdrängen wird: wo war denn die badische Polizei, die es duldete, dass Rastatter Einwohner »ungescheut« gestohlenes Gut von Mördern kauften und ebenso »ungescheut« davon erzählten?

Einer der absurdesten Anecdoten legten manche Historiker, darunter auch Sybel, besondere Bedeutung bei. Es ist die von dem Schiffer Zaborn erzählte. Schon das allergeringste militärische Verständniss genügt ja, um die ganze Unhaltbarkeit dieser schlecht erfundenen Fabel zu erkennen; sie enthält aber auch notorische Lügen. Man muss gar nicht selbst Soldat gewesen sein, um die Behauptung, ein Oberst, ein Auditor-Lieutenant, ein Unter-Lieutenant und 16 Husaren hätten sich, so erzählt bekanntlich Zabern, zu Pferd gesetzt und beim

Abmarsch den Bewohnern von Gernsbach mitgetheilt (!) [1]), sie giengen nun die französischen Gesandten abschlachten, für den baarsten Unsinn zu erklären. Auch Herrn von Sybel scheint diese Aussage etwas zu stark gewesen zu sein, denn er modificiert sie bedeutend, indem er, Zabern citierend, sagt, es lief nach dem Abmarsch der Husaren in dem kleinen Orte auf der Stelle das Gerücht umher, »es gelte den französischen Gesandten«. Das ist nun freilich etwas Anderes; das konnten die Husaren allenfalls gesagt haben, denn es lag gar kein Grund vor, zu verschweigen, dass sie Befehl hatten, die französischen Gesandten aus Rastatt auszuweisen. Aber morden?!

Selbst diese Möglichkeit aber, dass die von Gernsbach abrückenden Husaren den Zweck ihres Marsches nach Rastatt, nämlich die Ausweisung des französischen Gesandten, bekannt gemacht, halten wir mit Rücksicht auf militär-dienstliche Gepflogenheit für vollkommen ausgeschlossen. Nur Leute, die keine Ahnung von einem militärischen Dienstgang haben, können ja glauben, dass der Oberst eines Regiments einen derartigen Befehl sämmtlichen Leuten publicieren werde; dass er ihnen, vor die Front reitend, etwa mit schallender Stimme zurufe: »Ihr werdet jetzt nach Rastatt reiten und die französischen Gesandten ausweisen!« Ausser dem Rittmeister Burkhard und dem Oberlieutenant-Auditor Ruziczka dürfte wohl überhaupt weder ein Unterofficier, noch weniger aber ein »Gemeiner« gewusst haben, zu welchem Zweck die Escadron nach Rastatt commandiert werde. Sie erhielt, wie gewöhnlich, Marschbefehl und trabte dann ruhig dem vorausreitenden Rittmeister nach. Die Aussage Zabern's ist daher nichts Anderes als plumpe Erfindung und es muss Wunder nehmen, dass ernste Männer der Wissenschaft ihr Glauben schenken konnten — oder wollten.

Die weiteren Angaben Zabern's, dass dieselben Husaren mit einem Wagen, der alle möglichen Effecten enthielt, nach Gernsbach zurückgekehrt und dass Lieutenant Fontana irgend eine Aeusserung im Wirthshause (!) gethan, sind direct erfunden. Nur Briefschaften wurden, wie später erzählt werden

[1]) Dies müssten die Husaren nämlich gethan haben, denn von wem sonst hätten die Gernsbacher »wissen« können »que cette troupe s'était mise en marche, pour massacrer (!) nos ministres?«

wird, zu Barbaczy gesandt und Fontana war den ganzen Tag des 29. April in Plittersdorf.

Characteristisch für die in dieser traurigen Frage angewendete Art der Beweisführung ist jene vielgebrauchte, geradezu alberne Anecdote, auf welcher sogar ein Theil des gegen die Szekler-Husaren gerichteten Anklageactes beruht, ist die von dem »weinenden Husaren« im Wirthshause »Zum Engel« in Rastatt. Freiherr von Helfert hat sich die Mühe genommen, diese, bezeichnend genug auch in einem Wirthshaus geprägte heitere Geschichte zu analysieren [1]).

»Das Erste,« so schreibt Helfert, »was sich dem aufmerksamen Leser dieser Nachricht auf die Lippe drängt, ist wohl bei der Genauigkeit, mit der sonst der »Herausgeber« alle seine Angaben vorbringt, die Frage: wer doch wohl jener »glaubhafte« Mann gewesen sein und wer dessen Glaubhaftigkeit verbürgt haben soll? Denn kam die Erzählung durch jenen »glaubhaften Mann« selber zu den Ohren des Verfassers der »Zusätze«, dann war es eine grobe Unterlassungssünde des Letzteren, diesen wichtigen Umstand dem Leser gegenüber nicht ausdrücklich hervorzuheben; war das aber nicht der Fall, sondern erfuhr der »Herausgeber« die Erzählung durch Mittelspersonen, dann lag das entscheidende Moment darin, ob auch diese insgesammt »glaubhafte« Leute gewesen. Dazu tritt noch folgender Umstand: Der badische Rath Posselt hat nicht gesäumt, gleich am 29. April vier Postillone, welche die französischen Minister gefahren, als die einzig wahrscheinlich unbefangenen, weil unbetheiligten Zeugen summarisch zu vernehmen. Wenn an demselben Tage in Gegenwart vieler Personen in einer öffentlichen Wirthsstube ein so auffallendes Geständniss abgelegt worden wäre, was in einem Orte wie Rastatt und bei dem allgemeinen Aufsehen, womit das Ereigniss die ganze Bevölkerung in Spannung erhielt, doch unmöglich lang hätte geheim bleiben können, wie und warum hätte Posselt nicht für angezeigt finden sollen, einen oder ein paar dieser vielen Zeugen, darunter den »glaubhaften« Mann selber, gleichfalls wenigstens summarisch einzuvernehmen? Nun zu dem Inhalt der Aussage

---

[1]) Der Rastatter Gesandten-Mord, 114 ff.

unseres geheimnissvollen Gewährsmannes! Schon die an Letzteren gerichtete Frage: »Ob er den Husaren sehen wolle, der Roberjot ermordet habe?« klingt darum etwas absonderlich, weil es ja, wie bei Debry und bei Bonnier, nicht ein Mann gewesen, der auf Roberjot eingehauen, sondern mehrere zugleich. Doch dies bei Seite gesetzt, so hat von allen am 29. in Rastatt und später in Frankreich einvernommenen Personen keine von der Anwesenheit eines Officiers unter den Angreifenden etwas erwähnt. Die französischen Zeugen sagen nur aus, es habe ihnen geschienen, dass Einer, derselbe, der Debry französisch angerufen, gleichsam die Leitung des Ganzen gehabt; dieser war aber, wie sie ausdrücklich anführen, zu Pferde gewesen, während der Husar im »Engel« nach der Aussage des »glaubhaften« Mannes erzählt haben soll, wie der Officier, da er ihn schimpfte und ihm drohte, »hinter ihm gestanden«. Aber noch weiter: eben jener Mann zu Pferde war es auch, wie uns von zwei Seiten auf das Bestimmteste versichert wird, welcher den ersten Säbelhieb gegen Roberjot geführt und so will auch die Witwe des Gefallenen einen Husaren bemerkt haben, »der das Aussehen eines Officiers hatte« und mit einem Säbelhieb zuerst ihren Mann getroffen, was also wieder das gerade Gegentheil von dem wäre, was der Mann im Rastatter Wirthshause reumüthig und »mit vielen Thränen« bekannt haben soll. Denn nach diesem Bekenntniss wäre der ruchlose Officier hinter dem Husaren gestanden und hätte nicht selbst Hand angelegt, sondern nur Jenen angehalten, durch Schimpf und fürchterliche Drohungen moralisch gezwungen, auf Roberjot einzuhauen. Und hier ist es, wo die Aussage unseres »glaubhaften Mannes« geradezu einen Platz in Carl Friedrich Flögel's »Geschichte des Groteskkomischen« beanspruchen kann. Wenn der brutale Szekler-Officier den weichherzigen Husaren angeherrscht haben soll, »er werde ihm auf der Stelle den Kopf spalten, wofern er noch zaudere«, dann muss er ja doch selbst einen Säbel zur Hand gehabt haben und warum hat er dann, wenn er es mit dem Tode Roberjot's so eilig hatte, diesem nicht selbst den Kopf gespalten? Das wäre jedenfalls einfacher, sicherer und ohne Frage kürzer gewesen, als die wiederholten Pourparlers mit seinem begriffstützigen Gemeinen!

»Nach all dem Gesagten lässt sich die vom »Herausgeber« des »Authentischen Berichtes« aufgetischte Aussage des angeblich »glaubhaften Mannes« über den Vorgang in der Wirthshausstube »Zum Engel« nur in die Kategorie völlig werthlosen, unter ähnlichen Umständen allerorts vorkommenden Stadttratsches verweisen, nicht aber ohne das ernstgemeinte Bedauern daran zu knüpfen, dass es nicht einem der vielen Schriftsteller, welche diese abgeschmackte Geschichte zum Ausgangspuncte der schwerwiegendsten Beschuldigungen erwählt haben, in den Sinn gekommen ist, die äussere und innere Glaubwürdigkeit derselben auch nur der oberflächlichsten Prüfung zu unterziehen.«

Die Ereignisse in Rastatt in der Nacht des 28. April.

Ueber die Ereignisse in Rastatt selbst während und nach der Ermordung der französischen Gesandten erzählt der »Authentische Bericht«:

»Etwa eine gute Viertelstunde nachher[1]) entstand von mehreren Seiten das Gerücht, die Wagen der französischen Gesandten seien dicht vor dem Thore von österreichischen Husaren gewaltsam angefallen und mit Säbeln auf die Kutscher und den Fackelträger gehauen worden. Die meisten diplomatischen Personen befanden sich in dem Gesellschafts-Casino versammelt. Der ligurische Gesandte Boccardi nebst seinem Bruder, welche in dem letzten Wagen gefahren waren, brachten hierhin flüchtend die erste Nachricht. Man beschloss einmüthig, insgesammt sofort zum Rittmeister zu gehen, von ihm Aufklärung und vor Allem schleunige Hilfe zu begehren; wenige Minuten nachher kam die betäubende Nachricht, es sei ein, es seien zwei, es seien alle drei Minister von dem k. k. Militär ermordet. Keine Vernunft konnte eine solche Gräuelthat denkbar, kein Herz konnte sie möglich finden. »Nein, nein«, war der allgemeine Ruf, »es ist falsch«. Aber das Verlangen, irgend ein unglückliches Missverständniss so schnell wie möglich zu heben, beschleunigte die Schritte zum commandierenden Officier. Er hatte sein Quartier etwa 20 Schritte vor dem Ettlinger Thore, in dem Wirthshause, die »Laterne«. Die Wache am Thore weigerte sich, die Gesellschaft durchzulassen, welche sich doch als Gesandte von königlichen und fürstlichen Höfen ankündigte; nur mit äusserster Mühe erhielt

---

[1]) Nach der Abreise der Gesandten.

man, dass ein Unterofficier uns meldete. Nachmalen wurde gefragt: welche Gesandte es wären? mit ängstlicher Genauigkeit vorgeschlagen, dass nur 3—4—6 zum Rittmeister gehen möchten. Dieses währte fast eine halbe Stunde. Endlich zeigte sich dieser Officier. Der mitunterschriebene königlich preussische Minister Graf von Görtz that im Namen Aller den kurzen Vortrag: »Wir verlangten zu wissen, welche Massregeln er auf die ihm ohne Zweifel bereits gemeldete schreckliche Nachricht genommen?« Er erwiderte, dass er auf Verlangen des schon bei ihm gewesenen churmaynzischen Ministers einen Officier mit zwei Husaren abgeschickt habe. Wir glaubten, dass dieses nicht hinlänglich, wir beschworen ihn bei allen Gefühlen der Menschheit, bei dem Wohl von Europa, bei der Ehre der deutschen Nation, die durch ein Verbrechen ohnegleichen in den Annalen gesitteter Völker befleckt zu werden bedrohet sei; bei der Ehre seines Allerhöchsten Monarchen, bei der Ehre des k. k. Dienstes, bei seiner persönlichen Ehre, bei seinem Leben, Alles, Alles auf's Schnellste zu thun, um noch zu retten, was zu retten sei. Der Rittmeister antwortete: »Es sei ein unglückliches Missverständniss; bei der Nacht schweiften freilich die Patrouillen umher und da könne dergleichen leicht geschehen; die französischen Minister hätten nicht bei Nacht reisen sollen!« Man hielt ihm vor, dass er die Escorte abgeschlagen und dem markgräflichen Major von Harrant gesagt, es sei für die französischen Gesandten nichts zu befürchten. Er versetzte: »er habe keinen Befehl gehabt, die Escorte zu geben, man hätte sie bei dem commandierenden Oberst suchen müssen«. Der königlich preussische Legationsrath, Herr von Bernstorf, sagte, er selbst habe den Oberst bei seiner Sendung an demselbigen Tage gefragt, ob er eine Escorte geben wolle. »Hatte er sie Ihnen zugesagt?« war die Antwort des Rittmeisters. Wie der mitunterzeichnete königlich dänische Gesandte ihm die mit ihm gehabte vorerwähnte Unterredung [1]) vorhält, sagte er: »Wollen Sie hier mit mir eine Inquisition anstellen?« . . . . Endlich erlangten wir, dass er noch einen Officier mit sechs Husaren zugleich nebst dem badischen Major von Harrant und zwei badischen Husaren auf die Land-

[1]) S. S. 73.

strasse nach Plittersdorf abzusenden versprach. Nun kamen indess schon mehrere vom Mordplatz Geflüchtete, die es bestätigten, dass wirklich alle drei Minister von Szeculy-Husaren mörderisch angefallen und aus dem Wagen gerissen worden. Die Ermordung des Bonnier wurde von einem Augenzeugen, dem, der die Fackel bei seinem Wagen getragen, berichtet.«

»Der markgräfliche Major von Harrant, dem indess statt des zugesicherten k. k. Officiers nur ein Wachtmeister mitgegeben war, fand die Wagen noch auf dem Platze der Gräuelthat von etwa 50 Szeculy-Husaren, die mit Fackeln versehen waren, umringt (wobei er keinen Officier bemerken konnte), die im Begriffe waren, dieselben mit allen darin befindlichen Unglücklichen, meistens in der Betäubung sinnlos liegenden Menschen, um die Stadt herum abzuführen. Wie der von Harrant ihnen ankündigte, dass die Wagen wieder nach der Stadt müssten, wollten dieses die k. k. Husaren anfangs nicht zugeben und behaupteten, die Wagen seien ihre Beute. Nur mit Anwendung von starken Drohungen behauptete der Major von Harrant, dass er im Namen des Rittmeisters als der einzige Officier jetzt hier commandiere und allein über die Wagen zu disponieren habe. Er fand die Leichname von Bonnier und Roberjot auf der Erde schrecklich misshandelt liegen. Da er den Jean Debry weder lebendig, noch todt fand, gab er sich alle Mühe, ihn zu suchen, schlug auch vor, unter Bedeckung von ein paar k. k. Husaren mit den seinigen in's Holz zu reiten und ihn durch Rufung seines Namens vielleicht zu entdecken, aber die Husaren weigerten ihm diese Bedeckung, weil man im Holze auf andere kaiserliche Patrouillen stossen könne, welche in der Dunkelheit der Nacht die eigenen Leute nicht kennen und anfallen würden. Der von Harrant musste also die Ausführung seines Vorhabens bis zu Tagesanbruch aussetzen und brachte indess sämmtliche Wagen in die Stadt zurück.«

Angesichts der bereits festgestellten Thatsache, dass man in Rastatt während der ganzen Nacht des 28. und noch am Morgen des 29. April vollständig im Unklaren war über die Person der Mörder [1]), ist die Angabe des »Authentischen Be-

---

[1]) S. S. 138 ff.

richtes«, der fortwährend und mit voller Bestimmtheit von den Szekler-Husaren spricht, werthlos.

Diese Werthlosigkeit springt noch mehr in die Augen, wenn man berücksichtigt, dass dieser Bericht erst verfasst wurde, nachdem Oberst Barbaczy in einem Schreiben an die deutschen Gesandten zugegeben hatte, dass seine Husaren die Mordthat verübt.

Dass weder der Fackelträger, aber noch viel weniger die Herren Boccardi irgend welche bestimmte Angabe über die Mörder machen konnten, bedarf wohl keines weiteren Beweises; möglich ist nur, dass einer oder der andere von den zurückgekehrten Franzosen die Vermuthung aussprach, dass Szekler-Husaren den Ueberfall ausgeführt; eine Vermuthung, die ja gewiss nicht allzuferne lag. Dass diese Vermuthung, sie mag von wem immer und in welcher Absicht immer zuerst ausgesprochen worden sein, bei einem Theil der in Rastatt zurückgebliebenen deutschen Gesandten auf sehr empfänglichen Boden fiel, wird gewiss nicht Wunder nehmen. Ist doch Graf Görtz, der Führer und Sprecher der Gesandten, sofort mit einem fait accompli vor den Rittmeister Burkhard hingetreten; hat ihn mit einer Sicherheit angeklagt, die förmlich verblüfft, wenn man berücksichtigt, dass weder Görtz, noch sonst Jemand damals noch wusste, wer die Franzosen überfallen.

Von ganz besonderem Interesse und von viel zu wenig gewürdigter Bedeutung ist das in dem »Authentischen Berichte« geschilderte Benehmen des Rittmeisters Burkhard gegenüber den fremden Gesandten. In diesem Benehmen sowohl, als auch in den Antworten und Entgegnungen Burkhard's drückt sich die unverhüllteste Verlegenheit, beinahe Fassungslosigkeit aus. Er widerspricht nicht einmal den Beschuldigungen der Gesandten, er dachte offenbar nur daran, die angebliche That seiner Husaren zu mildern, zu rechtfertigen. Bei Nacht schweiften eben Patrouillen umher, meinte er, da könne dergleichen leicht geschehen; die französischen Minister hätten nicht bei Nacht reisen sollen — und erst als die Diplomaten dringender, heftiger wurden, da riss ihm endlich die Geduld und er brauste auf: »Wollen Sie hier mit mir eine

Inquisition anstellen?« Und noch ein Wort wendet Burkhard an, das bereits in der Correspondenz der Generale vorkommt[1]), das Wort »Missverständniss«. »Es sei ein unglückliches Missverständniss!«

Diese augenscheinliche Verlegenheit des Rittmeisters Burkhard ist nicht zu erklären, sie ist geradezu unbegreiflich, wenn man annimmt, dass er, sei es aus eigenem Antrieb, sei es in Folge irgend eines erhaltenen Befehles, an der Ermordung der französischen Gesandten betheiligt gewesen. Hätte er denn in einem solchen Fall sich nicht eine entsprechende Ausrede zurecht gelegt? Ja, noch mehr, hätte er nicht rundweg und mit soldatischer Derbheit geleugnet, dass seine Husaren an dem Ueberfall betheiligt waren; hätte er nicht mit voller Entschiedenheit sich dagegen verwahrt, seine Husaren zu beschuldigen? Ganz gewiss! Und dass er dies nicht gethan, dass er verlegen nach Milderungsgründen sucht, ist der schlagendste Beweis, dass Rittmeister Burkhard von der Mittheilung der fremden Gesandten vollständig überrascht war. Ist dies richtig — und diese Ueberraschung drückt sich ja geradezu drastisch aus in den Entgegnungen des Rittmeisters — so hat Burkhard auch gar nichts von dem Ueberfall gewusst, so steht er in gar keiner Beziehung zu der Ermordung Bonnier's und Roberjot's. Ist aber diese Folgerung richtig — und sie ergiebt sich doch ganz zwanglos aus den von Burkhard selbst bestätigten Angaben des »Authentischen Berichtes« — so kann natürlich auch nicht die Rede davon sein, dass Burkhard und seine Husaren höheren Orts beauftragt waren, die beiden französischen Minister zu ermorden. Denn in diesem Falle wäre Burkhard selbstverständlich genau vorgeschrieben worden, wie er sich und seine Husaren rechtfertigen solle, falls der Verdacht sich gegen sie lenken würde. Und thatsächlich findet sich ja eine derartige Unterweisung in der Correspondenz der Generale. Die Sache sei, schrieb, wie bekannt, GM. Graf Merveldt, »im Erforderungsfall« als ein »Missverständniss« anzusehen[2]).

[1]) S. S. 40, 50. 51.
[2]) S. S. 50.

und wirklich sagte Burkhard in seiner tödtlichen Verlegenheit, es sei ein »unglückliches Missverständniss«! Giebt es nun wirklich Jemanden, welcher glauben könnte, man habe den Rittmeister Burkhard angewiesen, die französischen Minister zu ermorden und diese »Sache« mit einem »Missverständniss« zu motivieren? Man kann Jemanden aus Missverständniss arretieren lassen, man kann ihm aus diesem Grunde irgend etwas wegnehmen, aber morden aus »Missverständniss«? Nein! Man erinnere sich doch nur, wie der Mord geschehen, wie die Mörder gehandelt, wie sie sich sorgsam überzeugt von der Identität ihrer Opfer! Und das soll dann als ein — Missverständniss hingestellt werden? In seiner peinlichen Verlegenheit, überrascht und erschreckt von der Mittheilung der fremden Gesandten, dass seine Husaren die That verübt, stottert der Rittmeister einige ziemlich unschuldige und nichtssagende Entgegnungen und erinnert sich dabei auch einer Motivierung, die ihm, mit Bezug auf ein ganz anders geartetes Unternehmen, nahegelegt worden und er wendet jetzt diese Motivierung auf einen Fall an, den er nie erwartet, an den er nie gedacht! So ist diese Stelle im »Authentischen Bericht« verständlich; so ist auch das Benehmen und die Sprache des Rittmeisters zu begreifen — sonst nicht!

Ueber die Art, wie Burkhard von dem Ueberfall der Franzosen informiert worden, gab er selbst vor Gericht Folgendes an: Ungefähr eine Stunde nach Abfahrt der Gesandtschaft »kamen mehrere Herren Gesandten [1]) in grosser Bestürzung zu mir und sagten mir, dass die französische Gesandtschaft an der Strasse zwischen Rastatt und Rheinau angefallen worden und die Gesandten aus ihren Wagen entsprungen seien, drangen auch in mich, ihnen eine Patrouille zu gewähren, um diese Gesandten wieder ausfindig zu machen und sicher nach Rastatt zurückzubringen. Ich machte gleich eine Patrouille aus und schickte selbe hinaus auf die Strasse, wo dieses Unglück geschehen sein solle«.

[1]) Es war der Freiherr von Albini, wahrscheinlich in Begleitung irgend welcher Personen. (Maynzer Diarium. Haus-Hof- und Staats-Archiv.)

Bevor jedoch diese Patrouille zurückgekehrt war, traf Wachtmeister **Konczak**, der Commandant der nach dem Einrücken **Burkhard's** in Rastatt gegen Stollhofen ausgesandten Patrouille [1]), ein und meldete seinem Rittmeister Folgendes: »Er sei mit seiner Patrouille auch auf die gegen Rheinau führende Strasse gekommen, habe dort Lärm gehört und sich diesem genähert, da er Feinde vermuthet. Näher rückend, hätte sich der Lärm und das Geschrei verstärkt, auch habe er Leute sowohl zu Pferd, als zu Fuss auf Wagen ab- und zusprengen mehr gehört, als gesehen (indem es sehr finster gewesen), welche aber bei seiner Annäherung mit der Patrouille in einem nächst gelegenen Wald sich verloren haben.«

Konczak habe ihnen zwar einige Leute zur Verfolgung nachgeschickt, doch hätten diese sie in der Dunkelheit der Nacht und des Waldes nicht mehr erreichen können. Inzwischen sei auch Corporal **Nagy** mit der zweiten Patrouille herangerückt und Beide hätten zwei Todte auf dem Platze liegen gesehen. Wer die beiden Todten gewesen, gab **Konczak** nicht an, wie er überhaupt Näheres zu melden nicht im Stande war, da »die Bedienten oder sonstigen Leute mit den Fackeln schon ehevor entlaufen, als er mit seiner Patrouille auf diese Wagen gestossen sei«. Den Corporal, so meldete **Konczak** zum Schlusse, habe er mit den Leuten beider Patrouillen zur Sicherung der Wagen zurückgelassen [2]).

Kaum hatte **Konczak** diese Meldung beendet, als auch die deutschen Gesandten unter Führung des Grafen **Görtz** in das Zimmer des Rittmeisters stürzten und ihre bereits bekannten Anklagen erhoben.

Beachtet man diese Aussage **Burkhard's** — und ein gerichtliches Verhör darf wohl grössere Beachtung beanspruchen, als »sämmtliche Protokolle«, — so wird seine Verlegenheit gegenüber den fremden Gesandten noch begreiflicher. Wenn nämlich Wachtmeister **Konczak** etwas später mit seiner Meldung gekommen wäre, hätte möglicher Weise **Burkhard** nicht sofort an die Richtigkeit der Mittheilung

---

[1]) S. S. 71.

[2]) Siehe das »Villinger Protokoll«.

von Seiten der Gesandten geglaubt; überzeugt, dass seine Husaren discipliniert und nichts weniger als raublustig waren, hätte er vielleicht an der Mittheilung der fremden Gesandten gezweifelt und diesem Zweifel auch Ausdruck gegeben. Nun war aber schon vor dem Eintreffen der Gesandten sein Wachtmeister mit der erwähnten Meldung gekommen; diese lautete allerdings so, als ob die Husaren erst nach dem Ueberfall der Franzosen auf dem Schauplatze erschienen wären — aber jetzt stürmten auch schon die fremden Gesandten in das Zimmer des Rittmeisters und beschuldigten seine Husaren des Mordes! Und die Gesandten waren, so musste es Burkhard scheinen, ihrer Sache sicher — was Wunder, wenn er ihnen glaubte und nicht seinem Wachtmeister. Und Zeit, ein regelrechtes Verhör mit diesem anzustellen, war jetzt nicht vorhanden; er musste vor Allem den drängenden Gesandten Rede stehen, Patrouillen entsenden, die Ueberfallenen in die Stadt geleiten lassen, Meldungen an seinen Vorgesetzten abschicken. Diese Meldungen aber zeigen noch deutlicher, als der »Authentische Bericht«, in welche Bestürzung Burkhard durch die Mittheilung, den französischen Gesandten sei irgend ein Unglück widerfahren, versetzt worden war.

»Einige Gesandte,« so meldete er, »wollten heute noch abreisen, morgen aber Baron Albini und der Dänische und noch einige Andere. Bonnier ist aus seinem Wagen gezogen worden, ausser der Stadt und vermuthlich umgebracht worden und auch die anderen Gesandten, ihre Dienerschaft und Equipage ist zurückgekommen, man sagt, vier sind vermisset. Heute, wenn ich noch höre, wer die anderen drei sind, so werde es noch melden. Ich frage mich gehorsamst an, ob ihre Dienerschaft morgen mit Equipage und Alles über den Rhein transportiert werden soll. Dann, ob Albini und die anderen Gesandten, so wollen, abreisen lassen solle.«

Sig. Rastatt, den 28. April 1799 [1]).

Nachdem er neue Nachrichten über den Vorfall erhalten. expedierte er die zweite Meldung. Sie lautet:

[1]) Haus-Hof- und Staats-Archiv.

»Vermög gefundenem Leichnam ist Bonnier und Roberjot todt und zwar schrecklich massacriert worden. Jean Debry soll vielleicht noch leben, ich schicke einen Corporal und sechs Mann ab, um ihn noch zu retten. Die Frauen und Dienerschaft habe in das Schloss gehen lassen, die Wagen stehen vor dem Thor unter Wacht, Plünderung ist auch dabei vorgegangen, ich erwarte den Befehl, sieben Wagen und drei Bagagewagen sind es; die Pferde waren dem Herrn Markgrafen und keine den Gesandten was ist [1].«

»Da das Unglück mit den französischen Ministern geschehen, so sagen die Herren Reichsgesandten, dass Rastatt ein grosses Unglück bevorstünde, wenn nicht kaiserliche Truppen vorrückten [2].«

Mehr als alle Worte bieten diese beiden Meldungen — die erste hatte Burkhard sogar zu unterschreiben vergessen — ein sprechendes Bild von dem Seelenzustande des Rittmeisters: es ist das vollständiger Bestürzung, Rath- und Fassungslosigkeit. Man beachte nun das Benehmen Burkhard's gegenüber den fremden Diplomaten, vergleiche es mit diesen beiden »confusen« Meldungen und lege sich dann jene Frage vor, in welche schliesslich alle anderen Fragen auslaufen müssen: War Rittmeister Burkhard beauftragt, die französischen Gesandten ermorden zu lassen?

Nicht weniger räthselhaft als das Benehmen des Rittmeisters scheint das der Husaren zu sein, die Major Harrant auf dem Schauplatze fand — wenn man nämlich sie für die Mörder Bonnier's und Roberjot's halten will. Ist es denn in diesem Fall nicht ein Räthsel, dass sie überhaupt noch auf dem Schauplatze waren? Wenn sie beauftragt waren, den Mord zu verüben, warum entfernten sie sich denn nicht, nachdem sie ihren Auftrag vollzogen? Dann hätte man ja immerhin behaupten können, »Szeculy-Husaren« wären die Mörder gewesen — geglaubt hätte es nur, wer Lust dazu ge-

---

[1]) Haus-Hof- und Staats-Archiv.

[2]) Nota auf der Aufschrift.

habt: so aber zündeten die braven Szekler noch alle Fackeln an, die bei dem Gefolge der französischen Minister waren und beleuchteten weithin den Schauplatz der That und — sich selbst! Begreift man jetzt, wie manche der Franzosen die Szekler des Mordes beschuldigt? Der Mord wird in der dichtesten Finsterniss begangen, mit Blitzesschnelle, dann wird eine Fackel angezündet und noch eine und noch mehrere, und die »meistens in der Betäubung sinnlos liegenden Menschen« schlagen die Augen auf und sehen — Szekler-Husaren! Wäre es zu verwundern, wenn wirklich Manche die Mordthat den Szeklern zugeschrieben hätten?

Aber noch weitere Räthsel lassen sich in dem Benehmen der Szekler feststellen, wenn man sie für die Mörder hält. Man beachte doch, wie sie sich dem Befehle Harrant's, die Wagen nach Rastatt zu führen, widersetzen! Was kümmerten denn sie die Wagen? Sie hatten ja Bonnier und Roberjot zu ermorden, so sagt man, das war geschehen, wozu also diese Streitigkeiten um die Wagen? Sie behaupteten, die Wagen seien ihre »Beute«. Und es giebt wirklich Leute, die behaupten, den Szeklern seien dafür, dass sie die beiden Franzosen ermordet, deren Wagen und Habseligkeiten als »Beute« versprochen worden!

Nein; das Benehmen der Husaren ist eben so wenig räthselhaft, wie das des Rittmeisters Burkhard; ihrer Aller Benehmen ist vielmehr ganz und gar verständlich. Burkhard wusste von der Mordthat nichts — desshalb ist er überrascht und bestürzt über die Mittheilung und sucht begreiflicher Weise nach Ausflüchten, um die angebliche That seiner Leute zu entschuldigen; diese aber haben nie daran gedacht, den Mord zu begehen, desshalb bleiben sie ruhig auf dem Schauplatz stehen, auf den sie, zurückgekehrt von ihrem Patrouillengang, gelangt waren und zeigen weder Verlegenheit, noch Bestürzung, sondern erklären dem fremden Major ganz energisch in ihrem gebrochenen Deutsch, die Wagen seien ihre »Beute«, die sie in das Hauptquartier des Obersten Barbaczy zu führen hätten. Und dieser Umstand allein, dieses Bestreben, entgegen den Befehlen eines, wenngleich fremden Stabsofficiers, die Wagen »um die Stadt herum« zu führen, deutet nachdrücklich auf einen erhaltenen diesbezüglichen Befehl. Ob diese Annahme richtig ist und welcher Art dieser Befehl gewesen sei, wird an geeigneter Stelle genau ausgeführt werden — hier soll, auf Grund des »Authentischen Berichtes« selbst, nur nochmals festgestellt werden, dass sowohl das Benehmen des Rittmeisters Burkhard, als jenes seiner Husaren ganz und gar unverständlich, man möchte sagen, sinnlos ist, wenn angenommen wird, der Rittmeister und seine Leute wären beauftragt gewesen, Bonnier und Roberjot zu ermorden!

Der »Authentische Bericht« erzählt weiter: »Die Wagen hielten vor dem Schlosse, Jeder drängte, sich den Unglücklichen, die sich darin befanden, zu nähern und ihnen möglichste Hilfe zu geben; aber Niemand, auch die ansehnlichsten Gesandten [1]) nicht, wurden zugelassen, weil in Ermangelung

[1]) Von diesen, so erzählt ein Brief aus Rastatt (Haus-Hof- und Staats-Archiv, Copie d'une lettre de Rastatt, du 29 avril 1799), stand Graf Görtz, begleitet von seinem Schwiegersohne und einem Läufer, das Augenglas in der Hand und das Ende seines Zopfes von einer Fackel angebrannt, stumm da und zitterte an allen Gliedern; Jacobi, der zweite preussische Gesandte, lief aus einem Winkel in den anderen, Minister Edelsheim lehnte an einem Haus, das Gesicht in die Hände verborgen und Herr von Rosenkrantz, der dänische Gesandte, parlamentierte mit den Husaren.

Hier möchten wir auf einen nicht ganz unbedeutenden Irrthum aufmerksam machen, der sich in die an Räthseln und Irrthümern überreiche Literatur über den Rastatter Gesandten-Mord eingeschlichen und behauptet hat. Der dänische Legationsrath Eggers, dessen »Briefe« bekanntlich eine Hauptquelle für dieses Ereigniss bilden, erzählt nämlich (II, 374, 475), er habe, da die Husaren, »die nicht einmal unser Deutsch verstanden«, absolut Niemanden zu den Wagen lassen wollten, den Versuch gemacht, sie lateinisch anzureden. Das half merkwürdiger Weise; man liess ihn in den Kreis und auf seine Bitte »Frater meus est« auch den Freiherrn von Gemmingen. Freilich, wenn die Szekler-Husaren so gebildete Menschen waren, dass sie perfect französisch sprachen, darf es nicht Wunder nehmen, dass sie auch lateinische Sprachstudien gemacht. Nun, die Sache verhält sich anders, und das Räthsel — denn ein solches bilden zweifellos lateinisch sprechende Szekler-Husaren des Jahres 1799 — ist leicht gelöst. Unter den Szeklern befanden sich, wie man bisher angenommen zu haben scheint, nicht nur Ungarn, sondern zumeist Walachen oder, wie wir heute sagen, Rumänen. Wir werden Einige davon noch kennen lernen. Die Aehnlichkeit der walachischen Sprache mit der lateinischen, die bekannt-

eines Officiers nun erst militärische Befehle eingeholt werden mussten. Endlich gelangte man dazu, die in ihrem Wagen halbtodt ohne Besinnung liegende Madame Roberjot in das Haus des königlich preussischen Gesandten, Freiherrn von Jacobi, vor welchem der Wagen hielt, tragen zu dürfen. Die Madame Debry musste auf der Strasse aussteigen, weil man schlechterdings nicht erlauben wollte, dass die Wagen in's Schloss führen. Diese mussten vielmehr nach der Wache im Ettlinger-Thore gebracht werden und man erbat sich die herrschaftlichen Pferde, um sie morgen fünf nach Gernsbach zu führen, welches jedoch am folgenden Morgen abbestellt wurde.«

Man sieht aus dieser Erzählung, dass sich das Benehmen der Husaren consequent bleibt; sie weichen offenbar nicht einen Finger breit von dem erhaltenen Befehle ab. Sie hatten sich zwar der Autorität des Majors Harrant gebeugt und die Wagen nach Rastatt zurückgeführt; aber auch dort geben sie sie nicht frei und hierin werden sie auch von ihrem Rittmeister bestärkt, der sich sogar die herrschaftlichen Pferde erbittet, um die Wagen nach Gernsbach, in das Hauptquartier seines Obersten, führen zu lassen.

Geht demnach sowohl aus den vorliegenden, auf die französischen Gesandten bezüglichen Befehlen der österreichischen Generale, als auch aus dem Benehmen der Husaren

---

lich sehr gross ist, springt nun gerade bei dem von Eggers angewendeten Satz in die Augen. »Frater meus est« lautet nämlich walachisch: »Este frate meu!« Mit der »Gelehrtheit« der Szekler-Husaren ist es also nichts. Aber auch italienisch sollen die Szekler gesprochen haben — so behauptet Fräulein Debry. Es braucht nicht bestritten zu werden, dass der eine oder der andere Husar auch ein paar italienische Brocken gelernt haben wird, wie ja Einzelne auch ein paar deutsche Worte gekannt haben mögen; wir glauben aber wieder, dass damals Nachts ein Husar, walachischer Nationalität, irgend eine gutmüthige Frage in seiner Muttersprache an das Mädchen gerichtet haben wird. Da nun die walachische Sprache bekanntlich auch die Eigenschaft besitzt, dem Italienischen ähnlich zu klingen, so wird das Fräulein, welches ganz gewiss keine Ahnung von der Existenz dieser Sprache gehabt hat, die paar Worte, die wahrscheinlich gar nicht »due figliuole« lauteten, was auch eine sehr überflüssige Bemerkung gewesen wäre, sondern höchstens ähnlich klangen, für italienisch gehalten haben.

selbst auf dem Schauplatze der That überzeugend hervor. dass es sich von kaiserlicher Seite nur um die Wegnahme des französischen Gesandtschafts-Archivs gehandelt haben kann: so lässt sich auch unschwer nachweisen, dass dem Obersten Barbaczy ausdrücklich befohlen war, diese Unternehmung derart einzuleiten, dass den französischen Gesandten dabei nicht etwas zu Leide gethan werde. Um dies nachzuweisen, ist es nothwendig, noch einmal auf die Ereignisse der vergangenen Tage zurückzugreifen.

Als Oberst Barbaczy den Befehl erhielt, die französischen Gesandten auszuweisen[1]), befand er sich gerade im evangelischen Pfarrhause von Gernsbach beim Mittagstisch und wurde über diesen Befehl, wie ein Augenzeuge berichtet. sehr übler Laune.

Sichtbar aufgeregt und mit der Entschuldigung dringender Dienstgeschäfte entfernte er sich, bis an die Treppe von dem Pfarrer begleitet, dem er die Hand drückend sagte, ein so unangenehmer Auftrag sei ihm in seinem Leben noch nicht vorgekommen[2]).

Es ist kein Grund vorhanden, die Richtigkeit dieser Erzählung zu bezweifeln; sie kann sogar durch actenmässige Beweise bestätigt werden.

Oberst Barbaczy hätte überhaupt das ganze Unternehmen von sich abgewälzt, wenn ihm dies möglich gewesen wäre. Schon die unvermeidlichen Verhandlungen mit den fremden Gesandten, die ihn jeden Augenblick bald mit »Noten« bestürmten, bald durch persönliches Ueberlaufen belästigten. waren dem alten Haudegen höchst unangenehm; er fühlte sich entschieden unbehaglich im Verkehr mit diesen feder- und redegewandten Herren, deren Proteste und Vorstellungen er manchmal nur abzuwehren vermochte, indem er den einen oder anderen Herrn nicht gerade höflich zur Thür hinauscomplimentierte[3]). Dass Oberst Barbaczy von allem Anfang an über den ihm gewordenen Auftrag nicht erbaut war. erhellt ja auch aus seinen verschiedenen Meldungen. Gleich

[1]) S. S. 62. 70.
[2]) Reichlin-Meldegg. Der Rastatter Gesandten-Mord. 23.
[3]) S. S. 67.

in der ersten vom 18. April macht er Schwierigkeiten, glaubt dass die französischen Gesandten so bald nicht abreisen, dass sie eine Escorte badischer Truppen mitnehmen würden; noch am 23. April zweifelt er »stark« an dem Gelingen seines Unternehmens. In Wirklichkeit hatte er gar nichts Rechtes unternommen, um die französischen Gesandten in Rastatt zu belästigen oder sie zum Verlassen des Congressortes zu bewegen und noch am 24. April fühlte sich FML. Kospoth bewogen, dem Obersten neuerdings Aufmerksamkeit zu empfehlen, »dass nichts, während als man Proclamationen macht, heimlich entwische[1])«. Die Bürger Roberjot, Bonnier und Debry fühlten sich auch in Rastatt nichts weniger als beunruhigt. »Noch am 27. April,« schrieb der Letztere am 1. Mai aus Strassburg, »hätten wir in aller Sicherheit reisen können, weil am Rhein keine österreichischen Patrouillen standen[2]).«

Den Grund zu finden, wesshalb Barbaczy diesem ganzen, ihm übertragenen Unternehmen abhold war, ist nicht schwer. Die Ausführung des Unternehmens war ja durchaus nicht, wie Häusser sagt, »ein schlüpfriger, diplomatischer Auftrag«, sondern eine, wie wir gesehen, höchst einfache Sache. Sie konnte allerdings compliciert werden, wenn die Husaren bei ihrem Vorgehen gegen die Gesandten energischen Widerstand fanden! War es denn unmöglich, dass die Gesandten sich weigerten, die Papiere herauszugeben, dass sie der Gewalt — Gewalt entgegensetzten? Waren sie doch thatsächlich von einer Anzahl von Bedienten und Kutschern begleitet, die, wie anzunehmen, wohlbewaffnet waren und entschiedenen und energischen Widerstand leisten konnten. Doch nicht nur diese Möglichkeit allein konnte den an und für sich einfachen Vorgang complicieren und thatsächlich hat ja auch Oberst Barbaczy noch eine Art möglicher Verwickelung angedeutet, indem er anfragte, wie er sich gegen eine etwaige badische Escorte benehmen solle. Er erhielt, wie wir bereits wissen, die Weisung, Alles, was sich ihm widersetze, feindlich zu behandeln[3]). Diese Erledigung der Anfrage des Obersten ist zweifellos ebenso wichtig, als

[1]) S. S. 60.
[2]) Hüffer, Der Rastatter Gesandten-Mord. 38.
[3]) S. S. 49.

interessant. Wenn den Husaren befohlen gewesen sein soll, die Gesandten zu ermorden, so musste es also unbedingt auch in Gegenwart einer etwaigen badischen Schutztruppe geschehen. Wie sollte dann aber die That geheim bleiben? Wie sollte dann ein Mord durch »Missverstand« erklärt werden? Nein! Den Husaren war nicht befohlen, die französischen Gesandten zu misshandeln, noch weniger aber sie zu ermorden: sie waren beauftragt, ihnen die Papiere zu nehmen. Das konnte, selbst wenn sich eine badische Escorte widersetzte, durchgeführt und nachträglich durch »Missverstand« ganz gut und ohne besondere Schwierigkeiten zu befürchten, entschuldigt werden. Jedenfalls musste Barbaczy damit rechnen, dass die französischen Gesandten nicht ohne Escorte Rastatt verlassen würden und in diesem Fall konnte es, nachdem er Alles, was sich ihm widersetzte, feindlich zu behandeln hatte, zu einem Rencontre kommen, denn es war doch nicht zu erwarten, dass eine Escorte ruhig zusah, wie die Husaren das Archiv der Gesandten plünderten. Ein Rencontre an und für sich wird der tapfere Barbaczy gewiss nicht gefürchtet haben; auch die Möglichkeit, dass in dem Kampfe ein paar seiner Leute verwundet oder getödtet werden konnten, dürfte ihm nicht gar zu nahe gegangen sein — wie aber, wenn dabei den französischen Gesandten ein Unfall widerfuhr, wenn einer oder der andere in dem Scharmützel verwundet oder gar getödtet wurde?

Wir müssen uns vor Augen halten, dass Oberst Barbaczy genau wusste, dass er einen Auftrag auszuführen hatte, der ihm hinter dem Rücken des Erzherzogs gegeben worden; dass dieser von der ganzen Sache keine Kenntniss hatte, dass sie also so durchgeführt werden musste, dass der Erzherzog davon, wenn irgend möglich, auch später überhaupt nichts erfuhr, sondern, dass die Wegnahme der Papiere einfach als »Missverständniss« einer oder mehrerer Patrouillen dargestellt werden konnte.

Waren schon diese Heimlichkeiten nicht nach dem Geschmack des alten Kriegers, wie qualvoll musste ihm der Gedanke sein, dass durch die Verwundung oder Tödtung eines der Gesandten eine flagrante Verletzung völkerrechtlicher Bestimmungen stattfinden konnte, deren Folgen natürlich in erster Linie der ungeschickte Leiter des Unternehmens, also Oberst Barbaczy, zu tragen haben musste! Wir erinnern uns, dass die dienstlichen Meldungen Kospoth's und Merveldt's wiederholt den Passus enthielten, dem Obersten Barbaczy sei »Vorsicht« empfohlen worden. Was bedeutete das? Was kann es bedeuten? Doch nicht etwa Vorsicht bei der — Ermordung der Gesandten? Halten wir fest, dass der Wunsch des GM. Schmidt, verdolmetscht durch Oberstlieutenant Mayer, nichts Anderes enthalten haben konnte, als die Wegnahme des Gesandtschafts-Archivs; dass dieser Wunsch ohne Wissen des Erzherzogs ausgesprochen und die Ausführung des Unternehmens seinen Unmuth hervorrufen musste, der nachträglich nur beschwichtigt werden konnte durch den Hinweis, dass dabei ein »Missverständniss« obgewaltet habe und dass den immunen französischen Gesandten persönlich ja nichts Unangenehmes widerfahren sei: so ergiebt sich, dass diese wiederholte Meldung, dem Obersten sei Aufmerksamkeit und Vorsicht empfohlen worden, nichts Anderes bedeuten kann, als den mündlichen Auftrag: »Suchen Sie in den Besitz der Gesandtschaftspapiere zu gelangen, damit wir endlich einmal die unter dem Schutze der Immunität arbeitenden französischen Spione packen können, aber sorgen Sie um Gotteswillen, dass den Gesandten selbst nicht ein Haar gekrümmt werde!«

In diesem Falle ist es begreiflich, warum Barbaczy über den an und für sich höchst einfachen Auftrag nicht entzückt war, warum er den Befehl als den unangenehmsten bezeichnete, den er je erhalten, ja, selbst seine allerdings unverbürgte Aeusserung: »Barbaczy, was wird die Welt zu deinem alten Kopf sagen[1]«, die er am Abend des 28. April gethan haben soll, war dann allenfalls erklärlich.

Das Gebahren des Obersten Barbaczy im Pfarrhause zu Gernsbach und seine erwähnte Aeusserung wurde bekanntlich als Beweis angeführt, dass er den Befehl gehabt, die französischen Gesandten ermorden zu lassen. Man übersah dabei nur den directen Widerspruch zwischen dem angeblichen Befehl und dem Benehmen des Obersten; denn hatte dieser wirklich einen solchen Auftrag erhalten, so konnte er ihn

---

[1]) Mendelssohn-Bartholdy, Der Rastatter Gesandten-Mord. 52.

ruhig mit dem Hinweis, dass er bereit sei, im ehrlichen Kampf so viele Feinde als möglich, nicht aber drei unbewaffnete Menschen zu erschlagen, ablehnen, oder er war ebenso entmenscht wie seine Vorgesetzten und beugte sich vor dem erhaltenen Befehl. (?) Im letzteren Falle aber ist es absurd, wenn man den Obersten Gewissensbisse empfinden, wenn man ihn sich darum kümmern lässt, was die »Welt zu seinem alten Kopfe« sagen werde! Sah Oberst Barbaczy die Nothwendigkeit ein, drei Menschen meuchlings überfallen und todtschlagen zu lassen — und ganz gewiss hätte er sich nur in diesem Falle dazu hergegeben — so ist es geradezu unbegreiflich, wesshalb er aufgeregt gewesen sein und Befürchtungen geäussert haben soll; vollständig begreiflich aber wird Beides, wenn man die damalige wirkliche Lage Barbaczy's berücksichtigt, wenn man bedenkt, dass er aller Wahrscheinlichkeit nach förmlich verantwortlich für das Leben der französischen Gesandten gemacht worden.

Nicht genug damit, dass eine badische Escorte den an und für sich einfachen Vorgang verwickeln und dadurch verhängnissvolle Folgen hervorrufen konnte, erfuhr Barbaczy, wie wir wissen, jetzt auch, dass die Gesandten möglicher Weise durch französische Truppen abgeholt würden, dass diese bereits Bewegungen längs des Rheins unternahmen und einen Angriff auf Rastatt selbst und auf die österreichischen Vorposten planten. Und nun erhielt er den Befehl, die französischen Gesandten auszuweisen und stand damit unmittelbar vor der Ausführung seines Auftrages; ein Verzögern, ein Verschieben desselben war nicht mehr möglich; durch den Befehl, den Congressort selbst besetzen zu lassen, entschwand auch die Hoffnung, dass die französischen Gesandten »heimlich entwischten«, ein Fall, den FML. Kospoth bekanntlich besorgt, Oberst Barbaczy aber höchst wahrscheinlich herbeigewünscht hat.

Oberst Barbaczy war ein rauher Kriegsmann, der 32 Jahre gedient, es in dieser Zeit bis zum Obersten gebracht hatte und nun an der Tour zur Beförderung stand. Musste ihn der Gedanke, seine ehrenvolle Carrière zerstört zu sehen, indem er entweder den Auftrag seiner unmittelbaren Vorgesetzten nicht vollzog oder durch ein missglücktes Unternehmen die Gnade des Generalissimus selbst verscherzte, nicht besorgt, unmuthig, verdrossen, ja, verzweifelt machen?

Wie bekannt, ist keine der Befürchtungen eingetreten; die Gesandten selbst versuchten ebenso wenig eine Gegenwehr, als sie überfallen wurden, als es ihrer ziemlich zahlreichen Begleitung beifiel, Hilfe zu leisten. Auch hatten die Attentäter weder mit einer französischen, noch mit einer badischen Escorte zu kämpfen; die Husaren würden von gar Niemand in ihrem blutigen Werke gestört worden sein. Die Ausführung der den Husaren übertragenen Unternehmung konnte also — wenn sie überhaupt für den 28. April diesen Befehl hatten, was, wie wir gleich sehen werden, durchaus nicht feststeht — sie musste sich so einfach und ohne Lebensgefahr für die Gesandten abspielen, wie wir früher angedeutet.

Was geschieht jedoch thatsächlich, wenn man den »Quellen« Häusser's, Sybel's etc. etc. glauben will? 3 oder 6 oder 15 oder 60 Husaren, so sehr differieren bekanntlich die Zahlenangaben, stürzen mit gezogenen Schwertern, wildfunkelnden Augen und unter »fürchterlichem Geschrei« auf die Wagen los, fragen wiederholt nach den drei Gesandten, und nur nach diesen, ermorden in bestialischer Weise die Bürger Bonnier und Roberjot, während sie sich höchst merkwürdiger Weise begnügen, dem Bürger Debry einige unbedeutende Hiebe zu applicieren, damit er Gelegenheit finde, auf eine ihm selbst ganz und gar unerklärliche Weise in einem Graben zu verschwinden, wo ihn die Husaren ebenso seltsamer Weise nicht mehr aufspüren können, da es ihm, ebenfalls auf eine ihm ganz unbegreifliche Art, gelingt, in all' der Finsterniss einen hohlen Baum zu finden oder »wieder« zu finden, der zufällig in der nächsten Nähe steht, um den Mann »mit den 40 Säbelhieben und 13 Wunden« aufzunehmen! Dass er die übrigen 27 Hiebe »gezählt« hat, zeigt jedenfalls von grosser Ruhe dieses Mannes.

Nicht genug mit diesen Räthseln, handeln die angeblichen Mörder auch dem eigentlichen Zwecke ihrer Unternehmung direct entgegen, indem sie die Gesandtschaftspapiere, deren sie sich ja in erster Linie zu bemächtigen hatten, auf die Strasse, ja, sogar in die Murg werfen, offenbar nur desshalb, damit der darmstädtische Gesandte und die anderen Herren, die Grund hatten, ein Bekanntwerden ihrer Correspondenzen mit den französischen Diplomaten und Agenten zu fürchten, Gelegenheit fänden, ihnen nachzujagen und sie einzufangen, wie erzählt wird, oder doch mindestens nicht in die Hände der Oesterreicher fallen zu lassen, hier dieselben Oesterreicher, welche doch wahrscheinlich den Auftrag hatten, diese Papiere für das eigene Hauptquartier wegzunehmen.

Wenn nun auch feststeht, dass von einem Befehl, die französischen Gesandten zu ermorden, nicht die Rede sein kann, so wäre doch die Möglichkeit gewiss nicht ausgeschlossen, dass die Husaren den ihnen ertheilten Auftrag überschritten; dass sie, beauftragt, die Papiere der Gesandten zu nehmen, auf die sich vielleicht wehrenden Franzosen losgehauen haben. Eine aufmerksame Lectüre der Aussagen der Franzosen ergiebt freilich, dass diese Annahme nicht gut zu vertheidigen ist; nach Allem, was über den Vorgang in der Nacht des 28. April bekannt ist, war es auf die Ermordung Bonnier's und Roberjot's abgesehen und gewehrt hat sich von den Franzosen Niemand. Trotzdem muss auch die erwähnte Annahme in Betracht gezogen werden, da kein Geringerer als Erzherzog Carl selbt ihr beipflichtete. Der besonderen Wichtigkeit wegen, welche dem Schreiben des Erzherzogs, in welchem er diese Ansicht ausspricht, zukommt, lassen wir dieses, der Darstellung der späteren Ereignisse vorgreifend, schon hier folgen. Das Schreiben an Kaiser Franz, vom 18. Mai, lautet:

»Bester Bruder! Aus meinem officiellen Schreiben wirst Du den Gegenstand der Absendung des FML. Grafen Kolowrat entnehmen. Ich kann nicht genug ausdrücken, wie unangenehm und unerwartet der Vorfall bei Rastatt war. Da inzwischen die Sache schon einmal geschehen ist, so bleibt nichts Anderes, als auf Mittel und Wege zu denken, wie man dieselbe auf eine für das Publicum befriedigende Weise ausmittle, ohne dass auf den Hof oder bei der Armee angestellte Individuen distinguierten Grades ein Verdacht von einer Theilnahme zurückfalle. Bei diesen unglücklichen Ereignissen muss ich mir von Dir als Bruder eine besondere Gnade für den General Schmidt ausbitten. Dieser, hingerissen durch seinen

Hass gegen die Franzosen, machte dem Oberstlieutenant Mayer vom Generalstab (welcher beim FML. Kospoth, der das Corps im Schwarzwald commandiert, angestellt ist) eine Idee oder vielmehr Empfindungen in einem Privatschreiben bekannt, wie aus der ersten Anlage des officiösen Berichts zu ersehen ist [1]). Mayer gab dem Inhalt dieses Privatschreibens eine ganz eigene Deutung und so wurde die Sache immer schlimmer, da sie in den unteren Stufen mehrere Zusätze erhalten, wo dann endlich das unglückliche Ereigniss daraus folgte.«

»General Schmidt erkennt den Fehler, dass er sich seinen persönlichen Empfindungen überlassen, einen Brief an Mayer geschrieben, ohne mir hievon eine Anzeige oder Eröffnung gemacht zu haben. Er ist ganz untröstlich, dass dem, dem Oberstlieutenant Mayer zur weiteren Erwägung mitgetheilten Privatgedanken die unglückliche Richtung und Wendung gegeben worden ist. Weil ich den Fehler des Schmidt als eine Uebereilung und unzeitigen Ausbruch seiner leidenschaftlichen Abneigungen gegen die Franzosen ansehe, wovon er, ohne kalten Bluts zu erwägen, sich die Folgen nicht vorstellte, so wiederhole ich die angelegentlichste Bitte, Du möchtest auch dem Schmidt diese unglückliche Uebereilung verzeihen.«

»Wenn Du mir je eine Gnade zu erweisen geneigt bist, so bitte ich Dich um diese Gewährung, da ich unendlich bedauern würde, dass Schmidt, welcher sich immer so edel (und) rechtschaffen benommen und vorzüglich gut gedienet hat, das Opfer von einem übereilten Gedanken oder leidenschaftlichen Empfindung werden sollte, deren Aeusserung auf einem jeden anderen Fleck als der vorliegende ist, wo Vorsicht und Delicatesse zu beobachten (waren), billig und gerecht sein würde [2]).«

Auch aus diesem Brief des Erzherzogs geht mit unwiderleglicher Bestimmtheit hervor, dass von einem Wunsch des Generals Schmidt, die französischen Gesandten ermorden

[1]) Fehlt leider und war trotz der umfassendsten Nachforschungen nirgends zu finden.

[2]) Erzherzog Carl an den Kaiser. Stockach, den 18. Mai 1799. (Abgedruckt bei Hüffer, Der Rastatter Gesandten-Mord. 93.)

zu lassen, nicht die Rede sein kann. Wenn der Brief des Generals einen solchen Wunsch enthalten hätte, könnte ja der Erzherzog nicht davon sprechen, dass die Sache immer schlimmer würde, »da sie in den unteren Stufen mehrere Zusätze erhalten«. Auf welche Art sollte denn der Wunsch, Jemanden zu ermorden, noch vergröbert werden? Aber noch eine viel klarere Stelle enthält der Brief des Erzherzogs. Er würde unendlich bedauern, sagt er, wenn Schmidt das Opfer von einem übereilten Gedanken oder einer leidenschaftlichen Empfindung werden sollte, »deren Aeusserung auf einem jeden anderen Fleck als der vorliegende ist, wo Vorsicht und Delicatesse zu beobachten, billig und gerecht sein würde!« Wann und wo war es »billig und gerecht«, fremde Gesandte zu ermorden; wann und wo wurde je bei einem Morde »Delicatesse« beobachtet? Bleiben wir jedoch bei der Annahme, dass es sich in dem Briefe Schmidt's um Wegnahme des französischen Gesandtschafts-Archivs gehandelt, so fügt auch dieses Schreiben des Erzherzogs sich zwanglos in die Reihe der bekannten Actenstücke und der erzählten Ereignisse. Der Erzherzog selbst, das ist bereits zur Genüge bekannt, war der Ansicht, dass die Person der Gesandten und selbstverständlich auch ihr Archiv unverletzbar seien und wenn man schon durch den Kriegszweck gezwungen war, nach Beweismitteln für die Spionage der fremden Emissäre zu suchen, so durfte dies nur in ihrer durch die Post oder durch Couriere vermittelten Correspondenz geschehen; »Vorsicht und Delicatesse« verboten es, sie selbst und ihr Archiv anzutasten. GM. Schmidt, der diese strengen Ansichten seines Chefs genau kannte, liess sich nun durch seine »leidenschaftliche Abneigung gegen die Franzosen« und ohne der »Folgen« zu gedenken, hinreissen, in einem Privatbrief den Wunsch zu äussern, man möge auch das Archiv der fremden Gesandten nicht mehr respectieren und diese etwa aus »Missverständniss« als Couriere ansehen. War dies die in dem Briefe Schmidt's enthaltene »Idee«, so fügt sie sich ebenso leicht in den Gedankengang des erzherzoglichen Briefes und in den Rahmen der Ereignisse vom 18. bis zum Abend des 28. April.

In dem Briefe des Erzherzogs wird aber auch von »Empfindungen« gesprochen, denen Schmidt in Folge seiner »leidenschaftlichen Abneigungen gegen die Franzosen« Ausdruck gegeben und welche Oberstlieutenant Mayer »ganz eigen« gedeutet. Es konnte also, wie Hüffer weiter sagt[1]), GM. Schmidt »mit soldatischer Derbheit geäussert haben, dass die Gesandten eigentlich noch ganz Anderes, als blosses Anhalten verdient hätten«. Diese Aeusserungen, so möchten wir weiter ausführen, hätte Mayer »ganz eigen« gedeutet, das heisst, für einen Wunsch Schmidt's angesehen und in diesem Sinne an GM. Görger geschrieben. Aber nicht nur dieser, sondern auch Kospoth und Merveldt hätten die »Empfindungen« Schmidt's getheilt und dem Obersten Barbaczy die entsprechenden Weisungen gegeben; dieser habe dann dem Rittmeister Burkhard befohlen, die französischen Gesandten »etwas« zu »hauen«, zu »zausen« oder wie der so unselig missverstandene Ausdruck gelautet haben mag[2]), dieser gab den Befehl weiter an seinen Wachtmeister oder Corporal und diese hätten in ihrer potenzierten »soldatischen Derbheit« etwas zu stark gehauen oder gezaust, so dass Bonnier und Roberjot nicht wieder aufstanden! Für diese Hypothese, welche das unheimliche Räthsel freilich recht einfach lösen würde, spräche unstreitig auch der Brief des Erzherzogs Carl. Nur so wäre es ja zu verstehen, wenn dieser sagt, die Sache habe »in den unteren Stufen Zusätze erhalten«; dem an Oberstlieutenant Mayer mitgetheilten »Privatgedanken« Schmidt's sei eine »unglückliche Richtung und Wendung« gegeben worden.

Was nun diese, eine solche Hypothese unterstützenden Stellen des erzherzoglichen Briefes anbelangt, wollen wir vorläufig, unseren späteren Ausführungen vorgreifend und ohne einen Beweis zu versuchen, nur sagen, dass sie nicht Thatsachen, sondern nur Ansichten des Erzherzogs Carl sind, der selbst keineswegs von der Unschuld seiner Husaren überzeugt war, ebenso wie GM. Schmidt sich freimüthig, aber irrthümlich als den unfreiwilligen und unbeabsichtigten Urheber der Mordthat bezeichnete. Als Thatsache geht aus dem Schreiben des Erzherzogs nur hervor, dass die Ermordung

---

[1]) a. a. O.

[2]) Wir bedienen uns dieses Citates aus Sybel's »Geschichte der Revolutionszeit« (VII. 285) als Erinnerung an den Lehrbach-Mythos.

der französischen Gesandten von GM. Schmidt nie als wünschenswerth bezeichnet, geschweige denn anbefohlen wurde. Wenn aber GM. Schmidt, was, wie erwähnt, nicht ausgeschlossen ist, wirklich gewünscht haben sollte, die französischen Gesandten möchten, während man ihnen die Papiere abnahm, zur Strafe für ihre notorischen Spionendienste und Umtriebe, ein wenig »gezaust« werden, so ist doch wohl die Frage erlaubt und berechtigt, ob FML. Kospoth und die Generale Merveldt und Görger mit dieser Aeusserung »soldatischer Derbheit« einverstanden gewesen sein müssen? Die Abnahme des französischen Gesandtschafts-Archivs war, wenn auch durch völkerrechtliche Satzungen, die im Kriege leider oft genug unbeachtet bleiben müssen, verpönt, durch den Kriegszweck, der den österreichischen Officieren in erster Linie geltend und massgebend sein musste, vollständig gerechtfertigt; so sehr gerechtfertigt, dass sie diesen Wunsch, obgleich hinter dem Rücken des Erzherzogs ausgesprochen, mit Freude zur Kenntniss nahmen; aber der unüberlegte, offenbar in der Hitze des Zornes ausgestossene Wunsch, die Vertreter der französischen Republik körperlich zu misshandeln, dürfte doch schwerlich einen feingebildeten Mann, wie es Graf Merveldt war, zu dem frohlockenden Ausruf: »Hätte man den Wunsch nur früher geäussert!« veranlasst haben! . . . . Es darf sogar mit Recht bezweifelt werden, ob der rauhe, aber hochanständige Barbaczy, ob der etwas plumpe, aber biedere Bayer Burkhard sich dazu hergegeben hätten, auch nur eine — Prügel-Ordre auszuführen!

Wenn nun angenommen werden soll, dass die Szekler-Husaren beauftragt waren, sich des französischen Gesandtschafts-Archivs zu bemächtigen; wenn selbst angenommen, aber nicht zugegeben wird, dass dieser Auftrag von dem Wunsche begleitet war, die französischen Gesandten bei dieser Gelegenheit zu züchtigen: wie musste nothwendiger Weise die Ausführung dieses Auftrages, wenn sie nicht etwa schon früher, »im Neste«, in Rastatt geschehen sollte, sich gestalten?

Rittmeister Burkhard — denn dieser muss bei dieser Hypothese als das Executivorgan Barbaczy's bezeichnet werden — wählte hiezu eine Anzahl Husaren aus seiner

Escadron und postierte sie unter dem Commando eines Unterofficiers auf den Weg, den die Gesandten bei ihrer Abreise passieren mussten. Bei Annäherung der Wagen reitet der Unterofficier in die Nähe des ersten, lässt die Colonne anhalten, ersucht die französischen Gesandten höflich, aber bestimmt um Ausfolgung ihrer Papiere, lässt zum Ueberfluss die Wagen durchsuchen, giebt die Acten in einen zu diesem Zweck mitgenommenen Sack, befördert diesen durch einen Reiter in das Quartier des Obersten und empfiehlt sich den natürlich energisch protestierenden Gesandten. Genau in dieser Art hatte sich ja, wenige Tage früher, der Vorgang mit dem aufgefangenen Gesandtschafts-Courier Mayer (Lemaîre) und mit den Herren Rosenkrantz und Stadion abgespielt[1]), der beste Beweis, dass die Szekler-Husaren gut »abgerichtet« waren. Oder man erklärt die Reisenden aus »Missverständniss« als Gefangene, führt sie mit ihren Wagen nach Gernsbach, nimmt die Papiere ab und lässt die Herren abreisen.

Will man nun auch noch an eine Prügel-Ordre glauben, welche diese Husaren erhalten, so ändert auch diese Annahme nicht viel an der Einfachheit des Vorganges. Die Husaren benützen eben die Proteste der Gesandten, um diesen mit der flachen Klinge eine Anzahl Hiebe zu applicieren und empfehlen sich dann erst. Man mag also nur den einen der beiden Aufträge als gegeben annehmen, immer bleibt die Ausführung eine höchst einfache und eine Gefahr für das Leben der Gesandten vollkommen ausgeschlossen. Angenommen endlich, dass den Husaren befohlen worden sein sollte, den französischen Gesandten die Papiere abzunehmen und sie erst dann tüchtig durchzuprügeln, so wäre ja auch die Möglichkeit nicht ausgeschlossen, dass diese rauhen, derben, sogar wilden Söhne des Szekler-Landes etwas zu energisch dreingeschlagen, so lange dreingeschlagen, bis die unglücklichen Franzosen todt waren. Wir bestreiten entschieden diese Möglichkeit; nicht etwa desshalb, weil sie überhaupt nicht denkbar ist, sondern, weil sie in diesem ganz besonderen Fall undenkbar ist! Barbaczy und Burk-

[1]) S. S. 52.

hard waren sich jedenfalls klar bewusst, welche grobe Verletzung völkerrechtlicher Bestimmungen in der Ermordung eines oder mehrerer Gesandten liege; sollten sie aber nicht ganz im Klaren gewesen sein — was zu jener Zeit nicht unbedingt ausgeschlossen ist — so waren sie entschieden von ihren Vorgesetzten entsprechend und eindringlich belehrt worden; mussten darüber belehrt worden sein, weil die Ermordung der Gesandten umso empfindlichere Folgen, nicht allein für Barbaczy und Burkhard, sondern vielmehr für Kospoth, Schmidt, Merveldt und Görger haben musste, als Erzherzog Carl von dem ganzen Unternehmen gegen die Gesandten nicht die leiseste Kenntniss hatte. Denn, wir wiederholen, so gerechtfertigt durch den Kriegszweck dieses Unternehmen auch war und so leicht der Erzherzog und die öffentliche Meinung beruhigt werden konnten, wenn man die Wegnahme des Gesandtschafts-Archivs als ein durch unwissende Husaren begangenes »Missverständniss« darstellte; umso empfindlicher musste der Erzherzog getroffen werden, wenn dabei den Gesandten ein empfindliches Leid widerfuhr und dadurch der Erzherzog, die kaiserliche Regierung, ja der Kaiser selbst in die Affaire vermengt wurden. Aus diesem jedenfalls nicht ganz abzuweisenden Grund glauben wir überhaupt an eine »Prügel-Ordre« nicht und bestreiten entschieden, dass irgend Jemand gar einen Befehl zur Ermordung der Gesandten gegeben haben könne; aber selbst wenn man an dieser problematischen Prügel-Ordre festhält, wird zugegeben werden müssen, dass dann Burkhard seinen Husaren gesagt haben muss: »Nehmt ihnen die Papiere, prügelt sie durch — aber wehe Euch, wenn einem der Gesandten ein Schaden geschieht!« Was aber eine derartige Drohung oder Warnung bedeutet, weiss Jeder, der Soldat war oder ist — zu Burkhard's Zeiten bedeutete übrigens eine solche »Warnung« von Seite des Rittmeisters, vor dessen Blick die Schwadron erbebte, noch viel mehr! Und diese Husaren sollen die französischen Gesandten ermordet haben? . . . Immerhin ist es ja möglich, dass ein Hieb unglücklich fiel, auf den Kopf, die Schläfe etc. und den Tod des Betreffenden zur Folge hatte. Aber Bonnier und Roberjot wurden ja im fürchterlichsten Sinne des Wortes massacriert!

Wenn Burkhard endlich, aus welchen Motiven immer, den Mord veranlasst hat, warum that er nichts, um die Abreise der Gesandten noch am 28. Abends zu fördern; eine bessere Gelegenheit zu einem Mord, dessen Thäter doch unter jeder Bedingung verborgen bleiben mussten, als in der finsteren, stürmischen Nacht hätte sich ja nie bieten können; warum suchte er sogar ihre Abreise zu verhindern? Man wird mit Debry sagen, es sei dies geschehen, um Zeit zu gewinnen, die mit dem Unternehmen beauftragten Husaren hinauszusenden. Abgesehen davon, dass dies nicht der Fall war, da die Patrouillen Burkhard's unmittelbar nach dem Einrücken der Escadron abgefertigt wurden, wäre eine so umständliche und verdachterregende Verfügung ganz und gar überflüssig gewesen. Burkhard hätte ja diese Patrouillen zeitgerecht aufstellen oder sie dem Wagenzug auch ganz bequem nachsenden können (sie sind aber nicht nachgesendet worden, sondern dem Reise-Train begegnet) — zweifellos aber hätte er unter keiner Bedingung die Franzosen zurückhalten dürfen, wie er es thatsächlich gethan hat. Denn, wenn nun die Franzosen, erschreckt über all' die Schwierigkeiten, die man ihrer Abreise bereitete, ängstlich gemacht durch das Verweigern der Escorte, bewegt durch die Vorstellungen ihrer Freunde, wirklich die Nacht in Rastatt zugebracht hätten, was wäre dann aus den verbrecherischen Absichten, die man Burkhard zuschieben will, geworden? Offenbar nichts. Er hätte sie, wird man sagen, am nächsten Tag, im hellen Sonnenlichte, verwirklichen lassen! Nun, es wird zugegeben werden müssen, dass die phantastische Geschichte, die Jean Debry und die braven Bedienten erzählen, nicht einmal glaublich klingt, wenn man sie in das tiefe Dunkel einer stürmischen Aprilnacht hüllt — man denke sie sich doch vom hellen Sonnenlichte überfluthet! Sechs oder auch sechzig Husaren sprengen unter fürchterlichem Geschrei heran, fragen französisch nach den drei Gesandten, ermorden zwei davon in barbarischer Weise und der Rittmeister erklärt dann in peinlicher Verlegenheit, die Sache sei ein — Missverständniss!

Ziehen wir aus den vorhandenen Documenten die sich mit logischer Unerbittlichkeit aufdrängenden Schlüsse, vergleichen wir sie mit den Ereignissen, wie sie von den Anklägern der Szekler-Husaren selbst geschildert werden, so ergiebt sich, dass von einem an die Husaren ergangenen Befehl, die französischen Minister zu ermorden, nicht die Rede sein kann. Es ergiebt sich dies aus dem Briefe des Erzherzogs an den Kaiser, aus der Correspondenz der österreichischen Generale, aus den Meldungen des Obersten Barbaczy, aus den Verfügungen des Rittmeisters Burkhard, aus seinem Benehmen gegenüber den fremden Gesandten, aus seinen Meldungen an Barbaczy, endlich aus dem Benehmen seiner Husaren auf dem Schauplatze der That und in Rastatt selbst.

Ganz anders, wenn man annimmt, dass Oberst Barbaczy den Befehl erhalten hat, den französischen Gesandten die Papiere wegnehmen zu lassen. Für diese Annahme spricht nicht nur die Wichtigkeit, durch diese Papiere Beweise für die Spionendienste der Gesandten Strick und Wächter in die Hände zu bekommen, sondern es lassen sich auch alle diesbezüglichen Befehle und Meldungen, es lässt sich auch das Schreiben des Erzherzogs an den Kaiser, es lässt sich aber auch, was wohl am wichtigsten ist, das Verhalten der Szekler-Husaren-Patrouillen damit in Einklang bringen. Am 18. April ergeht der gewisse Befehl an Oberst Barbaczy und schon am 19. streifen seine Husaren, was bis dahin nicht geschehen, in der Umgebung von Rastatt bis Plittersdorf, so dass die »Allgemeine Zeitung« berichten kann, die Correspondenz mit Frankreich höre eo ipso auf[1]). Dann schneiden diese Patrouillen die Seile der Rhein-Fähre bei Plittersdorf durch, auf welchen die Correspondenz zwischen Selz und Rastatt befördert wird, endlich halten sie die auf einem Spazierritt begriffenen Gesandten Preussens, Dänemarks und Würzburgs an, ungeachtet ihres diplomatischen Characters, ja dem Letzteren nehmen sie sogar die Papiere ab. Es kann gar nicht klarer zu Tage liegen, welchen Auftrag die Husaren hatten! Am 25. April aber halten sie einen französischen Courier an und führen ihn sammt seinem Wagen und seinen Briefschaften in das Stabsquartier des Obersten Barbaczy. Mit diesem Verhalten der Husaren, die offenbar in Folge eines Befehles handeln, stimmt aber geradezu auf-

---

[1]) S. S. 52.

fallend ihr Benehmen in der Nacht des 28. April. Sie geben die Wagen, in denen sich die Papiere befinden müssen, nicht frei, trotzdem Major Harrant seine ganze Autorität einsetzt; sie geben sie auch in Rastatt selbst nicht frei und so weit geht ihre Sorge, dass sie nur nach langem Bitten den Damen das Aussteigen gestatten. Aber auch der Rittmeister Burkhard weicht, trotz seiner Bestürzung, nicht ab von dem erhaltenen Befehl; ja er bittet sich sogar die markgräflichen Pferde aus, um die Wagen nach Gernsbach in das Quartier seines Obersten zu führen! Um die Wagen hat es sich für ihn also gehandelt, nicht um Debry, Bonnier und Roberjot!

Trotzdem aber sowohl Burkhard, als auch Oberst Barbaczy anfangs glauben, dass ihre Husaren die Mordthat begangen haben, halten sie sichtlich fest an dem ihnen ertheilten Auftrag und senden die in den Wagen der Franzosen befindlichen Papiere in das Hauptquartier des Erzherzogs. Dieser schreibt diesbezüglich am 11. Mai an GM. Graf Merveldt:

»Dem Herrn General-Feldwachtmeister wird wahrscheinlich schon bekannt sein, dass bei dem unglücklichen Vorfall bei Rastatt mehrere, den französischen Gesandten gehörige Schriften in die Hände der diesseitigen Patrouillen gefallen sind und dass dieser Umstand in Strassburg viel Aufsehen erregt hat. Ich habe für das Zweckmässigste gehalten, diese Papiere den französischen Vorposten zurückstellen zu lassen und zu dem Ende übersende ich solche dem Herrn General-Feldwachtmeister durch einen Officier. Dieselben haben daher an den Commandanten der französischen Vorposten unverweilt das Schreiben zu erlassen, wovon der Entwurf hier beiliegt [1]) und demselben diese sämmtlichen Effecten durch einen Officier zu überschicken. Der Herr General-Feldwachtmeister werden zu dieser Sendung einen gewandten Officier bestimmen, der in allen seinen Aeusserungen sehr behutsam sein soll und besonders nicht den geringsten Anlass, zu vermuthen gebe, diese Effecten seien je in meinem Hauptquartier gewesen. Dieselben werden den darauf erhaltenen Empfangschein mir einschicken und den Bericht über den Vollzug dieses Auftrages erstatten [2]).«

[1]) Fehlt.

[2]) K. A. 1799. IV. 156. (Bisher secret gehalten.)

Aus diesem interessanten Schreiben geht hervor, dass der Erzherzog noch am 11. Mai nicht die geringste Kenntniss von dem auf die französischen Gesandten in Rastatt bezüglichen Schriftwechsel der Generale hatte, denn er setzt ja nur als »wahrscheinlich« voraus, dass GM. Graf Merveldt etwas von den in die Hände der Szekler gefallenen Schriften erfahren haben werde. Es geht aber aus diesem Schreiben auch hervor, dass Barbaczy die bei den Franzosen gefundenen Papiere ohne Bedenken seinen Vorgesetzten gesendet und diese sie in das Hauptquartier des Erzherzogs weiter befördert. Das ist nun jedenfalls von grossem Interesse, denn würden sie dies gewagt haben, wenn sie die intellectuellen Urheber des Mordes gewesen? Mussten sie nicht befürchten, dass der Erzherzog sofort auf den Gedanken kommen würde, die Husaren seien die Mörder gewesen, da sie ja die Papiere und die übrigen Effecten der Gesandten in Händen hatten; ja, dass er sogar vermuthen könnte, es sei den Husaren, zwar nicht der Mord, wohl aber die Wegnahme der Papiere anbefohlen worden? Das aber durfte ja der Erzherzog nicht erfahren, weil bekanntlich seinen Anschauungen nach das Archiv der Gesandten unverletzlich war. Wenn demnach Oberst Barbaczy, wenn die drei Generale Görger, Merveldt und Kospoth die Papiere der französischen Gesandten in das Hauptquartier des Erzherzogs senden, so beweist dies, dass sie schon am 29. oder 30. April vollständig von der Unschuld der Husaren überzeugt waren, dass sie bereits mit Bestimmtheit wussten, dass diese auf dem Schauplatz der That erst erschienen waren, nachdem die Mordthat bereits verübt worden war. Die Generale konnten demnach mit umso grösserer Beruhigung die Papiere dem Obercommandierenden übersenden, als diese zum Theil auf dem Boden verstreut gelegen und von den Husaren offenbar erst gesammelt worden waren. Hätten die Szekler ihren Auftrag vollziehen und den auf der Rückreise begriffenen Gesandten die Papiere abnehmen können, so würden die Generale dies, wie aus ihrer Correspondenz hervorgeht, durch ein »Missverständniss« der Husaren, die eben einen Unterschied zwischen Gesandten und Courieren nicht zu machen im Stande waren, gerechtfertigt haben, nach dem unglücklichen Ereigniss aber bedurften sie dieser Ausrede überhaupt nicht mehr — sie sandten einfach die von den Husaren gefundenen Papiere ohne jede Motivierung in das Hauptquartier [1]).

Noch gilt es eine Frage zu beantworten, die trotz ihrer Wichtigkeit bisher nicht aufgeworfen wurde: Hat Oberst Barbaczy daran gedacht, den ihm ertheilten Auftrag bezüglich der französischen Gesandten, nach unserer Annahme also die Wegnahme des Gesandtschafts-Archivs, am 28. April ausführen zu lassen und hat er dementsprechend dem Rittmeister Burkhard die nöthigen Weisungen gegeben?

Nach seinem Eintreffen in Rothenfels, am 28. April zwischen 6 und 7 Uhr Abends [2]), hatte Barbaczy von dem dortigen Pfarrer Mathias Dietz erfahren, dass am nächsten Morgen eine Procession aus den umliegenden Ortschaften nach Rothenfels stattfinden werde. Barbaczy verbot nun,

---

[1]) Welcher Officier die Papiere der Gesandten den französischen Vorposten überbracht, lässt sich nicht mehr feststellen; thatsächlich aber wurden dem in Strassburg commandierenden General Laroche am 16. Mai von Seite der französischen Vorposten ein Koffer, ein Kästchen und eine zwei Portefeuilles enthaltende Tasche und darin grösstentheils jene Papiere überbracht, die sich in den Wagen der angefallenen Minister befunden hatten. »Die Schriften waren offenbar durchgesehen worden, da darunter auch solche Actenstücke oder Gegenstände waren, die sich bei der Abreise in anderen Behältnissen befunden hatten und das Kästchen Spuren gewaltsamer Eröffnung aufwies. Eine nicht unbedeutende Anzahl von Papieren fehlte ganz, wobei man sich erinnern muss, dass ihrer viele bei der nächtlichen That von den Angreifenden auf die Strasse oder in die Murg geworfen oder sonst verschleppt worden waren.« (Helfert, a. a. O., 121, 122. Der »Procès verbal« über den Inhalt dieser Behältnisse bei Häberlin, Staats-Archiv, IV, 507 ff.) Unter den auf dem Schauplatze der That verstreuten Papieren fand sich auch ein Brief an Bonnier von seiner Geliebten. In diesem Brief entbehrt folgende Stelle nicht eines gewissen Interesses: »Was nützen mir,« schreibt die »ancienne maîtresse de Paris« an Bonnier, »die tausend Louis, welche Ihnen ein deutscher Fürst verspricht? Was nützen mir die fast göttlichen Ehren, die man Ihnen in Rastatt erweist, wenn Sie mir nichts schicken. Sie wissen doch, dass ich das Kostgeld für die kleine Fanchette noch schulde und dass ich es nicht zahlen kann.« (Haus-Hof- u. Staats-Archiv. Copie d'un bulletin envoyé de Rastatt le 1er Mai 1799.)

[2]) S. S. 70.

mit Hinweis auf die Möglichkeit eines feindlichen Angriffes, diese Procession, empfahl jedoch dem Pfarrer dringend, der Gemeinde »andere Gründe vorzuschützen, warum die Procession auf Rothenfels nicht statt habe, z. B. wegen hiesiger starker Einquartierung und von der leicht zu vermuthenden Störung in der Andacht[1])«.

Trotzdem Barbaczy nun thatsächlich Nachrichten über verdachterregende Truppenbewegungen des Gegners erhalten hatte[2]) und demnach auch einen Angriff der Franzosen erwarten durfte, kann doch mit Recht der Befehl Barbaczy's, »die wahre Ursache des Verbotes der Procession strengstens geheim zu halten«, auffallend gefunden werden[3]). »Wenn die Warnung einen Sinn haben sollte,« sagt Obser, »durfte sie den Bauern die volle Wahrheit nicht vorenthalten, damit dieselben ihre werthvollste Habe rechtzeitig in Sicherheit bringen, ihre Ersparnisse verstecken, ihr Vieh bei Seite schaffen, eventuell auch, falls die Oesterreicher sie unterstützten, sich zu bewaffneter Gegenwehr gegen die Marodeure rüsten konnten. Statt dessen aber wird, dem vorgeblichen Zwecke der Ordre vollkommen widersprechend, dem Pfarrer dringend absolutes Stillschweigen auferlegt.« Es scheint demnach die Annahme richtig zu sein, dass der Befehl Barbaczy's mit seinen Weisungen aus dem Hauptquartier im Einklange steht, das heisst, dass er am 29. April die Wegnahme der Papiere geplant hat. Erinnern wir uns nun, dass Barbaczy die Abreise der Franzosen unter französischer oder badischer Bedeckung wirklich für den 29. erwartete[4]); dass er auch nicht vermuthen konnte, die Franzosen würden es vorziehen, bei finsterer und stürmischer Nacht abzureisen, da ihnen doch hierzu eine Frist von 24 Stunden gewährt worden war, so kann behauptet werden, dass Barbaczy die Wegnahme der Papiere gar nicht für den 28., sondern für den 29. April geplant hat und dass demnach auch Rittmeister

[1]) Obser, Zur Geschichte des Rastatter Gesandten-Mordes. (Zeitschrift für die Geschichte des Ober-Rheins, N. F., VII, 717.)

[2]) S. S. 70.

[3]) Obser, a. a. O., 720.

[4]) S. S. 69.

Burkhard, der jedenfalls ohne ausdrücklichen Befehl seines Obersten nichts unternehmen durfte, dementsprechend instruiert sein musste. Mit dieser Annahme stimmt auch ganz auffallend die sonst ganz und gar unmotivierte Handlungsweise Burkhard's, der die Franzosen, die trotz der ihnen gewährten Frist, getrieben von irgend welchem noch nicht ergründeten Einfluss, auf ihrer sofortigen Abreise bestanden, zurückzuhalten sucht.

Wenn demnach mit voller Bestimmtheit hervorgeht, dass Oberst Barbaczy die Abreise der Franzosen nicht für den 28. Abends erwartete; wenn er dementsprechend die Vorbereitungen zu dem geplanten Unternehmen für den 29. traf, so ist es doch so gut wie sicher, dass ein umsichtiger Commandant auch die Möglichkeit in Betracht zog, dass die Gesandten trotz alledem es sich in den Kopf setzen könnten, noch am 28. April abzureisen. Hat Oberst Barbaczy also an diese Möglichkeit gedacht — und sie wird schwerlich von Jemandem bezweifelt werden können — so hat er unbedingt auch den zur Besetzung von Rastatt beorderten Rittmeister Burkhard darauf aufmerksam gemacht. Dieser hat nun eine starke Officiers-Patrouille nach Plittersdorf, wo der Rhein-Uebergang nach Selz stattfinden musste, entsendet, wohl wahrscheinlich, um bei Gelegenheit des Einbarkierens die Beschlagnahme der Papiere durchzuführen. Den anderen Patrouillen dürfte er wohl auch den Auftrag gegeben haben, den französischen Gesandten die Papiere abzunehmen, falls sie vorher schon der abziehenden Wagencolonne begegnen sollten. Und das haben die Husaren auch gethan!

Sie haben bei ihrem Eintreffen auf dem Schauplatz, wo sie die beiden Gesandten bereits ermordet fanden, Beschlag auf die Wagen gelegt und nur das Einschreiten des Majors Harrant hat verhindert, dass sie die Wagen nicht »um die Stadt herum« nach Gernsbach in das Hauptquartier des Obersten führten. Während die Mörder, nach Aussage der Franzosen selbst, Papiere, die ihnen in die Hände fielen, auf die Erde und in die Murg warfen, haben die später hinzugekommenen Husaren gerade nach Papieren gesucht und da den Husaren auch nicht zugemuthet werden kann, die

Wichtigkeit der einzelnen Papiere zu unterscheiden, kurz entschlossen die Wagen umgewendet und zurückgeführt.

Freilich hat das Eintreffen der Husaren auf dem Schauplatz der Mordthat auch zur Folge gehabt, dass gegen sie der Verdacht rege wurde, selbst das Verbrechen begangen zu haben. Und die Möglichkeit, dass die Husaren wirklich schuldig sein konnten, musste selbst Burkhard nicht vollständig ausgeschlossen erscheinen — Excesse, Ueberschreiten der erhaltenen Befehle konnten schliesslich auch unter den Szeklern vorkommen. Wie sehr ihm der Schrecken in alle Glieder gefahren, als er erfuhr, die französischen Gesandten seien mörderisch angefallen worden, beweist seine erste »confuse« Meldung — musste ihm doch sofort der Gedanke durch den Kopf schiessen: »Das haben meine Husaren gethan!« Allerdings traf bald auch Wachtmeister Konczak mit der bekannten Meldung ein; aber sie verfehlte und musste jede Wirkung verfehlen angesichts der deutschen Gesandten, die den Rittmeister beschwören, Hilfe zu leisten, ihn beschuldigen, bedrohen, Himmel und Hölle gegen ihn anrufen.

In dem Bewusstsein, dass seine Husaren wirklich, wie die fremden Diplomaten behaupteten, die Gräuelthaten begangen haben konnten, da sie ja auswärts waren, beauftragt, die Wagen der Franzosen anzuhalten, falls sie sie träfen, befestigt sich bei Burkhard immer mehr die Ueberzeugung, dass sie die Thäter wirklich waren, dass sie ihren Auftrag überschritten und den Gesandten nicht nur die Papiere abgenommen, sondern auch geplündert und gemordet. Die Meldung des Wachtmeisters, der vielleicht die Strafe fürchtet, erschien Burkhard erlogen zu sein. Mit der Ueberzeugung aber, dass seine Husaren die Uebelthäter waren, musste sich dem Rittmeister jetzt auch die Nothwendigkeit aufdrängen, die That, so gut als ihm im Augenblicke beifiel, zu rechtfertigen und zwar nicht nur gegenüber den fremden Diplomaten, sondern auch dem Erzherzog gegenüber, dem ja, wie er wusste, von dem ganzen Unternehmen gegen die französischen Gesandten gar nichts bekannt war. Nur so ist es zu verstehen, wenn Rittmeister Burkhard am Morgen des 29. April folgende, wenn wir so sagen dürfen, ostensible Meldung an seinen Obersten richtete:

Bericht[1]).

»Gestern Abends, als ich den Befehl erhielt, Rastatt zu besetzen, so lagerte mich mit meiner Trouppe, nachdem ich die nöthigen Sicherheits-Commandi abgehen gemacht habe und die Ausgänge der Stadt besetzt hatte, vor dem Karlsruher-Thor.«

»Es war schon in der Dämmerung, als der königlich dänische Herr Minister Baron von Rosenkrantz zu mir kam und mir eröffnete, dass er gleich abreisen wollte. Ich antwortete ihm, dass es bei Nachtszeiten nicht zugelassen werden könnte, indem ich eben Rastatt besetzt hätte und meinen Posten den Befehl gegeben, Niemand hinauszulassen.«

»Als es schon finster war, kam mir die Meldung, der französische Minister Jean Debry wäre vor dem Steinauer-Thor und wollte abreisen; ich wunderte mich sehr, warum sie nicht den Tag erwarteten, getraute mich aber solche nicht aufzuhalten, inzwischen aber kamen auch die anderen zwei Herren Gesandten von der Republique. Eine Viertelstunde und auch noch weiter von der Stadt stiess eine Patrouille unter dem Wachtmeister Konczak, der linksher von dem Rhein kam. auf diese Wagen, eine andere Patrouille, so rechts vom Rhein her kam, stiess zu gleicher Zeit auf diese Wagen. Da nun von allen Seiten das Gerücht gieng, dass die französischen Trouppen in grosser Anzahl am 28. über den Rhein gesetzet, welches den beiden Unterofficiers auch zu Ohren kam, so waren sie äusserst aufmerksam und da die Leute bei den Wagen französisch sprachen, so glaubten die Corporals, dass es zur Armee gehörige Personen wären und es wurden der Herr Bonnier und der Herr Roberjot zusammen todtgehauen, der Jean Debry wurde zwar auch zerhauen, aber sein Leichnam ist nirgends zu finden und er muss, äusserst stark blessiert, sich wo verstecket haben.«

»Da, als dieser unvorhergesehene Vorgang, dass die Wagen angegriffen worden, in Rastatt ankam, jedoch so, dass die französischen Minister Gelegenheit gehabt, zu entspringen; so schickte ich in aller Eile den Herrn Oberlieutenant von Szentes zu Pferd mit einer Wache ab, um den zu hitzigen

[1]) Haus-Hof- und Staats-Archiv.

unwissenden Patrouillen Einhalt zu thun und die Gesandten zu retten, allein es war zu spät. Die Wagen fuhren also wieder nach Rastatt zurück und ich schickte den Herrn Unterlieutenant Dravetzky, um das Frauenzimmer und die Dienerschaft in ihre Logis einzuführen.«

Sig. Rastatt, den 29. April 1799.

Burkhard m. p.,
Rittmeister.

Die erste der von Burkhard an Oberst Barbaczy abgesandten Meldungen erhielt dieser um 2 Uhr Nachts; bald darauf traf auch die zweite ein. Er sandte beide an seinen unmittelbaren Vorgesetzten, GM. von Görger, mit nachstehender Einbegleitung:

»Eben, Nachts 2 Uhr erhalte ich aus Rastatt beiliegende Meldung des Herrn Rittmeisters Burkhard, die er zu unterschreiben vergass. Um so viele Missverständnisse nicht zu verursachen und kein weiteres Aufsehen zu erwecken, musste ich ihm den Befehl ertheilen, dass nun Alles passiert werden soll und schiebe überhaupt Alles auf die Finstere der Nacht. Da mir jedoch diese Meldung selbst confus vorkömmt, so behalte ich mir vor, das Weitere umständlich nachzutragen.«

»Rastatt muss ich jetzt schon besetzen lassen; ich denke alldort, wenn der Congress weg ist, eine halbe Escadron, in Rothenfels eine halbe Escadron, in Baden einen Zug, die übrigen drei Züge als Reserve in Gernsbach zu halten, denn sonst wäre ich theils zu weit, um die Befehle von Euer Excellenz zu behändigen, theils blieb das Murg-Thal leer, wo und über Baden leicht etwas in Rücken kommen könnte.«

Sig. Rothenfels, den 29. Früh um 5 Uhr,
April 1799.«

»Eben kömmt die zweite beigebogene Meldung[1]).«

Aus dieser Meldung Barbaczy's geht hervor, dass er zwar eine etwaige Unternehmung gegen die französischen Gesandten erwartet hat, über das Ergebniss dieser Unternehmung aber noch stark im Unklaren war, dass ihm über-

[1]) Haus-Hof- und Staats-Archiv.

haupt die Meldung Burkhard's »confus« vorkam. Wir halten diesen Bericht Barbaczy's für ebenso characteristisch, wie die Meldungen seines Rittmeisters; auch er ist, offenbar so wie dieser, überrascht, von der Ermordung eines oder gar aller Gesandten zu hören, er glaubt desshalb auch nicht recht an diese »confuse« Meldung und behält sich vor, »das Weitere umständlich nachzutragen«. Hätte er den Auftrag ertheilt, die Gesandten zu ermorden, so wäre jedenfalls kein Grund vorhanden gewesen, die Meldung seines Rittmeisters, an dessen etwas unebenen Styl er doch gewöhnt sein musste, »confus« zu finden, da ja die Thatsache, dass der etwaige Auftrag vollzogen worden war, klar genug daraus erhellte. Ueber eines war der Oberst allerdings nicht mehr im Zweifel: dass nämlich irgend etwas mit den französischen Gesandten geschehen sein musste, woran möglicher Weise seine Husaren die Schuld trugen, sonst hätte vielleicht Burkhard, der nicht über allzu zahlreiche Mannschaft verfügte, sich nicht entschlossen, eine Patrouille zu entsenden, um Debry zu »retten«. Der erwartete Angriff auf Rastatt durch die Franzosen gestattete eine Zersplitterung seiner Streitkräfte entschieden nicht. Auf jeden Fall musste jetzt Barbaczy darauf bedacht sein, irgend einen Entschuldigungsgrund ausfindig zu machen, falls seine Husaren wirklich ihren Auftrag überschritten und die fremden Gesandten ermordet hätten, statt ihnen nur die Papiere abzunehmen und es ist gewiss bezeichnend für die Rathlosigkeit des Obersten, dass er eine solche That »auf die Finstere der Nacht schieben« wollte! Diese Entschuldigung ist zum Mindesten ebenso ungeschickt, als der Rechtfertigungsversuch Burkhard's, seine Husaren hätten den Wagenzug der französischen Gesandten für »zur Armee gehörige Personen« gehalten, sie angegriffen, wobei merkwürdiger Weise nicht etwa die Kutscher und Bedienten, die diesem Angriff doch zuerst ausgesetzt waren, niedergehauen, sondern die Gesandten Bonnier und Roberjot, die doch wohlverwahrt im Innern der Wagen sassen.

Prüft man diese unbeholfenen Ausreden der beiden Husarenofficiere, so wird man zugeben müssen, dass hier ebenso ungeschickte, vom Moment eingegebene Verlegenheitsphrasen vorliegen, wie es die bestürzten Ausreden Burkhard's waren, als er von den fremden Gesandten zu Rastatt mit Vorwürfen und Drohungen bestürmt wurde.

Und nun ist die Frage wohl gestattet: Hätten Officiere, die seit verhältnissmässig langer Zeit einen Mord vorbereiteten, nicht, wie auch Hüffer treffend bemerkt [1]), »einigermassen vorher überlegt, was sie zur Ableitung der Verdachtes, zur Beschönigung des Verbrechens und zu ihrer Entschuldigung anführen« könnten? Und wenn diese Officiere geistig so unbeholfen gewesen sein sollten, dass sie nichts Glaubhaftes erfinden konnten, würden nicht ihre Auftraggeber, der kluge Graf Merveldt, der überaus feine Oberstlieutenant Mayer, der scharfsinnige GM. Schmidt, ihnen mit klugem Rath beigesprungen sein? Hätten diese Herren so sorglos, so leichtsinnig sein können, die Motivierung eines von ihnen befohlenen oder auch nur gewünschten furchtbaren Verbrechens dem schwächlichen Erfindungsgeiste von zwei tapferen, aber gewiss nicht geistig übermässig regsamen Officieren zu überlassen? Wenn etwas geeignet ist, zu beweisen, dass Barbaczy und Burkhard durch die ihren Husaren zugeschriebene That vollständig consterniert waren, so ist es diese verlegene, fast alberne Ausrede, die sie niederschreiben, während sie rathlos vor der Beschuldigung stehen, ihre Husaren hätten die französischen Gesandten ermordet. Wir aber wiederholen nachdrücklich: wenn Oberst Barbaczy und Rittmeister Burkhard durch die Nachricht, ihre Husaren hätten gemordet, überrascht und verblüfft waren, so haben sie diese That auch nicht erwartet, also auch nicht anbefohlen; wenn den Husaren aber nicht ausdrücklich befohlen war, zu morden, so haben sie es auch nicht gethan! Die Szekler-Husaren waren ganz gewiss keine Salonsoldaten und scheuten sicherlich nicht zurück, schonungslos niederzuhauen, was ihnen als Feind bezeichnet wurde — Ordre pariert aber haben sie ganz gewiss.

War Oberst Barbaczy nach Erhalt der Meldungen Burkhard's noch nicht ganz im Klaren, ob und in wie weit überhaupt seine Husaren Schuld an dem unglücklichen Ereigniss trugen, so musste ihm das nachfolgende Schreiben der deutschen Gesandten, das am Morgen des 29. April bei ihm

[1]) Der Rastatter Gesandten-Mord. 43.

eintraf, jeden Zweifel benehmen, dass die Husaren der Burkhard'schen Escadron den Mord verübt.

Das Schreiben der Gesandten an Barbaczy lautet:

»Hochwohlgeborner Herr!
Hochzuverehrender Herr Oberst!

»Euer etc. ist ohne Zweifel bereits der schreckliche Vorfall einberichtet, dass die französischen Minister, nachdem sie auf Euer etc. Ankündigung gestern Abend von hier abgereist, die verlangte Escorte ihnen aber abgeschlagen worden, dicht an hiesiger Stadt angefallen und zwei derselben ermordet sind.«

»Wir Unterzeichnete sind sämmtlich Gesandte deutscher Reichs-Stände und zum Theil von den ansehnlichsten europäischen, mit Sr. kaiserlichen Majestät freundschaftlich verbundenen Höfen. Als solche und als Menschen fühlen wir tief den gerechten Schmerz, den ein so unglücklicher Vorfall Euer etc. als Commandierenden der hier eingerückten k. k. Truppen verursachen muss. Wir sind auf diesen von des Kaisers Majestät convocierten Friedens-Congress abgeordnet, wovon jetzt sämmtlich von unseren Committenten abberufen und im Begriffe, unsere Abreise in den nächsten Tagen anzutreten, können aber dieselbe nunmehr so wenig verschieben, als ohne eine unser und unseres Gefolges Leben sichernde Escorte antreten, müssen also Euer etc. ersuchen, uns eine solche militärische Escorte zu bewilligen. Wir reisen diesen Morgen so bald als möglich und wir die nöthigen Pferde erhalten können in zwei Abtheilungen, müssen aber Euer etc. ersuchen, uns durch den Ueberbringer dieses, den königlich preussischen Legations-Secretär H. von Jordan, eine uns vollkommen beruhigende Antwort zu geben, indem wir auf allen Fall, sowohl für die noch nöthige Dauer unseres Hierseins, als für unsere Abreise Euer etc. Namens unserer höchsten Höfe bei Sr. kaiserlichen Majestät Allerhöchstselbst hiermit für uns und der Unserigen Sicherheit responsable machen.«

»Da auch von der französischen Gesandtschaft sich mehrere Personen, sowie auch die ligurische Gesandtschaft noch durch die Flucht gerettet und wieder hierher gebracht sind, so halten wir auf das Höchste uns verpflichtet, Euer etc.

zu ersuchen, auch diese nebst ihren Effecten durch eine sichere Escorte über den Rhein führen zu lassen.«

»Wir haben die Ehre, mit Hochachtung zu sein

Euer Hochwohlgeboren

ergebenste Diener

Rastatt, den 29. April 1799,
Morgens 3 Uhr.

Graf von Görtz,
Baron von Jacobi,
von Dohm,
königlich preussische, churfürstlich brandenburgische Gesandte.

Freiherr von Rheden,
königlich grossbritanischer und churbraunschweigisch-lüneburgischer Gesandter.

von Rosenkrantz,
königlich dänischer, herzoglich holsteinischer Gesandter.

Freiherr von Rechberg,
churpfalzbayerischer Gesandter.

Freiherr von Gatzert,
hessen-darmstädtischer Gesandter.

Friedrich Graf zu Solms-Laubach,
Abgeordneter der wetterauischen und westphälischen protestantischen Grafen.

Freiherr von Kruse,
Gesandter der fürstlich nassauischen Häuser.

Schweizer,
Reichsstädtischer Frankfurter Subdelegatus.

Graf Taube,
Hessen-Kasseler Geschäftsträger.[1])«

Da in der zweiten Meldung Burkhard's die Nachricht enthalten war, dass die Husaren auch geplündert haben sollen, so erweiterte nunmehr Barbaczy seinen Rechtfertigungsversuch dahin, dass er nicht mehr Alles der »Finstere der Nacht« zuschrieb, sondern den ganzen Vorfall als die That einiger »durch Plünderungssucht verleiteten excessiven Gemeinen« darstellte. Er schrieb den deutschen Gesandten:

[1]) Abschrift im Haus-Hof- und Staats-Archiv. Abgedruckt im »Authentischen Bericht« und a. a. O.

»Euere Excellenzen!

Auch ich fühle mich tief gebeugt durch den Schmerz, den mir die Nachricht jener schrecklichen That verursachet, die, wie ich erst aus Höchstderenselben Erlasse mit Gewissheit vernehmen muss, an den Gesandtschafts-Personen der französischen Nation durch einige raubsüchtige Gemeine unter dem Schutze der Nacht begangen worden sei. Seien Euere Excellenzen überzeugt, dass in meinem, ungeachtet durch manche mitgemachte Schlacht abgehärteten Busen dennoch ein Herz sich reget, welches über derlei Greuelthaten sich entsetzet und zu ebenso unnatürlicher Rache, wie das Verbrechen jener Raubsüchtigen war, im höchsten Grade gereizt wird. Ich gebe in dem Augenblicke den Befehl, dass ein Officier mit einem Commando der sich glücklich geretteten französischen Gesandtschaft bis an den Rhein Sicherheitsgeleit leiste, sowie ich unverzüglich jene Verbrecher gefänglich einziehen lasse, die ich unter meinem Commando jemals gehabt zu haben, Zeit meines Lebens mit innigster Wehmuth fühlen muss. Was die Begleitung der übrigen Hochansehnlichen Gesandtschaften betrifft, so erlaubet mir die Lage nicht, von dieser Gegend meine Truppen zu zerstreuen und ich bin überzeugt, dass Niemand was zu befürchten haben wird, sowie auch zu dieser Greuelthat nie jene von Plünderungssucht geblendeten Verbrecher sich herbeigelassen haben würden, wenn die französische Gesandtschaft, welche 24stündige Frist zur Abreise bekam, beim Tage abgereiset wäre. Ich bitte daher, geruhen Euere Excellenzen ebenso von meinem biederdenkenden und tief gekränkten Herzen überzeugt zu sein, als ich unaufhörlich in tiefster Ehrfurcht verharre

Euer Excellenzen

Stabsquartier Gernsbach, unterthänigster

den 29. April 1799. Barbaczy, Oberster[1]).

An seine vorgesetzte Behörde aber meldete Barbaczy:

»Nun ist die Sache vollendet und das zu vermuthen gewesene Klagelied der sämmtlichen Gesandtschaften auch hier, welches ich Euer Excellenz im Original anzuschliessen nicht

[1]) Abschrift im Haus-Hof- und Staats-Archiv. (Abgedruckt im »Authent. Bericht« u. a. a. O.)

unterlasse. Ich fand es für nöthig, die in der Anlage abschriftlich beigeschlossene Antwort zu erstatten und hiedurch den Keim zu unserer Vertheidigung vorläufig zu legen, indem ich mich auf meine gestern um 6½ Uhr durch den Regiments-Auditor den französischen Ministern gegebene 24stündige Frist berufe; das an ihnen verdient erfüllte Verhängniss auf ihre nächtliche Abreise schiebe und so die ganze Sache einigen durch Plünderungs-Sucht verleiteten excessiven Gemeinen beilege und meinen Abscheu dagegen dergestalt äussere, dass ich die Thäter allsogleich festsetzen und von dem Herrn Rittmeister eine schleunige Untersuchung hierüber abfordern lasse.«

»Ich fand mich zu dieser Bemäntlung umso mehr veranlasst, als mir in den Euer Excellenz heute Nacht schon mitgetheilten Rapporten gemeldet wird, dass auch hiebei eine Plünderung der Wagen vorgefallen sei.«

»Als ich diese Antwort an die Herren Gesandten expedierte, hat mir der Herr Rittmeister von Burkhard auch nebenfolgenden wohl instruierten Befund über die ihm von mir anbefohlene Untersuchung eingeschicket, wodurch die Thäter durch ihr Missverständniss, dass es laut dem hier allgemein zu hören gewesenen Gerüchte Franzosen seien, die uns zu attaquieren das Vorhaben hätten, sehr leicht allgemeine Entschuldigung erlangen können. Um daher diesem Missverständniss den letzten Anschein der Wahrscheinlichkeit zu geben, musste ich das abverlangte Convoi den sich geretteten Franzosen gewähren und dadurch alle mögliche Absichtlichkeit vermeiden.«

»Den übrigen Gesandtschaften gestatte ich kein Sicherheits-Geleite, um theils meine Mannschaft — die uns ziemlich nöthig sein wird, weil die Franzosen, die nach der Aussage des Regiments-Auditors, der vom Maynzischen Hofrath Baron von Münch ihre starke Versammlung bei Selz vernommen hat — wahrscheinlich in Kurzem ihre Rache kühlen könnten — nicht zu zerstreuen und theils ihnen zu zeigen, dass sie unsertwegen sicher sein können, sobald sie bei Tag abreisen und keine solche Missverständnisse erwecken.«

»Die Papiere werden so bald als möglich nachfolgen. Da nun kanoniert wird bei Rastatt, so lasse ich gar nichts abschreiben und schicke es so.

Gernsbach, den 29. April 1799.«

»Dies schrieb der Auditor, der von allem Kenntniss hatte; ich kann nicht schreiben, weil ich elend bin und bitte um Erlaubniss, auf ein paar Tage bis Beiersbrunn gehen zu können, um meine Gesundheit herzustellen[1]).«

Bei dieser Meldung scheint uns der Eingang und der Schluss von besonderem Interesse. »Nun ist die Sache vollendet,« ruft der Oberst aus, »und das zu vermuthen gewesene Klagelied der sämmtlichen Gesandtschaften auch hier!« Die Befürchtungen, die Barbaczy von allem Anfang an gehegt und denen er Ausdruck gegeben, indem er alle möglichen Schwierigkeiten in dem ihm ertheilten Auftrag finden und betonen zu müssen glaubte[2]), waren eingetroffen; die Ausführung eines an und für sich gewiss einfachen Auftrages hatte ein unglückliches Ende genommen. So sehr aber war Barbaczy dadurch erschüttert worden, so sehr hatte das Bewusstsein von dem, wie er jetzt bestimmt annehmen musste, durch seine Husaren verübten Verbrechen und von den Folgen, die hieraus für sie und für ihn selbst entspringen würden, auf ihn eingewirkt, dass er erkrankte und um Erlaubniss bat, sich einige Tage der Erholung widmen zu dürfen. Es muss zugegeben werden, dass ein in den Schrecken mancher Schlacht ergrauter Oberst, welcher sich auf Befehl seiner Vorgesetzten zehn Tage lang mit einem Mordplan trägt, also reichlich Zeit hat, sich mit diesem Gedanken zu befreunden und nach Ausführung des erhaltenen Befehles vor Seelenqual — krank wird, eine Erscheinung ist, die an jenes Wunder grenzt, durch welches der Bürger Jean Debry den Mördern entkam, oder auch an jenes, welches es ermöglichte, dass zehn bis zwölf bewaffnete Männer ohne einen Finger zu rühren zusahen, wie ihre Herren ermordet wurden! Wer jedoch nicht an derlei Wunder glaubt, wird es leicht erklärlich finden, dass der brave Oberst erkrankt, wenn er erfährt, seine Befürchtungen seien eingetroffen, der ihm übertragene Auftrag sei in ebenso unerwarteter als fürchterlicher Weise vollzogen worden.

[1]) Haus-Hof- und Staats-Archiv.

[2]) Vgl. S. 48, 59 ff.

Irgend welche Befehle, die Oberst Barbaczy dem Rittmeister Burkhard auf dessen erste Meldungen noch im Laufe der Nacht zweifellos gegeben haben muss und aus welchen Näheres über die Schuld oder Unschuld der Husaren entnommen werden könnte, sind nicht vorhanden. Wahrscheinlich hat Oberst Barbaczy diese Befehle auch nicht schriftlich ertheilt, sondern durch einen Officier mündlich überbringen lassen. Denn, dass derartige Befehle an Burkhard ergangen sind, ersehen wir aus dem »Maynzer Diarium«[1]), erfahren aber auch, was viel wichtiger ist, was diese Befehle enthalten haben.

»Der Rittmeister,« so heisst es in diesem Tagebuche Albini's, »welcher nun auch betroffen und unruhig war[2]), auch inmittelst schon von dem Obersten Barbaczy auf seinen erstatteten Bericht Antwort erhalten hatte, liess schon Früh den Directorialis angelegentlich ersuchen, mit dem Baron Edelsheim zu ihm zu kommen, indem er sein Quartier nicht verlassen dürfe.«

Aus welchem Grunde, fragen wir, war denn Burkhard »betroffen und unruhig«, wesshalb zeigte er »eine grosse Beängstigung«, da er doch, will man den bekannten »Quellen« glauben, nur einen Befehl vollzogen hatte? Und wesshalb sah Barbaczy sich veranlasst, den Rittmeister in Zimmerarrest zu setzen, wenn er doch nur ausgeführt, was ihm befohlen worden war?

Scheinbar im Widerspruch mit diesen Massregeln des Obersten Barbaczy steht es nun, wenn Burkhard nicht nur bald seines Arrestes entlassen wird, sondern auch, wie der preussische Gesandte Dohm schreibt[3]), eigenmächtig im Rastatter Schloss Quartier nimmt, wenn die beschuldigten Husaren, entgegen dem den fremden Gesandten gegebenen Versprechen Barbaczy's, nicht lange verhaftet bleiben, sondern frei in Rastatt umhergehen. Der Widerspruch ist, wir wiederholen es, ein scheinbarer, in Wirklichkeit ist die rasche Aenderung der strengen Massregeln Barbaczy's vollständig begründet.

---

[1]) Haus-Hof- und Staats-Archiv.

[2]) Auch der hessen-darmstädtische Secretär sagt in seinem Bericht (Heidenheimer, a. a. O., 158), der Rittmeister habe am Morgen des 29. »eine grosse Beängstigung gezeigt«.

[3]) Hüffer, Diplom. Verhandlungen, III 2, 327.

Ueber das, was Rittmeister **Burkhard** unternommen, nachdem die Wagen der französischen Gesandten nach Rastatt zurückgeführt worden, nachdem die ununterbrochen mehr oder minder stürmischen Interpellationen der fremden Diplomaten ein Ende genommen, nachdem er überhaupt einigermassen zur Ruhe gekommen und wieder über seine gesammte Mannschaft, die des Mordes verdächtigt worden war, verfügte, sind wir allerdings nicht genau unterrichtet. Aber es ist gewiss nicht schwer zu errathen, was er gethan haben muss, und zwar sehr eingehend und gewissenhaft gerade dann, wenn die Husaren den Befehl gehabt haben sollten, die französischen Gesandten zu misshandeln. Er wird die verdächtigte Mannschaft versammelt, sie verhört und einer gründlichen Leibesvisitation unterzogen haben. Diese Visitation ergab so viel, dass weder an den Waffen, noch an den Uniformen auch nur das mindeste vorgefunden wurde, woraus geschlossen werden konnte, dass die Husaren an dem Morde betheiligt gewesen wären [1].

[1] S. Untersuchungs-Protokoll. Es wird eingewendet werden, dass die Untersuchung durch den Rittmeister Burkhard, auf dessen Befehl »natürlich« die Husaren den Mord verübt, keine sehr strenge gewesen sein mag. Selbst diese, durch nichts begründete Einwendung angenommen, erlauben wir uns auf eine Stelle in der Aussage des Bürgers Laublin hinzuweisen. Nach Rastatt zurückgekehrt, so erzählt dieser, habe er verschiedenen Gesandten mitgetheilt, »was er gesehen«, und da man seine Erzählung anzuzweifeln schien, habe er ihnen seine Stiefel und Kleider gezeigt, »die von dem Blute des Bürgers Bonnier voll waren«. Wenn nun schon die Schuhe und die Kleider Laublin's, der allenfalls n u r i n d e r N ä h e des unter den Streichen der Mörder zusammenstürzenden Bonnier gestanden, voll Blut gewesen, wie müssen erst die Uniformen und Waffen der Husaren ausgesehen haben? In der Leibesvisitation der Husaren aber waren die fremden Gesandten dem Rittmeister Burkhard längst zuvorgekommen! Oder glaubt man wirklich, dass Graf Görtz und seine Freunde, die den traurigen Fall sofort als für p o l i t i s c h e Zwecke sehr verwendbar erkannten und die sich so eifrig und enge an die rückkehrenden Husaren drängten, dass sogar der Zopf an den »Flambeaux« Feuer fieng, es unterlassen haben werden, das Aeussere der Szekler eingehendst zu prüfen? Und wenn sie den Einen oder Andern mit Blut befleckt gesehen hätten, würden sie darüber discret geschwiegen haben? Bei der Unmasse von »Indiscretionen«, deren sich besonders die preussischen Gesandten in der Folge schuldig gemacht haben, ist das doch nicht vorauszusetzen.

Dieser belangreiche Umstand, dann die mit der ersten Meldung des Wachtmeisters Konczak vollkommen übereinstimmenden Aussagen der übrigen Husaren, mussten nun sowohl den Rittmeister Burkhard, als auch den Obersten Barbaczy, der am 29. oder 30. April selbst ein zweites Verhör und eine zweite Untersuchung vornahm, überzeugen, dass ihre Meldungen, in welchen sie die Husaren der Mordthat beschuldigt, falsch waren und sie ihre Mannschaft voreilig als die Verbrecher bezeichnet hatten.

Damit, dass Oberst Barbaczy und Rittmeister Burkhard nun von der Unschuld ihrer Mannschaft überzeugt waren [1]) und Ersterer das glückliche Ergebniss der Untersuchung am 1. Mai seinen Vorgesetzten meldete, war die Sache freilich nicht beendet. Noch standen die Verfügungen des Erzherzogs Carl aus und diese sollten dem Obersten Barbaczy eine unangenehme Ueberraschung bringen.

Bevor wir diese Verfügungen des Erzherzogs kennen lernen, wird es nothwendig sein, die an und für sich allerdings nicht bedeutenden Ereignisse während der Abreise Jean Debry's und seines Gefolges zu erzählen.

---

[1]) So überzeugt von der Unschuld seiner Husaren war Oberst Barbaczy und so sorglos sah er den weiteren Verfügungen seiner Vorgesetzten entgegen, dass er noch am 1. Mai seinen Auditor zur Beförderung zum Rittmeister vorschlug. Das Schriftstück lautet:

»Der diesseitige Regiments-Auditor Oberlieutenant Johann August Ruziczka hat, sich auf seine Dienstjahre und das Gefühl seines biedern und vielfältigen Diensteifers stützend, den Unterzeichneten gebeten, ihn bei Euerer königlichen Hoheit zur Erlangung des Rittmeister-Titels verdientermassen anzuempfehlen. Da nun dieser militärische Beamte nicht nur von mir, sondern von dem gesammten Officiers-Corps als ein Mann geschätzet wird, der seine soliden Kenntnisse mit den würdigsten Grundsätzen der Rechtschaffenheit zu paaren weiss und darnach in jedem Dienstfalle gelebt zu haben, die nacheiferungswürdigsten Proben abgelegt hat, so gereichet es mir zum innigsten Vergnügen, dieser seiner gerechten Bitte dadurch zu willfahren, dass ich ihn als einen biedern, mir nie vergesslichen Beamten der Allerhöchsten Gnade Euerer königlichen Hoheit bestens anempfehle und seine demüthigste Bitte mit der meinigen zu verbinden mich allerunterthänigst unterfange. Stabsquartier Gernsbach, den 1. Mai 1799. Barbaczy, Oberst.« (K. A., F. A. 1799. V, 13 ½.)

Die Abreise der französischen Gesandtschaft am 29. April.

Jean Debry, dessen Zustand, wie bekannt, nach ärztlicher Untersuchung nicht das Allermindeste besorgen liess, wünschte Rastatt so bald als möglich zu verlassen. Da jedoch die Antwort Barbaczy's auf die Bitte der Gesandten um eine Escorte[1]) bis 9 Uhr Morgens noch nicht eingetroffen war, begaben sich die Herren Dohm, Rosenkrantz und Gemmingen zu Rittmeister Burkhard und baten diesen um Beistellung einer Escorte[2]). Burkhard bewilligte dieses Ansuchen erst, nachdem es ihm auch schriftlich übergeben worden war.

Das Schriftstück lautete:

»An den commandierenden k. k. Rittmeister von Burkhard.

»Da die Familie und Gefolge der französischen Minister von dem unglücklich mörderischen Anfall dieser Nacht noch in die Stadt geflüchtet und auch diesen Morgen der dritte französische Minister Jean Debry selbst, obgleich in einem höchst traurigen Zustand, ganz verwundet, hier angekommen, so halten Unterzeichnete sich verpflichtet, so lange hier zu bleiben, bis gedachter Minister und alle übrigen zur französischen und ligurischen Gesandtschaft gehörige Personen sicher über den Rhein gebracht worden sind. Sie ersuchen also den hier commandierenden k. k. Herrn Rittmeister um

[1]) S. S. 191.

[2]) Authentischer Bericht, 32.

eine Versicherung, dass, sobald der Zustand des blessierten Ministers Jean Debry und der Gattin des ermordeten Ministers Roberjot es erlaubt, sämmtlich zur französischen Gesandtschaft gehörige Personen unter militärischer Bedeckung von badischen Truppen nach Plittersdorf gebracht werden können, wobei es, wie sich von selbst versteht, allen und jeden hier befindlichen Gesandten der mit dem k. k. Hof befreundeten Macht frei stehet, sie zu begleiten, auch zugleich ein k. k. Officier und zwei Mann. Unterzeichnete haben auf Verlangen des k. k. Rittmeisters diesen schon mündlich vorgetragenen Antrag hiemit schriftlich wiederholen wollen und ersuchen den k. k. Herrn Rittmeister, die hierüber mündlich gegebene Zusage ebenfalls schriftlich zu wiederholen.«

Rastatt, den 29. April 1799[1]).«

Nun bewilligte Burkhard ohne weiters die Escorte, nur sei ihm, wie er sagte, ausdrücklich aufgetragen worden, »keine Begleitung von diplomatischen Personen zu gestatten, da die deutschen Gesandtschaften ihre Rückreise antreten, nicht aber an den Rhein gehen könnten[2])«.

Als Escorte bestimmte Rittmeister Burkhard den Lieutenant Draveczky mit einem Corporal, einem Trompeter und zwölf Husaren; ausserdem schloss sich dieser Begleitung der badische Major von Harrant mit einem Wachtmeister, einem Corporal und zwölf Mann der in Rastatt liegenden badischen Husaren-Abtheilung an[3]).

Gegen 1 Uhr Mittag setzte sich der Zug in Bewegung und gelangte, ohne jede Störung, zur Ueberfuhr bei Plittersdorf. Auf dem Wege kam dem Zuge noch die seit vorhergehendem Tag in Plittersdorf gestandene Husaren-Abtheilung des Lieutenants Fontana entgegen und schloss sich der Escorte an[4]).

[1]) Authentischer Bericht, Anlage 7.

[2]) Authentischer Bericht.

[3]) Gerichtliche Aussage Draveczky's. Nach dem »Authentischen Bericht« bestand die Escorte aus sechs badischen Husaren unter Harrant und einem Officier und acht Mann »Szekuly-Husaren«.

[4]) Gerichtliche Aussage Fontana's und »Authentischer Bericht«.

Entgegen den Bestimmungen des Rittmeisters, dass Niemand vom deutschen Gesandtschaftspersonale sich dem Zuge anschliessen dürfe, hatte der preussische Legations-Secretär von Jordan sich der badischen Escorte zugesellt und den Marsch bis Plittersdorf zu Pferd mitgemacht. Der Umstand, dass er, wie bekannt, eine Uniform trug, die jener der badischen Husaren-Officiere glich, ermöglichte ihm das.

Die Ueberfuhr dauerte einige Zeit, da die Kähne drei Mal hin- und zurückfahren mussten, um alle Wagen über den Rhein zu setzen.

Bevor Jean Debry die Ueberfuhr bestieg, dankte er dem Major Harrant und dem Legations-Secretär Jordan für ihre Begleitung; ebenso wandte er sich mit etwas übertriebenen Dankesworten auch an den Lieutenant Fontana[1]), dem er ein Douceur für die Mannschaft übergab. Auch mit dem ligurischen Gesandten Boccardi conversierte Fontana einige Zeit in italienischer Sprache und nahm das Anerbieten des Gesandten, Fontana's Vater in Mailand zu grüssen, dankend an. Gegen 6 Uhr Abends war die französische Gesellschaft über den Rhein gebracht, worauf Draveczky und Harrant mit ihrer Mannschaft wieder nach Rastatt zurückkehrten, während Fontana mit seinen Leuten in Plittersdorf verblieb.

Das Benehmen Debry's und Boccardi's während der Fahrt an den Rhein, ihre warme, fast freundschaftliche Conversation mit den Szekler-Officieren, lässt nicht errathen, dass sie sich vor ihnen — gefürchtet! Es soll thatsächlich der Fall gewesen sein. In seinem ersten Bericht an Talleyrand fühlt sich Debry verpflichtet, zu bemerken, dass die den Zug begleitenden Szekler-Husaren »mich ungern dem Tode entronnen zu sehen schienen[2])« und nach seinem »Narré fidèle« sollen diese Husaren ihm »zeitweise einen wilden und ironischen Blick« zugeworfen haben[3]). Dass es bei diesem »wilden und ironischen Blicke« blieb, dankte Debry nur seinem guten Freunde, dem Herrn von Jordan. »Herr von Jordan,« so berichtet Debry in seinem »Narré fidèle«, »ein junger, ent-

[1]) Vergleiche die gerichtliche Aussage Draveczky's.

[2]) Häberlin, a. a. O., 122.

[3]) Ebenda. 233.

schlossener Mann, ritt neben meinem Schlage. Ich war überzeugt, dass er sich eher hätte tödten lassen, als von mir zu weichen!«

Wenn Jean Debry wirklich Szekler-Husaren für die Verbrecher gehalten hat, so wird es nicht wundern, dass er auch während der Reise an den Rhein von Besorgniss erfüllt war, wenn er in den Blicken der wackern Reiter alles Mögliche las, wenn ihm »schien«, als bedauerten sie, ihn »dem Tode entronnen zu sehen«. Auch Boccardi war von ähnlichen Besorgnissen erfüllt, schöpfte jedoch den nöthigen Trost nicht wie Debry aus der entschlossenen Haltung Jordan's, sondern aus der noch viel entschlosseneren des Majors Harrant. Dieser habe sich, so erzählt er, vor der Abreise dem die österreichische Escorte commandierenden Officier genähert, ihm die Ordre seines Chefs gezeigt und darauf sein Ehrenwort gefordert. (!) Während des ganzen Marsches hielt er sich fortwährend an der Seite des österreichischen Officiers. »Nach seiner Haltung glaubte ich seinen Plan zu durchschauen. Er schien mir entschlossen zu sein, dem österreichischen Officier bei der geringsten Bewegung gegen sein Ehrenwort eine Kugel durch den Kopf zu schiessen.« (!) Wie aber, wenn Draveczky etwa neben den Herren Harrant und Jordan auch von seinen Szeklern Einige hätte reiten lassen — für alle Fälle? So gefährlich war also die Sache nicht. Wenn wir uns erinnern, dass dieser Boccardi derselbe Herr ist, der am 28. April Abends in einem der letzten Wagen sass und schon Reissaus nahm, bevor er noch recht wusste, was der Lärm beim ersten der überfallenen Wagen bedeute, so werden wir auch diese Besorgnisse, diese Furcht vor den Szeklern begreiflich finden, seinem Berichte aber ebenso wenig Bedeutung beilegen dürfen, wie dem Debry's.

Aber wir finden derartige Aeusserungen über die drohende Haltung der escortierenden Szekler, die nur durch das entschlossene Benehmen Harrant's und Jordan's zurückgehalten worden sein sollen, über den armen Debry herzufallen und ihn zu ermorden, auch in badischen Actenstücken.

»Es ist jetzt sehr wahrscheinlich,« so schreibt der badische Minister Edelsheim an den badischen Gesandten in Paris, von Reitzenstein, »dass der Rittmeister der Szekler-Husaren-

Abtheilung in Rastatt mitschuldig an dem abscheulichen Morde und an der Plünderung der französischen Minister war; ebenso wahrscheinlich ist es, dass ohne die Escorte unserer Husaren und ohne die imponierende Haltung des Majors von Harrant, der am nächsten Tag den Minister Debry begleitete, dieser vielleicht derselben Gefahr ausgesetzt gewesen wäre, wie am Abend zuvor! .... Major Harrant und der junge Jordan, welche den Minister Debry mit unserer Escorte begleiteten, schwuren dem Husaren-Officier, welcher die Szekler commandierte, dass sie bei der geringsten drohenden Bewegung [1]) eines seiner Soldaten, sich an seine Person halten und ihn niedermachen würden [2])!«

Von den Heldenthaten des »jungen Jordan« ist uns nur so viel bekannt, als Lang in seinen »Mémoiren« erzählt [3]). Harrant, der in den Jahren 1805 und 1809 die Stelle eines Oberstcommandierenden der badischen Truppen bekleidete, dürfte jedenfalls ein tapferer Soldat gewesen sein. Giebt es trotzdem Jemanden, welcher glauben könnte, dass Harrant und Jordan im Stande gewesen wären, die Husaren Draveczky's und Fontana's an irgend einem Unternehmen zu hindern, wenn sie überhaupt dazu Lust gehabt hätten?

Uebrigens steht diese plötzliche und, wie zugegeben werden muss, höchst deplacierte Energieentfaltung Harrant's in geradezu befremdendem Gegensatze zu seiner seltsam schlaffen Haltung am Abend vorher.

Es ist bekannt, dass Rittmeister Burkhard das Ansuchen um eine Escorte am 28. April mit dem begründeten Hinweis auf die Schwäche der ihm zur Verfügung stehenden Truppen ablehnte. Nach einem Bericht des badischen Hauptmanns Bothmer soll Burkhard sogar eine Begleitung durch badische Husaren verboten haben [4]). Das ist allerdings ganz unwahrscheinlich, denn in dem »Authentischen Bericht« ist weder an jener Stelle, wo über die Sendung Harrant's zu Burkhard wegen Ansuchen um eine Escorte berichtet wird, noch dort, wo die erregte Debatte der Gesandten mit dem

---

[1]) Mouvement attentatoire.

[2]) Obser, a. a. O., III, Nr. 316. Karlsruhe, 7. Mai 1799.

[3]) S. S. 3, Anmerkung 3.

[4]) Obser, a. a. O., III, Nr. 221. Anmerkung.

österreichischen Rittmeister geschildert wird und in welcher die Verweigerung der Escorte eine Hauptrolle spielt und auch sonst an keiner Stelle dieses »Documentes« die Rede davon, dass auch eine badische Escorte verlangt und von Burkhard verweigert wurde, und diesen Umstand nachdrücklichst hervorzuheben und als besonders belastend für den Rittmeister hinzustellen, hätten die Gesandten, die in ihrem Berichte viel unbedeutendere Dinge merklich hervorgehoben, sich gewiss nicht entgehen lassen. Denn dass Burkhard eine Escorte von seiner eigenen Escadron verweigerte, konnte er motivieren und hat es gethan; wie hätte er aber eine Escorte fremder Truppen verweigern können, die doch nicht unter seinem Commando standen? Und nun ist wohl die Frage berechtigt, warum denn Major Harrant gerade hier sich nicht veranlasst fand, eine »imponierende Haltung« anzunehmen? Man hat bekanntlich gerade diese Verweigerung einer Escorte als einen Hauptbeweis angeführt, dass die Ermordung der französischen Gesandten vorbereitet war und dass man desshalb natürlicher Weise eine Schutztruppe nicht beistellen konnte. Das ist allerdings unrichtig — zweifellos aber musste die Verweigerung einer Escorte Bedenken erregen. Es ist doch immer eine gewagte Sache, in Kriegszeiten bei finsterer und stürmischer Nacht zu reisen, und wenn auch der Rittmeister ruhig versichern konnte, dass den französischen Gesandten von Seite österreichischer Truppen keine Gefahr drohe, war desshalb überhaupt jede Gefahr ausgeschlossen? Einzelne riethen den Franzosen bekanntlich dringend ab, bei Nacht zu reisen; der Rittmeister verweigerte eine Escorte — wesshalb, muss man fragen, fand sich denn Niemand und seltsamer Weise auch Major Harrant nicht, der aufmerksam machte, dass man überhaupt nicht auf die Escorte österreichischer Truppen angewiesen sei, da ja der badische Militär-Commandant von Rastatt über eine Truppenanzahl verfügte, welche die Burkhard's bei Weitem übertraf[1])? Warum

[1]) S. S. 7. Eine Anfrage an das grossherzoglich badische General-Landes-Archiv bezüglich der Stärke der badischen Besatzung von Rastatt im April 1799 hatte leider keinen Erfolg; doch ist nicht gut anzunehmen, dass die Anzahl der badischen Truppen im Verlaufe des Congresses vermindert worden wäre.

erklärte Major Harrant nicht mit aller Energie, die ihm doch nach seiner angeblichen Haltung am nächsten Tag in so reichlichem Ausmass zur Verfügung stand, dass er selbst an der Spitze badischer Truppen die französische Gesandtschaft begleiten werde, um sie vor allen immerhin möglichen Wechselfällen zu schützen?

War es nicht sogar die Pflicht der badischen Behörden, für die Sicherheit ihrer Gäste so viel als möglich Sorge zu tragen? Diese Fragen zu stellen ist man wohl berechtigt. Mit dem Augenblicke, da der kaiserliche Plenipotentiarius Rastatt verliess, war der Congress thatsächlich aufgelöst, mochten einzelne Mitglieder desselben aus politischen Motiven auch alle möglichen Gründe dagegen hervorsuchen und in das Feld führen. Und angenommen, diese Gründe wären stichhältig befunden worden vor einem Consilium gelehrter Juristen, hatte das österreichische, in vollem Kriege stehende Heer Anlass, sich um juristische Erklärungen und Beschlüsse zu kümmern, sich ihnen zu beugen?

Für dieses Heer und für einzelne Theile desselben war der Kriegszweck allein und ausschliesslich entscheidend und musste es sein und eben so wenig, als Erzherzog Carl sich zu scheuen brauchte, den Befehl zur Besetzung des ehemaligen Congressortes zu ertheilen, zögerte auch Oberst Barbaczy nicht, den fremden Gesandten rundweg zu erklären, dass er nicht mehr für die Sicherheit von Rastatt bürgen könne. Und unter diesen Verhältnissen soll es die Pflicht des Rittmeisters Burkhard gewesen sein, für die Sicherheit während der Reise der Franzosen zu sorgen und nicht etwa die der badischen Behörde von Rastatt, die ja über eine genügende Anzahl Truppen verfügte? Es ist ein ganz eigenthümliches Verhängniss gewesen, dass keine von all' den klugen und energischen Personen in Rastatt diesen aus den obwaltenden Verhältnissen sich förmlich hervordrängenden Erwägungen zugänglich gewesen zu sein scheint; dass Niemand sich der badischen Truppen erinnerte, die müssig in Rastatt lagen, aber auch Niemand, der daran dachte, dass vielleicht die badische Behörde denn doch einigermassen verpflichtet sei, so gut als möglich für die Sicherheit ihrer Gäste zu sorgen, zum mindesten Miene dazu zu machen. Es wird doch Niemand sagen wollen, dass es den badischen Gesandten etwa wünschenswerth gewesen sein soll, die französischen Minister einer Gefahr ausgesetzt zu sehen, nachdem doch der Verkehr der badischen und mehrerer anderer deutscher Gesandten mit den Franzosen nur ein sehr freundlicher und fast intimer gewesen war. Es bedurfte doch wahrlich nichts weiter, als dass Major Harrant oder sonst irgend Jemand energisch darauf bestand, dass die abreisenden Franzosen von einer badischen Escorte begleitet würden, da nun einmal Burkhard erklärte, keinen von seinen Husaren entbehren zu können. Würde Burkhard Grund gehabt, würde er es gewagt haben, sich einer so kategorischen Erklärung zu widersetzen, noch dazu, wenn sie von einem im Range höheren Officier kam? Und wenn er dies wirklich gethan hätte, würden auch dann, unter so verdächtigen Umständen, die Franzosen abgereist sein? Ganz gewiss nicht, und es ist nur lebhaft zu bedauern, dass dem Major Harrant gerade dann keine Energie zur Verfügung gestanden, als sie nothwendig gewesen und er sie erst plötzlich in überreichem Ausmasse fand, als jede Gefahr verschwunden war.

Wenn wir demnach die erwähnten Aeusserungen Jean Debry's, Boccardi's etc. auf Rechnung ihrer durch die Erlebnisse der vergangenen Nacht erregten Nerven setzen; die Erzählung von der »Haltung« Harrant's und Jordan's aber einer renommierenden Aeusserung dieser beiden Herren zuschreiben können, die in jenen bewegten Stunden auch eine Rolle gespielt haben wollten, so bleibt es doch zu verwundern, dass der badische Minister in einem amtlichen Bericht davon so nachdrücklich Erwähnung that. Wenn wir uns aber erinnern, dass dieser Bericht Edelsheim's an den badischen Gesandten in Paris gerichtet ist, so erklärt sich Alles. Die Furcht vor Frankreich, die Furcht, dass der Mord, der auf badischem Territorium verübt wurde, Badener Einflüssen zugeschrieben und bei einem etwaigen Vordringen der französischen Heere gerächt werden könnte, veranlasste die badische Regierung, alle Mittel zu ergreifen, um Frankreich versöhnlich zu stimmen.

Als der Markgraf von Baden die Nachricht von der Ermordung der französischen Gesandten erhielt, da sank er, wie vom Schlage gerührt, auf die Erde nieder [1]) und der erste Bericht Edelsheim's an den Markgrafen über das Attentat schloss mit dem bezeichnenden Ausruf: »Gott stehe uns bei!« [2]) Nicht weniger deutlich spricht das badische Subdelegations-Diarium vom 29. April: »Es ist ein Glück für die hiesige Stadt und Land,« so heisst es da, »dass er (Debry) und Rosenstiel gerettet worden sind. Sie werden nun, und wir haben sie darum auf's Inständigste gebeten, auch die heiligste Zusage von ihnen erhalten, am glaubwürdigsten bezeugen, dass die hiesige Inwohnerschaft an dem in ihrem Stadtbezirk begangenen Frevel ohne Beispiel unschuldig sei, also auch keine Rache dafür zu befahren haben solle, als worüber die Stadt in grossen Aengsten ist und durch einen Rathsausschuss unsere Fürsprache besonders verlangt hat [3])«.

So erklärt es sich denn ganz mühelos, wie derselbe badische Minister Edelsheim, der am 29. April in Rastatt selbst, wo er Gelegenheit hatte, mit dem ganzen Gefolge der französischen Gesandten zu sprechen, noch that, als ob er keine Ahnung hätte, wer die Mörder waren [4]), es am 7. Mai »sehr wahrscheinlich« fand, dass Burkhard »mitschuldig« war; wie er die »imponierende Haltung« Harrant's dem badischen Gesandten in Paris rühmte. Frankreich sollte eben wissen, dass die Badenser nicht nur an dem Morde ganz unschuldig waren, sondern dass es nur der imponierenden Haltung des badischen Majors zu danken gewesen, dass Jean Debry nicht noch nachträglich von denselben Szeklern ermordet wurde, die Tags vorher sich mit dem Blute Bonnier's und Roberjot's befleckt!

Es darf dem Minister eines kleinen Staates nicht übelgenommen werden, wenn er alle Mittel und Mittelchen versucht, um von dem Staate, dem er dient, ein drohendes Unheil abzuwenden und von diesem Standpuncte betrachtet, ist das ziemlich schlecht erfundene Märchen, dass den Franzosen auch noch von Seite der kaiserlichen Escorte irgend eine Gefahr gedroht,

---

[1]) Obser, a. a. O., III. Nr. 229. Reitzenstein an Edelsheim, 9. Mai.
[2]) Obser, a. a. O., III. Nr. 301.
[3]) Obser, a. a. O., III. Nr. 300.
[4]) S. S. 141.

die zu beseitigen ein Verdienst des badischen Majors war, zu verzeihen. Weniger zu verzeihen ist es, wenn ernste Historiker derartige »Argumente« geltend machen, um die Schuld der Szekler-Husaren zu beweisen.

Doch noch eine Art höchst seltsamer Beweismittel soll hier erörtert werden.

Es war wiederholt Anlass gegeben, darauf hinzuweisen, dass die badische Behörde bei diesem unglücklichen Vorfall eine Zurückhaltung gezeigt, die geradezu befremden muss; dass sie die in einem solchen Fall dringend gebotenen Schritte zu thun unterliess; dass sie, mit einem Wort, nichts that, um die Mörder der französischen Gesandten zu eruieren. Der Einwurf, dass die Szekler-Husaren als die Verbrecher bekannt waren und dass demnach ein weiteres Nachforschen überflüssig, die Ergründung aber, von welchen Motiven jene sich leiten gelassen, nicht Sache der badischen Behörde war, ist unrichtig; wir wissen nicht nur, dass Anfangs die Szekler-Husaren nicht als die Thäter bezeichnet wurden, sondern auch, dass man als solche Emigranten, dann Räuber etc. bezeichnete; dass es also zum mindesten nicht feststand, wer die verbrecherische That begangen — Grund genug, um die badische Behörde zu fieberhafter Thätigkeit in dieser Richtung anzuspannen, so lange noch Leute in Rastatt waren, die überhaupt als Zeugen vernommen werden konnten. Es geschah nichts, trotzdem, wie erzählt, ein Mitglied des Friedenscongresses dringend dazu gerathen.

Das Räthsel dieser seltsamen Unterlassung löst scheinbar ein Schreiben des Markgrafen Carl Friedrich von Baden an den Erzherzog Carl. In diesem Schreiben, das der badische Oberstkammerherr von Geusau überbrachte, heisst es nämlich unter Anderem: »Hingegen kann ich darüber meine Gefühle des Kummers aus innigstem Leidwesen nicht unterdrücken, dass der Vorfall in meinen Landen sich zutragen musste und dass zufällig durch Dispositionen der Militärbehörden meine obrigkeitlichen Stellen in Rastatt behindert wurden, mit der schnellen Thätigkeit, die ihres Amtes sowie ihres Wunsches war, zur Verhütung, Verminderung oder Untersuchung des Vorfalls zu wirken.«

Die Stelle in diesem Schreiben ist jedenfalls bedeutsam. Es scheint ja daraus hervor zu gehen, dass die Rastatter Behörden verhindert wurden, den Vorfall zu verhüten, d. h. offenbar, da man der französischen Gesandtschaft auch eine badische Escorte verweigerte, so war es unmöglich gemacht worden, »zur Verhütung des Vorfalls zu wirken«. Für die »Verminderung« des Vorfalls aber zu wirken, wurde man »behindert«, indem Burkhard verboten habe, dass eine badische Patrouille sich sofort nach dem Bekanntwerden der That auf den Schauplatz begab und schliesslich wurde sogar die »Untersuchung« des Vorfalls »behindert«. Nun, es muss zugegeben werden, dass der Markgraf Carl Friedrich von Baden hier schlecht informiert war. Wir wissen, dass es am 28. Abends Niemand eingefallen war, auf Beistellung einer badischen Escorte zu dringen; ebenso wissen wir, dass nach dem Bekanntwerden der That nicht nur Rittmeister Burkhard eine Patrouille abgesendet hat, um zu retten, was möglich war, sondern dass der badische Major Harrant selbst sich auf den Schauplatz der That begeben und dort zur »Verminderung« des Vorfalls »wirken« konnte, wie es ihm beliebte. Dass er sich aber erst am 29. April, da jede Gefahr vorüber war, zu einem solchen »Wirken« entschlossen haben will, ist ebenfalls bekannt. Diese beiden sonderbaren Beschuldigungen sind also notorisch falsch. Wie steht es nun mit der dritten, wonach durch »Dispositionen« der österreichischen »Militärbehörden« die badischen »obrigkeitlichen Stellen in Rastatt behindert wurden . . . zur Untersuchung des Vorfalls zu wirken?« Weder in den diesseitigen Acten, noch in den badischen, von Obser publicierten, findet sich auch nur eine einzige Andeutung, was denn eigentlich die Rastatter »obrigkeitliche Stelle« verhindert haben kann, ihres Amtes zu walten, d. h. alle jene Personen zu vernehmen, die etwas über den Vorfall aussagen konnten. Thatsächlich wurden ja sogar vier badische Kutscher verhört, freilich nur vier und auch die nur »summarisch« und erst am 13. Mai schreibt Minister Edelsheim, weitere gerichtliche Schritte würden wohl unterbleiben müssen, da der Erzherzog Carl eine militärische Untersuchungs-Commission niedergesetzt habe und entschlossen scheine, »dieser unseligen Geschichte recht auf den Grund zu kommen[1])«. Also eilf Tage nach dem angeführten Schreiben des Markgrafen glaubt Edelsheim nur, dass badischerseits weitere gerichtliche Schritte »wohl unterbleiben müssen«, wären diese also von irgend Jemandem verboten worden, so hätte es auch nicht mehr in dem Belieben Edelsheim's gelegen, weitere gerichtliche Schritte zu unterlassen! Es ist demnach zweifellos, dass Markgraf Carl Friedrich in diesem Punct ebenso falsch informiert war, wie in den beiden andern. Warum dies geschehen und auf welche Weise es geschehen konnte, ist nicht schwer zu erklären. Nachdem das Unglück geschehen war, scheinen die badischen Behörden doch eingesehen zu haben, dass sie Manches unterlassen, was das Unglück hätte verhüten können. Bestand man beispielsweise mit aller Energie auf Beistellung einer badischen Escorte, so wäre der Mord, wie bereits gesagt, gewiss verhindert worden. Man suchte desshalb nach allen möglichen Gründen, um das, was man gethan, hervorzuheben und das, was man unterlassen, zu rechtfertigen. Die Einvernahme der verschiedenen Augenzeugen, dann solcher Personen, die irgend welche bedeutsamere Mittheilung machen konnten [2]), hätte jedenfalls auf die Spuren der Mörder geführt oder wenn die Szekler-Husaren es waren, diese Thatsache als unumstösslich bewiesen. Nun war die Lage des Markgrafen thatsächlich eine möglichst unbehagliche. Führten die Nachforschungen seiner Behörden dahin, festzustellen, dass die Szekler-Husaren wirklich schuldig waren, so musste er den Groll des österreichischen Heeres befürchten; ergaben diese Untersuchungen die Unschuld der Kaiserlichen, so lag die Gefahr nahe, dass man die badischen Behörden von französischer Seite der Parteilichkeit, der Parteinahme beschuldigte und dieses konnte umso üblere Folgen haben, als man in badischen Regierungskreisen wohl genau wusste, wie sehr willkommen der Vorfall dem französischen Directorium sein musste. Um also weder rechts, noch links anzustossen, um es mit Niemandem zu »verderben«, war es jedenfalls das Klügste, den Dingen ihren Lauf zu lassen und sich in die Untersuchung zur Eruierung der Mörder nicht zu mischen.

---

[1]) Obser, a. a. O., 241.

[2]) Z. B. des Schultheiss von Rheinau.

Wie aber der Markgraf dazu kam, dem Erzherzog mitzutheilen, dass seine Behörden verhindert würden, »zur Untersuchung des Vorfalls« zu wirken, ist auch leicht zu erklären. War man zwar Anfangs in Rastatt auch über die Mörder der französischen Gesandten sehr im Unklaren, so musste der Brief des Obersten Barbaczy, worin er seine Husaren der That anklagte, jeden Zweifel, wenn auch momentan, benehmen. Wie wohl selbstverständlich, dürfte dies in Rastatt Stoff zu regem Gedankenaustausch, vielleicht auch zu nicht immer freundlichen Urtheilen und Bemerkungen über die Szekler-Husaren im Allgemeinen und über die Escadron Burkhard's im Besonderen gegeben haben. Als dann die Untersuchung der Beschuldigten durch den Rittmeister und durch Oberst Barbaczy die Grundlosigkeit der Beschuldigung ergab, die mehr oder minder freundlichen Aeusserungen der Rastatter aber fortdauerten, dürfte Burkhard oder Barbaczy selbst begreiflicher Weise Anlass genommen haben, derartige Aeusserungen mit aller Entschiedenheit zu verbieten[1]). Dieses willkommene Verbot dürfte die Rastatter Behörde veranlasst haben, dem Markgrafen zu berichten, dass sie »behindert wurden, mit der schnellen Thätigkeit, die ihres Amtes, sowie ihres Wunsches war, zur . . . . Untersuchung des Vorfalls zu wirken« — trotzdem ein solches Verbot weder ergangen ist, noch ergehen konnte und es der Rastatter Behörde zweifellos unbenommen geblieben wäre, nicht nur vier Kutscher, sondern alle Augenzeugen gründlichst zu verhören.

Es drängt sich nun die Frage auf, wesshalb denn Erzherzog Carl die Irrthümer in dem Schreiben des Markgrafen

[1]) In dem erwähnten Schreiben des Markgrafen heisst es zum Schlusse: »Damit auch der mehrgedachte Unfall nicht Anlass zu Spannungen und Zwistigkeiten zwischen dem Militär und meinen Unterthanen werden möge, wie durch unbesonnene Gespräche und Aeusserungen darüber leicht geschehen könnte, erlasse ich die ebenfalls anliegende Verordnung und stelle Euer kaiserlichen Hoheit geziemend anheim, ob und welche Vorkehr getroffen werden solle, damit auch militärischerseits kein Anlass zu dergleichen Discussionen gegeben und wenn sich etwa hie und da einer meiner Unterthanen unvorsichtig darüber äussern sollte, die verdiente Ahndung der Ortsobrigkeit überlassen, dieser aber nicht durch Selbsthilfe, die nur weitere unangenehme Auftritte veranlassen könnte, vorgegriffen werden möge.«

nicht berichtigt, warum er nicht sogar ersucht habe, die Rastatter Behörde möge nun ihrerseits auch eine »schnelle Thätigkeit« entwickeln und dadurch zur Eruierung der Mörder beitragen? Selbst als sich Anfangs die Anzeichen mehrten, dass die Mörder anderswo zu suchen seien, als in der Escadron Burkhard's, war der Erzherzog noch lange nicht von der Unschuld der Husaren überzeugt und die Untersuchung konnte immerhin noch das Gegentheil von dem bringen, was man erhoffte. Musste in einem solchen Fall der Erzherzog nicht schon im Vorhinein darauf bedacht sein, dass auch Milderungsgründe geltend gemacht würden, damit das Abscheuliche der That, wenn auch nicht gerechtfertigt oder gar entschuldigt, so doch auch nicht im gehässigsten Lichte erscheine? Wäre das möglich gewesen, wenn die badische Behörde sich in die Untersuchung mischte, wenn sie eine Thätigkeit entwickelte, die doch aus naheliegenden Gründen nur dahin gerichtet sein konnte, einen Schuldigen unter jeder Bedingung zu finden und zwar unter jeder Bedingung einen Schuldigen, der nicht zu den badischen Landesbewohnern gehörte [1])? Darf es da Wunder nehmen, wenn der Erzherzog den Markgrafen in einem Irrthum beliess, der ja beiden Parteien willkommen war? Der Brief des Markgrafen sowohl, als auch die Handlungsweise des Erzherzogs finden so ihre ungezwungene und natürliche Erklärung in den obwaltenden Verhältnissen. Interessant ist es aber jedenfalls, wie einseitig, wie inconsequent derartige so leicht erklärliche Thatsachen in der Literatur über den Gesandten-Mord verwerthet wurden. Der Umstand, dass den badischen Behörden »verboten« worden sein soll, ihre erspriessliche Thätigkeit zu entwickeln, bildet selbstverständlich einen Beweis für die Schuld der Husaren, ebenso

[1]) In dem erwähnten Schreiben des Markgrafen heisst es auch: »Wenn Eure kaiserliche Hoheit, wie ich nicht zweifle, neben meiner zufällig gekränkten landesfürstlichen Würde die traurigen Besorgnisse zu beherzigen geruhen, welche mich und meine längs am Rhein liegenden Lande bei dem Gedanken an eine Incursion französischer Truppen, die, ununterrichtet von dem ganzen Zusammenhang, die That einem Mangel meiner landesherrlichen Vorsorge und dem üblen Willen meiner Unterthanen zuschreiben möchten, erfüllen müssen; so werden Hochdieselben sich die tiefe Wehmuth erklären können, in der ich dieses Schreiben erlasse.«

das der Initiative des Markgrafen und nicht etwa der des Erzherzogs entsprungene Verbot »unbesonnener Gespräche und Aeusserungen«[1]) in Rastatt. Ja, auch in Regensburg soll man sich unter dem Drucke des österreichischen Einflusses kaum erlaubt haben, über den Rastatter Vorfall zu sprechen[2]) — natürlich ein Beweis mehr für die Schuld der Husaren.

Bildet auf diese Art die angebliche masslose Strenge der österreichischen Militär-Behörden einen willkommenen Beweis dafür, dass nur die Szekler-Husaren den Mord verübt haben können und zwar mit Wissen und Zustimmung ihrer obersten Behörden, so giebt anderseits und im geraden Gegensatze hiezu die vom Erzherzog bewiesene Milde Anlass, um auch dies verdächtig zu finden und auch als Beweis für die Schuld der Husaren anzuführen. So meldete am 21. Mai Graf Fugger aus Augsburg, es treibe sich dort ein Bedienter Bonnier's herum und verbreite die gehässigsten Gerüchte über die Ermordung der französischen Gesandten[3]). Graf Fugger liess den Menschen verhaften und bat den Erzherzog um weitere Befehle. Die Entschliessung des Erzherzogs ist nun eine so natürliche und selbstverständliche, dass sie wirklich nicht natürlicher und selbstverständlicher sein kann: er befiehlt, »diesen Menschen mit einem scharfen Verweis über die von ihm geführten Reden zu entlassen, ihm aber dabei zu bedeuten, dass man im Wiederbetretungsfalle gegen ihn, als einen öffentlichen Ruhestörer, nach aller Strenge verfahren würde«[4]). Der Erzherzog hätte, so werden wir belehrt, den Mann, mochte er auch als prahlender Schwätzer angesehen werden, sofort dem Kriegsgericht zuweisen oder ihn als Verleumder bestrafen lassen sollen!

Aber, so erlauben wir uns zu entgegnen, das wäre dann trotzdem später von jenen Schriftstellern als Beweis für die Schuld der Husaren angeführt worden, mit der sattsam bekannten und nun erweiterten Motivierung, dass man nicht nur in Rastatt und Regensburg, sondern auch in Augsburg

---

[1]) S. S. 211, Anmerkung.

[2]) Dies berichtet der preussische Gesandte Graf Görtz an den Markgrafen. (Obser, a. a. O., III., Nr. 245.)

[3]) Fugger an Erzherzog Carl. (Hüffer, Gesandten-Mord, 96.)

[4]) Der Erzherzog an Fugger. (Hüffer, a. a. O., 97.)

sich »kaum erlauben« durfte, über den Rastatter Vorfall »zu sprechen«. Wir müssen bereits Gesagtes wiederholen: wenn man damals unter dem Eindrucke jener That, beeinflusst von allen möglichen subjectiven Empfindungen, in den selbstverständlichsten Massregeln »Verdächtiges« witterte, »Beweise« pro oder contra sah, so ist dies nicht zu verwundern — seltsam bleibt es nur, dass die ruhige, ernste Wahrheit suchende Forschung mit solchen Beweisen arbeitet!

Die Verfügungen des Erzherzogs Carl.

Erzherzog Carl erhielt die erste Meldung über das unglückliche Ereigniss durch FML. Freiherrn von Kospoth. »In dem beiliegenden Paquet,« so schrieb dieser am 30. April, »habe ich die Gnade, Euer königlichen Hoheit die mir vom Oberst Barbaczy eingeschickten Rapporte in aller Unterthänigkeit zu unterlegen, aus welchen Höchstdieselben einzusehen geruhen werden, welch' eine unglückliche Begebenheit sich mit den von Rastatt in der Nacht abgereisten französischen Gesandten zugetragen. Ich erwarte desshalb Euer königlichen Hoheit höchste Befehle, um solche zur Nachverhaltung dem Herrn Obersten Barbaczy geben zu können, wie er sich bei diesen unglücklichen Ereignissen zu benehmen habe. Das zweite Paquet enthält eine andere Meldung des gedachten Herrn Obersten in Betreff des aufgefangenen Couriers, den ich morgen in das Hauptquartier abschicken werde, dann wegen der drei aufgefangenen Schiffe als Nachtrag[1].«

Noch am 1. Mai, demselben Tag, an welchem der Erzherzog diese Meldung erhalten hatte, erliess er folgendes Schreiben an FML. Kospoth:

»Aus dem vom Herrn FML. eingeschickten Berichte, nebst den Rapporten des Herrn Oberst Barbaczy habe ich ersehen, dass die französischen Gesandten ausserhalb Rastatt von diesseitigen Truppen überfallen und zusammengehauen wurden.«

---

[1]) Vivenot, Zur Geschichte des Rastatter Congresses. 117.

»So viel ergiebt sich schon aus den Rapporten, dass sowohl der Oberst Barbaczy, als auch der Rittmeister Burkhard an diesem Vorgange grosse Schuld tragen. In Gefolg dessen, als den französischen Ministern eine Frist von 24 Stunden zur Entfernung anberaumt wurde, hätten von Herrn Obersten die Vorsichtsmassregeln in der Art getroffen werden müssen, dass die Abreise der Gesandten durch die Vorposten sicher geschehe. Dies liegt schon in der Natur der Sache. Ingleichen ersah ich aus der zwischen dem Obersten und Freiherrn von Albini gepflogenen Correspondenz, dass es den Einsichten des Ersteren nicht entgieng, wie man sich in Beziehung auf persönliche Sicherheit der Gesandten benehmen müsse. Ueberdies habe ich den Punct der Vorsicht und Klugheit in meinem Schreiben vom 25. v. M. noch insbesondere anempfohlen und den Gegenstand der persönlichen Sicherheit in meinem weiteren Schreiben erneuert.«

»Diesem zu Folge trage ich dem Herrn Feldmarschall-Lieutenant auf, den Oberst Barbaczy, ingleichen den Rittmeister Burkhard zur Verantwortung zu ziehen und zugleich den Befehl dahin zu erlassen, womit die Mannschaft, welche sich der Mordthat schuldig gemacht, allsogleich in Verhaft genommen werde.«

»Da der ganze Vorgang an und für sich, aber noch mehr wegen den Folgen, die er nach sich ziehen kann, höchst wichtig ist, so ist unverweilt die genaueste Untersuchung desselben mittelst einer Commission unter dem Vorsitz des Herrn FML. Grafen Sporck vorzunehmen.«

»Die Untersuchungs-Commission hat nach zwei Gesichtspuncten zu Werke zu gehen:

1. Richtig zu stellen, so wie die Sache sich eigentlich und wahrhaft zugetragen; aus diesem wird sich auch alsdann der Grad der Schuld ergeben, welche dem Obersten und Rittmeister zur Last fallet, ingleichen die Gattung des Verbrechens, welches die Mannschaft begangen hat. Um die Sache gleich einzuleiten und zu instruieren, schliesse ich abschriftlich den Rapport des Obersten mit den übrigen Anlagen wieder zum nöthigen Behufe bei.«

Der zweite höchstwichtige Gesichtspunct für die Untersuchungs-Commission ist folgender:

»Vorzusehen ist, dass man französischerseits diesen Vorgang mit den grellsten Farben sowohl dem französischen Volk, als auch dem übrigen europäischen Publicum darstellen wird.«

»Französischerseits wird man hauptsächlich dahin arbeiten, diese Sache als den schwärzesten Meuchelmord, als die grösste und schreiendste Völkerbeleidigung geltend zu machen. Es ist nicht zu zweifeln, dass man französischerseits alle möglichen Umstände aufsuchen wird, um die Sache recht sehr bei der Publicität zu relevieren.«

»Daher hat die Commission in der Untersuchung vor Allem den Hauptaugenmerk dahin zu richten, womit die Sache die Wendung und Aussicht erhalte, als hätten Zufälle, Versehen etc. hiebei einen Hauptantheil, wie auch, dass das Ereigniss der Unvorsichtigkeit der französischen Minister beizumessen sei.«

»Das Schreiben der preussischen und reichsständischen Minister an Herrn Oberst Barbaczy, welches in den Beilagen gleichfalls abschriftlich beigeschlossen wird, führt einen Umstand an, welcher in dem vorliegenden Falle hauptsächlich in Anschlag kommen wird, nämlich: dass von der französischen Gesandtschaft eine Militär-Escorte zu ihrer persönlichen Sicherheit vom Obersten Barbaczy begehrt worden sei. Da dieser Umstand französischerseits insbesondere wird in Anregung gebracht werden, so hat die Untersuchungs-Commission vorzüglich Bedacht dahin zu nehmen, in den Nachforschungen Data der Art aufzuführen, womit dieser Beschuldigung begegnet werden könnte.«

»Da in dem vorliegendem Falle unendlich viel darauf ankömmt, den französischen Darstellungen bei der Publicität auf die zweckmässigste Weise entgegen und womöglich zuvorzukommen, so sind der Oberst Barbaczy und der Rittmeister Burkhard unverzüglich abzuhören, ingleichen die arretierte Mannschaft ohne den mindesten Zeitverlust zum Protokoll zu vernehmen.«

»Ich überlasse es dem Herrn Feldmarschall-Lieutenant, den Ort zu bestimmen, wo die Untersuchung statthaben soll. Da der Herr FML. Graf Sporck sein Standquartier in Villingen hat, so dürfte diese Stadt allenfalls dazu bestimmt werden, wohin die Mannschaft mit hinlänglicher Wacht alsdann abzuführen wäre.«

»Die Untersuchungs-Commission hat auch gleich vor Allem bei dem ersten Verhör die Nachforschungen dahin auszudehnen, ob in Rastatt selbst vielleicht Personen, die nicht in diesseitigen Diensten stehen, Zeugenschaft von Umständen geben könnten, welche zum diesseitigen Zwecke zu benutzen wären.«

»Ich werde zu Herrn FML. Sporck noch heute den Herrn Auditor Pfiffer absenden, dem ich eine ausführliche Instruction mitgeben und meine Gesinnungen bekannt machen werde, wie die Untersuchung in dem oben erwähnten doppelten Gesichtspunct vorzunehmen sei.«

»Der Herr Feldmarschall-Lieutenant haben nach Massgabe dessen, was ich Ihnen für izt in Kürze an die Hand gebe, die unverweilte und schleunigste Einleitung in dieser Sache zu treffen, welche so viel Eile, als Genauigkeit, Bestimmtheit und Vorsicht erheischt.«

»Der Herr Feldmarschall-Lieutenant belieben auf's Geschwindeste hieher einzubefördern, was denselben in Hinsicht des Vorgangs weiter zukommen wird, da mir viel daran gelegen ist, baldmöglichst alle die Data zu erhalten, wodurch die Sache näher aufgeklärt wird.«

»Schliesslich bemerke ich noch dem Herrn Feldmarschall-Lieutenant, dass gegen die schuldtragenden Theile von dem oben erwähnten zweiten Gesichtspunct keine Eröffnung zu machen ist, sondern die dessfallsigen Bemerkungen nur zu Dero eigenen Direction, ingleichen jener der Untersuchungs-Commission geeigenschaftet sind, daher Denselben überlassen wird, von den Bestandtheilen dieses Schreibens jene Trennung zu veranlassen, welche Sie sowohl für izt, als in der Zukunft für gut finden« [1]).

Wie aus diesem Befehlschreiben hervorgeht, war Erzherzog Carl vollständig im Unklaren darüber, wodurch das seinen Husaren zugeschriebene Verbrechen veranlasst worden sein konnte. Er glaubte, dass Oberst Barbaczy nach Erhalt

---

[1]) Haus-Hof- und Staats-Archiv.

des Befehles, die französischen Gesandten aus Rastatt ausweisen zu lassen, die in diesem Falle gebotenen Vorsichtsmassregeln zu treffen, unterlassen habe, wodurch erst allein einigen »plünderungssüchtigen Gemeinen« Gelegenheit geboten war, den Ueberfall auszuführen. Diese Unterlassung musste den Erzherzog umso mehr befremden und empören, als er den »Punct der Vorsicht und Klugheit«, das heisst die Sorge für volle Sicherheit der Gesandten wiederholt und nachdrücklich hervorgehoben hatte. Dass Erzherzog Carl wünschte, die mit der Untersuchung betraute Commission möge bei Feststellung des Thatbestandes auch für die Schuldigen günstige Momente hervorheben, damit die That in ein möglichst mildes Licht gerückt werden könne, ist wohl begreiflich. Er sah ja voraus, dass die offenen und geheimen Feinde Oesterreichs den Fall gründlich ausbeuten, dass sie die That als eine von der österreichischen Regierung selbst angeordnete darstellen und entsprechend commentieren würden. Aber das gewissenhafte rechtliche Verfahren soll nicht leiden, der Erzherzog verbietet, dass von den politischen Rücksichten, welche eine gewisse Entlastung immerhin wünschenswerth machen, den Beschuldigten, also auch den beschuldigten Officieren, irgendwelche Kenntniss gegeben werde; der Erzherzog will aus dem Verhöre die Wahrheit wissen, wie sie vor der Welt zu vertreten sei, sieht er als seine Sache an.

Gleichzeitig mit diesem Befehlschreiben an Kospoth ergiengen aus dem Hauptquartier auch Mittheilungen über das Ereigniss und die angeordnete Untersuchung an den Markgrafen von Baden, an den Reichs-Hof-Vicekanzler, an den kaiserlichen Concommissär Freiherrn von Hügel und an den Grafen Lehrbach[1]). Am 2. Mai richtete Erzherzog Carl ein Schreiben an den Commandierenden der französischen Armee, General Massena, dem er unter Ausdrücken des Abscheues und Bedauerns über diese That versprach, dass er, falls seine Vorposten sich bei diesem Vorfalle nur im Allermindesten schuldig gemacht haben sollten, eine ebenso

[1]) Das Schreiben an den Grafen Lehrbach in der Anlage II. Die andern Schreiben sind ähnlich, stellenweise gleichlautend.

eclatante Genugthuung leisten werde, als bestimmt und wiederholt die Befehle waren, welche er in Bezug auf die persönliche Sicherheit der französischen Minister ertheilt habe[1]).

Inzwischen hatten die am 29. April auch in Rastatt zurückgebliebenen Congressmitglieder ihren »Gemeinschaftlichen Bericht« verfasst und ihn am 1. Mai in Karlsruhe unterzeichnet. Der dänisch-holsteinische Gesandtschafts-Secretär, Freiherr von Eyben, wurde beauftragt, dieses Schriftstück dem Erzherzog Carl zu überbringen. Am 2. Mai reiste Eyben von Karlsruhe ab und traf am 4. Mai Nachmittags 4 Uhr im Hauptquartier des Erzherzogs zu Stockach ein. Schon nach einer Stunde wurde er von dem General-Adjutanten, Obersten Delmotte, zum Erzherzog geführt, der ihn sehr freundlich empfieng und sofort sagte, er habe bereits Befehl gegeben, den Oberst Barbaczy und die in Rastatt gewesenen Officiere des Szekler-Regiments zu verhaften. Nachdem der Erzherzog dann das Begleitschreiben des Gesandten gelesen[2]) und versichert hatte, dass er bereits eine Commission eingesetzt habe, welche den Vorfall strengstens untersuchen werde, entliess er den Freiherrn von Eyben[3]).

[1]) S. Anlage III. Das Schreiben erschien auch in einem Theil der damals bestehenden Zeitungen.

[2]) Das Schreiben lautet: »Wir Unterzeichnete zu dem Friedens-Congress in Rastatt bevollmächtigt gewesene Gesandte und Abgeordnete deutscher Reichsstände haben es für unsere Pflicht gehalten, von dem höchst traurigen Vorgang, dessen handelnde und leidende Zeugen zu sein, wir das Unglück gehabt, mit gewissenhafter Genauigkeit eine Darstellung zu entwerfen, die wir unseren höchsten Höfen und Committenten, sowie auch des Markgrafen von Baden Hochfürstlicher Durchlaucht, als Landesherrn, als durchaus wahr verbürgen könnten. So sehr wir es empfinden, in wie hohem Grade diese Nachricht Euer königliche Hoheit grossem und edlem Herzen schmerzhaft sein werde, so glauben wir doch, die Ehrfurcht, die wir Höchstdenenselben schuldig sind, verpflichte uns vorzüglich, Eurer königlichen Hoheit, als commandierendem General der k. k. Armee, diese unsere Darstellung, so schnell wie möglich unterthänigst vorzulegen, wesshalb wir den bei der königl. dänischen Gesandtschaft angestellten Kammerjunker, Freiherrn von Eyben abgesandt, um die Gnade zu haben, diese Eurer königl. Hoheit unterthänigst zu überreichen. Wir erwarten mit tief gebeugtem Herzen und in tiefster Ehrfurcht etc. etc.« (Authentischer Bericht. 55).

[3]) S. Anhang IV.

Während der nun folgenden Unterredung Eyben's mit dem Hofrathe Fassbender, der als Secretär für die Reichskriegsgeschäfte im Hauptquartier anwesend war, traten auch zwei österreichische Officiere in das Zimmer, von welchen der eine an Eyben die Frage richtete, was er über den Vorfall zu Rastatt denke. »Als Fassbender mit den Worten, man wisse noch nichts Bestimmtes, dazwischentrat, erwiderte der Officier, es würde doch für alle Officiere sehr traurig sein, falls brave Kameraden wegen dieses Vorfalls in Ungelegenheiten kämen. Es sei zwar unangenehm, allein die Franzosen hätten das Völkerrecht sehr oft und viel schrecklicher gebrochen, als es durch diesen Vorfall geschehen sei. Wenn deutschen Ministern in Frankreich dasselbe zugestossen wäre, so würde gewiss kein Mensch bestraft worden sein, sondern man würde sich mit der Unmöglichkeit, die Thäter herauszubringen, entschuldigt haben. Warum man denn jetzt so streng gegen alle Officiere vorgehen wolle? Fassbender suchte ihm begreiflich zu machen, dass das Unrecht des einen Theils den anderen auch nicht zu gleichem Handeln berechtige. Aber der Officier, ein Mann von einigen 40 Jahren, kam immer wieder darauf zurück, die Franzosen hätten das Völkerrecht durch das Vorgehen von Ehrenbreitstein mitten im Frieden verletzt; so lange sie dafür keine Genugthuung gäben, dürfe man ihnen auch keine geben und am allerwenigsten Officiere bestrafen, denen man nichts beweisen könne. Eyben fand darin Veranlassung, dem Officier und später Fassbender zu versichern, dass er durchaus nicht gekommen sei, einen Officier zu beschuldigen, dass auch der gemeinschaftliche Bericht keine Klage enthalte, sondern lediglich Seiner königlichen Hoheit eine genaue Kenntniss habe geben wollen.« Als dann das Gespräch sich wieder zu dem Attentat zurückwandte und Fassbender in der von den Mördern französisch gestellten Frage: »Es-tu Jean Debry?« — oder wie der »Authentische Bericht« mit noch feinerem Ausdrucke sagt: »Est-ce que tu es Jean Debry?« — ein Beweismittel sehen wollte, dass Emigranten die eigentlichen Thäter seien und Eyben's Meinung darüber zu erfahren wünschte, erwiderte dieser, er könne bei so wechselnden Angaben nicht einmal eine Vermuthung als seine eigene bezeichnen.

»Einige hätten Leute vom Regiment Berchiny (Bercsényi), das seinerzeit französische Husaren-Regiment, oder Latour in Verdacht gehabt, da diese Regimenter ganz aus Niederländern bestünden, unter welchen wohl mehrere seien, die durch Treilhard und Bonnier, während dieselben als Commissäre des Convents in den Niederlanden verweilten, das Ihrige verloren hätten und bei dieser Gelegenheit sich hätten rächen wollen. Andere seien des Glaubens, die Thäter seien Emigrierte, die sich in Husarenkleidung gesteckt, oder auch einzelne Szekler dadurch gewonnen hätten, dass sie sagten, das wären die Leute, die den Frieden nicht schliessen wollten und sie schon sieben Jahre von Haus und Hof entfernt hielten. Vielleicht habe man auch die Szekler durch Vorwand der Religion oder durch Angabe, dass die Gesandten für den Tod des Königs gestimmt hätten — zwei Gegenstände, über welche nur ein Wort diese Leute in die äusserste Wuth setzen könne — oder durch Vorspiegelung vielen Geldes, das die Gesandten aus Deutschland mit herausnähmen und das man bei ihnen finden würde, gereizt. Noch Andere verwiesen auf das, auch von Burkhard vorgebrachte Missverständniss einer zurückkehrenden Patrouille. Eyben wiederholte, er selbst könne keines von allen diesen als gewiss annehmen. Er versicherte Fassbender auf dessen Frage, dass man weder Barbaczy, noch einen anderen Officier als Mitwisser beschuldigt habe, enthielt sich aber nicht, das unhöfliche und ungeschickte Benehmen der Officiere zu tadeln. Fassbender äusserte vor Allem sein Erstaunen, dass die Escorte abgeschlagen sei. Er fragte, ob das gewiss sei und Eyben konnte nur die Angaben des gemeinschaftlichen Berichts bestätigen.«

In einer zweiten Unterredung mit dem Erzherzog erkundigte sich auch dieser, ob wirklich Debry selbst erzählt habe, dass er auf französisch gefragt worden sei. »Er äusserte, als Eyben es bejahte, die Vermuthung, dass Emigrierte und keine Szekler dabei gewesen seien. Er begreife nicht, bemerkte er lebhaft, wie das Unglück habe geschehen können, da er zweimal, am 25. und 28. April, Befehl gegeben habe, für die Sicherheit der französischen Gesandten Sorge zu tragen. ‚Das muss einen Grund haben,‘ setzte er mit besonderer Lebhaftigkeit hinzu[1]).«

Von Stockach begab sich Baron Eyben nach München, wo er am 7. Mai eintraf. Dass er dort den preussischen Gesandten Grafen Görtz sprach und in welcher Art dieser das mysteriöse Protokoll der Belauscher Lehrbach's ergänzte und commentierte, ist bereits bekannt[2]). Als Görtz dem jungen Mann klar machen wollte, dass die österreichische Regierung um den Mord gewusst und ihn gebilligt habe, erwiderte Eyben, »er könne nicht beurtheilen, ob eine so schreckliche und lieblose Vermuthung nur einige Wahrscheinlichkeit habe, da er nicht wisse, ob der Horcher eine glaubwürdige Person sei. Das versicherte Görtz, wollte aber nicht sagen, wer es gewesen. Die Aeusserung des Erzherzogs: die Verweigerung der von ihm abgeordneten Escorte ‚müsse einen Grund haben‘, hatte Eyben seinem officiellen Bericht nicht einverleibt; er besorgte, wie er schreibt, es möge dem Prinzen nicht angenehm sein. Auch dem Grafen Görtz wurde sie nur unter dem Siegel des Geheimnisses anvertraut. Dass der preussische Gesandte, der in dieser Aeusserung einen neuen Beweis für den Antheil der österreichischen Regierung finden wollte, dieselbe alsbald nach Berlin übermitteln würde, hätte Eyben sich vorhersagen können. Aber mit Recht war er überrascht, als gleich in der ersten Audienz der Churfürst in die Worte ausbrach: ‚Ja, eine Hauptsache ist, dass der Erzherzog Ihnen gesagt hat: das muss einen Grund haben.‘ Aergerlich versetzte der junge Mann, er könne darin nichts Besonderes finden, denn jedes Ding müsse seinen Grund haben. Er hütete sich seitdem, dem Grafen Görtz noch irgend etwas mitzutheilen und wenn er später in der zu Ansbach erscheinenden Staatszeitung die Verleumdungen Davidsohn-Lange's[3]) gegen die österreichische Regierung las, so wird er über den eigentlichen Urheber nicht im Zweifel gewesen sein[4])«.

---

[1]) Hüffer, a. a. O., 55, 56.
[2]) S. S. 131 ff.
[3]) Vgl. S. 134.
[4]) Hüffer, Gesandten-Mord, 57, 58.

Unmittelbar nachdem die ersten dienstlichen, die Szekler-Husaren beschuldigenden Meldungen im österreichischen Hauptquartier eingetroffen waren und bevor noch Baron Eyben sich seiner Mission beim Erzherzog entledigt hatte, war diesem die Nachricht zugekommen, dass nicht Szekler-Husaren, sondern französische Emigranten die Mordthat verübt.

»Da man noch kein Detail über die Ermordung der beiden französischen Minister in Rastatt hatte,« so berichtete Oberst Delmotte am 3. Mai dem Herzog Albrecht von Sachsen-Teschen, »so hat Seine königliche Hoheit das beiliegende Schreiben an den General Massena gesandt und heute Abend haben wir die Meldung erhalten, dass diese Minister von Emigrierten ermordet worden sind. Man hat den General Danican, Verfasser der »Kassandra«, im Verdacht, denn Jean Debry, der schwer genug verwundet ist, hat sich in das Haus des preussischen Ministers geflüchtet und soll gesagt haben, dass die Leute, welche das Verbrechen verübt, grün und blau[1]) gekleidet waren, vollkommen deutsch sprachen und die Wagen nach Muggensturm führen wollten. Dies giebt einen Schein von Wahrheit und soll von dem ganzen Gefolge, das sich in den sieben Wagen befand, bestätigt worden sein. Ich bin sehr froh, dass die Sache diese Wendung nimmt und dass man nicht uns dies zuschreiben kann[2])«.

Diese von verschiedenen Seiten einlaufenden Berichte[3]), welche die bisher verdächtigten Husaren stark entlasteten, fanden theilweise Bestätigung durch die oben angeführten Mittheilungen des Freiherrn von Eyben. »Im Verfolge meines Schreibens vom 1. laufenden Monates,« so lautet die bezügliche Mittheilung des Erzherzogs an den Grafen Lehrbach, »in Beziehung auf das Ereigniss unweit Rastatt, benachrichtige ich den Herrn Grafen, dass ich das ganze Szekler-Husaren-Regiment von den Vorposten habe ablösen lassen und morgen

---

[1]) S. S. 20, Anmerkung 2. Das emigrierte Husaren-Regiment Saxe trug thatsächlich grüne, die Beresényi-Husaren dunkelblaue Pelze, wie die Szekler.

[2]) Hüffer, Gesandten-Mord, Anhang X.

[3]) S. auch S. 138 ff.

wird in Villingen die Untersuchungs-Commission unter dem Vorsitz des Herrn FML. Sporck gegen den Oberst Barbaczy, den Rittmeister Burckhard und die Mannschaft eröffnet werden, welche der Mordthat sich soll schuldig gemacht haben. Dem Herrn FML. von Sporck habe ich neuerdings aufgetragen, die Commission Tag und Nacht fortzusetzen, bis man auf den Grund der Sache kommen wird. Inzwischen habe ich gestern von mehreren in Rastatt gewesenen Gesandten ein Schreiben, nebst beigefügter Darstellung erhalten [1]), aus welcher ich zuerst mehrere Umstände ersehen, welche in den höchstunbestimmten und verworrenen Rapporten des Barbaczy und Burkhard gar nicht ersichtlich waren. Was ich den unterschriebenen Herren Ministern auf dieses Schreiben habe zugehen lassen, ersehen der Herr Graf aus der Anlage« [2]).

»Der Untersuchungs-Commission habe ich auch von dieser Darstellung eine abschriftliche Mittheilung zugehen lassen, um über die darin angeführten erheblichsten Umstände die Inquisiten gleich zu vernehmen.«

»Der dänische Kammerjunker von Eyben, welcher von den Ministern abgeschickt worden, mir das Schreiben zu übergeben, war zugleich von denselben beauftraget, mir gleich zu eröffnen, dass sie sich bewogen gefunden, mir diese Dar-

[1]) Es ist der »Authentische Bericht« gemeint.

[2]) Das Schreiben des Erzherzogs an die fremden Gesandten lautet: »Aus der Zuschrift Ew. Excellenz vom 1. l. M. mit der beigeschlossenen Darstellung habe ich das Umständliche des traurigen Ereignisses unweit Rastatt ersehen. Den 1. l. M. erhielt ich über dasselbe die erste Meldung. Unverweilt liess ich den Vorposten-Commandanten in Verhaft nehmen und die Sache wird bereits mittelst einer Commission auf das strengste und genaueste untersucht.«

»Ich behalte mir vor, Ew. Excellenz das Resultat derselben zur Zeit bekannt zu machen. Inzwischen kann ich Denselben nicht genug ausdrücken, wie schmerzhaft mir ein solcher Vorfall ist und ich ersuche Sie, sich zum Voraus überzeugt zu halten, dass die öffentliche Genugthuung gewiss der kriegsrechtlichen Entscheidung in vollem Masse entsprechen wird. Von dem Schreiben, welches ich an den feindlichen en chef Commandierenden in dem Augenblick, wo ich den ersten Rapport über diesen Vorgang erhielt, habe ergehen lassen, theile ich Ew. Excellenz in der beigehenden Anlage eine Abschrift mit. Hauptquartier Stockach, den 4. Mai 1799.«

stellung aus dem Grund zu übermachen, damit ich von den Umständen dieses Ereignisses baldigst unterrichtet werde.«

»Der abgeordnete dänische Kammerherr führt in seinem mündlichen Vortrage unter mehreren anderen Umständen an, dass nach der Aussage des Jean Debry und der markgräflich badischen Kutscher, die Mörder immer französisch gesprochen und zwar sehr gut und geläufig, so dass Jean Debry selbst die Hauptthäter für geborene Franzosen oder Niederländer gehalten habe.«

»Der Hauptanführer sei zuerst zu dem ersten französischen Wagen gesprengt und habe gefragt mit den Worten: »Es-tu Bonnier?«; da die Antwort »non« gewesen, so sei er auf den zweiten losgegangen mit gleicher Frage und in dem Augenblick, als Bonnier erkannt worden, wurde selber aus dem Wagen gezogen und massacriert. Der Herr von Eyben bemerkte weiter, dass, weil der Hauptanführer sich so angelegentlich erkundigt habe, in welchem Wagen sich Bonnier befinde, so vermuthe man, dass dieser ein Niederländer gewesen, welcher dem Bonnier die Mitwirkung zur Gesetzgebung in Beziehung auf den Verlust der Güter in den Niederlanden bei dieser Gelegenheit habe entgelten wollen.«

»Wie wenig man bis jetzt noch die wahre Bewandtniss der Sache zu beurtheilen im Stande ist, so wird es immer wahrscheinlicher, dass eine geheime Hand die Geschichte der Mordthaten geleitet habe.«

»Die angeordnete Untersuchung wird über all' dieses baldige Aufklärung geben und ich werde den Herrn Grafen in der vollen Kenntniss von dem Gange der Untersuchung erhalten und auf der andern Seite alle Data zweckmässig zusammenstellen, welche für die Publicität geeigenschaftet sind.

Erzherzog Carl, FM. [1]«

So erfreulich nun für den Erzherzog die Aussicht hätte sein müssen, seine Husaren von dem Verdachte, den Mord begangen zu haben, gereinigt zu sehen, ein Vorwurf konnte den Offi-

[1]) Haus-Hof- und Staats-Archiv. Hauptquartier Stockach, am 5. Mai 1799. (Präs. Augsburg, den 9. Mai 1799.) Ein gleichlautendes Schreiben ergieng unter demselben Datum an Kaiser Franz. (Hüffer. Gesandten-Mord. 61)

cieren der Vortruppen doch nicht erspart bleiben: der Vorwurf, nicht genügend für die Sicherheit der französischen Diplomaten während ihrer Reise gesorgt zu haben. Der Umstand, dass weder Kospoth, noch Merveldt oder Görger daran gedacht hatten, Jenen eine Escorte geradezu anzubieten, wie es doch gelegentlich der Ausweisung der anderen Gesandten stets der Fall gewesen, mehr noch, die ausdrückliche Verweigerung einer Escorte von Seiten des Obersten Barbaczy, musste dem Erzherzog unbegreiflich scheinen. »Die Sache muss einen Grund haben,« hatte er in seiner vornehmen Aufrichtigkeit dem Freiherrn von Eyben gesagt und es war vorauszusehen, dass er diesen Grund werde erfahren wollen. Hier ist leider jene bereits angedeutete Lücke in dem noch erhaltenen Actenmaterial, doch lässt sie sich durch den Brief des Erzherzogs an den Kaiser vom 18. Mai ausfüllen. Zur Verantwortung gezogen, wesshalb sie die Beistellung einer Escorte unterlassen, werden die Generale der Vortruppen sich auf das Schreiben des GM. Schmidt, auf jenes des Oberstlieutenant Mayer berufen haben, werden erklärt haben, dass sie die »Idee« des GM. Schmidt — nach unserer Annahme also die Wegnahme des französischen Gesandtschafts-Archivs — doch nicht hätten in Anwesenheit einer aus eigenen Truppen bestehenden Escorte durchführen können und desshalb die Beistellung einer derartigen Schutztruppe verweigern mussten. Diese Meldung muss auf den Erzherzog zweifellos eine tiefe Wirkung ausgeübt haben. Ohne die Details der Mordthat zu kennen, ausser aus der ziemlich unklaren und, wie der Erzherzog wohl selbst gewusst haben wird, nicht gerade objectiven »Geschichtserzählung« des »Gemeinschaftlichen Berichtes« der Gesandten, musste er sich sagen, dass die Ermordung der Franzosen immerhin möglich, ja wahrscheinlich sein konnte, wenn von Seite der Husaren irgend eine Unternehmung gegen sie geplant und angeordnet war. Auch die an und für sich ganz ungefährliche Unternehmung, wie es die Wegnahme des Gesandtschafts-Archivs zweifellos war, konnte ja mit der Ermordung der Gesandten enden, wenn diese beispielsweise Widerstand leisteten und die Husaren von ihren Waffen Gebrauch machten. War also der Erzherzog schon durch diese Mittheilung des »officiösen

Berichtes« [1]) geneigt zu glauben, dass die Husaren die Mörder waren, so musste jeder etwa noch vorhandene Zweifel daran schwinden, als er die verzweiflungsvolle Selbstanklage des GM. Schmidt hörte.

Beachten wir nun, dass jener Brief des Erzherzogs an den Kaiser am 18. Mai geschrieben wurde, so drängt sich unwillkürlich die Frage auf, wie es eigentlich geschehen konnte, dass GM. Schmidt überhaupt erst an diesem Tage, oder längstens einen oder zwei Tage früher, dem Erzherzog das Geständniss ablegte, dem Oberstlieutenant Mayer eine »Idee«, einen »Gedanken« oder einen Wunsch mitgetheilt zu haben, in Folge dessen, wenn auch unbeabsichtigt, die Franzosen ermordet wurden? Wie, ein tapferer, ehrlicher Soldat, ein hochgebildeter, durchaus rechtschaffener Mann, wie GM. Schmidt, trägt sich drei Wochen lang mit dem Gedanken, die Vertreter einer fremden Macht ermorden zu lassen; seine »Idee« wird verwirklicht, die Verhassten werden auf seinen Wunsch ermordet; er sieht, welch' tiefen Eindruck die Blutthat auf seinen angebeteten Vorgesetzten macht, er spricht, als sein Generalstabs-Chef, wiederholt mit ihm darüber, er wird wahrscheinlich auch gefragt, ob er den »Grund« nicht errathen könne, wesshalb man den Franzosen die Escorte verweigert; er weiss, dass die gerichtliche Untersuchung über Barbaczy, Burkhard, Szentes, Fontana, Draveczky, über die schuldigen Husaren verhängt wurde, dass sie jeden Tag abgeschlossen werden kann; dass er dann als intellectueller Urheber des Mordes gebrandmarkt dasteht und er schweigt? Er schweigt und redet erst, als der »officiöse Bericht« ihn zum Reden zwingt? Das kann man nicht glauben. Aber von einem Wunsch, die Franzosen zu ermorden, kann ja, wie wir bewiesen zu haben glauben, überhaupt nicht die Rede sein; bleiben wir desshalb bei der einzig vernünftigen Annahme, es habe sich um Wegnahme des Gesandtschafts-Archivs gehandelt. Dann hätte GM. Schmidt ja erst recht sofort nach Eintreffen der Meldung von der Ermordung der Franzosen sich dem gütigen Prinzen mittheilen müssen! Die Nachricht

[1]) S. S. 173.

dass eine, an und für sich ungefährliche und durch die Kriegslage auch nicht schwer zu rechtfertigende Unternehmung, ein derartiges, ebenso unerwartetes und unbeabsichtigtes, als schreckliches Ende genommen, musste ja so tief, so erschütternd auf ihn wirken, dass er sofort, also schon am 1. Mai dem Erzherzog sein Vergehen gestanden hätte. Es geschieht nicht. Erst der officiöse Bericht zwingt ihn zum Reden. Und nun fragen wir, hätte der Erzherzog einen Mann, der nicht nur hinter seinem Rücken eine Unternehmung veranlasst, die auf jeden Fall die Billigung des streng denkenden Prinzen nie gefunden hätte, sondern auch über zwei, fast drei Wochen lang zögert, sich mitzutheilen, trotzdem er seine peinliche Ungewissheit, seine grübelnde Sorge ob des Unbegreiflichen des geschehenen Verbrechens sieht — hätte, fragen wir, der Erzherzog sich für einen so handelnden Mann in der Weise verwendet, wie sein Brief an den Kaiser es zeigt? Gewiss nicht und so lange dieses Räthsel, dass GM. Schmidt fast drei Wochen lang schweigt, nicht gelöst ist, glauben wir, dass GM. Schmidt eben bis zum Eintreffen des officiösen Berichtes, in welchem er sich als den Urheber des Mordes genannt sah, gar keine Ahnung hatte, dass seine in einem Privatschreiben hingeworfene »Idee« überhaupt ernst genommen wurde!

Vergegenwärtigen wir uns doch einmal rasch die Entstehung jenes Briefes, der den Szekler-Husaren überhaupt Anlass bot, sich mit den französischen Gesandten zu beschäftigen.

Mitte April richtet GM. Schmidt an Oberstlieutenant Mayer ein Privatschreiben, in welchem er unter Anderem auch die »Idee« äussert, es könnten in dem Archiv der französischen Gesandten wohl die Beweise für die Spionendienste Wächter's und Strick's zu finden sein, es wäre desshalb rathsam, sich dieses Archivs zu bemächtigen. Nehmen wir überdies auch noch an, Schmidt habe dem »mit soldatischer Derbheit« hinzugefügt, »dass die Gesandten eigentlich noch ganz Anderes als blosses Anhalten verdient«. Mayer theilt diese Ideen und Empfindungen Schmidt's den Generalen Kospoth, Merveldt und Görger mit, diese billigen sie und veranlassen das Nöthige. Wenn nun Schmidt über die geplante Unternehmung weiter informiert worden wäre; wenn er daraus ersehen hätte, dass, wie der Erzherzog schreibt, seinem Privatschreiben »eine ganz eigene Deutung« gegeben wurde, die verhängnissvoll für den Ausgang des Unternehmens werden konnte — hätte er da nicht eingegriffen, hätte er da nicht die peinlichsten Vorsichtsmassregeln bis in das kleinste Detail getroffen, um jede, nur irgend denkbare verhängnissvolle Wendung zu verhüten?[1]) Und wenn trotz alledem das Unternehmen mit dem Schrecklichsten, was überhaupt geschehen konnte, mit der Ermordung der Gesandten durch die Husaren schloss, wäre er da nicht auf die erste Nachricht hierüber sofort zu dem Erzherzog geeilt, um sich anzuklagen? Das Alles ist nicht geschehen, erst nach länger als zwei Wochen macht Schmidt dem Erzherzog die Mittheilung von dem Inhalte jenes Briefes! Kann wirklich Jemand zweifeln, dass Schmidt erst am 18., höchstens wenige Tage früher erfahren, sein Brief habe Anlass zu irgend welchem Unternehmen gegen die französischen Gesandten gegeben? Wir glauben nicht!

Ist dies aber der Fall, hat Schmidt wirklich bis dahin keine Ahnung gehabt, dass seine »Idee« auf fruchtbaren Boden gefallen, so musste die dienstliche Mittheilung darüber ihn wie ein Blitzstrahl treffen. Vergegenwärtigen wir uns seine Lage.

---

[1]) Wir möchten überdies nachdrücklich darauf aufmerksam machen, dass der Name des GM. Schmidt in all' den Meldungen und Berichten der Generale und Officiere der Vortruppen Kospoth's nie vorkommt: dass der erste auf die französischen Gesandten in Rastatt bezügliche Bericht Merveldt's vom 18. April ausdrücklich von dem »durch Courier erhaltenen Schreiben des Oberstlieutenant Mayer« spricht und dass auch die Zuschrift Kospoth's an Merveldt vom 24. April nur das »Schreiben des Oberstlieutenant Mayer« erwähnt. Und die »Idee« Schmidt's, die Oberstlieutenant Mayer offenbar als seine eigene weiter befördert, soll auf die Ermordung oder auch nur auf die Misshandlung der französischen Gesandten hingezielt haben? Und der hohe Vorgesetzte Mayer's, FML. Kospoth, die Generale Merveldt und Görger sollen damit freudig einverstanden gewesen sein und die Verwirklichung dieser »Idee« den rauhen und unbeholfenen Händen des Obersten Barbaczy und des Rittmeisters Burkhard anvertraut haben?

Fünf Wochen früher, Mitte April, hat er den Brief an Mayer geschrieben. Im Drange der Geschäfte, inmitten des hastigen Treibens im Hauptquartier, von Sorgen und Gedanken aller Art erfüllt, vergisst er daran, ahnt er gar nicht, dass seine »Idee«, in einem Privatschreiben hingeworfen, ernst genommen werden könnte. Da trifft die Meldung ein, die Szekler-Husaren hätten die französischen Gesandten überfallen und ermordet. Er selbst, als Chef des Generalstabes, eröffnet als Erster den bezüglichen Rapport, er eilt mit ihm zum Erzherzog, er sieht diesen betroffen, entrüstet; er bespricht mit ihm die Art, wie dieses Verbrechen veranlasst worden, von wem es veranlasst worden, er sucht mit dem Erzherzog den »Grund«, wesshalb man, entgegen den ergangenen Befehlen, den abreisenden Diplomaten keine Escorte bewilligt; endlich thut man das am nächsten Liegende: der Generalstabs-Chef selbst richtet im Auftrage des Erzherzogs ein gemessenes Schreiben an FML. Kospoth, in welchem dieser zur Verantwortung gezogen, zur Aeusserung verhalten wird, aus welchem Grunde die Escorte verweigert wurde. Und nun trifft die Antwort Kospoth's ein; wieder ist es höchst wahrscheinlich der Generalstabs-Chef, der diese Meldung eröffnet und liest: dass auf seinen Wunsch das Archiv der Franzosen hätte aufgehoben werden sollen, dass desshalb eine Escorte nicht bewilligt werden konnte!

Dass ein Blitzstrahl, der in diesem Augenblick zu den Füssen Schmidt's niedergefahren wäre, keine erschütterndere Wirkung hätte hervorrufen können, ist gewiss. Und jetzt ist es der ehrenhafte Soldat, der gebildete, weitblickende Mann, der die Folgen eines derartigen völkerrechtswidrigen Vorganges voll und ganz zu würdigen weiss, der sich sofort anklagt. Noch ist freilich nicht bewiesen, dass überhaupt die Szekler-Husaren den Mord verübt, noch ist ja die gerichtliche Untersuchung nicht abgeschlossen, auch verlautet immer bestimmter, dass die Mörder ganz wo anders zu suchen und zu finden sein dürften, als im österreichischen Heere — all' Dies kann Schmidt nicht beruhigen. Er weiss jetzt, dass seine Idee, die er ohne viel Ueberlegung hingeworfen, thatsächlich aufgegriffen wurde; er sagt sich, dass man nicht die nöthige Vorsicht bei der Durchführung beobachtet, dass vorläufig unberechenbare

Zwischenfälle, Einflüsse die »Sache verschlimmert«, dass sie »in den unteren Stufen mehrere Zusätze erhalten, wo dann endlich das unglückliche Ereigniss daraus folgte«.

Und er klagt sich an.

Rufen wir uns in das Gedächtniss zurück, dass im Hauptquartier des Erzherzogs nach und nach und von verschiedenen Seiten Nachrichten eingelaufen waren, dass nicht die Szekler-Husaren, sondern andere, wenn auch vorläufig noch nicht bekannte Personen den Mord verübt hätten. Mit jeder dieser Nachrichten musste die Hoffnung des Prinzen, seine Husaren demnächst von dem Verdachte gereinigt zu sehen, steigen und mit froher Zuversicht durfte er dem Abschluss der angeordneten gerichtlichen Untersuchung entgegensehen. Da tritt GM. Schmidt, sein General-Quartiermeister vor ihn hin und theilt ihm erschüttert und niedergeschlagen mit, was er an Oberstlieutenant Mayer geschrieben, dass dieser Brief die Ursache einer Unternehmung gewesen, welche die Ermordung der französischen Gesandten zur Folge gehabt habe. Die Wirkung dieser Mittheilung auf den Prinzen muss dieselbe gewesen sein, wie jene auf Schmidt, als er an seinen eigenen, längst vergessenen Brief erinnert wurde; sie äussert sich auch bei dem Erzherzog in genau derselben Weise, wie jene auf Schmidt sich geäussert. Auch der Erzherzog zweifelt nunmehr keinen Augenblick mehr an der Schuld der Husaren; was sie vor Gericht aussagen mögen, wird höchstens die That mildern können — mehr nicht! Und in diesem Glauben richtet Erzherzog Carl den Brief vom 18. Mai 1799 an seinen kaiserlichen Bruder, unbekümmert um den Gang der gerichtlichen Untersuchung.

Und nun ist es an der Zeit, auch Jene zu Wort kommen zu lassen, die — ein seltsames Geschick! — seit hundert Jahren zum Stillschweigen verurtheilt waren vor dem Richterstuhle der Geschichte: Die Szekler-Husaren!

—

Das »Villinger«-Protokoll.

Actum Villingen, am 7. Mai 1799.

Commissions-Protokoll[1]).

Se. königliche Hoheit der Erzherzog Carl, commandierender General der k. k. Haupt-Armee in Schwaben, haben über den in der Nacht vom 28. auf den 29. April d. J. sich mit denen französischen Gesandten, Bonnier, Roberjot und Jean Debry, ausser Rastatt im Badischen ereigneten Vorfall, nämlich der erfolgten Ertödtung der ersteren zwei und der Verwundung des Letzteren zur Erforschung der Thäter, dann Ergründung der Ursachen und des Anlasses zu dieser so unerwarteten, als unglücklichen Begebenheit unter

dem Vorsitz

Sr. Excellenz des k. k. Herrn FML. Grafen von Sporck, dann dem Beisitze der nachgenannten Individuen:

Herrn Obersten Conrad von Weeber von Kaiser-Cürassieren.

Herrn Oberst-Wachtmeister Felix von Juch von Erbach-Infanterie.

Herrn Oberlieutenant August Knipfer von Erbach-Infanterie.

Herrn Oberlieutenant Ludwig von Bach von Graf Callenberg-Infanterie.

Herrn Hauptmann Franz von Lang von Erbach-Infanterie.

Wachtmeister Johann Wransky von Kaiser-Husaren,

endlich des die Untersuchung und das Protokoll führenden Hauptmann-Auditors Pfiffer von Kerpen-Infanterie-Regiment vermög erlassenen hohen Befehls lit. *a* ddo. Hauptquartier Stockach, vom 1. März 1799, eine unparteiische und strenge Untersuchungs-Commission anzuordnen für nöthig gefunden.

---

[1]) Haus-Hof- und Staats-Archiv. (Bisher unbekannt.)

Vormerkung.

Ehevor zur Verlesung der bisher vorfindigen Actenstücke geschritten wurde, war es der Wichtigkeit des Gegenstandes und der Erheblichkeit der Sache angemessen, sammentliches Assessorium, wegen Verschwiegenheit, nach vorhergegangener Meineids-Erinnerung durch nachstehenden Eid zu binden:

Eides-Formel.

Wir schwören zu Gott dem Allerhöchsten einen körperlichen Eid, Alles, was in gegenwärtiger Commission wird vorgetragen und abgehandelt werden, geheim zu halten, Niemanden bis zur Austragung der Sache weder schriftlich, wovon nur die höheren Orts zu unterlegenden Commissions-Berichte ausgenommen sein sollen, noch mündlich, weder durch Zeichen noch andere Geberden, nur das Geringste mitzutheilen, insolang wir nicht höheren Orts dieses unseres Eides entbunden sein werden. So wahr uns Gott helfe. Amen!

Nach dieser feierlichen Handlung wurden die dem Protokoll angebogenen Beilagen A, B, C, D, E, F, G, H deutlich vorgelesen und da sich aus solchen ergab, dass das Hauptaugenmerk der Commission dahin zu gehen habe, zu erforschen: *a)* was sämmtliche hohe Gesandtschaften zur persönlichen Sicherheit ihrer Abreise, welche ihnen selbst doch am meisten am Herzen liegen musste, für Massregeln getroffen haben, nun dann erst *b)* die Ursache und Veranlassung dieser Begebenheit zu ergründen und endlich *c)* die Thäter ausfindig zu machen, so wurde vor allen Andern der Herr Oberst von Barbaczy auf nachstehende Weise zu Protokoll genommen:

Allgemeine Fragstücke.

1.

Herr Oberst wolle seinen Namen, Stand, Alter, Dienstjahre etc. angeben.

„Joseph von Barbaczy, aus Debreczin in Ungarn gebürtig, 49 Jahre alt, katholisch, verheirathet, befindet sich 32 Jahre in k. k. Kriegsdiensten, dermalen wirklicher Oberster und Commandant eines k. k. Husaren-Regiments Szekler.“

Besondere Fragstücke.

2.

Ob Herrn Obersten die Ursache seiner Vorrufung vor gegenwärtige Commission bekannt sei?

»Ja! vollkommen; es ist wegen des unglücklichen und unerwarteten Vorfalls, welcher sich in Rastatt oder vielmehr der dortigen Gegend mit den französischen Herren Gesandten ereignet hat.«

3.

Herr Oberst wolle angeben, was ihm von diesem oben bemerkten Vorfall des Näheren bekannt sei?

»Sonntags den 28. vorigen Monats, beiläufig um 2 Uhr Nachmittag, erhielt ich von drei Seiten die Nachricht, dass ich den kommenden Montag ganz sicher von den Franzosen angegriffen werden solle, welche nichts weniger als die Plünderung Rastatts und überhaupt des ganzen Murg-Thals zur Absicht hatten.«

»Ich begab mich über dieses gleich selbst zu Pferd auf meine äussersten Vorposten und ertheilte dem Herrn Rittmeister Burkhard den Befehl, nach Rastatt noch am nämlichen Tag vorzurücken, die Stadt zu besetzen und sowohl gegen Plittersdorf, als Stollhofen Patrouillen zu senden; auch schrieb ich nicht nur an Herrn General-Feldwachtmeister von Görger, sondern auch an den Herrn Obersten von Egger vom 13. Dragoner-Regiment, welches von Beginy[1]), Saxe, Latour und Coburg zusammengesetzt ist, damit mir von diesen beiden Verstärkung zugeschickt werde und sie überhaupt auf ihrer Hut sein möchten.«

»Der von mir nach Rastatt befehligte Herr Rittmeister Burkhard schickte vor seinem Einrücken dahin einen Officier an den markgräflich badischen Herrn Minister und auch an den Commandanten[2]) voraus mit der Nachricht, dass er den Befehl habe, Rastatt zu besetzen und ich selbst expedierte noch einen mit einem Schreiben an die französische Gesandtschaft dahin, von welchem ich eine Abschrift hier unterlege

---

[1]) Bercsényi, vgl. S. 20. Anmerkung 2. In den französischen Armee-Listen erschien das Regiment meist als »Bechiny«-Husaren. Barbaczy dürfte den Namen nie anders gehört haben.

[2]) Der badische Major von Harrant.

und dessen Hauptinhalt war, dass nun in Rastatt nicht wohl mehr französische Bürger geduldet werden könnten und ich sie daher ersuche, diese Stadt binnen 24 Stunden zu verlassen[1].«

»Ich wollte ihnen anfänglich nur 16 Stunden bestimmen, da mich aber mein Regiments-Auditor, der das Schreiben auf meinen Befehl verfasste, erinnerte, dass es schon Abend sei, sie bei der Nacht nicht abreisen könnten und ihnen daher der ganze noch folgende Tag zum Packen noch nothwendig sei, sagte ich zu selbem, dass man ihnen 24 Stunden einräumen solle, kraft welchen ich ihnen daher zu ihrer gar nicht weiten Reise an den Rhein den ganzen Montag gegeben hatte, da es schon am 28. Abends ½8 Uhr war, als ihnen mein Officier diesen bemerkten Brief einhändigte.«

»Nachdem der Herr Rittmeister, wie oben angegeben, Rastatt besetzt und ich den Officier dahin mit dem bemerkten Schreiben an die französische Gesandtschaft abgesendet gehabt hatte, blieb ich in dem Dorf Rothenfels, um bei dem ganz sicher erwarteten Ueberfall des Feindes in der Nähe zu sein und alle nöthigen Vorkehrungen auf der Stelle zu treffen. Beiläufig um 1 Uhr Nachts erhielt ich von dem Herrn Rittmeister Burkhard eine kurze, aber äusserst dringende Meldung, dass die französische Gesandtschaft wider seine Einwendung, dass er Niemanden aus Rastatt passieren lassen dürfe, dennoch in der Nacht abgereiset, vor der Stadt in der Entfernung einer Viertelstunde angefallen und zwei von ihnen ermordet, einer oder zwei aber blessiert worden und vermisst seien. Da dessen Meldung in der äussersten Eile geschrieben und ich selbe nur einstweilen für die Folge eines Gerüchts hielt, so zweifelte ich noch ziemlich an der erzählten Art dieses Vorgangs, liess ihm aber durch einen Wachtmeister in der Eile nur mündlich sagen, dass er dessen ungeachtet, sich in Rastatt ruhig verhalten und wohl auf seiner Hut sein solle, indem der Feind gerade diesen Vorfall benutzen und überfallen könnte, liess ihm aber doch sagen, dass er gleich auf der Stelle — im Fall er es wider Vermuthen nicht gethan hätte — auch von seinen Leuten,

[1] Das Schreiben auf S. 71.

doch nicht zu viele, zur Rettung der übrigen und Auffindigmachung der Vermissten wegbeordern solle.«

»Wie übrigens dieser traurige und so unerwartete Zufall vor sich gegangen sei, weiss ich nicht anzugeben, da ich kein Augenzeuge dieser schrecklichen Begebenheit war.«

4.

Der Herr Oberst werde aber doch um den Vorgang sich näher und angelegentlicher erkundigt, auch hierüber weitere schriftliche oder mündliche Meldungen erhalten haben. Er wolle also auch das vorgeben, was Herr Oberst nach der Hand von diesem Vorfall in Erfahrung brachte?

»Ich habe Montags in der Früh nach dieser betrübten Begebenheit von sämmtlichen Gesandten ein gefertigtes Schreiben erhalten, welches dem Untersuchungs-Protokoll ohnehin beiliegen wird[1]) und worin sie mir von diesem Vorfall gleichfalls Nachricht gaben, mich auch ersuchten, den noch geretteten, sowie auch ihnen (Gesandten) ihrer Sicherheit halber eine militärische Escorte zu geben.«

»Da es in jedem Regiment Auswüchse und mehr zu Bösem, als Gutem geneigte Menschen und wenn auch nur wenige, giebt, so wäre es von mir sehr eingenommen für mein Regiment gehandelt gewesen, wenn ich auch die Möglichkeit, dass es Leute von dem mir unterstehenden Regiment gewesen sein konnten, widersprochen hätte, umso mehr, da ich von Allem nur vorläufige Meldungen hatte, die nichts Bestimmtes ausdrückten.«

»Ich sagte daher, dass es vielleicht einige von Raub- und Plünderungssucht geleitete Leute meines Regiments gewesen sein mochten; dass ich desshalb die strengste Nachsuchung anstellen etc. werde, bemerkte aber auch schon, dass die französischen Gesandten diesem Unglück leicht entgangen wären, wenn sie den Tag erwartet hätten, welch' ganzen sie noch zu ihrer Abreise übrig gehabt haben.«

»Uebrigens kann ich mich nun der Bemerkung nicht enthalten, dass es für mich sehr kränkend sein müsse, dass sich nebst anderen so verschiedenen, als unwahrscheinlichen Gerüchten auch in Rastatt die Sage auf eine zwar kurze Zeit

[1]) Das Schreiben auf S. 191.

verbreitet habe, als hätten einige mir unterstehende Husaren diese Unglücklichen angefallen und ermordet.«

»Allein, wenn man nachstehende von dem nachher sich geretteten Herrn Jean Debry selbst zu Rastatt gethane Aeusserungen, mit den übrigen bei dieser Geschichte vorgefallenen Umständen vereiniget, so wird man ganz leicht vom Gegentheil überzeugt werden und ich berufe mich desshalb ganz auf meinen unter dem 1. Mai von Gernsbach erstatteten Bericht[1]).«

»Selbst die Art, wie sie angefallen wurden und die dabei gebrauchten französischen Worte und Ausrufungen: »Tu es Bonnier, Tu es Roberjot, Tu es Jean Debry, Voilà les Coquins, qui ont voté pour la Mort du Roi«[2]) sprechen laut zu meiner und des mir unterstehenden Regiments Vertheidigung, und lassen es unbezweifelt, weil Jean Debry selbst einräumet, auf französisch: »Tu es Jean Debry«, angerufen worden zu sein, da doch bei meinem ganzen Regiment kein Mann existiert, welcher ein französisches Wort nur nachsprechen, vielweniger bei sich behalten könnte und nicht einmal einer meiner Herren Officiers, den einzigen Regiments-Auditor ausgenommen, der französischen Sprache kundig sei.«

»Es verlautete auch in diesem so herabwürdigenden, als unwahrscheinlichen Gerücht, dass man die sieben Wagen nach Muggensturm abzuführen Willens gewesen sei, da doch zu der Zeit kein Mann von mir alldort stand; was würden denn die Wagen da gemacht haben?«

»Ja, ich traue mir zu behaupten, dass vielleicht auch die Frauen und übrige Dienerschaft ermordet, oder doch wenigstens misshandelt worden sein würden, wenn nicht die Schuldigkeit des Dienstes meine Patrouillen in die dortige Gegend geführt und die noch übrigen retten gemacht hätten.«

»Wollte man es der Raubsucht meiner Husaren zuschreiben, warum hätten sie denn gerade die Herren Bonnier, Roberjot und Jean Debry gesucht? Leute und Namen, die bei meinem

---

[1]) Dieser Bericht ist nicht aufzufinden gewesen; er scheint jedoch die Angabe enthalten zu haben, dass französische Emigranten die Mörder gewesen.

[2]) Vgl. S. 82.

Regiment kaum ein einziger Mann kennt und es scheint nicht Raubsucht, sondern persönliche Rache gewesen zu sein, die wohl irgend einer von Emigranten gemachten Verschwörung, als meinen Leuten ihren Ursprung zuzuschreiben hat.«

»Man wollte behaupten, Husaren wären es gewesen — wie konnte man dieses in der pechfinstern Nacht, wie jene vom 28. auf der 29. war — unterscheiden und es ist eben so unwahrscheinlich zu behaupten, dass die Mörder Husaren gewesen, so unwahrscheinlich die Aeusserung der Madame Roberjot in Rastatt war, dass ihre Angreifer grün und blau gekleidete Männer gewesen wären, indem man in dieser Nacht grössere Gegenstände nicht zu unterscheiden im Stande war, umso weniger einen Unterschied in Farben machen konnte[1]).«

»Und warum mussten es gerade Husaren von Szekler sein? es waren ja mehrere Husaren in dieser Gegend und das ganze eingangs angeführte 13. Dragoner-Regiment, wobei zwei Emigranten-Regimenter eingetheilt wurden, nämlich Bercsényi und Saxe, deren erstere sich nicht viel von den unsrigen im Anzug unterschieden und ich selbst schon öfters Leute von ihnen für meinige gehalten und angesprochen habe.«

»Weit entfernt übrigens, auf dieses Regiment nur einigen Verdacht herüberzuwälzen, wollte ich nur damit die Unwahrscheinlichkeit des Gerüchtes — als wären die Angreifer Szekler-Husaren gewesen — darstellen und mein mir unterstehendes Regiment von einem Verdacht reinigen, der sehr drückend und herabwürdigend sein würde.«

»Ich will nur noch die von den geretteten Franzosen in Rastatt selbst geäusserte Muthmassung berühren, dass sie allen Verdacht auf einen emigrierten Obersten hegen, der das berüchtigte Buch »Kassandra«[2]) geschrieben und diese Verschwörung wider das Leben dieser Unglücklichen angezettelt und genähret haben soll.«

---

[1]) Es scheint also, dass Madame Roberjot, nach Rastatt zurückgekehrt, viel unbestimmtere Angaben über die Attentäter gemacht hat, als in ihren späteren Aussagen, wo sie so bestimmt von Szekler-Husaren spricht. Sie wird wohl erst in Frankreich von Debry erfahren haben, dass diese die Mörder ihres Gatten gewesen sein sollen.

[2]) Vgl. S. 9.

5.

Der Herr Oberst habe aber angemerket, dass die Gesandtschaften von ihm eine militärische Escorte angesucht haben, ob Herr Oberst ihnen diese gewähret, oder was sonst für Vorkehrungen für ihre persönliche Sicherheit getroffen habe?

»Ich habe in meinem Antwortschreiben, so ebenfalls vorfindbar sein wird, den nach diesem Unglück geretteten Franzosen eine militärische Escorte zugesaget und auch dem Herrn Rittmeister den Befehl gegeben, ihnen eine bis an den Rhein mitzugeben.«

»Weil ich aber wegen dem zu befürchtenden Ueberfall meine Truppen nicht viel schwächen konnte, so habe ich den übrigen Gesandtschaften eine derlei Escorte gänzlich abgeschlagen, doch sie aber versichert, dass sie sicher abreisen könnten, indem alle meine Leute um Rastatt herum stehen und sie daher nicht das Mindeste zu befahren haben werden.«

»Gab aber doch dem Herrn Rittmeister Burkhard den Auftrag, wenn es nur immer möglich sei und er etwas entbehren könnte, ihnen eine kleine Bedeckung zu geben.«

»Dieser konnte es aber nicht befolgen, sondern die übrigen Gesandten reisten ohne Escorte ab. Sie sind, wie die Folge wies, ohne mindeste Hindernisse von Rastatt abgegangen, doch wird Herr Rittmeister von Burkhard hierüber deutlicher erläutern können, ob er nicht doch vielleicht einige Bedeckung gegeben habe.«

6.

Es kam aber in den öfters angezogenen Schreiben dieser Herren Gesandten auch vor, dass die von den französischen Herren Gesandten angesuchte Escorte vor ihrer unglücklichen Abreise abgeschlagen worden sei, wann, bei wem selbe angesucht und warum sie nicht gegeben worden sei, hierüber wollten der Herr Oberst die wahren und gründlichen Ursachen angeben?

»Beiläufig 8 Tage vor dieser Begebenheit wurde von dem chur-maynzischen Herrn Directorial-Gesandten, Freiherrn von Albini, durch den Herrn von Münch ein Schreiben mir in Baden zugestellet, wo ich befragt wurde, ob die französischen sowohl, als alle übrigen Gesandten, mit einem von Herrn von Albini ausgefertigten Pass sicher reisen und ich ihnen eine militärische Escorte geben würde. Meine mündliche

Antwort gegen den Herrn von Münch war, dass ich keine Escorte ohne höhere Weisung und Befehl ertheilen könne, alle betreffenden Gesandten sich daher, wenn sie auf der Erhaltung einer derlei Escorte beständen, an diejenige hohe Stelle, nämlich an Seine königliche Hoheit verwenden wollen, damit dann an mich der Befehl von daher ergehe, ihnen diese Escorte zu geben[1]). Uebrigens versicherte ich den Herrn von Münch, dass jede Gesandtschaftsperson mir und meinen Truppen unverletzbar seien und sämmtliche Herren Gesandten vollkommen sicher sein würden. Die Verwendung der hohen Gesandtschaften in das k. k. Hauptquartier an Seine königliche Hoheit muss unterblieben sein, weil in der ganzen Zwischenzeit vom 20. bis Nachmittags am 28. April, von keiner Escorte mehr eine Rede war, auch keine mehr abverlangt wurde.«

»Nur am 28. Nachmittags erhielt ich vom Herrn Baron von Albini ein Schreiben, worin er mir Nachricht gab, dass die französischen Gesandten zur Abreise bereit wären und nur aus Besorgniss, ob sie auch wohl mit jenen vom Herrn Directorial-Gesandten ausgefertigten Pässen sicher reisen könnten, noch verziehen wollten.«

»Auf dieses Schreiben habe ich aus der Ursache nicht mehr geantwortet, weil ich gerade damals auch die wiederholten Nachrichten von dem zu befürchtenden Ueberfall der Franzosen erhielt und mich mit den nöthigen gleich eingangs des Protokolls berührten Dispositionen beschäftigen musste; schickte aber einen Officier mit dem mündlichen Auftrag dahin ab, dass der Herr Directorial-Gesandte vollkommen überzeugt sein könne, dass sämmtliches gesandtschaftliches Personale unsererseits in jedem Anbetracht vollkommen sicher sein könne.«

»Da Freiherr von Albini in diesem seinem beikommenden Schreiben vom 28. April Nachmittags keiner Escorte nur im geringsten Erwähnung machte, so liess ich auch in dieser Hinsicht hievon keine mündliche Erwiderung machen, wäre aber auch, wenn selber um eine Escorte angesucht hätte, bemüssiget gewesen, sie abzuschlagen, weil bei dem bedroheten

---

[1]) Vgl. S. 56.

Ueberfall des Feindes, der vermög eingelangten Kundschaften unbeweifelt war, ich meine Truppen beisammen halten musste und sie durch Gebung einer Escorte nicht unnöthiger Weise verringern konnte; man mich auch — im Falle der Feind wirklich in dieser Nacht oder den darauffolgenden Tag mit meinen Vorposten angebunden hätte — sehr übel ausgedeutet haben würde, wenn ich meine Mannschaft dem wichtigeren Dienst vor dem Feind auf solche Art entzogen und vielleicht blos desswegen zurückgeworfen worden wäre.«

7.

Der Herr Oberst habe einen hohen Armee-Befehl vom 15. April erhalten, worin ihm (Herrn Obersten) die Sorge für die persönliche Sicherheit der Gesandtschaften insbesondere eingebunden und alle Vorsicht und Klugheit anempfohlen wurde. Herr Oberst wolle nun angeben, was für Vorsichtsmassregeln für die persönliche Sicherheit der Herren Gesandten derselbe genommen habe?

»Alle von mir ausgeschickten Patrouillen, welche der Vorpostendienst nothwendig und die damaligen Umstände erforderlich machten, bekamen den strengsten Befehl, keine gesandtschaftliche Person, von was immer für einer Puissance sie immer sein sollte, anzuhalten, viel weniger derselben nur das Geringste in den Weg zu legen, sobald sich selbe als solche auch hinlänglich legitimieren könnte. Weil dann die mir unterstehenden Truppen gar keine Individuen der hohen Gesandtschaften kennen, so war es schon natürlich, dass ein oder der andere auf seinem Spazierritt oder -gehen, angehalten, um seine Legitimation angegangen und sobald diese hinlänglich und dem gemeinen Mann überzeugend genug war, wieder unaufgehalten passiert worden sei; wie dieses dem fürstlich würzburgischen Herrn Gesandten Grafen von Stadion und auch dem königlich preussischen Herrn Gesandten Baron von Jacobi begegnete[1]).« Barbaczy m. p., Oberst.

Das Protokoll wurde prael. ratif. abgebrochen und von sämmtlichen Beisitzern gefertigt um ½2 Uhr Mittags.

Folgen die Unterschriften der Gerichtsbeisitzer, des Präsidenten und des Auditors.

---

1) Vgl. S. 52.

Continuatum um 3 Uhr Nachmittags des nämlichen Tages.

Es wurde der Herr Oberst wieder vorgerufen und weiter befraget:

8.

Was die Patrouillen in der Nacht vom 28. auf den 29. April d. J. für Ordres erhalten haben und wie es eigentlich gekommen sein müsse, dass selbe gerade auf die Wagen der französischen Gesandtschaft gestossen waren, ob Herr Oberst hierüber keinen Aufschluss geben können?

»Diese Patrouillen hatten den Auftrag, allenthalben, hauptsächlich aber in der Gegend von Stollhofen und Plittersdorf zu patrouillieren, damit wir von dieser Seite her so leicht nicht überfallen werden konnten; dass sie in dieser bemerkten Nacht auf die Wagen der französischen Gesandten gestossen seien, soll nach einer mir gemachten Meldung aus dem Anlass geschehen sein, weil selbe (die Patrouillen) in derselben Gegend einen Lärm vernahmen und glaubten, dass es etwa französische Patrouillen sein könnten, worin sie dadurch noch mehr bekräftiget wurden, weil sie das, was gesprochen wurde, für französisch erkannt hatten.«

»Auf ihr erfolgtes Näherkommen hätten sie diesen unglücklichen Vorfall bemerket und wohl wahrgenommen, wie Einige theils zu Pferde, theils zu Fuss bei ihrer Ankunft entflohen wären; ich bin aber ausser Stand, in diesem Anbetracht etwas Ausführliches angeben zu können, doch werden die betreffenden Patrouillen, welche dazu kamen und die Wagen sammt den Geretteten wieder nach Rastatt begleitet hatten, Alles viel umständlicher und gründlicher aussagen können.«

9.

Ob Herrn Obersten nicht wissend, wie viel solche Patrouillen waren, die zu diesem unglücklichen Vorfall kamen und wie stark die Patrouillen gewesen seien?

»Meines Wissens waren in dieser Nacht zwei Patrouillen ausgeschickt, deren eine unter dem Commando des Wachtmeisters Konczak und die andere unter der Leitung des Corporals Moses Nagy geführt wurden. Obschon ich es nicht so genau bestimmen kann, so mag etwa beiläufig eine jede Patrouille 12 bis 13 Mann stark gewesen sein.«

10.

Ob Herrn Obersten nicht die übrige Mannschaft mit Namen bekannt sei, welche bei diesen Patrouillen gewesen war?

»Ich kann dieses nicht angeben, doch wird der Herr Rittmeister Burkhard, hauptsächlich aber die beiden Unterofficiers, die ich eben genannt habe, alle mit Namen angeben können, umso mehr, da auf meinen Befehl gleich sowohl die Unterofficiers, als die übrige Mannschaft dieser Patrouillen auf das Strengste untersucht wurden, aber nichts Anderes eruiert werden konnte, als was ich eben in meiner achten Antwort zu Protokoll gegeben habe.«

11.

Es verlaute, dass bei diesem Vorfall auch Plünderung der Wagen mit unterlaufen und Prätiosen, als Uhren etc. in Verlust gerathen seien, ob Herr Oberst bei der auf der Stelle veranlassten Untersuchung hievon keine Spuren oder Inzichten entdecken konnte, von den auf irgend einen Thäter aus wahrscheinlichen Gründen geschlossen werden könnte?

»So sehr ich alle Genauigkeit, Vorsicht und Accuratesse in der Visitierung am 29. April anempfohlen hatte, so konnte doch bei keinem nur das Geringste ausfindig gemacht werden und ich schmeichle mir, dass, wenn unter meinen Soldaten ein derlei geraubtes Gut wo immer verborgen gewesen, es sicher entdeckt worden sein würde, da mir dieses die Erfahrung bei Herausbringung unbedeutender Entwendungen manchmal bewiesen hat.«

12.

Es ist dem Herrn Obersten bereits selbst in seiner vierten Antwort nicht entgangen, dass sich in dem gewesten Congressort Rastatt das Gerücht verbreitet habe, als hätten Husaren von dem Ihrem Commando unterstehenden Regiment die Wagen der französischen Gesandten auf die grausamste Art angefallen, die beiden Gesandten Bonnier und Roberjot getödtet und den Gesandten Jean Debry verwundet; man wolle zugeben, dass dieses nur eine Sage und blosses Gerücht sei: allein es liegt in der Natur der Sache, dass sich auch das unerheblichste Gerücht immer auf irgend eine Wahrheit oder einen sonstigen Vorgang gründe, der mit dem ganzen, was einem oder dem andern aufgebürdet wird, in einigem Zusammenhang sich befindet. So ist im gegenwärtigen Fall die Dazukunft der Szekler-Husaren immer ein Umstand, der doch

die Vermuthung rege macht, dass einige derselben wenigstens einigen Theil an dieser That genommen haben; wie Herr Oberst diesen Verdacht von der Mannschaft des Regiments auf eine gründliche Weise abzulehnen im Stand sei?

»Ich berufe mich in dieser Hinsicht auf alles Dasjenige, was ich bereits in meiner vierten Antwort angegeben habe und füge noch hinzu, dass die zwei Unterofficiers einige der besten und verlässigsten im ganzen Regiment seien, Leute von der besten Conduite und jeder von ihnen mit einer Ehren-Medaille geziert sind, für die ich stehen kann, dass sie weder einer solchen That ihrer Denkungsart nach fähig wären, noch den unter ihrem Commando gestandenen Gemeinen je zugelassen haben würden, etwas Verabscheuungswürdiges zu verüben.«

»Das mehrere, was vielleicht dieses Gerücht noch besser entkräften kann, wird Herr Rittmeister Burkhard, der zur Zeit in Rastatt war, umständlicher angeben können.«

13.

Ob Herr Oberst Zeugen aufzuführen im Stande sei, welche alle diese Reden, so derselbe in seiner vierten und fünften Antwort erwähnt hat, auch zu bezeugen und erforderlichen Falls gerichtlich darzuthun im Stande sein würden?

»Die beiden Herren Barons von Lasollaye, deren einer Obervogt in Gernsbach ist, der andere sich aber in Baden aufhält, haben mir alle diese Gerüchte mit dem Beisatz noch am 30. April, da sie von Rastatt zurückkehrten, bekannt gemacht, dass sowohl an öffentlichen Orten, als auch bei Privaten sie die bemerkten Umstände auf eine vollkommen gleichlautende Art allenthalben vernommen haben.«

14.

Wie lang ist der Herr Rittmeister Burkhard noch nach der Hand in Rastatt gestanden und wer hat selben abgelöst?

»Er ist noch bis zweiten Tag nach dieser Begebenheit in Rastatt gestanden, wo ich ihn hernach durch den Herrn Rittmeister Szegel[1]) ablösen liess.«

---

[1]) Székely.

15.

Ob Herrn Obersten nicht bekannt, ob, dann wo und von wem, sowohl über die zwei ermordeten, als den verwundeten einen Herren Gesandten das ärztliche Visum repertum aufgenommen worden sei, welches zur Herstellung des Corpus delicti erforderlich ist?

»Das Visum repertum ist den 29. April d. J. von dem chirurgischen Personale in Rastatt aufgenommen worden und wird vermuthlich bei dem dortigen markgräflich badischen Oberamt hinterlegt sein.«

16.

Ob Herrn Obersten sonst noch etwas in Sachen bekannt sei oder derselbe noch etwas anzubringen wisse?

»Mir ist ausser dem Angegebenen in dieser Sache nicht das Geringste mehr bekannt; ich weiss auch sonst nichts mehr anzubringen.« Barbaczy m. p., Oberst.

Fertigte und bestätigte die ihm deutlich vorgelesene Aussage, und wurde mit eingebundenem Stillschweigen entlassen.

Vormerkung.

Da in Verlauf der Untersuchung die Aeusserung des Herrn Rittmeisters Burkhard vor allem Andern erforderlich erachtet wurde; so hat man denselben vorkommen geheissen und wie folget constituiert:

1.

Allgemeine Fragstücke.

Wie Herr Constitut heisse?

Ludwig von Burkhard von Kitzingen, aus dem Würzburgischen gebürtig, 49 Jahre alt, evangelisch, ledig, befindet sich 34 Jahre in k. k. Kriegsdiensten, dermalen Rittmeister vom Szekler-Husaren-Regiment.

2.

Besondere Fragstücke.

Da dem Herrn Constituten die Ursache seines Hierseins ohnehin aus allem Vorhergegangenen bekannt ist, so wolle man diese Frage weglassen und Herr Constitut wolle nun angeben, wann und an was für einem Tag und Zeit derselbe in Rastatt eingerückt sei?

»Ich bin am 28. April d. J., Abends um 7 Uhr beiläufig. mit meiner Escadron in eben befragten Ort eingerückt.«

3.

Auf welchen Befehl Herr Constitut dahin gerückt sei?

»Auf Befehl des Herrn Obersten und Regiments-Commandanten von Barbaczy.«

4.

Was Herr Constitut von selbem für Verhaltungs-Befehle im Allgemeinen erhalten habe?

»Ich habe vorher dem Herrn Obersten von Barbaczy die Meldung erstattet, dass ich von einem Kundschafter die Nachricht erhalten habe, dass die Franzosen den 28. in der Nacht oder vielleicht den folgenden Tag in der Früh vorrücken und die ganze dortige Gegend im Murg-Thale ausplündern wollten. Ich erhielt in Gefolge dessen den Befehl, nach Rastatt vorzurücken, daselbst Posto zu fassen und rechts und links Patrouillen zu schicken, damit ich nicht überfallen werden könnte, welches ich dann auch befolgt habe.«

5.

Wieviel Patrouillen der Herr Constitut in dieser Nacht vom 28. auf den 29. ausgeschickt habe und wie stark derlei Patrouillen gewesen seien?

»Gleich nach der Postofassung habe ich zwei derlei Patrouillen ausgeschickt, wovon jede 15 Mann stark war und eine den Befehl hatte, vorwärts gegen den Rhein, Plittersdorf zu, die andere aber in der Gegend von Steinmauern zu patrouillieren, noch eine mit acht Mann aber befehligte ich gegen Stollhofen um auch die dortige Gegend am Rhein zu beobachten[1]).«

---

[1]) Diese Angabe Burkhard's ist nicht ganz genau. Aus den weiter unten folgenden Aussagen der Husaren geht hervor, dass zwei Patrouillen abgefertigt wurden und zwar hatte die eine unter Wachtmeister Konczak (mit 15 Mann) gegen Stollhofen, die zweite unter Corporal Nagy (mit 13 Mann) gegen Steinmauern und dann gegen Plittersdorf zu streifen. Ausser diesen beiden Patrouillen wurde gleich nach dem Einrücken in Rastatt Lieutenant Fontana mit 29 Mann nach Plittersdorf beordert, wo er Posto zu fassen und längs des Rheins zu patrouillieren hatte: eine zweite kleine Abtheilung aber hatte Steinmauern zu besetzen. (Vgl. die Aussage des Schultheiss Nicolaus Becker aus Steinmauern. Obser, a. a. O., III., 424.)

6.

Ob der Herr Constitut von dem Herrn Oberst von Barbaczy keine bestimmten und besonderen Verhaltungsbefehle in Absicht der zu Rastatt sich noch aufhaltenden Gesandtschaften verschiedener Höfe erhalten habe und falls, was das für Befehle gewesen seien?

»Er hat mir sonst keinen Auftrag oder Verhaltungsbefehl gegeben, als, dass ich sowohl, als meine unterhabende Escadron den dortigen Gesandtschaften mit aller Achtung begegnen und man ihnen nicht das geringste Hinderniss in den Weg legen solle, welches ich dann auch auf das sorgfältigste beobachtete und auch aus dieser Rücksichtnehmung einen Officier an den badischen Herrn Minister von Edolsheim und den dortigen Stadt-Commandanten Major von Harrant abschickte, um sie vorläufig in Kenntniss zu setzen, dass ich von meinem Commandanten den Befehl habe, Rastatt zu besetzen. Sie hatten auch nicht das Geringste dagegen und ich besetzte mit meiner Mannschaft gemeinschaftlich mit den badischen Truppen die Thore.«

7.

Ob Herr Constitut sich in Rastatt mit der Mannschaft einquartiert, oder sonst ausser der Stadt Posto gefasst habe?

»Nachdem ich alle für nothwendig befundenen Posten besetzt hatte, habe ich mit meiner übrigen Mannschaft vor dem Karlsruher Thor Posto gefasst und die Patrouillen an die von mir oben bemerkten Gegenden ausgeschickt.«

8.

Ob Herr Constitut in dieser seiner gefassten Postierung die ganze Nacht ruhig geblieben, oder durch irgend etwas beunruhiget worden sei?

»Ich bin öfters in dieser Nacht beunruhiget worden: unter Andern kam auch der dänisch-holsteinische Gesandte von Rosenkrantz und deutete mir an, dass er noch in dieser Nacht den 28. April abreisen werde: ich entgegnete ihm, dass dies nicht angehen würde, indem ich an alle meine Thorposten den Befehl ertheilet hätte, dass sie in der ganzen Nacht hindurch Niemanden hinaus lassen sollen, damit der Feind von meiner Stellung gar keine Nachricht zu erhalten im Stand sei.«

»Der Herr Gesandte erwiderte mir, dass er reisen müsse, dass er Gesandter sei und nicht wohl aufgehalten werden könne; ich antwortete dann wieder, dass es mir leid thun würde, ihn, wenn er auch schon mit seiner Equipage am Thor stünde, zurückweisen und ausspannen lassen zu müssen; auf diesen Bescheid gieng dieser Herr Gesandte von mir weg, ist aber nicht mehr in dieser Nacht aus Rastatt abgegangen[1]).«

9.

Ob sonst keine Gesandten aus Rastatt in dieser Nacht abgehen wollten und falls, welche?

»Spät, gegen 10 Uhr Nachts, meldete mir ein von dem Wach-Commandanten des Rheinhauser (Rheinauer) Thors zu mir geschickter Gemeiner, dass ein französischer Gesandter sich daselbst befinde und noch in der Nacht hinausgelassen zu werden verlangte, indem er noch diese Nacht nach Frankreich abreisen wollte. Dieser Gemeine sprach den Namen dieses Herrn Gesandten so corrumpiert aus, dass ich nur errathen musste, es werde vielleicht Jean Debry sein. Bald darauf kamen mehrere Herren Gesandten von verschiedenen

[1]) Nach dem »Authentischen Bericht«, will sich Rosenkrantz auf die französischen Gesandten berufen haben, die »im jetzigen Augenblick aus dem Rheinauer Thor abführen,« worauf Burkhard geantwortet haben soll: »Die Abreise der französischen Gesandtschaft zu hindern, habe er keinen Befehl.« Das kann nicht richtig sein, denn thatsächlich wurden die Franzosen später, wie ja der »Authentische Bericht« selbst erzählt, beim Thor angehalten und ihnen die Abreise erst bewilligt, nachdem die deutschen Gesandten darum beim Rittmeister besonders angesucht. Rosenkrantz will auch, während seiner Unterredung mit Burkhard, diesem »dringend« Vorstellungen gemacht haben, »doch alles anzuwenden, damit keine Unordnungen bei dieser Abreise vorfielen,« worauf Burkhard geantwortet haben soll, »er habe für nichts als seine eigene Sicherheit zu sorgen«. Es liegt doch die Frage nahe, warum denn Rosenkrantz selbst abreisen wollte (ohne Escorte!), wenn er »Unordnungen bei dieser Abreise« befürchtet hat? Und warum er den französischen Gesandten diese abwehrende Antwort des Rittmeisters nicht überbrachte mit der »dringenden« Vorstellung, die Abreise zu unterlassen, da nach den Aeusserungen Burkhard's »Unordnungen« zu erwarten seien? Die Absicht des »Authentischen Berichtes« ist thatsächlich nicht mehr durchsichtig; sie liegt in unverhüllter Nacktheit zu Tage.

Höfen zu mir an das Karlsruher Thor und machten mir auch die Vorstellung, dass ich selbe (die Herren Gesandten der französischen Republik) noch diese Nacht zum Thore hinaus passieren lassen solle, indem ihnen von dem Herrn Obersten von Barbaczy 24 Stunden festgesetzet worden seien, binnen welchen sie Rastatt verlassen haben müssten.«

»Ich verwunderte mich bei mir selbst sehr, dass diese Herren Gesandten in dieser finsteren Nacht noch abzureisen beharreten, da nicht einmal zu denken war, dass sie ohne Gefahr in dieser Finstere über den Rhein geführet werden würden, auch sie noch den ganzen kommenden 29. Tag für sich zu ihrer Abreise vollzählig hatten; weil aber die anderen Gesandten alle in mich drangen, ihnen in ihrer selbst so gewählten Abreise nicht hinderlich zu sein, so gab ich nach, ertheilte an dem Rheinauer Thor den Befehl, dass man die französische Gesandtschaft, sammt ihrem Gepäck, noch in der Nacht passieren lassen solle und sie sind um 10 Uhr beiläufig bei dem bemerkten Thor aus Rastatt abgereiset.«

von Burkhard m. p.
Rittmeister.

Wegen einbrechender Nacht wurde um 8 Uhr prael. rat. abgeschlossen und das Protokoll zur Beglaubigung gefertigt.
Sig. Villingen am 7. Mai 1799.

Folgen die Unterschriften der Gerichtsbeisitzer, des Präsidenten und des Auditors.

Continuatum Morgens um 8 Uhr am 8. Mai 1799. Es wurde der Herr Rittmeister von Burkhard vorgerufen und in Verfolg der gestern abgebrochenen Antworten weiters befraget:

10.

Ob bei der Abreise der Gesandtschaft der französischen Republik von dieser bei Herrn Constituten eine Sicherheitswache oder militärische Escorte abverlanget worden sei?

»Es ist meines Wissens keine Escorte von den französischen Herren Gesandten bei mir verlangt worden, denn die französischen Herren Gesandten sind gar nicht zu mir gekommen, indem nur die übrigen Herren Bevollmächtigten der deutschen Höfe, wie ich in meiner vorigen Antwort bemerkte, in mich drangen, den französischen Herren Gesandten die Abreise nicht zu verweigern. Uebrigens könnte es sein, dass ein oder der andere der Herren Gesandten, unter den verschiedenen geführten Reden von einer Escorte etwas einfliessen liess, will es daher nicht ganz in Abrede stellen[1]).«

»Uebrigens muss ich bemerken, dass, wenn auch eine Escorte von mir ausdrücklich verlangt worden wäre, ich selbe abzuschlagen nothgedrungen gewesen sein würde, indem ich einen Theil meiner Mannschaft auf Patrouillen und Thorwachen verwendet hatte und den übrigen beisammenhalten musste, um nicht überfallen zu werden, da ich vermög eingelaufenen Nachrichten der Kundschafter keinen Augenblick sicher war, dass der Feind einen Angriff wage und ich wohl und mit Grund vermuthen konnte, dass er vielleicht gerade den Zeitpunct abwarte, um, in der Meinung, dass ich vielleicht Mannschaft zur Begleitung abgegeben habe, mich umso viel schwächer zu finden; ich würde also meines Erachtens sehr dienstwidrig gehandelt haben, wenn ich in diesen Umständen, wo der Feind mich alle Augenblicke anzugreifen bedrohete, eine Escorte und wenn sie auch noch so gering gewesen wäre, gegeben hätte, da die französische Gesandtschaft gar nicht pressiert war, in dieser Nacht abzureisen und leicht den Tag, nämlich den 29. April, hätte abwarten können, wo jeder Mensch eine Reise lieber und sicherer anzutreten pflegt.«

»Zum Ueberfluss will ich hier noch eines, in Rastatt bekannten Schreibens erwähnen, vermög dessen Inhalt von dem französischen Kriegsminister an den Stadt-Commandanten

---

[1]) Ob überhaupt und wer eine Escorte verlangt hat, ist nicht festzustellen. Der »Authentische Bericht« sagt, der chur-maynzische Legations-Secretär Münch sei in dieser Angelegenheit zu Burkhard gesandt worden; dass dies falsch ist, wissen wir bereits von Münch selbst (S. S. 137). Dann soll Major Harrant die Antwort Burkhard's gebracht haben: »Der Rittmeister könne eine Escorte nicht geben, weil er dazu keine Ordre habe; die französischen Gesandten würden aber kein Obstacle in ihrem Wege finden.« Zweifellos ist wohl, dass, wer immer in dieser Angelegenheit bei Burkhard gewesen sein mag, besonders dringend auf Beistellung einer Escorte nicht angetragen hat. (Vgl. auch S. 203 ff.)

in Strassburg der Auftrag geschah, dem Minister Bonnier so viele Truppen nach Rastatt zu seiner Sicherheit zu geben, als selber für nöthig finden würde[1]).«

11.

Ob sonst eine Bedeckung mit derselben abgegangen sei?

»Meines Wissens ist keine Bedeckung, wie es immer Namen habe, mit selben abgegangen.«

12.

Mit wieviel Wagen sie um 10 Uhr Abends am 28. April abgegangen seien?

»Ich halte dafür, dass deren sieben gewesen seien und es ist mir auch von der Rheinauer Thorwache gemeldet worden, dass sämmtliche französische Gesandtschaften mit sieben Wagen abgegangen seien.«

[1]) Thatsächlich hatte der Commandant von Strassburg den französischen Gesandten diesen Vorschlag gemacht, doch war er von Jenen zurückgewiesen und dem General bedeutet worden, ihnen keinerlei Schutztruppe zu senden. (»Narré fidèle«, Häberlin, VII, 126.) Dieses Schreiben der französischen Gesandten an den Commandanten von Strassburg war nun allerdings mit dem am 25. April aufgehobenen französischen Courier (s. S. 63 ff.) in die Hände Barbaczy's gefallen; trotzdem ist es falsch, wenn Obser behauptet (»Zeitschrift für die Geschichte des Ober-Rheins,« N. F. VII, 720), Barbaczy habe aus diesem Schreiben entnommen, dass die Gesandten sich jede Art von Escorte verbeten, dass also ein Angriff von Seite der Franzosen nicht zu befürchten war, denn erstens war ja der fragliche Brief nicht an seine Adresse gelangt, der Commandant von Strassburg konnte also auch nicht wissen, dass seine angebotene Escorte zurückgewiesen worden sei und zweitens hatte Oberst Barbaczy absolut keine Kenntniss von dem Inhalt der aufgefangenen Briefschaften, die nicht nur er, sondern sogar Görger und wahrscheinlich auch die übrigen höheren Generale uneröffnet in das Hauptquartier des Erzherzogs sandten. (Vgl. S. 64 und 65.) Uebrigens war Minister Edelsheim am 26. April der Ansicht, die französischen Gesandten würden jetzt vielleicht doch den Vorschlag des Commandanten von Strassburg annehmen. (»Il se peut fort bien qu'ils, les ministres, adoptent maintenant la proposition du commandant de Strassbourg, d'envoyer ici une force armée suffisante pour les délivrer«. Obser, Politische Correspondenz, III. Nr. 297.)

13.

Ob Herrn Constituten nicht erinnerlich, ob dieses Gesandtschafts-Personale sich mehrerer Fackeln bedienet oder in der Finstern abgereiset sei und ersteren Falls, wie viel Fackeln sie bei sich hatten?

»Es hat geheissen, dass sie Fackeln bei sich gehabt haben, wieviel aber deren, wüsste ich ebensowenig anzugeben, als ich bestimmen könnte, ob alle gebrannt hatten oder nicht, indem ich nicht bei dem Thor, wo sie hinauspassierten, sondern auf meinem Posten vor dem Karlsruher Thor gewesen bin.«

14.

Herr Constitut soll nun auf Wahrheit angeben, was ihm von dem diesen Herren Gesandten begegneten unglücklichen Vorfall bekannt sei und bemerken, wann das Gepäck dieser Gesandtschaft wieder nach Rastatt zurückgekehrt sei?

»Es mag etwa eine Stunde angestanden sein, so kamen mehrere Herren Gesandten in grosser Bestürzung zu mir und sagten mir, dass die französische Gesandtschaft an der Strasse zwischen Rastatt und Rheinau angefallen worden und die Gesandten aus ihren Wagen entsprungen seien, drangen auch in mich, ihnen eine Patrouille zu gewähren, um diese Gesandten wieder ausfindig zu machen und sicher nach Rastatt zurückzubringen. Ich machte gleich eine Patrouille aus und schickte selbe hinaus auf die Strasse, wo dieses Unglück geschehen sein soll.«

»Allein, ehe noch die von mir letzt abgeschickte Patrouille zurückkehrte, kam der Wachtmeister Konczak, welchen ich gleich bei meiner Postierung vor Rastatt auf Patrouillierung in die Gegend von Stollhofen abgeschickt hatte und meldete mir nachstehende Thatsachen:

»Er sei nämlich mit seiner Patrouille auch um die Strasse von Rheinau herum gekommen und habe auf selber einen ziemlich starken Lärm vernommen. Als er sich näher hinzu begeben hatte, in der Meinung, dass es vielleicht ein Vortrab des Feindes sein könnte, hörte er ein noch stärkeres und heftigeres Geschrei, habe auch Leute sowohl zu Pferd, als zu Fuss auf Wagen ab- und zusprengen mehr gehört als gesehen (indem es sehr finster gewesen), welche aber bei seiner Annäherung mit der Patrouille in einem nächstgelegenen Wald sich verloren haben. Er, Wachtmeister, habe ihnen zwar durch seinige Leute nachsetzen lassen, sie aber selbe, wegen Finstere der Nacht und unter dem Schutze des Waldes nicht mehr einholen können; vor diesem Allem sei auch der Corporal Nagy mit einer anderen Patrouille zu ihm gestossen und sie hätten wahrgenommen, dass zwei todte Körper auf dem Platz gelegen seien.«

»Uebrigens wären die Bedienten oder sonstigen Leute mit den Fackeln schon ehevor entlaufen, als er mit seiner Patrouille auf diese Wagen gestossen sei und könne daher keine vollständigere Meldung vor der Hand machen, weil er nichts wegen Finsterniss ausnehmen konnte und nur ein Lärmen und Schreien, welches meistens seines Dafürhaltens in französischer Sprache gewesen sei, vernommen habe; den Corporal habe er übrigens, nebst der Mannschaft von beiden Patrouillen zur Sicherheit und Bedeckung der Wagen zurück gelassen, bis ich ein Weiteres befehlen würde.«

»Kaum hatte ich diese Meldung durch den Wachtmeister erhalten, so kamen schon mehrere Gesandtschafts-Personen zu mir an das Karlsruher Thor mit der gleichfalls unglücklichen Nachricht, dass zwei der französischen Gesandten todt, einer davon aber, nämlich Jean Debry, vermisset sei.«

»Ich muss aufrichtig gestehen, dass mich diese unerwartete Begebenheit dergestalten erschüttert hatte, dass ich den zu mir gekommenen und gleichfalls in der grössten Bestürzung sich befundenen Herren Gesandten kaum zu antworten im Stande war, weiss mich daher auch an Alles dessen nicht mehr zu erinnern, was ich in der Zerstreuung ihnen auf ihre gleichfalls in der damaligen Verwirrung von sich gegebenen Reden entgegnet habe. Nur so viel ist mir noch im Gedächtniss, dass ich mich äusserte, die französischen Herren Gesandten hätten diesem Unglück leicht und ganz zuverlässig ausgewichen, wenn man meiner ersten Einwendung nachgegeben und sowohl von Seite der französischen, als aller übrigen hohen Gesandtschaft nicht so sehr und nachdrücklich auf der nächtlichen Abreise beharret hätte.«

»Meines Erinnerns setzte ich noch gleichsam als Beispiel bei, dass schon Generalen von uns und auch vielen anderen

Personen ein gleiches Unglück begegnet sei, wenn sie, ohne nothgedrungen zu sein und ohne unausweichliche Ursache, eine Reise in der Nacht anzutreten unvorsichtig genug waren.«

»Die Herren Gesandten verlangten auch noch in der Nacht von mir eine Patrouille, welche den sich selbst hiezu angetragenen Herrn Major und Stadt-Commandanten von Harrant begleiten solle, um den vermissten Herrn Jean Debry aufzusuchen. Unter dem Vorgeben aber, dass es noch Nacht wäre, dieses Suchen doch von keinem Erfolg sein würde und es ohnehin bald Tag werde, stunden alle von diesem vorhabenden Uebereinkommen ab und erst, da es Tag zu werden anfieng, verlangte Herr Major von Harrant wieder von mir eine Begleitungs-Patrouille, die ich ihm dann auch gegeben und mit welcher er in die Gegend, wo dieses Unglück geschah, abgegangen ist, nach zwei Stunden aber wieder, ohne selben gefunden zu haben, zurückkehrte, obschon er im Wald, wie er vorgab, öfters den Namen dieses Jean Debry laut gerufen habe.«

»Um in meiner oben abgebrochenen Erzählung fortzufahren — so habe ich den Wachtmeister Konczak, gleich nachdem ich von ihm die obberührte Meldung erhielt, wieder mit dem Auftrag auf den Ort, wo er die Gesandtschafts-Wagen verlassen, rückgesendet, damit er Alle unter Bedeckung der beiden Patrouillen in die Stadt führen solle, weil, wie mir nach der Hand gemeldet wurde, einer dieser Wagen umgeworfen war und man mit dessen Aufrichtung lange zu thun hatte, so kamen diese sämmtlichen Wagen, unter der Bedeckung meiner Husaren, um 2 Uhr in der Nacht beiläufig in der Stadt an und wurden auf meinen Befehl innerhalb des Karlsruher Thors aufgeführet, nachdem die darin gewesten und noch geretteten Frauen in der Stadt abgestiegen waren, die Pferde des Herrn Markgrafen aber wieder ausgespannet wurden.«

15.

Man könne Herrn Constituten nicht bergen, dass vermög einem, in Rastatt nach diesem Vorfall sich verbreiteten Gerücht diese That einigen gemeinen Husaren des nämlichen Regiments (Szekler) zugezeuget worden sei, wie Herr Constitut diese Zuzeugung abzulehnen und überhaupt die Frage zu beantworten im Stand sei?

»Ich habe ausser meiner Escadron sonst keine Truppen mit mir gehabt und diese wurden alle, wie ich schon oben angab, theils auf Patrouillen geschickt, theils zur Besetzung der Thore in Rastatt verwendet, theils endlich vor dem Karlsruher Thor bei mir versammelt gehalten, dass von diesen kein einziger als Thäter beinzichtiget werden kann.«

»Die zwei Patrouillen, welche unter dem Commando des Wachtmeisters Konczak und des Corporals Nagy auf die französischen Wagen stiessen, kamen erst hin, wie die That bereits vollbracht war und man kann ihnen wohl mit Recht die Rettung der Uebrigen, nicht aber die Ermordung der Ersteren zuschreiben.«

»Sie haben sogar darin ihre Pflicht nicht verabsäumet, dass sie Diejenigen, welche sie während dem Geschrei theils zu Pferd, theils zu Fuss auf die Wagen ab- und zusprengend bemerkten, sogar in den Wald verfolgt hatten und durch die Finstere der damaligen Nacht sie vielleicht einzuholen verhindert worden sind.«

»Zudem ist es ja in ganz Rastatt noch bei meiner Anwesenheit daselbst eine stadtkundige Sache gewesen und der nach der Hand wieder zum Vorschein gekommene Herr Jean Debry hat es selbst bestätiget, dass er in französischer Sprache angerufen und um seinen Namen befragt worden sei und man dann erst auf ihn gehauen habe, sobald man durch seine Antwort versichert wurde, dass es richtig Jean Debry sei.«

»Eine ähnliche französische Anrufung sei auch allen zwei anderen Herren Gesandten gemacht worden. Wie lässt sich eine solche Rede von einem Husaren von unserem Regiment wohl mit Grunde aufbürden, deren Keiner ausser seiner Muttersprache, der ungarischen und Ein oder der Andere dem gebrochenen Deutsch — sonst keiner Silbe von einer fremden Sprache kundig ist? Es wird ja selbst in Rastatt diese That öffentlich der Verschwörung einiger Emigranten zugedeutet, wovon Bonnier selbst schon einigen Argwohn gehabt haben muss, weil gleichfalls öffentlich bekannt ist, dass er noch vor seiner Abreise bei der Nacht in die Worte ausbrach: »Also, gehen wir, allein ich für meine Person weiss, dass ich nicht über den Rhein kommen werde[1]). Wie dieser Herr Bonnier auch der Einzige, der dieser nächtlichen Abreise nicht beigepflichtet haben soll, sondern von den anderen Zwei dazu bestimmt worden ist[2]).«

»Wie hätten Husaren von unserem Regiment gerade die drei Herren Gesandten zu ermorden trachten und alle Uebrigen — wenigstens zur Zeit, als meine Patrouillen dazu kamen — unangefochten lassen sollen, da es ihnen sehr gleichgiltig gewesen sein müsste, diesen oder jenen Wagen anzufallen, diese oder jene Personen zu tödten, wenn sie nur ihren Endzweck, zu plündern — wie man ihnen im Gerücht zur Last legt — erlangt haben würden?«

»Dies Alles zeigt klar auf decidierten, von irgend einer geheimen Verschwörung und einem erklärten Feind dieser drei Gesandten eingeleiteten und verübten Mord, der keine Raubsucht, sondern persönliche Rache voraussetzt, welcher keiner der Husaren fähig ist, da nicht einer von ihnen diese drei Herren persönlich gekannt hat.«

»Und kann nicht ebenso gut, den Gesandten Bonnier und alle übrigen zwei zu ermorden, ein emigrierter Niederländer den Führer gemacht haben? da öffentlich bekannt ist, dass Bonnier die einzige Ursache, warum für diese Emigranten ihre Güter verloren gegangen seien.«

»Herr Jean Debry selbst hat ja, als ihn der Herr Lieutenant Draveczky an den Rhein begleitete und die sämmtlichen Wagen dahin escortiert wurden, sich für diese Begleitung bedankt und gesagt: wenn er einem oder dem anderen von den Szekler-Husaren-Officiers etwas dienen könnte, so würde er sich jederzeit daraus ein Vergnügen machen.«

»Er beschenkte meine als Begleitung mitgeweste Mannschaft und wollte sogar die beiden Herren Officiers Dra-

---

[1]) Der badische Minister Edelsheim schrieb am 13. Mai an Regierungsrath Kappler: »Nachdem die französischen Ministers das erste Mal am Thor angehalten worden, ausgestiegen und wieder zum Directorial Albini gekommen waren, sagte Minister Bonnier laut mit ausserordentlichem Nachdruck: »Je suis sûr que ce sera la nuit de ma mort.« (Obser, a. a. O., III, 241.)

[2]) Vgl. S. 74.

veczky und Fontana beschenken, wenn sie es angenommen hätten; ein Zeichen, dass er nicht den mindesten Verdacht. als wären seine Angreifer Husaren von unserem Regiment gewesen, damals geheget habe.«

»Auch gab Jean Debry unserem Trompeter, der vor dem ganzen Zug vorausgeritten hatte, ein versiegeltes Billet mit dem Bemerken, selbes gleich zu weisen, wenn etwa französische Patrouillen auf den Zug stiessen. Ich will dieses hier nur desswegen erwähnen, um zu zeigen, dass Jean Debry auch etwas von einem vorhabenden Ueberfall seiner Landsleute auf unsere Vorposten bekannt gewesen sein müsse, ansonsten er keine Ursache, diese Vorsicht zu gebrauchen, gehabt haben würde.«

»Uebrigens wird auch Herr Major von Harrant, der den Zug begleitete, alles dieses von mir Angegebene bestätigen können.«

16.

Wann und um welche Stunde die Gesandtschafts-Wagen sammt Herrn Jean Debry und dem übrigen Gesandtschafts-Personale von Rastatt abgegangen seien, um über den Rhein geführt zu werden?

»Der Zug gieng um 12 Uhr Mittags am 29., unter Begleitung des Lieutenants Draveczky, eines Unterofficiers, eines vorreitenden Trompeters und 12 Mann, von Rastatt ab; es gieng aber mit der Ueberfahrt über den Rhein bis Abends, indem die Begleitung erst um 6 Uhr zurückgekehrt war.«

»Herr Lieutenant Fontana, dessen ich in meiner vorigen Antwort erwähnte, war nicht unter der Begleitung, sondern befand sich in Plittersdorf auf Commando und hat noch mit dem Herrn Gesandten der ligurischen Republik italienisch gesprochen, wie ich nach der Hand von ihm selbst erfahren habe, indem dieser Herr Gesandte auch mit dem französischen Gesandtschafts-Personale seine Reise über den Rhein angetreten hatte.«

17.

Es komme vor, dass mehrere Herren Gesandten den Wunsch geäussert haben, den französischen Herrn Gesandten Jean Debry bis zur Ueberfahrt zu begleiten und dass Herr Constitut es ihnen verweigert habe, aus was für Ursache diese Verweigerung geschehen sei?

»Ich habe diese ihre Wunsches-Aeusserung für ein Misstrauen angesehen, als setzten sie an die von mir ausgemachte Begleitung einen Zweifel und dieses war die Hauptursache meiner Weigerung. Zudem dünkte mir, dass die übrigen Personen einer anderen Gesandtschaft gar nicht nothwendig waren und nach der Hand leicht hätte gesagt werden können, als hätten die übrigen deutschen Herren Gesandten die französische Gesandtschaft bis an den Rhein begleiten müssen.«

»Uebrigens ist doch der preussische Herr Legations-Secretär von Jordan und der badische Herr Major Harrant mit unter den Begleitern gewesen.«

»Ferners war auch der blosse Befehl, den ich erhielt, dahin gegangen, nur allein die französische und ligurische Gesandtschaft bis an den Rhein zu begleiten, nicht aber andere Herren Gesandte mitgehen zu lassen. Ich habe mich also blos nach meinem Befehl gehalten.«

Vormerkung.

Bei der Vorlesung setzte Herr Constitut noch Nachstehendes zur Erläuterung seiner Antwort auf die 14. Frage hinzu:

»Ich habe nämlich als Beispiel angeführt, dass auch Generale und andere Personen etc. umgekommen wären, welche unnöthiger Weise in der Nacht gereist sind, wie auch wirklich blos der Finsteren der Nacht zuzuschreiben war, dass im Jahrgang 1795 bei Mannheim ein Stabs- und mehrere Officiers sammt vielen Gemeinen blessiert und von unseren eigenen Leuten zusammengehauen wurden, blos desswegen, weil man in der Nacht einander nicht so geschwind erkennen konnte.«

von Burkhard m. p.
Rittmeister.

Wurde prael. ratif. wieder entlassen und das Verhör um 1 Uhr Mittags abgebrochen.

Folgen die Unterschriften der Gerichtsbeisitzer etc.

Continuatum um 1/24 Uhr Nachmittag am 8. Mai 1799.
Es wurde mit der weiteren Constituierung des Herrn Rittmeisters von **Burkhard** fortgefahren.

18.

Es komme vor, dass eine Plünderung der Gesandtschafts-Wagen unterlaufen sei; Herr Constitut solle daher mit Wahrheit angeben, ob er nicht Spuren und Entdeckungen gemacht habe, dass bei denjenigen Husaren, so auf diese Wagen als Patrouille gestossen sind, nicht verschiedene fremde Pretiosen und andere Habseligkeiten sich vorgefunden haben und falls, was für eine?

»Es sind von mir derlei Entdeckungen nicht gemacht worden, auch habe ich bei ihnen ungeachtet aller Nachsuchung nicht Geraubtes oder Geplündertes vorfinden können.«

19.

Ob also von den Gesandschafts-Wagen gar nichts, wie es immer Namen habe, weggekommen, oder mitgenommen worden sei?

»Ich stelle nicht in Abrede, dass Plünderungen der Wagen unterlaufen seien, doch kann ich es nicht auf die Husaren der Patrouille kommen lassen, weil ich bei meiner Nachsuchung nicht die geringste Spur bei ihnen entdecket habe. Diese Plünderung muss schon zum grössten Theile unterlaufen sein, ehevor noch die zwei Patrouillen meiner Escadron auf den Platz dieser unglücklichen Begebenheit gekommen waren.«

»Auch ist ein Wagen, wie angegeben, umgeworfen gewesen und erst von meinen Leuten wieder aufgerichtet worden, wird daher vermuthlich auch manches in Verlust gerathen sein; zudem sind die Wagen bei der Nacht nach Rastatt gekommen, wo bei dem ungemein grossen Zusammenlauf von Menschen sich mancher Arme nicht wird vergessen und auch von der Dienerschaft, ohne dass man es merken konnte, in den einen oder anderen Wagen hineingelangt und manches herausgenommen haben würde.«

»Sobald aber die Wagen innerhalb dem Karlsruher Thor aufgefahren waren, kann ich bürgen, dass nichts mehr enttragen werden konnte, weil ich gleich die Veranstaltung mit Einvernehmen des die Wache habenden badischen Officiers getroffen habe, dass von den badischen zwei

Posten und von meiner Escadron ein Posten als Wache ausgemacht wurden, welche auf die Wagen Acht zu geben hatten, auch sorgte ich, damit immerfort Pechpfannen brennend erhalten, und andere Wachfeuer gemacht wurden, damit die Finsterniss Niemand zu einer Enttragung Anlass geben könne.«

»Uebrigens habe ich aus guter Vorsicht die Säcke mit Gelde, welche in einem Wagen gelegen waren und deren drei versiegelt, der andere schon aufgebrochen und mit Laubthalern gefüllt war, nebst vielen anderen Kleinigkeiten und auch Pretiosen, als Tabaksdosen, Schnallen etc. in Gegenwart des badischen Herrn Obervogts von Holzing von dem Wagen nehmen und in dasjenige Quartier, wo ich meine Schreiberei besorgte, bringen lassen, habe aber alle diese Sachen, sowie auch das Geld dem Kammerdiener des Roberjot wieder den kommenden Tag in Gegenwart des obbemeldten Herrn Obervogts eingehändiget, wobei ich wohl bemerkte, dass der Kammerdiener, während dass der Obervogt der Dienerschaft diese Effecten einpacken geholfen hatte, eine sehr schöne Tabatière in seinen eigenen Sack gesteckt habe.«

»Die vorfindigen Schriften, welche in einem viereckigen Reisekoffer und anderen hölzernen Truhen und dann in Paqueten und einer Schreibtasche waren, habe ich in Beisein des Herrn von Holzing von dem Wagen nehmen lassen und mir gleich vorgenommen, sie höheren Orts einzusenden, weil ich erst kürzlich auch die Schriften von dem angehaltenen französischen Courier dahin einzubefördern beauftragt wurde und also hierin nicht zu fehlen glaubte, da sie, wenn man sie nicht für nöthig fände, allzeit wieder rückgestellt werden könnten.«

»Es war auch eine viereckige Chatouille dabei, worin ich auch, weil sie mir sehr leicht vorkam, Schriften vermuthet habe und selbe aus dieser Ursache gleichfalls einschickte, obschon der Thurn- und Taxis'sche Gesandte Baron von Vrints die Herausgabe derselben von mir angesucht hatte.«

»Noch muss ich beisetzen, dass zwei Säcke mit Geld ich selbst dem Kammerdiener des Roberjot, die andern zwei aber der Herr Obervogt einem anderen von der gesandtschaftlichen Dienerschaft rückgestellt habe, weil derselbe etwas später als jener Bediente des Roberjot gekommen war.«

20.

Ob Herr Constitut seine ganze Mannschaft sowohl von den Patrouillen, so auf die Wagen stiessen, als auch alle übrigen von der Escadron auf das genaueste visitieren liess und nicht etwa bei Einem oder dem Anderen blutige Säbel, mit Blut bespritzte Montursssorten, oder sonstige Merkmale einer solchen verübten That bei irgend einem entdeckt habe?

»Ich habe sowohl die Säbel, als auch alle Montur meiner Mannschaft auf das genaueste besichtigt und nicht die geringste Spur, die mir nur die entfernteste Inzicht wider Einen oder den Anderen hätte geben können, entdeckt.«

21.

Wann dann die anderen Herren Gesandten aus Rastatt abgegangen seien?

»Es sind Alle am 29. und 30. April von Rastatt abgegangen.«

»Ich habe aber dem braunschweigischen Herrn Gesandten Baron Rheden 2 Husaren, dann dem Herrn Directorial-Gesandten 2 Mann als Begleitung mitgegeben, weil diese Beide es verlangten und ich in diesen späteren Tagen leicht auch Mannschaft entbehren konnte, indem kein Ueberfall mehr besorgt wurde und ich daher keine so starken Patrouillen mehr ausschicken durfte.«

»Die übrigen Herren Gesandten haben keine Begleitung verlangt, bis auf den preussischen Herrn Gesandten, welcher aber nicht abwartete, bis ich meine Escorte aufsitzen liess, sondern unter badischer Bedeckung nach Karlsruhe abgefahren war.«

22.

Ob Herr Constitut noch lange mit seiner Escadron auf Postierung in Rastatt geblieben sei, wann und von wem er abgelöst wurde und ob sich bis zu seiner Ablösung nichts Besonderes ereignet habe?

»Ich bin am 3. Mai durch den Herrn Kameraden Székely abgelöst worden und es hat sich bis zu meiner Ablösung nichts Besonderes mehr zugetragen.«

»Nur, dass dem Vernehmen nach von der badischen Regierung ein chirurgisches Visum repertum über die todten Körper und die Verwundung des Herrn Jean Debry aufgenommen worden sei.«

23.

Ob Herrn Constituten sonst noch etwas in Sachen bekannt sei?

»Nichts mehr.«

von Burkhard,
Rittmeister.

Der Herr Rittmeister wurde nach deutlich vorgelesener und bestätigter Aussage mit aufgelegtem Stillschweigen entlassen und das Protokoll um ½ 7 Uhr abgebrochen, dann zur Beglaubigung gefertigt.

Villingen, am 8. Mai 1799.

Folgen die Unterschriften der Gerichtsbeisitzer etc.

Continuatum Villingen, am 10. Mai 1799.

Da sowohl der Herr Oberst von Barbaczy, als auch Herr Rittmeister Burkhard über diesen Vorfall umständlich abgehört worden sind, so ist es im Verlauf dieser Untersuchung auch nothwendig, diejenige Mannschaft, welche bei den Patrouillen war, der Ordnung nach zu Protokoll zu vernehmen. Es wurde mit Constituierung des Wachtmeisters der Anfang gemacht.

1.

Wie Constitut heisse, woher gebürtig etc.

»Stephan Konczak, aus Bánfalu in Siebenbürgen gebürtig, 40 Jahre alt, katholisch, verheirathet, dient 21 Jahre und seit dem Jahr 1796 Wachtmeister vom Szekler-Husaren-Regiment, von Oberst-Division 1. Escadron, hat die silberne Ehren-Medaille.«

Specialia.

2.

Ob Constitut schon öfters vor Gericht oder sonst in eine Untersuchung verflochten gewesen sei?

»Niemals.«

3.

Ob ihm die Ursache seiner jetzigen Fürforderung bekannt sei?

»Ich bilde mir ein, dass ich wegen dem Vorfall, der sich unweit Rastatt mit den französischen Gesandten zugetragen hat, vorgerufen worden sei.«

4.

Was des Constituten erster Dienst gewesen sei, als er unter dem Commando des Herrn Rittmeisters Burkhard, am 28. April Abends, in Rastatt eingerückt war?

»Mein erster Dienst war, dass ich gleich nach der Postofassung bei Rastatt von dem Herrn Rittmeister beordert wurde, eine Patrouille vorwärts gegen den Rhein gegen Stollhofen zu machen, weil es durch Kundschaften bekannt war, dass der Feind vorrücken und unsere Vorposten angreifen werde.«

5.

Wann und mit wieviel Mann Constitut von Rastatt abgegangen sei?

»Den 28. April d. J. bin ich gegen 8 Uhr Abends mit 15 Mann von Rastatt abgegangen.«

6.

Ob Constitut alle die Leute mit Namen zu nennen wisse, welche diese Patrouille mitgemacht haben?

»Es waren die Gemeinen Johann Eggerth, Samuel Kolumba, Michael Nagy, Joseph Nagy, Andreas Marock, Johann Wartha, Ladislaus David, Petrus Mathei, Benedictus Tóth, Matthias Kéresztes, Andreas Jozsa, Georg András, Andreas Woina, Ignaz Portoy, Thomas Belatj mit mir auf Patrouille.«

7.

Wie lang er sich mit Patrouillieren abgegeben und wo er überall mit seiner Mannschaft patrouilliert habe?

»Ich bin in der Gegend von Hügelsheim, Iffezheim, gegen Stollhofen gewesen und mag höchstens drei Stunden betragen haben, die ich auf der Patrouille zubrachte.«

8.

Ob Constitut seine Mannschaft immer beisammen behalten, oder einige davon wiederum detachiert habe und wohin?

»Ich habe nach Erforderniss der Umstände und der Situation auch Seiten-Patrouillen von etwelchen Mann ausgeschickt, bald auch einige Mann vorausreiten lassen.«

9.

Ob Constitut nicht auch auf den Weg gekommen, welcher von Rastatt auf Rheinhausen (Rheinau) führet?

»Ich bin auf einen Seitenweg, der sich von Iffezheim in diesen Weg verliert, patrouillieren gewesen.«

10.

Constitut soll nun angeben, was sich auf diesem Weg zugetragen und in der eben bemerkten Nacht vom 28. auf den 29. April für ein Vorfall sich ereignet habe?

»Als ich mit meiner Patrouille auf den obenbemerkten Weg von Iffezheim her ritt, hörten wir einen Lärm, worunter sich auch ein Geheul von Weibern gemischt hatte. Ich liess halten und weil sich dieser Lärm immer vermehrt hatte, so ritt ich über eine dort befindliche kleine Brücke gerade auf den Platz zu, wo ich dieses Getös zu sein glaubte. Ich sprengte nur mit vier Mann vor und liess die übrigen in einer Entfernung von einigen hundert Schritten Halt machen. So viel ich in der Finstern ausnehmen konnte, so waren auf der Strasse mehrere Wagen gestanden. Ich jagte bei den ersteren drei Wagen vorbei und traf bei dem vierten Wagen schon einen Corporal, Namens Moses Nagy, an, der mir sagte, dass er ebenfalls patrouillieren gewesen und auf den Lärm, dessen ich oben erwähnte — dahin gekommen sei; er habe bei seinem Ankommen mehrere Menschen theils zu Pferd, theils zu Fuss von diesen Wagen wegsprengen und bei seiner Annäherung in dem nahe gewesten Wald entrinnen gesehen, die er aber nicht mehr einzuholen im Stande war. Nicht weit von diesen Wagen lag auch auf dem Boden ein todter Körper, welchen ich noch schüttelte und auf deutsch und ungarisch (Form) »Steh auf!« angerufen habe; in einigen Wagen sassen noch Frauenzimmer und einige Pferde wurden von Knechten gehalten, deren in Allem etwa fünf gewesen sein möchten und ich bilde mir ein, dass die übrigen bei diesen Wagen noch gewesenen Leute aus Schrecken davon gelaufen sein werden. Auch auf der Erde lagen verschiedene Sachen herum und die Wagen waren mit Truhen und anderen Verschlägen bepackt; ich habe aber alles Dieses nur obenhin bemerkt, denn sobald ich den todten Körper wahrgenommen habe, bin ich gleich geeilet, dem Herrn Rittmeister **Burkhard** hievon die Meldung abzustatten und um die weiteren Befehle zu bitten.«

»Ich habe noch selbst einen bei den Pferden gestandenen Kutscher befragt, wem denn die Pferde und Wagen gehörten, dann wer die zwei Todten — wovon ich den zweiten erst später entdeckt hatte — wären, erhielt auch von selbem die Antwort, dass die Pferde dem Herrn Markgrafen von Baden, und die Wagen den französischen Gesandten gehörten, über die Todten konnte mir aber dieser Kutscher auch keinen Aufschluss geben, indem er sagte, dass es finster sei und man diese Personen nicht erkennen könne, wie ich auch wirklich wegen Finstern nicht einmal unterscheiden konnte, mit was für Waffen sie getödtet worden seien.«

11.

Ob der Constitut, als er auf diese Wagen gestossen, gleichfalls, sowie er aus der Erzählung dieses Corporals **Nagy** erfuhr, Leute zu Pferd wegsprengen gesehen habe, oder nicht?

»Gesehen habe ich das selbst nicht, wohl aber vom Corporal gehört, dass sich solche in den Wald geflüchtet haben, wie auch wirklich bei meiner Ankunft zwei Mann von uns aus dem Wald zurückkehrten, welche jenen fruchtlos nachgesetzt waren.«

»Ich habe zwar meines Erinnerns dem Herrn Rittmeister gemeldet, als hätte ich selbst diese Leute noch wegsprengen gesehen, allein dieses geschah nur in der Uebereilung und nicht ich, sondern Corporal **Nagy** hatte sie wegsprengen bemerket, welcher auch hievon ein Mehreres wird angeben könnn.«

12.

Wie die vier Mann heissen, welche mit ihm vorgesprengt waren?

»Es waren der Gemeine Benedictus **Tóth**, Ladislaus **David**, Ignaz **Portoy** und Andreas **Woina**.«

13.

Ob die übrigen eilf Mann gar nicht dahin gekommen seien, wo die Wagen gestanden waren und dieser Vorfall sich ereignet hatte?

»Sie sind nicht zu den Wagen hingekommen, sondern etwa 6 bis 7 Schritte in der Entfernung zu Pferd stehen geblieben.«

14.

Ob Constitut nicht wisse, wie diese zwei Mann heissen, die Corporal Nagy den flüchtig gewordenen Unbekannten in den Wald nachschickte und die eben zurück kamen, als Constitut auf die Wagen nach gehörtem Lärm hinzugeeilt war?

»Ich kann ihre Namen nicht angeben, weil sie nicht von meiner Patrouille waren, doch wird der Corporal **Nagy**, der sie in den Wald zum Nachsetzen beorderte, ihre Namen angeben können.«

15.

Was Constitut denn also auf die dem Herrn Rittmeister gemachte Meldung, von selbem für einen weiteren Auftrag erhalten habe?

»Ich erhielt vom Herrn Rittmeister den weiteren Befehl, die Wagen wieder alle umkehren zu machen und sie nach der Stadt zu begleiten. Unterdessen ich zu dem Herrn Rittmeister gegangen bin, die bemerkte Meldung abzustatten, liess ich den Corporal **Nagy** sammt der übrigen Mannschaft bei jenen (Wagen) zurück und befahl ihm, selbe wohl bewahren zu lassen.«

16.

Es komme vor, dass die französischen Gesandtschafts-Wagen mit Fackeln begleitet worden seien, ob noch brennende Fackeln vorhanden waren, als Constitut auf den gehörten Lärm auf dieselben hinzugeeilt war?

»Als ich hinsprengte, war keine brennende Fackel da, sonst würde ich mehr gesehen und vielleicht auch desto eher Diejenigen haben entdecken können, welche bei der Annäherung des Corporals **Nagy** in den Wald entflohen waren.«

17.

Wieviel Uhr es beiläufig war, als Constitut auf den gehörten Lärm gegen die Wagen hinzueilte?

»Es mag zwischen 10 und 11 Uhr Nachts gewesen sein.«

18.

Wann und unter was für einer Begleitung die Wagen in die Stadt zurückgebracht wurden und also daselbst ankamen?

»Mit der Rücktransportierung der Wagen gieng es sehr lange, denn ein Wagen war sogar umgeworfen, bis also der aufgerichtet war, bis wieder Laternen und Fackeln aus der

Stadt verschafft wurden, wurde es lang nach Mitternacht und kann etwa 2 Uhr in der Nacht gewesen sein, als sie, durch unsere beiderseitigen Patrouillen begleitet, in die Stadt einrückten.«

19.

Wieviel es Wagen an der Zahl waren?

»Sieben Wagen.«

20.

Es verlaute, dass bei diesen Wagen auch Plünderung unterlaufen sei, ob Constituten nichts davon bekannt?

»Seit der Zeit, dass ich zu den Wagen geeilet war, wird schwerlich eine Plünderung unterlaufen sein, denn wann etwas geschehen ist, ist es vor unserer Dahinkunft vor sich gegangen. weil sogar ein Wagen umgeworfen war und ich, als nachher die Fackeln gebracht wurden, deutlich wahrnahm, dass ein Verschlag erbrochen auf der Erde lag und mehrere andere Sachen herumgestreuet waren.«

»Auch mag wohl geschehen sein, dass, als wir die Wagen durch Rastatt durch begleiteten, bei dem ungemein grossen Zusammenlauf von Menschen Manches enttragen wurde.«

21.

Es komme aber vor und werde behauptet, dass diese Plünderung von der Mannschaft dieser beiden Patrouillen geschehen sei?

»Ich habe nicht das Geringste gesehen, dass von unsern Leuten nur die unbedeutendste Kleinigkeit enttragen worden wäre; es sind ja Alle, welche sowohl bei meiner, als des Corporal Nagy Patrouille waren, auf der Stelle, im Beisein aller Herren Officiers von der Escadron durchaus visitieret worden und man hat nichts gefunden, was nur einigen Verdacht hätte erwecken können.«

22.

Ob Constitut überzeugt sei, dass seine Leute alle beisammen waren, als die Wagen in die Stadt zurück escortiert wurden und sich Ein oder Anderer nicht etwa entfernet habe?

»Es hat sich nie ein Einziger entfernt und als ich nach unserer Einrückung in Rastatt mit den Wagen sie stellen liess und verlesen hatte, mangelte Keiner.«

23.

Ob Constitut bei Keinem von der Patrouille einen blutigen Säbel oder Montur oder sonstige Merkmale einer verübten Mordthat bemerket habe?

»Es ist, wie ich schon oben bemerkt, jeder Mann auf das Genaueste visitiert worden, man hat aber keineswegs auch nur das unbedeutendste Merkmal entdecken können.«

24.

Was dann nachher mit den Wagen geschehen, als dieselben nach der Stadt gebracht waren?

»Als die Wagen inner dem Karlsruher Thor auf des Herrn Rittmeisters Befehl aufgeführt waren, wurden von uns ein und von den badischen Truppen zwei Posten ausgemacht, welche sie bis Weiteres bewahren mussten, ich aber rückte mit meinen Leuten bei der Escadron ein und weiss nicht mehr anzugeben, was weiters vorgefallen sei.«

25.

Ob Constitut nicht bekannt, wann diese sieben Wagen am andern Tag aus Rastatt abgefahren seien?

»Ich war nicht mehr dabei, doch habe ich nach der Hand vernommen, dass sie am 29. April noch Vormittag abgefahren seien.«

26.

Constitut habe oben bemerkt, dass er an der Rheinauer Strasse einen Lärm und ein Geschrei von Weibern vernommen habe und darauf zugesprengt sei? Ob er sich nicht besinnen könne, verstanden zu haben, was für Worte und in was für einer Sprache meistens gerufen worden sei?

»Ich habe anfänglich wegen noch weiterer Entfernung nichts Bestimmtes entnehmen können und als ich näher kam, waren schon die Meisten entsprungen, nur das Geschrei der Weiber war noch stark, doch sicher in keiner Sprache, die ich verstanden habe, nur das Wort: »Mon Dieu!« habe ich deutlich vernommen.«

27.

Ob Constitut sonst noch in Sachen etwas anzubringen oder seiner Aussage beizusetzen wisse?

»Nichts mehr.«

Stephan Konczak,
Wachtmeister.

Wurde nach ihm vorgelesener, dann bestätigter und von ihm gefertigter Aussage mit aufgelegtem Stillschweigen entlassen und das Verhör um ½8 Uhr Abends abgebrochen. Signat. ut supra.

Folgen die Unterschriften der Gerichts-Beisitzer etc.

Continuation um ½8 Uhr Morgens am 11. Mai 1799.

Es wurde nothwendig, nunmehr den Corporal, der die andere Patrouille geführt hatte, vorzurufen und nach vorgegangener Erinnerung, die reine Wahrheit anzugeben, wie folgt zu vernehmen:

Allgemeine Fragestücke.

1.

Wie Constitut heisse, woher gebürtig etc.

»Moses Nagy, von Köpecz in Siebenbürgen gebürtig. 42 Jahre alt, reformierter Religion, ledig, ohne Profession. dient 26 Jahre, Corporal von Oberst-Division, erster Escadron des Szekler-Husaren-Regiments, hat die silberne Ehren-Medaille.«

2.

Ob er schon öfters in eine Untersuchung verflochten und vor Gericht gewesen?

»Ich bin einmal wegen einer meinigen Privat-Angelegenheit vor einem Gericht gewesen, untersucht wurde ich aber niemals.«

3.

Ob Er die Ursache sich vorstellen könne, warum Er jetzt vorgerufen worden sei?

»Ich bilde mir ein, dass ich wegen dem bei Rastatt sich mit den französischen Gesandten ereigneten unglücklichen Vorfall vorgerufen worden sei.«

Besondere Fragestücke.

4.

Wann Constitut in Rastatt eingerückt sei, unter wessen Commando und wie lang er für seine Person allda sich aufgehalten habe?

»Ich bin unter Commando des Herrn Rittmeister Burkhard mit dessen ganzen Escadron am 28. April Abends zwischen 6 und 7 Uhr in Rastatt eingerückt, wurde aber beiläufig nach einer Stunde mit noch 15 Mann auf Patrouille abgeschickt.«

5.

Was Er da für Aufträge erhalten und wohin er die Patrouille gemacht habe?

»Ich bekam den Auftrag, mit meinen Leuten gegen Steinmauern zu reiten, um mich dann gegen Plittersdorf zu wenden und zu beobachten, ob ich nichts Feindliches sehe, weil man Nachrichten hatte, dass der Feind uns anzugreifen Willens sei.«

6.

Wie lang er mit seiner Patrouille weggeblieben und was ihm auf dieser Patrouillierung aufgestossen sei?

»Ich mochte auf meiner Patrouillierung am Rhein und der ganzen Gegend von Plittersdorf etwa 2½ Stunden zugebracht haben, ohne etwas Feindliches zu entdecken und war eben im Begriff, von Plittersdorf her gegen Rheinau auf Rastatt zurück zu reiten, als ich in einiger Entfernung einen Lärm vernahm und einige Lichter bemerkt hatte; ich ritt mit all' meinen Leuten auf diese Lichter zu, sah aber schon im Hinreiten, dass ein Licht nach dem andern verschwand und als ich auf den vermeinten Platz hinkam, gar keins mehr vorhanden war. Ich ritt voran und mein Pferd stutzte, etwas weiter vorzugehen, da ich selbes aber durch Spornen und Uebersetzung eines Grabens auf die Strasse brachte, nahm ich wahr, dass mehrere Menschen zu Fuss und zu Pferd gegen den Wald zu eilten und auf der Strasse selbst mehrere Wagen angehalten waren. So viel ich in der Folge ausnehmen konnte, so hatten einige dieser unbekannten Leute weisse und graue lange Kleider[1]) an, allein da ich näher kam und, wie bemerkt, die Lichter ganz erloschen waren, konnte ich nichts mehr unterscheiden, indem sie, gleich wie sie mein Hinzureiten bemerkt haben mochten, in den Wald geflohen sind, wohin ich ihnen auch sechs bis sieben Mann von meiner Patrouille nachgeschickt habe, allein in dem Wald haben sie

---

[1]) Der Mann meint offenbar Roquelaures, Reisemäntel oder Röcke von lichter Farbe, wie sie meist das Dienstpersonal jener Zeit trug.

sich verloren und die immer einen grossen Vorsprung von meinen Leuten vorausgehabten Flüchtigen sind ungeachtet meiner angewandten Mühe entronnen.«

7.

Ob Constitut gar nicht wahrnehmen konnte, was das für Leute waren und ob er nicht unterscheiden konnte, was sie für Waffen gehabt haben, ob er die Farbe ihrer Kleider nicht näher angeben und auch sagen könne, was diese Leute für eine Sprache geredet haben?

»Es war finster, wie ich auf den Platz kam und diese Leute sind zu eilig in den Wald entflohen, als dass ich etwas Bestimmtes entnehmen konnte, ich konnte nicht einmal ausnehmen, was sie auf dem Kopf hatten; als ich über den Graben sprengte, musste ich hernach noch eine Brücke passieren und da vierzehn Pferde einen ziemlichen Lärm machen, so hatten sie lange Zeit, eher zu entrinnen, als ich hinkam. Diese Leute haben nichts geredet und ich hörte nur ein Gewinsel derjenigen Personen, die bei den Wagen waren.«

8.

Er sage, dass auch einige der Entflohenen zu Pferd waren, diese wären in den Wald entflohen, wenn also die in den Wald hinein reiten konnten, so hätten ja seine Leute auch nachkommen können?

»Diese Entflohenen werden diese Gegend besser als meine Leute gekannt haben und man weiss ja, dass man sich im Wald und in der Finstere gleich irren und den vorhabenden Gesichtspunct verfehlen könne.«

9.

Wer und was für Leute in und bei den Wagen befindlich waren und wie sich diese benommen haben?

»Es waren einige Kutscher bei den Pferden, dann etwa vier Frauenzimmer in den Wagen, welche Alle, so viel ich entnahm, französisch sprachen, auch war noch ein anderer Mensch da, den ich nicht ausnehmen konnte, wer er eigentlich war.«

»Eben als ich bei den Wagen herumgieng, kam der Wachtmeister Konczak auch mit vier Mann daher gesprengt und gerade da entdeckten wir zwei todte Menschen auf der

Erde liegend; der Wachtmeister hat noch einen davon geschüttelt und ihm zugerufen auf deutsch und ungarisch (steh auf), allein es war vergebens.«

»Auch fragten wir einen der Kutscher, wem denn die Pferde und Wagen gehörten und wer die zwei Todten wären, worauf Jener uns erwiderte, dass die Pferde dem Markgrafen von Baden, die Wagen aber der französischen Gesandtschaft gehörten; wer die Todten seien, konnte er uns aber damals nicht sagen, weil es finster war und er selbst nicht ausnehmen konnte, sowie auch weder der Wachtmeister, noch ich im Stand waren, deren Todesart auf der Stelle zu beurtheilen.«

10.

Wie dann die Leute heissen, welche er zur Nachsetzung in den Wald beordert hatte?

»Joseph Költö, Paul Nagy, Samuel Molnár, Michael Gulyas, Michael Szoz, Georg Domokos, Peter Lakatos und sie kamen Alle bald wieder mit der Meldung zurück, dass sie Niemanden einholen konnten.«

11.

Was dann weiter vorgieng und was ihm der Wachtmeister, der wie oben bemerkt, später dazukam, für Anträge gemacht habe?

»Der Wachtmeister ist gleich selbst nach Rastatt hinein geritten, um dem Herrn Rittmeister die Meldung über diesen Vorfall zu machen und befahl mir, mit allen Leuten einstweilen bei den Wagen zu bleiben und wohl darauf Acht zu haben; als er wieder zurückkam, befahl er, dass die Wagen umkehren und nach der Stadt begleitet werden sollen, es war auch ein Wagen umgeworfen, welches sehr lange aufgehalten hatte und ebenfalls erst Lichter aus der Stadt gebracht werden mussten.«

»Endlich kamen die Wagen nach Mitternacht um 2 Uhr etwa in der Stadt an, die Kutscher wollten in das Schloss fahren, allein der Herr Rittmeister liess es nicht zu, sondern erlaubte nur, dass die Frauen im Schloss aussteigen durften und die Wagen wurden inner dem Karlsruher Thor aufgeführt.«

12.

Es komme vor, dass auch eine Plünderung an den Wagen geschehen sei, ob Constituten davon nichts bekannt wäre?

»Mir ist nichts von Allem bekannt, ich habe wohl eine Truhe auf der Erde zerschlagen wahrgenommen und mehrere Schriften und andere Kleinigkeiten auf der Strasse zerstreuet angetroffen, weiss aber nicht anzugeben, wer dieses gethan habe. Ich habe selbst dieses zerschlagene Truhel — welches ziemlich schwer war — aufgehoben und den Frauenzimmern wieder in den Wagen hineingegeben. In dem vierten Wagen war hinten ein Reise-Koffer aufgepackt, welchen ich, wie die Lichter gebracht wurden, aufgeschlagen zu sein bemerkte, wer es aber that, weiss ich nicht und es wird vermuthlich schon vor unserer Dahinkunft alles Dieses verübet worden sein.«

13.

Man wolle aber behaupten, dass auch eine Plünderung dieser Wagen von den Leuten dieser beiden Patrouillen verübet wurde, was er, Constitut, hierauf antworten könne?

»Von uns Allen ist gewiss nicht das Geringste entnommen worden. Der Herr Rittmeister hat gleich bei unserem Einrücken die beiden Patrouillen sich stellen und in Beisein auch der übrigen Herren Officiere Mann für Mann durchsuchen lassen, es wurde aber bei Keinem nur das Geringste vorgefunden.«

14.

Ob sich nicht etwa Einer oder der Andere von der Mannschaft heimlich entfernet und eine Weile weggeblieben sei, ohne dass man wissen konnte, wo er war?

»Ausser denen, die ich in den Wald nachsetzen schickte und die gleich darauf wieder zurückkamen, ist kein Mann von meinen Leuten weggegangen gewesen. Auch niemand Fremder kam auf den Platz, wo dieses Unglück vorfiel, nach der Hand hinaus, nur der badische Herr Major ist nach dem Wachtmeister dahin gekommen und mit den Wagen in die Stadt geritten.«

15.

Ob bei Keinem von seinem Commando blutige Säbel oder andere mit Blut befleckte Montur gesehen worden sei?

»Nicht im Geringsten, da wir Alle, wie oben bemerkt, auf das Genaueste visitiert worden sind.«

16.

Ob ihm nicht bekannt, wie lang die nach Rastatt rückgeführten Wagen noch daselbst geblieben und wann sie an den Rhein abgefahren, auch wieviel ihrer gewesen seien?

»Es waren sieben Wagen, wie ich glaube, wann sie aber an den Rhein abgefahren seien, kann ich so genau nicht angeben, weil ich noch in der Nacht mit dem Wachtmeister und beiden Patrouillen bei der Escadron eingerückt bin.«

17.

Ob Constituten sonst noch etwas in Sachen bekannt sei?

»Nichts mehr.«

Moses Nagy
Corporal.

Fertiget und bestätiget die ihm vorgelesene Aussage und wurde mit aufgelegtem Stillschweigen entlassen.

Vormerkung.

Da die Untersuchung unnöthiger Weise und ohne dem Endzweck näher zu rücken, durch die Abhörung aller der Gemeinen, so bei beiden Patrouillen waren, verzögert werden würde, auch daran liegt, diese Untersuchung bald zu beendigen, so kam man in der Sitzung überein, dass zwei Mann von jenen vieren, die mit dem Wachtmeister Konczak vorsprengten — dann zwei Mann von jenen vieren, wo sieben von dem Corporal Nagy in den Wald zur Nachsetzung der Flüchtigen beordert wurden — endlich zwei Mann von der Patrouille des Wachtmeisters — und zwei Mann von jener des Corporals, mithin in Allem acht Mann vernommen werden sollen, aus deren Aussagen man einen hinlänglichen Aufschluss des Vorfalls zu schöpfen im Stande sein wird.

Indem diese Leute der deutschen Sprache nicht kundig waren, so wurde der, der Commission beisitzende Wachtmeister Wransky von Kaiser-Husaren als Dolmetsch in Eid und Pflicht genommen und das Verhör mit Vorführung und Constituierung des nachstehenden Arrestanten continuieret.

Erster Gemeiner.

Allgemeine Fragestücke.

1.

Wie Constitut heisse? woher gebürtig? etc.

»Benedict Tóth von Háromszék, aus Siebenbürgen gebürtig. 52 Jahre alt, griechisch-unierter Religion, verheirathet, ohne Profession, dient 31 Jahre, Gemeiner von Szekler-Husaren, von Oberst-Division 1. Escadron.«

2.

Ob er schon in Arrest oder in einer Untersuchung gewesen sei.

»Niemals, so lang ich diene.«

Besondere Fragestücke.

3.

Ob er wisse, warum er jetzt untersucht werde?

»Ich denke, dass ich wegen dem Vorfall vorgerufen worden, der sich unweit Rastatt mit den französischen Gesandten zugetragen hat.«

4.

Was ihm also von dieser ganzen Begebenheit bekannt sei?

»Als wir am 28. April d. J. Abends um 7 Uhr in Rastatt einrückten, wurde der Wachtmeister Konczak befehliget, mit 15 Mann, worunter auch ich war, eine Patrouille vorwärts dem Rhein gegen Stollhofen zu machen. Wir giengen gegen 8 Uhr von Rastatt ab und kamen durch ein Dorf, wo der Wachtmeister noch sich bei dem dortigen Richter erkundigte, ob er nichts von feindlichen Truppen gesehen, indem das Gerede gieng, dass die Franzosen unsere Vorposten mit mehreren Tausend Mann anzugreifen Willens wären. Wir kamen noch durch ein Dorf, wo der Wachtmeister die Frage stellte und brachten beiläufig zwei starke Stunden mit Patrouillieren zu; als wir schon gegen Rastatt rückkehren wollten, hörten wir auf der Strasse gegen Rheinau einen grossen Lärm; der Wachtmeister befahl gleich, sich in Trab zu setzen und wir ritten dem Lärm näher; in der Entfernung von einigen Schritten von der Strasse liess der Wachtmeister halten, befahl den Uebrigen von der Patrouille, stehen zu bleiben und sprengte nebst mir und drei Kameraden auf der

Strasse vor. Es war ganz finster und ich konnte nichts bemerken, als dass an der Strasse Wagen standen und bei dem dritten oder vierten derselben trafen wir den Corporal Nagy, welcher dem Wachtmeister eilig erzählte, wie bei seiner kurz erfolgten Annäherung mehrere unbekannte Männer in den Wald gesprengt wären, die vermuthlich die Wagen angehalten haben mussten. Der Corporal hat ihnen auch einige Leute von seiner Patrouille nachsetzen geschickt, welche aber bald zurück kamen, ohne sie eingeholt zu haben; auch entdeckten wir zwei todte Körper, die wir aber nicht kannten und deren einen der Wachtmeister noch geschüttelt hat; in den Wagen selbst befanden sich mehrere Frauenzimmer, welche ein grosses Geschrei in einer mir unbekannten Sprache gemacht hatten.«

5.

Was denn der Wachtmeister in Absicht dieses Vorfalls für eine weitere Verfügung getroffen habe?

»Ich wurde mit meinem Kameraden von dem Wachtmeister nach Rastatt hineingeschickt, um dem Herrn Rittmeister dieses zu melden, allein etwa zehn Schritte nach unser kam der Wachtmeister selbst nach und stattete dem Herrn Rittmeister die umständliche Meldung von Allem, was wir wahrgenommen hatten, ab.«

6.

Was der Herr Rittmeister hierüber Weiteres befohlen habe?

»Ich bin nebst meinem Kameraden nicht so nahe dabei gestanden, als dass ich Alles hätte vernehmen können, was der Herr Rittmeister befohlen hatte, der Wachtmeister hat aber, als er vom Herrn Rittmeister weggieng, uns wieder mit sich hinaus genommen, die Wagen alle sieben umkehren lassen und sie wurden unter unser Aller Begleitung in die Stadt gebracht, dann inner dem Karlsruher Thor aufgeführet, nachdem die Frauen im Schloss ausgestiegen waren.«

7.

Wieviel es beiläufig an der Zeit gewesen sein mochte, als die Wagen in die Stadt geführet wurden?

»Es ist 1 oder 2 Uhr nach Mitternacht gewesen, indem ein Wagen umgeworfen war, so gieng es lange her, bis selber wieder aufgerichtet wurde.«

8.

Es sei aber an diesen Wagen eine Plünderung ausgeübet worden, ob Constituten hievon nichts wissend sei?

»Ich habe nichts bemerkt, dass etwas von den Wagen geraubt worden wäre, nur, als ich das zweite Mal mit dem Wachtmeister aus Rastatt auf den Platz, wo dieser Vorfall geschah, hinausritt und Lichter herbeigeschafft waren, bemerkte ich, dass eine lederne Truhel aufgesprengt gewesen sei.«

9.

Ob Constitut auf der Erde keine erbrochene Truhel oder sonst auch Schriften und andere Sachen zerstreuet herumliegend bemerkt habe?

»Von diesen etwas gesehen zu haben, kann ich mich nicht erinnern.«

10.

Es verlaute aber, dass die Plünderung der Wagen gerade von Leuten von der Patrouille wäre vorgenommen worden und müsse ihm also davon wahrscheinlicher Weise etwas bekannt sein?

»Ich weiss nichts von einer Plünderung; es ist ja bei Keinem von uns nur das geringste Verdächtige gefunden worden, ungeachtet wir gleich nach dem Einrücken bei der Escadron auf das Genaueste visitiert wurden.«

11.

Wann die Wagen den anderen Tag von Rastatt abgegangen und an den Rhein gefahren wären? Ob ihm das nicht bekannt sei?

»Es mag um Mittagszeit am 29. April gewesen sein, denn ich war gerade im Lager vor dem Karlsruher Thor, als die Mannschaft commandiert wurde, selbe an den Rhein zu begleiten.«

12.

Ob Constituten sonst etwas in Sachen bekannt sei?

»Ich weiss nichts mehr, habe auch nichts Weiteres anzubringen.«

Tóth Benedict.

Wurde prael. ratif. in den vorigen Arrest abgeführt und um 1 Uhr Mittags abgebrochen.

Folgen die Unterschriften der Gerichtsbeisitzer etc.

Continuation um 1/2 4 Uhr Nachmittags.

Zweiter Gemeiner.

Allgemeine Fragestücke.

1.

Wie Constitut heisse, woher gebürtig etc.?

»Andreas Woina von Háromszék aus Siebenbürgen gebürtig, 38 Jahre alt, reformierter Religion, verheirathet, ohne Profession, dient 16 Jahre, Gemeiner von Szekler-Husaren, von der nämlichen Division und Escadron.«

2.

Ob er schon öfters im Arrest oder in einer Untersuchung gewesen sei?

»Niemals.«

Besondere Fragestücke.

3.

Ob er sich die Ursache einbilden könne, warum er jetzt untersucht werde?

»Ich vermuthe, wegen dem in der Nacht vom 28. auf den 29. vorigen Monats in der Gegend von Rastatt sich ereigneten Vorfalle.«

4.

Als ihre Escadron am 28. Abends in Rastatt eingerückt war, ob Constitut da geblieben, oder sonst einen Dienst habe verrichten müssen?

»Ich bin bald nach unserem dortigen Einrücken, unter dem Commando des Wachtmeisters Konczak, nebst noch vierzehn Kameraden auf Patrouillierung commandiert worden und wir sind um 8 Uhr Abends abgerückt.«

5.

Wohin sie patrouillieren geritten seien?

»Wir sind dem Rhein vorwärts gegen Stollhofen patrouillieren geritten.«

6.

Wie lang sie weggeblieben seien?

»Gegen 2½ Stunden.«

7.

Ob ihnen nichts Besonderes aufgestossen und falls, was?

»Wir sind durch ein Dorf passiert, wovon ich den Namen nicht angeben kann, wo aber der Wachtmeister bei dem Richter alldort sich erkundigte, ob er keine Franzosen gesehen habe; als wir dann wieder auf Rastatt zurück reiten wollten, hörten wir in der Entfernung auf der Strasse nach Rheinhausen (Rheinau) einen ziemlich starken Lärm, der Wachtmeister liess halten, um vielleicht etwas Deutlicheres zu vernehmen, da sich aber der Lärm nicht minderte, sind wir alle im Trabe der Strasse zugeritten, als wir bis auf einige Schritte nur davon entfernet waren, liess der Wachtmeister alle Uebrigen von der Patrouille halten und sprengte nebst mir und noch drei Kameraden auf die Strasse hinan. Wir trafen dort mehrere Wagen angehalten an, wie auch den Corporal Nagy, welcher dem Wachtmeister meldete, dass er gleichfalls mit seiner Patrouille auf einen gehörten Lärm hierher geeilet sei und mehrere Leute theils zu Pferd, theils zu Fuss auf seine Annäherung habe in den Wald hinein sich flüchten sehen, denen er zwar — jedoch fruchtlos habe nachsetzen lassen. Wir trafen auch zwei todte Menschen, deren einen der Wachtmeister noch geschüttelt und vergebens aufstehen geheissen hatte.«

»Ueber alles Dieses befehligte der Wachtmeister zwei Mann von uns Vieren, nämlich den Gemeinen David und Tóth, dass sie nach Rastatt reiten und dem Herrn Rittmeister die Meldung erstatten sollen, allein kaum einige Minuten darauf, überdachte er, dass vielleicht diese zwei Mann keinen echten Rapport machen möchten und entschloss sich, selbst nach Rastatt zu reiten, er nahm mich und den Gemeinen Portoy mit sich und machte dem Herrn Rittmeister die umständliche Meldung.«

8.

Was dann der Herr Rittmeister weiters befohlen habe?

»Wir waren nicht so nahe daran, dass wir Alles so gut hätten verstehen können; allein der Wachtmeister nahm uns wieder mit sich auf die Strasse hinaus und befahl dann, dass die Wagen umkehren sollen, die dann unter unserer Aller Begleitung nach Rastatt geführt und daselbst inner dem Karlsruher Thor aufgeführet wurden.«

9.

Wer dann bei den Wagen gewesen sei, als sie mit dem Wachtmeister dahin gesprengt waren?

»In den Wagen waren einige Frauenzimmer, welche geschrieen hatten, auch einige Kutscher und andere wenige Dienerschaft befanden sich bei den Pferden.«

10.

Wann die Wagen in der Stadt ankamen?

»Ich könnte es nicht gewiss sagen, doch glaube ich, dass es nach Mitternacht gewesen sei.«

11.

Es komme vor, dass an diesen Wagen eine Plünderung und das gerade von Leuten dieser beiden Patrouillen verübt worden sei, ob ihm davon nichts bekannt sei?

»Von uns wird schwerlich etwas genommen worden sein; es sind aber, als die Wagen nach Rastatt ankamen, so viele Leute zusammen gelaufen, dass es leicht möglich war, dass Einer oder Anderer von dem Pöbel etwas, ohne bemerkt zu werden, aus den Wagen genommen habe.«

12.

Es komme doch vor, dass auf dem Platz, wo diese Wagen angehalten wurden und die todten Körper gelegen waren, auch eine erbrochene Truhe und mehrere Schriften, nebst andern Kleinigkeiten zerstreut herumlagen; dieses gebe doch Anlass zu glauben, dass geplündert worden sei? Er solle die Wahrheit bekennen und sagen, ob er diese Sachen auf der Erde liegen gesehen und ihm von einer Plünderung gar nichts bekannt sei?

»Ich habe diese Sachen nicht einmal bemerkt, weil es finster gewesen ist und versichere nochmals, dass mir von einer Plünderung nicht das Mindeste bekannt sei.«

13.

Ob ihm nicht bekannt sei, wann die Wagen, so in der Nacht nach Rastatt geführet wurden, am andern Tag an den Rhein abgegangen seien? Und wieviel Wagen waren?

»Sie wurden am 29. April um 10 Uhr Vormittag wieder an den Rhein begleitet; ich habe nicht so genau mehr mich darum bekümmert, weil ich schon im Lager vor dem Karlsruher Thor eingerückt war; übrigens mögen es sieben oder acht Wagen an der Zahl gewesen sein.«

14.

Ob Constitut sonst noch etwas anzubringen wisse?

»Ich weiss sonst nichts mehr vorzubringen.«

† † † Andreas Woina
Gemeiner.

Wurde prael. ratif. wieder abgeführet und der dritte Gemeine vorgerufen.

Dritter Gemeiner.

Allgemeine Fragestücke.

1.

Wie Constitut heisse etc.?

»Joseph Költö von Köröspatak in Haromszék aus Siebenbürgen gebürtig, 23 Jahre alt, griechisch-unierter Religion, ledig, ohne Profession, dienet fünf Jahre, Gemeiner vom nämlichen Regiment, Division und Escadron.«

2.

Ob er noch niemals in Arrest oder in einer Untersuchung gewesen sei?

»Niemals.«

Besondere Fragestücke.

3.

Warum er jetzt untersucht werde, ob er sich die Ursache denken könne?

»Ich glaube, wegen dem Vorfall der bei Rastatt geschehen ist.«

4.

Was ihm denn von diesem Vorfall bekannt sei?

»Ich bin bald darauf, als wir am 28. v. M. Abends in Rastatt eingerückt waren, unter Commando des Corporal Moses Nagy auf Patrouille geschickt worden. Es waren nebst mir noch dreizehn Kameraden und wir sind um 8 Uhr Abends aufgebrochen und von Rastatt in die Gegend von Rheinhausen (Rheinau?) und Plittersdorf geritten, weil es geheissen hat, dass der Feind uns angreifen wolle.«

»Wir mochten über zwei Stunden mit Patrouillieren zugebracht haben, als wir über Rheinau wieder auf Rastatt rückkehren wollten; wir vernahmen auf der Strasse schon von

Weitem einen Lärm, sahen auch einige Lichter und sprengten Alle auf diese Gegend zu, wo wir nichts ausnehmen konnten, als dass Menschen in weissen und grauen Röcken, theils zu Pferd, theils zu Fuss um mehrere Wagen herumsprengten. Als wir näher hinzu geritten kamen, flüchteten sich die Leute in einen nahe gelegenen Wald und die Lichter waren schon eher erloschen, als wir noch recht hinzugekommen sind. Ich und noch sechs Gemeine setzten ihnen auf Befehl des Corporals nach, konnten sie aber nicht einholen, weil sie vermuthlich mit der Gegend besser bekannt und wir durch die Dichte des Waldes und Finstere der Nacht verhindert waren.«

5.

Ob Constitut denn gar nicht ausnehmen konnte, wer diese Leute waren, was sie für Waffen und Kleider hatten, oder ob — und was für eine Sprache sie redeten?

»Ich konnte nicht das Mindeste ausnehmen, sondern wir sind, weil wir Keinen mehr einholen konnten, bald wieder zurückgekehrt, wo wir den Corporal Nagy bei den Wagen getroffen und den Wachtmeister mit noch vier Mann eben ansprengen gesehen haben. Reden habe ich auch nichts gehört.«

6.

Wer dann sonst bei den Wagen gewesen und was weiters geschehen sei?

»Wir trafen in den Wagen einige Frauenzimmer und auch mehrere Kutscher bei den Pferden an, auch sah ich zwei todte Körper auf der Erde liegen. Der Wachtmeister schickte dann zwei Mann von seiner Patrouille nach Rastatt, um dem Herrn Rittmeister den Rapport zu erstatten, gieng auch bald selbst mit noch zwei Mann nach.«

»Als er wieder zurück kam, befahl er, dass die Wagen umkehren sollen, wovon einer noch umgeworfen war; und es wurden alle sieben unter unser Aller Begleitung nach Rastatt hineingeführet, wo selbe inner dem Karlsruher Thor aufgestellet worden sind.«

7.

Ob Constitut auf dem Platz, wo die Wagen angehalten gestanden waren, keine zerschlagene Truhe, keine Schriften, oder andere Sachen herumliegend bemerkt habe?

»Nicht das Geringste; übrigens können diese Sachen wohl da herumgelegen sein, ohne dass ich sie bemerkte, weil es finster gewesen ist.«

8.

Es komme vor, dass an den Wagen, gerade von der Mannschaft dieser beiden Patrouillen, eine Plünderung ausgeübet worden sei? Ob ihm denn davon nichts bekannt wäre?

»Mir ist von einer Plünderung nicht das Mindeste wissend, ich bin immer etwelche Schritte von den Pferden stehen geblieben, bis der Befehl gekommen, dass die Wagen in die Stadt begleitet werden sollten.«

9.

Wann diese Wagen in der Stadt ankamen und was dort damit weiter disponiert wurde?

»Es mag 1 oder 2 Uhr nach Mitternacht gewesen sein, als wir in der Stadt damit ankamen, wo noch der markgräfliche Stadt-Commandant herausgekommen war und mit uns gleichfalls die Wagen in die Stadt begleitete.«

»Er liess die Frauenzimmer vor dem Schloss aussteigen und die Wagen wurden inner dem Karlsruher Thor aufgeführet, überdies sind wir Alle in's Lager eingerückt und ich weiss nichts weiters, was mit den Wagen geschehen sei.«

10.

Ob Constitut sonst in Sachen noch etwas bekannt sei?

»Nicht das Geringste mehr.« Joseph Költö
Gemeiner.

Wurde prael. ratif. wieder abgeführt und der vierte Constitut vorgerufen.

Vierter Gemeiner.

Allgemeine Fragestücke.

1.

Wie Constitut heisse etc.?

»Samuel Molnár, von Gross-Bayarn[1]) in Háromszék aus Siebenbürgen gebürtig, 24 Jahre alt, reformierter Religion.

---

[1]) Nagy-Borosnyó.

ledig, ohne Profession, dient 6 Jahre, Gemeiner von obigem Regiment, Division und Escadron.«

2.

Ob Constitut noch nie im Arrest oder einer Untersuchung gewesen und bestraft worden sei?

»Niemals.«

Besondere Fragestücke.

3.

Ob er sich die Ursache vorstellen könne, warum er sich jetzt in Arrest und in der Untersuchung befinde?

»Ich vermuthe, wegen dem Vorfall, der sich unweit Rastatt in der Nacht vom 28. auf den 29. April mit den französischen Gesandten zugetragen hat.«

4.

Er solle angeben, unter wessen Commando Constitut nach ihrer an diesem Tag erfolgten Einrückung in Rastatt auf Patrouille geschickt worden sei?

»Unter Commando des Corporal Moses Nagy, nebst noch 13 Kameraden.«

5.

Wohin sie patrouillierten?

»Wir begaben uns über Steinmauern, Plittersdorf zu und durchstreiften die ganze dortige Gegend, als wir dann nach zwei Stunden beiläufig wieder nach Rastatt rückkehren wollten und Rheinhausen[1]) passiert hatten, hörten wir an der Strasse einen Lärm und Geschrei, auch zwei Lichter waren dort und wir bemerkten, dass verschiedene Menschen, wie es mir vorkam, in weissen und grauen langen Röcken, theils zu Pferd, theils zu Fuss, um mehrere Wagen herumsprengten. Der Corporal befahl, im Trab dahin los zu reiten, weil wir aber über eine Brücke passieren mussten und unsere Pferde auch starkes Getös machten, wurden bei den Wagen die Lichter ausgelöscht und mehrere Männer flohen in den Wald hinein, noch eher, als wir auf den rechten Platz hingekommen sind.

[1]) Rheinau.

Der Corporal befahl mir, nebst noch sechs Kameraden, die Flüchtlinge zu verfolgen, allein sie hatten vor uns einen grossen Vorsprung und mochten auch die Gegend besser als wir gekannt haben, da uns der Wald und die grosse Finsterniss alles Nachsetzen verbot. Ich konnte im Uebrigen nicht ausnehmen, was diese Leute für Waffen oder sonstige Kennzeichen hatten, auch wurde von diesen nichts gesprochen, dass wir sie hätten aus den Reden erkennen können. Wir kamen bald aus dem Wald zurück, wo wir den Corporal Nagy, nebst den übrigen von unserer Patrouille bei den Wagen antrafen, auch der Wachtmeister Konczak kam eben mit noch vier Gemeinen daher gesprengt, welchem der Corporal den ganzen Vorfall gemeldet hatte.«

6.

Wie sich dann die Leute benommen haben, welche in und bei den Wagen waren und wer diese gewesen seien?

»Es war zu finster, als dass ich Alles bestimmt hätte ausnehmen können, doch weiss ich, dass einige Kutscher bei den Pferden und auch einige sonstige Bediente und Frauen um und in den Wagen waren; auch entdeckte der Corporal zwei todte Körper, auf die er den Wachtmeister und auch uns aufmerksam gemacht hatte.«

7.

Ob der Wachtmeister immer bei den Wagen geblieben und was weiters mit selben geschehen sei?

»Der Wachtmeister hat zwei Mann mit der Meldung zum Herrn Rittmeister geschickt und ist selbst gleich darauf mit noch zwei Mann nach Rastatt geritten, um dem Herrn Rittmeister die ganze Begebenheit zu avisieren; der Corporal ist aber mit uns Allen, nebst dem Rest der Patrouille des Wachtmeisters bei den Wagen geblieben, um sie vor allen ferneren Gewaltthätigkeiten in Schutz zu nehmen.«

8.

Ob Constitut nicht bei den Wagen verschiedene Sachen, Schriften, eine zerschlagene Truhe etc. habe herumliegen gesehen?

»Ich habe gar nichts gesehen; der Corporal hat aber nach der Hand erzählt, dass er derlei gesehen habe.«

9.

Was dann geschehen sei, als der Herr Wachtmeister vom Herrn Rittmeister zurückkam?

»Er brachte den Befehl, dass alle Wagen umkehren und wieder in die Stadt geführt werden sollen, auch wurden Lichter gebracht, indem ein Wagen umgeworfen worden war und somit sind alle sieben Wagen unter unser Aller Begleitung in die Stadt gebracht und inner dem Karlsruher Thor aufgeführt worden.«

»Bei Gelegenheit, als die Lichter gebracht wurden, kamen auch einige markgräfliche Soldaten aus der Stadt, nebst einem Herrn Major mit und giengen mit den Wagen wieder in die Stadt; mich für meine Person hat es getroffen. hinter den Wagen zu reiten und, nebst noch einigen Kameraden den Zug zu schliessen.«

10.

Es verlaute, dass die Wagen von der Mannschaft dieser beiden Patrouillen seien geplündert worden, ob ihm davon nichts bekannt sei?

»Wir sind immer beisammen gewesen und von uns ist gewiss nichts geschehen, im Gegentheil gaben wir Acht, dass nichts verletzet oder sonst enttragen werde; ist aber etwas weggekommen, so ist es schon eher von denen geschehen, die in den Wald flüchtig geworden sind.«

11.

Ob Constitut nicht bekannt, wann diese Wagen in Rastatt wieder ankamen und wann sie am andern Tag wieder an den Rhein begleitet worden seien?

»Sie sind zwischen 1 und 2 Uhr Nachts in die Stadt rückgebracht worden, wann die Wagen aber am andern Tag an den Rhein geführt wurden, weiss ich nicht, weil ich mit allen von den Patrouillen gleich bei der Escadron eingerückt bin. Nur so viel habe ich noch gesehen, dass, als die Wagen rückgebracht wurden, die Frauen am Schlossthor ausgestiegen seien.«

12.

Ob Constitut sonst was anzubringen wisse?

»Nichts mehr.«

Samuel Molnár
Gemeiner.

Wurde prael. ratif. wieder abgeführt und das Verhör um ½8 Uhr Abends geschlossen.

Villingen, am 11. Mai 1799.

Folgen die Unterschriften der Gerichtsbeisitzer etc.

Continuatum am 13. Mai 1799, um 3 Uhr Nachmittags.

Es wurde mit Constituierung des fünften Gemeinen angefangen.

Fünfter Gemeiner.

Allgemeine Fragestücke.

1.

Wie Constitut heisse, woher gebürtig?

»Ladislaus David, von Bodos gebürtig, 36 Jahre alt, reformierter Religion, verheirathet, ohne Profession, dient 16 Jahre, Gemeiner vom nämlichen Regiment, Division und Escadron.«

2.

Ob er schon öfters in Arrest oder in einer Untersuchung gewesen sei?

»Niemals.«

3.

Ob er die Ursache wisse, warum er sich nun in der Untersuchung befinde?

»Ich vermuthe, weil in der Nacht vom 28. auf den 29. April d. J., als ich auf Patrouille in der Gegend von Rastatt gewesen bin, sich mit den französischen Gesandten ein ganz unerwarteter Vorfall ereignet habe.«

Besondere Fragestücke.

4.

Mit wem und unter wessen Commando Constitut auf Patrouille gewesen sei?

»Ich bin mit noch vierzehn Mann unter Commando des Wachtmeisters Konczak auf Patrouille gewesen.«

5.

Wo sie patrouillierten und wie lang sie auf Patrouille gewesen seien?

»Wir sind beiläufig um 8 Uhr Abends aus Rastatt weggeritten und haben gegen Stollhofen am Rhein patrouilliert, weil es hiess, dass der Feind einen Angriff unternehmen werde und es mochte ungefähr nach 10 Uhr gewesen sein, als wir wieder nach Rastatt zurückkehren wollten. Der Wachtmeister hat noch in Hügelsheim einen Bauern gefragt, ob er nichts von den Franzosen gesehen habe.«

6.

Constitut habe gesagt, dass sie nach Rastatt rückkehren wollten, was sie dann abgehalten habe, dass sie nicht auch gleich dahin gekommen seien, ob sie verhindert worden waren?

»Als wir schon im Rückzug begriffen waren, hörten wir auf der Rheinhauser (Rheinauer) Strasse einen Lärm, wir ritten auf Befehl des Wachtmeisters Alle in scharfem Trab auf den gehörten Lärm zu. Als wir etwa einige Schritte davon entfernt waren, liess der Wachtmeister die Anderen von der Patrouille Halt machen und sprengte mit mir und noch drei Kameraden auf die Strasse vor.«

»Es war ganz finster und ich für meine Person konnte nichts bemerken, als dass mehrere Wagen angehalten dastanden und ein Geschrei von Weibern sich verbreitet hatte.«

»Wir trafen bei diesen Wagen den Corporal Moses Nagy, der dem Wachtmeister meldete, dass er mit seiner Patrouille ebenfalls auf den gehörten Lärm dahin geeilet, auf seine Annäherung aber mehrere unbekannte Männer theils zu Pferd, theils zu Fuss in den Wald entflohen wären, denen er, ohne sie einholen zu können, habe nachsetzen lassen; wir stiessen auch auf zwei todte Körper, die der Wachtmeister und Corporal Nagy zuerst entdecket hatten.«

»Nachdem dieses Alles vorgieng, beorderte der Wachtmeister mich und meinen Kameraden Tóth, nach Rastatt zum Herrn Rittmeister zu reiten und ihm von Allem Rapport zu geben, allein gleich hinter uns kam der Wachtmeister selbst mit noch zwei Gemeinen nach und machte dem Herrn Rittmeister selbst eine umständliche Meldung.«

7.

Ob Constitut nicht bemerken konnte, was dann diese zwei Todten aus der Welt bringen mochte, ob sie erschossen, erstochen oder zusammengehauen etc. worden seien?

»Es war zu finster, als dass ich das hätte unterscheiden können, auch bin ich nicht von meinem Pferd herabgekommen und kann also von den näheren Umständen sehr wenig Bestimmtes angeben.«

8.

Was dann geschehen, als der Wachtmeister wieder vom Herrn Rittmeister abgefertiget wurde?

»Sowohl ich, als die andern drei Mann sind mit dem Wachtmeister wieder auf die Rheinhauser Strasse hinausgeritten, wo der Corporal Nagy unterdessen mit den übrigen Leuten die Wagen bewacht hatte. Der Wachtmeister befahl, die Wagen umzukehren und sie wurden alle nach Rastatt unter unserer Begleitung geführt, wo sie inner dem Karlsruher Thor aufgestellet worden sind.«

9.

Wie sich dann die Leute in und um die Wagen benommen haben?

»Ich habe Niemand, als etwelche Kutscher und auch Frauenzimmer bemerkt, welch' Letztere sehr geweint und gewinselt haben.«

10.

Ob Constitut nicht bei den Wagen verschiedene Schriften und andere Kleinigkeiten herumliegen gesehen oder bemerkt habe?

»Als bei dieser Verwirrung ein Wagen umgeworfen wurde, so hat man gesagt, dass einige Schriften und andere Sachen herausgefallen wären, ich selbst habe aber davon nichts gesehen.«

11.

Es verlaute aber, dass an diesen Wagen eine Plünderung geschehen sei? Ob er davon nichts gesehen oder Theil daran genommen habe, da diese Plünderung gerade der Mannschaft von diesen beiden Patrouillen zur Last geleget wird.

»Von uns ist nichts geplündert worden, es kann eher geschehen sein, als ein Mann von unseren Patrouillen noch auf diese Wagen gestossen ist.«

12.

Ob ihm nichts bekannt, wann und wie diese nach Rastatt von ihnen rückgeführten Wagen wieder von da weggeschafft worden seien?

»Am darauffolgenden Mittag sind diese Wagen wieder an den Rhein begleitet und dort auf das linke Ufer übergeführt worden.«

13.

Ob Constituten in Sachen noch etwas bekannt sei?

»Nichts mehr.«

Ladiss David
Gemeiner.

Wurde prael. ratif in die Verwahrung abgeführt und der sechste Constitut vorgeführet.

Sechster Gemeiner.

Allgemeine Fragestücke.

1.

Wie Constitut heisse etc.?

»Johann Egyed, von Száraz-Ajta in Siebenbürgen gebürtig, 32 Jahre alt, reformierter Religion, ledig, ohne Profession, dient 12 Jahre, von dem nämlichen Regiment, Division und Escadron.«

2.

Ob er schon öfters im Arrest gewesen, oder bestraft worden sei?

»Niemals, als so lang ich diene.«

3.

Ob er wisse, warum er jetzt vorgerufen würde?

»Ich vermuthe, wegen dem bei Rastatt sich in der Nacht vom 28. auf den 29. April ereigneten Vorfall.«

Besondere Fragestücke.

4.

Constitut soll angeben, was ihm von diesem Vorfall bekannt sei?

»Als wir am 28. Abends in Rastatt eingerückt waren, wurde ich gleich mit noch 14 Kameraden unter Commando des Wachtmeisters Konczak auf Patrouille beordert; wir giengen beiläufig um 8 Uhr Abends ab und patrouillierten gegen Stollhofen, Hügelsheim und Iffezheim. Als wir aber beiläufig nach 10 Uhr im Rückwege begriffen waren, vernahmen wir Alle auf der Rheinhauser (Rheinauer) Strasse einen starken Lärm und Geschrei. Der Wachtmeister befahl, im Trab näher zu reiten; er liess etwa 140 Schritte von der Strasse Halt machen und sprengte mit vier Gemeinen noch näher auf den gehörten Lärm zu. Wir ritten auch langsamer wieder nach, wo wir dann nebst dem Wachtmeister auch den Corporal Nagy, nebst einer Patrouille bei mehreren auf der Strasse angehalten gestandenen Wagen getroffen haben. Der Wachtmeister schickte zwei Gemeine von unserer Patrouille nach Rastatt, um dem Herrn Rittmeister davon Rapport abzustatten; ritt aber mit noch zwei Mann bald darauf selbst nach. Unterdessen der Wachtmeister in Rastatt war, blieben wir Alle als Bedeckung bei den Wagen und als er nach einer Weile wieder zurückkam, mussten die Wagen umgekehrt werden und wurden unter unserer Bedeckung in die Stadt zurückgeführt, wo man sie inner dem Karlsruher Thor aufgeführt hat.«

5.

Ob Constitut bei den Wagen keine todten Körper, Schriften und andere Sachen habe herumliegen bemerket?

»Es war finster, ich bin auch nicht so nahe hinzugekommen und habe also weder das Eine, noch das Andere gesehen.«

»Als die Wagen in die Stadt rückgeführet wurden, bin ich in der Mitte von den Wagen seitwärts geritten.«

6.

Es komme vor, dass diese Wagen von der Mannschaft selbst, die sie begleitete, geplündert worden seien, ob Constituten davon etwas wissend, oder er etwa daran Theilnehmer sei?

»Es war der Befehl, dass kein Mensch vom Pferd absteigen soll und wir haben ihn Alle streng beobachtet; wenn was von den Wagen weggekommen ist, so können es Diejenigen selbst gethan haben, die dabei herum waren.«

7.

Ob die Wagen, welche sie nach Rastatt rückführten, den andern Tag wieder anderswo hingeschafft wurden und falls, wohin?

»Wir haben die Wagen bis an das Karlsruher Thor begleitet, wo sie aufgeführet wurden; den anderen Tag sind sie um Mittagszeit weiter geschafft worden.«

8.

Ob Constitut sonst noch etwas in Sachen bekannt sei?

»Nicht das Geringste mehr.«

† † † Johann Egyed
Gemeiner.

Wurde nach bestätigter vorgelesener Aussage wieder in die vorige Verwahrung abgeführet und der siebente Constitut vorgerufen.

Siebenter Gemeiner.

Allgemeine Fragestücke.

1.

Wie Constitut heisse etc.?

»Paul Nagy, von Nagy-Bajon aus Siebenbürgen gebürtig, 33 Jahre alt, reformierter Religion, ledig, ohne Profession, dient 12 Jahre, Gemeiner vom nämlichen Regiment, Division und Escadron.«

2.

Ob er schon öfters in Arrest gewesen, oder bestraft worden sei?

»Niemals.«

3.

Ob er die Ursache seiner jetzigen Vorrufung wisse?

»Wegen dem Vorfall mit den französischen Gesandten bei Rastatt.«

Besondere Fragestücke.

4.

Was ihm also von diesem Vorfall des Näheren bekannt sei?

»Als wir Abends am 28. v. M. in Rastatt eingerückt waren, wurden ich und noch 12 Gemeine unter Anführung des Corporals Moses Nagy auf Patrouille commandiert.«

»Wir sind gegen 8 Uhr Abends weggeritten, haben die ganze Gegend um Steinmauern und Plittersdorf durchstreift, weil es hiess, dass gegen 5000 Franzosen herüber brechen wollten und begaben uns, da wir keinen Feind ansichtig wurden, wieder gegen Rastatt zurück.«

»Es war beiläufig nach 10 Uhr, als wir bei Rheinau einen starken Lärm hörten, auch ein paar Lichter von Weitem auf der Strasse und bei einigen Wagen mehrere Menschen, theils zu Pferd, theils zu Fuss, herumspringend bemerkten. Wenn mich mein Auge nicht täuschte, so hatten einige weisse, einige aber graue lange Röcke an. Der Corporal sprengte im starken Trab nebst uns auf die Lichter zu und da in dieser Gegend eine Brücke war, so rief der Corporal auf diese Leute: Halt; sie aber loschen die Lichter noch vor unserem gänzlichen Dahinkommen aus und flohen in den Wald hinein, ohne dass wir sie, ungeachtet der Corporal mich und noch sechs Kameraden ihnen nachzusetzen beorderte, mehr einholen konnten. Ja! ich war nicht einmal im Stande, wegen Finstere ihre Waffen und übriges Aussehen damals bemerken zu können.«

»Als ich mit meinen Kameraden wieder aus dem Walde zurückkam, trafen wir den Wachtmeister Konczak auch bei mehreren Wagen an, welche auf der Strasse angehalten worden waren; der Wachtmeister erstattete hierüber selbst dem Herrn Rittmeister in Rastatt den Rapport ab und brachte nach einiger Zeit den Befehl mit, dass die Wagen umgekehrt und von uns nach der Stadt begleitet werden sollen, welches dann auch geschehen ist.«

»Die Wagen kamen um 2 Uhr nach Mitternacht in Rastatt an und wurden inner dem Karlsruher Thor aufgeführet, nachdem die darin befindlichen Frauenzimmer im Schloss abgestiegen waren. Den darauf folgenden Tag, als den 29. sind alle diese Wagen wieder an den Rhein begleitet und über diesen Fluss geschifft worden.«

5.

Ob Constitut bei und um die Wagen keine todten Körper, zerschlagene Truhen, Schriften und andere Kleinigkeiten zerstreut bemerkt habe?

»Als die Wagen umgekehrt wurden, habe ich in dem Graben einen Todten liegen gesehen; ich konnte aber nichts Näheres an ihm ausnehmen, mein Pferd schreckte sich noch an selbem und ich musste es durch Sporen vorwärts bringen. Sonst habe ich nichts herumliegen bemerkt.«

6.

Man wolle aber behaupten, dass die dabei gewesten Patrouillen selbst die Wagen geplündert haben; ob ihm davon nichts wissend sei?

»Es ist durch die ganze Zeit Keiner von uns vom Pferde gestiegen, es wäre also sehr schwer gewesen, von den Wagen etwas wegzunehmen.«

7.

Ob Constitut sonst in Sachen noch etwas anzubringen habe?

»Nichts mehr.«

Paul Nagy
Gemeiner.

Fertiget und bestätiget die ihm vorgelesene Aussage und wird in die vorige Verwahrung abgeführet, alsdann aber der achte Constitut vernommen.

Achter Gemeiner.

Allgemeine Fragen.

1.

Wie Constitut heisse etc., woher gebürtig etc.?

»Peter Lakatos, von Seziso[1]) in Siebenbürgen gebürtig, 40 Jahre alt, katholisch, verheirathet, ohne Profession, dient 20 Jahre, Gemeiner vom nämlichen Regiment, Division und Escadron, hat im Türkenkrieg die silberne Ehren-Medaille erhalten.«

2.

Ob er schon öfters im Arrest gewesen oder bestraft worden sei?

»Niemals.«

3.

Warum er sich jetzt in der Untersuchung befinde?

»Wegen dem sich bei Rastatt ereigneten unglücklichen Vorfall.«

Besondere Fragestücke.

4.

Was ihm von diesem Vorfall bekannt, soll er mit Wahrheit und umständlich angeben!

»Am 28. April d. J., Abends 8 Uhr, wurde ich beordert, unter Anführung des Corporal Moses Nagy nebst noch zwölf

---

[1]) Sijutza? Kis-Sajó?

Kameraden eine Patrouille vorwärts am Rhein zu machen; wir ritten in die Gegend von Steinmauern und Plittersdorf, und mochten etwa bis nach 10 Uhr Nachts mit Patrouillieren zugebracht haben. Im Nachhausereiten bemerkten wir auf der Rheinhauser[1]) Strasse in der Weite einige Lichter und sahen mehrere Menschen, so viel mir vorkam, in weissen und grauen Kleidern, um einige Wagen hin- und herspringen; wir ritten im scharfen Trab auf selbe zu und weil wir über eine Brücke reiten mussten und daher mit unseren Pferden einiges Getös machten, so loschen sie die Lichter aus und entflohen in einen etwa 100 Schritte entfernten Wald.«

»Es wurden ich und sechs Kameraden in den Wald beordert, um ihnen nachzusetzen, konnten sie aber wegen Finstere und Dichte des Waldes nicht einholen und kamen unverrichteter Dinge wieder zu den Wagen, als eben der Wachtmeister Konczak mit einer anderen Patrouille auch zu uns stiess. Er traf die Veranstaltung, dass der ganze Vorgang durch zwei Gemeine dem Herrn Rittmeister gemeldet wurde und ist hiernach selbst in die Stadt geritten, wovon er bald darauf den Befehl brachte, dass die Wagen umgekehrt und nach der Stadt zurückgeführet werden sollen. Es kamen auch sämmtliche Chaisen nach Mitternacht in Rastatt an und wurden inner dem Karlsruher Thor aufgeführet, den anderen Tag aber wieder an den Rhein zur Ueberfuhr abgeführet.«

5.

Ob er bei den Wagen keine todten Körper, zerschlagene Truhen, zerstreuete Schriften oder andere Effecten herumliegen gesehen habe?

»Ich habe an der Strasse zwei Körper liegen gesehen, könnte aber nicht sagen, ob sie todt oder noch lebend gewesen, weder ob sie blessiert und wie sie es waren. Als die Wagen in die Stadt geführet wurden, wurde einer umgeworfen und es mussten erst Lichter aus der Stadt gebracht werden, um selben aufrichten zu können, welches dann über eine Stunde Zeit hernahm.«

6.

Es komme vor, dass von der dabei gewesten Bedeckung diese Wagen geplündert worden seien, was Constitut hierauf antworte?

---

[1]) Rheinau.

»Von einer Plünderung ist mir gar nichts bekannt; wir waren bestimmet, diese Wagen zu begleiten und von uns ist gewiss nicht das Mindeste enttragen worden.«

7.

Was dann bei den Wagen sonst für Leute waren und wie sich diese benommen haben?

»Es waren Kutscher, die die Pferde hielten, andere wenige Dienerschaft und auch Frauenzimmer, welch' Letztere ein grosses Gewinsel und Weinen gemacht hatten, besonders da selbe in Rastatt aus den Wagen gestiegen sind.«

8.

Ob Constitut sonst noch etwas anzubringen oder beizusetzen habe?

»Nichts mehr.« † † † Peter Lakatos
Gemeiner.

Fertiget und bestätiget die ihm vorgelesene Aussage und wird in die vorige Verwahrung abgeführet.

Nachdem man nun so viel möglich den Vorgang der Sache erhoben hatte, so wurde ohne nachstehende Mannschaft, als Johann Bartha, Matthias Keresztes, Georg András, Michael Nagy, Andreas Marock, Peter Mathei, Joseph Nagy, Samuel Kolumba, Andreas Józsa, Thomas Bölöny, Ignaz Bardocz, Michael Szásey, Franz Józsa, Nicolaus Gulyas, Johann Poty, Peter Egyed, Andreas Kollmann, Ludwig Józsa, Joseph Szábo und Peter György umständlich zu vernehmen, dieses Commissions-Protokoll einstweilen geschlossen; und kommet einem hohen kaiserl. königl. Haupt-Armee-Commando zur hochgefälligen Einsicht und weiteren Disposition zu unterlegen.

Actum Villingen, am 13. Mai 1799.

Folgen die Unterschriften der Gerichtsbeisitzer, des Präsidenten und des Auditors.

Actum Villingen, am 21. Mai 1799.

Zweites und respective nachträgliches Protokoll.

Welches auf hohen Haupt-Armee-Commando-Befehl, in Betreff der in der Gegend von Rastatt sich ereigneten Begebenheit, aufgenommen worden ist.

Zur mehreren Beleuchtung der Sache fand man zuträglich, noch Einige von den zwei Patrouillen, welche in der Nacht vom 28. auf den 29. April dieses Jahres gegen Stollhofen und Plittersdorf patrouillierten, zu Protokoll zu vernehmen.

Erster Constitut.

Allgemeine Fragestücke.

1.

Wie Constitut heisse etc.?

»Samuel Kolumba, von Spaldabousch [1]) in Siebenbürgen gebürtig, 33 Jahre alt, reformierter Religion, ledig, ohne Profession, dient 15 Jahre, Gemeiner von Szekler-Husaren, von Oberst-Division, erster Escadron.«

2.

Ob Constitut schon öfters im Arrest, oder sonst in einer Untersuchung gewesen sei?

»Niemals.«

3.

Ob er sich die Ursache einbilden könne, warum er jetzt untersucht werde?

»Ich glaube, dass ich desswegen hier vernommen werde, weil ich gerade in der Nacht vom 28. auf den 29. April, da der Vorfall mit den französischen Gesandten bei Rastatt sich ergeben hatte, auf Patrouille gewesen bin.«

Besondere Fragestücke.

4.

Unter wessen Commando und auf wessen Befehl Constitut auf Patrouille gewesen sei?

»Ich bin auf Befehl des Herrn Rittmeisters Burkhard, unter Commando des Wachtmeisters Konczak beiläufig um 8 Uhr Abends in der Gegend von Stollhofen patrouillieren gewesen.«

---

[1]) Száldobos.

5.

Mit wieviel Mann diese Patrouille gewesen sei?

»Wir waren unser 16 Mann, den Wachtmeister mit eingerechnet.«

6.

Wie lang sie auf Patrouillieren zubrachten und ob ihm nicht bekannt, aus was Absicht diese Patrouille ausgeschickt wurde?

»Wir mochten gegen drei Stunden mit Patrouillieren zugebracht haben und meines Wissens wurden wir desswegen auf Patrouille geschickt, um die Gegend gegen Stollhofen durchzustreifen, weil durch Kundschafter bekannt war, dass der Feind einen Angriff auf unsere Vorposten unternehmen werde. Ich erinnere mich noch, dass der Wachtmeister in einem Ort, dessen Name mir unbekannt, mit dem Richter deutsch gesprochen habe, welches ich aber aus Mangel der Sprachkenntniss nicht verstanden habe.«

7.

Ob ihnen auf dieser Patrouille nichts aufgestossen sei und falls ihnen etwas Besonderes vorgekommen wäre, soll Constitut Alles mit reiner Wahrheit hier angeben?

»Als wir schon im Nachhausereiten begriffen waren, so vernahmen wir auf der Rheinhauser [1]) Strasse einen ungemeinen Lärm. Der Wachtmeister liess uns halten und machte die Bemerkung, dass es hier nicht gut zugehen müsste und wir dahin sprengen wollen, um zu sehen, was dann vorgienge. Wir ritten daher im scharfen Trab auf die Strasse zu und bemerkten, dass mehrere Wagen da angehalten standen, auch vernahmen wir Frauenzimmer und andere Stimmen, in einer mir und meinen Kameraden fremden Sprache, die vermuthlich französisch wird gewesen sein. Der Wachtmeister liess uns Alle in einer Entfernung von etwa 11 Schritten halten und sprengte mit vier Kameraden ganz zu den Wagen hin, wo er den Corporal Moses Nagy mit einer andern Patrouille bereits angetroffen hatte; auch schickte selber gleich zwei Mann zu Pferd nach Rastatt, um dieses Alles dem Herrn Rittmeister zu melden und ritt selbst hinein, kam nach einer

---

[1]) Rheinau.

Weile wieder und brachte den Befehl mit, dass alle diese Wagen, zu deren Bewachung wir alle Uebrigen einstweilen rückgeblieben waren, unter unserer Bedeckung nach Rastatt geführt werden sollen, welches dann auch besorgt worden ist.«

8.

Ob Constitut bei den Wagen, oder in der Nähe derselben nichts Mehrers bemerkt habe?

»Ich war, wie oben angegeben, nicht so nahe an den Wagen, als dass ich alles, was vorgieng, hätte bemerken können; nach der Hand habe ich aber gehört, dass zwei todte Körper auf der Strasse gelegen seien, doch gesehen habe ich selbe nicht, weiss auch nicht, wer selbe getödtet habe.«

9.

Wieviel Wagen an der Zahl gewesen seien?

»Es waren ihrer sechs oder sieben.«

10.

Ob ihm, Constitut, nicht wissend, ob diese Wagen noch in ihrer Ordnung bepackt gewesen, oder aber Effecten daraus auf die Strasse geworfen und zerstreuet worden seien?

»Weil die Nacht so finster war und ich nicht so nahe zu den Wagen hinzugekommen bin, bin ich ausser Stand, hievon etwas Bestimmtes angeben zu können. Als die Wagen in die Stadt gebracht wurden, war einer umgeworfen und ich habe selbst auch Licht aus einem benachbarten Hause geholt, wo ich bemerkte, dass ein lederner Bettsack herabgefallen war, welcher aber wieder auf den Wagen gegeben wurde.«

11.

Constitut sei doch auch von der Begleitung gewesen, durch welche die Wagen in die Stadt geführt wurden, er solle also angeben, wo diese Wagen aufgeführet worden und was weiter mit selben geschehen sei?

»Es mochte 2 Uhr nach Mitternacht gewesen sein, als wir mit den Wagen in der Stadt angekommen sind, indem es mit Aufrichtung des umgeworfenen Wagens sehr lang hergegangen ist. Die Frauenzimmer sind dann am Schloss zu Rastatt ausgestiegen und die Wagen wurden inner dem Karlsruher Thor aufgeführet, wobei nach der Hand Wachfeuer errichtet und Wachposten aufgestellet worden sind. Wir sind aber Alle gleich darauf in's Lager vor dem Karlsruher Thor eingerückt und ich kann nicht weiters angeben, was mit diesen Wagen für eine Verfügung getroffen wurde.«

12.

Es verlaute aber, dass diese Wagen gerade von der Mannschaft dieser beiden Patrouillen geplündert worden seien, was Constitut hierauf antworten könne?

»Mir ist von diesem nichts bekannt; ich will nicht in Abrede stellen, dass Manches von diesen Wagen wegkam, doch dieses kann auch vor uns geschehen sein; ich weiss wenigstens nichts von einer Plünderung und habe nicht den mindesten Theil daran, ich habe sogar den Sack, von welchem ich oben erwähnte, wieder aufgehoben und auf den Wagen gegeben.«

13.

Ob Constitut und seine Kameraden auch visitiert worden seien und wann dieses geschah?

»Sowohl ich, als alle meine Kameraden, so bei der Patrouille waren, sind auf das Genaueste visitiert und nicht nur unsere Montur, sondern auch die Armatur nach unserem Einrücken durchsucht, aber nicht das geringste Merkmal einer verübten Plünderung entdecket worden.«

14.

Es komme doch vor, dass Einige von der Mannschaft, so die Wagen begleiteten, dieselben als ihre Beute erkläret und nach Muggensturm haben abführen wollen?

»Davon habe ich nicht ein Wort gehört, im Gegentheil brachte ja selbst der Wachtmeister Konczak den Befehl, dass die Wagen alle nach Rastatt geführet werden sollten.«

15.

Ob Constitut sonst noch in Sachen etwas bekannt sei?

»Nichts mehr.«

† † † Samuel Kolumba
Gemeiner.

Wurde prael. ratif. wieder in den vorigen Arrest abgeführet und der zweite Constitut vorgeführet.

Zweiter Constitut.

Allgemeine Fragestücke.

1.

Wie Constitut heisse etc.?

»Ignaz Bardocz, von Hutasch[1]) aus Siebenbürgen gebürtig, 22 Jahre alt, katholisch, ledig, ohne Profession, dient 5 Jahre, Gemeiner von dem nämlichen Regiment, Division und Escadron.«

2.

Ob Constitut schon öfters im Arrest gewesen und bestraft worden sei?

»Niemals.«

3.

Warum er jetzt untersucht werde, ob ihm die Ursache bekannt?

»Ich bilde mir ein, weil ich mit dem Wachtmeister Konczak in der Nacht vom 28. auf den 29. April auf Patrouille gewesen bin.«

Besondere Fragestücke.

4.

Wo sie auf Patrouille, wieviel ihrer waren und wann sie von Rastatt abgegangen seien?

»Wir sind fünfzehn Gemeine und der Wachtmeister gewesen, wir patrouillierten gegen Stollhofen und sind etwa um 8 Uhr Abends von Rastatt abgegangen.«

5.

Was sie für eine Weisung erhielten und ob Constitut nicht wisse, aus was Absicht diese Patrouille veranstaltet worden?

»Wir erhielten den Befehl, diese ganze dortige Gegend zu durchstreifen, ob wir vom Feind nichts ausfindig machen könnten, weil es hiess, dass der Feind einen Ueberfall unternehmen würde.«

6.

Wieviel Zeit sie mit Patrouillieren zubrachten und wann sie wieder zurückgekehret seien?

---

[1]) Futásfalva.

»Wir mochten über zwei Stunden herum patrouilliert haben, wo sich der Wachtmeister noch in einem Dorfe erkundigte, ob keine Franzosen da gewesen. Als wir dann nach Rastatt rückkehrten, hörten wir auf der Rheinhauser Strasse einen Lärm, der Wachtmeister sprengte mit der ganzen Patrouille auf die Strasse zu, wo mehrere Wagen angehalten standen. Ich kann aber von dem Näheren, was dort weiter vorgieng, nichts Umständliches und Bestimmtes angeben, weil ich nicht unter Denjenigen begriffen war, welche mit dem Wachtmeister ganz hinzugesprengt sind, sondern ich war 11 oder 12 Schritte von der Strasse entfernt. Nach der Hand erzählten aber einige Kameraden, dass der Wachtmeister alldort todte Körper auf der Strasse liegend getroffen und sie noch fruchtlos aufstehen geheissen habe.«

7.

Ob und durch wen dieser Vorgang dem Rittmeister gemeldet wurde?

»Der Wachtmeister hat zwei Mann nach Rastatt zum Rittmeister beordert; sie müssen ihm aber zu langsam gewesen sein, indem er gleich darauf mit noch zwei Mann selbst hineinritt, um diese Meldung abzustatten.«

8.

Ob der Wachtmeister wieder zurückkam und was er für einen Befehl mitgebracht habe?

»Der Wachtmeister brachte den Befehl mit, dass die Wagen umkehren und unter unser aller Begleitung in die Stadt gebracht werden sollten, welches dann befolgt und die Wagen um 2 Uhr nach Mitternacht vom 28. auf den 29. April inner dem Karlsruher Thor zu Rastatt aufgeführet wurden.«

9.

Was dann für Leute in und um die Wagen gewesen und was diese für eine Sprache geredet haben?

»Ich habe wenig wegen der starken Finsterniss gesehen, weiss daher nicht eigentlich, wer in und um die Wagen war, nur weiss ich, dass einige Kutscher davon gelaufen seien. Die Sprache, die geredet wurde, verstand ich nicht.«

10.

Es komme vor, dass auch Frauenzimmer dabei waren, wo dann diese in Rastatt aus dem Wagen gestiegen wären?

»So lang sie in den Wagen waren, habe ich sie nicht gesehen, wohl aber sah ich sie beim Schloss in Rastatt aus dem Wagen steigen.«

11.

Es komme vor, dass von der Mannschaft dieser Patrouillen die Wagen geplündert worden seien, ob ihm davon nichts wissend sei?

»Ich habe nichts von diesem gesehen, noch bemerkt, dass an den Wagen nur das Geringste wäre verletzt, oder auf der Erde herum zerstreuet worden.«

»Im Gegentheile hatten wir den schärfsten Befehl, Niemanden zu den Wagen zu lassen.«

12.

Ob Constitut sonst noch etwas wissend sei?

»Ich weiss nichts mehr, als dass wir noch zwei oder drei Tage in Rastatt auf Postierung blieben, bis wir nachher abgelöst wurden.«

Ignaz Bardocz
Gemeiner.

Wurde prael. ratif. in den vorigen Arrest abgeführet und das Verhör abgebrochen.

Signatum ut supra.

Folgen die Unterschriften der Gerichtsbeisitzer etc.

Continuatum Villingen, am 22. Mai 1799.

Im Verlauf der Untersuchung fand man für nothwendig, den Herrn Rittmeister von Burkhard noch einmal vorzurufen und ihn über das Benehmen gegen die zur Zeit in Rastatt anwesenden Gesandtschaften sowohl vor, als nach Bekanntwerdung dieser traurigen Begebenheit folgendermassen zu constituieren:

Besondere Fragestücke.

1.

Ob Herr Constitut nicht zur Zeit, als sich am 28. auf den 29. April dieser Vorfall bei Rastatt mit der französischen Gesandtschaft ereignete, von den Gesandten der übrigen deutschen Höfe ein Schreiben erhalten habe, wann?

»Ich habe ein Schreiben unter der Fertigung des dänischen, der drei preussischen, des churbraunschweigischen oder bremischen und des badischen Ministers Baron von Edelsheim, am 29. April d. J. Morgens, nachdem die Wagen der französischen Gesandtschaft schon wieder in die Stadt rückgeführet waren, erhalten.«

2.

Durch wen es dem Herrn Constituten zugestellt worden sei?

»Ich könnte mich nicht so genau mehr darauf erinnern, wer mir eigentlich dieses Schreiben zustellte, doch glaube ich, dass es der Baron von Münch gewesen sei.«

3.

Was der Inhalt dieses Schreibens gewesen?

»Ich gebe mir die Ehre, das Original-Schreiben dieser Gesandten einer löblichen Commission vorzulegen[1].«

Vormerkung.

Nach genommener vidimierter, den Acten angeschlossener Abschrift, wurde das Original dem Herrn Rittmeister wieder zurückgestellet; der Herr Constitut machte über den Inhalt dieses Schreibens folgende Anmerkung:

»Ich muss die darin enthaltenen Worte: »da die Familie und Gefolge der französischen Minister sich von dem unglücklichen mörderischen Anfalle dieser Nacht noch wieder in die Stadt geflüchtet«, zum Theil widersprechen, da sowohl die Wagen, als die dabei befindlichen Personen, mithin ein ziemlicher Theil der französischen Gesandtschaft von meiner Patrouille oder Commando vor weiteren Misshandlungen geschützet und zu ihrer persön-

[1]) S. S. 199.

lichen Sicherheit in die Stadt begleitet worden, mithin sich dahin nicht geflüchtet haben.«

4.

Was Herr Constitut auf dieses Schreiben geantwortet habe und ob diese Antwort schriftlich oder mündlich ertheilet worden sei?

»Ich habe mündlich geantwortet und mich zugleich gegen den Ueberbringer dieses mehrbemeldeten Schreibens geäussert. dass die Antwort schon erfolgen werde. In Gefolge dessen liess ich den Baden'schen Herrn Minister Baron von Edelsheim und den Herrn Directorial-Gesandten Baron von Albini zu mir bitten, welchen ich beiden die mündliche Antwort ertheilte und mich bei ihnen entschuldigte, dass ich in diesen verwirrten Umständen keine Zeit gewinne, ihnen, wie sie es verlangten. eine schriftliche Antwort ertheilen zu können.«

5.

Ob und wann diese zwei Personen zu Herrn Constituten gekommen und in was also dessen mündliche Beantwortung eigentlich bestanden habe?

»Sie sind Beide in der Früh am 29. April zu mir gekommen, wo ich ihnen die Zusicherung machte, dass ich sämmtliches Personale der französischen Gesandtschaft sammt ihren Habseligkeiten durch einen Officier und eine hinlängliche Bedeckung werde an den Rhein begleiten lassen, doch müsste ich mir die Begleitung der Gesandten der übrigen deutschen Höfe verbitten, da ich diese mitgehen zu lassen, keinen Befehl hätte und dieses Eingangs bemerkte Personale auch unter meiner alleinigen Bedeckung vollkommen sicher reisen werde. Sie liessen sich auch leicht von dieser Forderung abbringen und es gieng Niemand als der badische Herr Major von Harrant mit, dem ich es auch nicht verwehrt habe. Der Herr von Jordan ist zwar auch bis an den Rhein — jedoch ohne mein Wissen — mit den Wagen geritten.«

6.

Es komme vor, dass Herr Constitut diesen beiden Herren auch zu erkennen gegeben habe, wie sehr sein Herr Oberst über diesen Vorfall betreten sei; ob Herr Constitut sich auch dessen zu erinnern wisse?

»Ja! Auch dessen habe ich sie versichert, es ist mir nur in meiner obigen Antwort nicht gleich beigefallen, dass ich von diesem auch gesprochen habe.«

7.

Warum und aus was Ursache Herr Constitut diese beiden Herren Gesandten zu sich bitten liess, da es doch der Wohlstand gefordert hätte, dass Herr Constitut selbst zu ihnen gegangen wäre, indem dieses Personen waren, die in einem nicht geringen Ansehen stehen?

»Ich habe mich bei den damaligen Umständen und in dieser Lage, von meinem Posten und von meiner Mannschaft nicht entfernen können, auch hatte ich zu viel Sorge auf mich, als dass ich mich damals abgegeben hätte, diese beiden Herren erst aufzusuchen, die sich bei dieser Verwirrung bald in diesem, bald in jenem Hause befunden hatten.«

8.

Es verlaute, dass am 28. April Abends, noch ehevor die französische Gesandtschaft aus Rastatt abgegangen war, der Herr Baron von Münch bei Herrn Constituten gewesen sei, in was für einer Angelegenheit derselbe bei ihm war?

»Dieser Baron von Münch ist richtig bei mir gewesen, um mir vorzubringen, dass die französischen Herren Gesandten mit ihren Wagen am Rheinbauser[1]) Thor seien und abreisen wollten, aber nicht hinausgelassen würden; er ersuchte mich auch im Namen aller Herren Gesandten, sie passieren zu lassen, indem ihnen nur ein Termin von 24 Stunden festgesetzt worden wäre und sie (französische Gesandten) darauf bestünden, noch in dieser nämlichen Nacht abzureisen.«

9.

Was Herr Constitut dem Herrn Baron von Münch auf diesen seinen Vortrag für einen Bescheid gegeben habe?

»Da mir der Herr Baron diese Gründe vorstellte, woraus ich ersah, dass die französischen Herren Gesandten auf keine Weise, auch durch was immer für Vorstellungen mehr in Rastatt zu halten waren und den Tag durchaus nicht ab-

---

[1]) Rheinau.

abwarten wollten, entgegnete ich ihm, dass ich den Befehl an die betreffende Thorwache geben werde, damit sie ohne weiteren Aufenthalt hinaus gelassen werden, welches dann auch in Vollzug gebracht worden ist.«

10.

Es komme aber vor, dass Herr Constitut auf die Bemerkung des Herrn Baron Münch, man habe zu der Thorwache gesagt, dass kein Gesandtschafts-Personale — wie es immer Namen habe — hinaus gelassen würde, entgegnet haben solle, dass es nur ein Missverständniss sei, indem die Ordre laute, dass sonst Niemand, als die Franzosen aus der Stadt gelassen werden sollen? Wie das zu erklären sei?

»Als ich bei Rastatt Postierung gefasst habe, habe ich gleich an alle Thore Wachen gestellet und den Befehl gegeben, Niemanden, wer es immer sei und ohne Ausnahme hinaus zu lassen, um — wie ich in meinem ersten Verhör umständlicher bemerkt habe — dem Feind nicht die geringste Nachricht zukommen zu machen.«

»Gleich, als dieser von mir gegebene Befehl in Rastatt bekannt wurde und die französische Gesandtschaft sich zur Abreise noch in der nämlichen Nacht bestimmt hatte, kamen mehrere Herren Gesandten zu mir und machten das Ansuchen, dass die französische Gesandtschaft noch in dieser Nacht abreisen könne. Ich sicherte ihnen dieses zu, habe aber doch den Befehl, dass man die französische Gesandtschaft noch diesen Abend zum Thor hinaus passieren lassen solle, aus Vergessenheit nicht an die betreffende Thorwache gegeben. Da nun die französischen Gesandten abreisten und natürlicher Weise dennoch am Rheinhauser Thor angehalten wurden, so kam erst Baron Münch im Namen aller Gesandten, mit dem in der vorigen Antwort angezogenen Vortrag zu mir und da erst habe ich ihm, um meine vorherig aus Vergessenheit unterlassene Ertheilung des Befehles (die französische Gesandtschaft hinaus zu lassen) zu entschuldigen, zur Antwort gegeben, dass es ein blosses Missverständniss sei und die Ordre laute, dass sonst Niemand, als die französischen Gesandten aus der Stadt gelassen werden sollen.«

11.

Es komme vor, dass Herr Constitut den Gesandtschafts-Personen, welche in dieser Nacht, um sich wegen diesem traurigen Vorfall bei ihm (Herr Constituten) Raths zu erholen und alle mögliche Hilfe zu suchen, an ihn verwendet hatten, sehr trocken begegnete und nur durch die nachdrücklichsten Vorstellungen dahin vermocht werden konnte, einen ihm unterstehenden Officier mit einer Patrouille zur Hilfe und Rettung dieser Unglücklichen zu senden? Warum Herr Constitut sich nicht theilnehmender benommen und angelegentlicher um das Schicksal dieser Unglücklichen interessiert habe?

»Es mag sein, dass ich Einen oder dem Andern der Herren Gesandten nicht in der Art geantwortet habe, wie sie sich es vorstellten und wie es bei weniger verwirrten Umständen auch geschehen sein würde, allein unanständig bin ich gewiss Keinem begegnet; meine Antworten waren kurz, weil ich durch diesen traurigen, mir höchst unerwarteten Vorfall gleichsam ungemein betroffen gewesen bin. Allein zur Beorderung einer Patrouille, um diese Unglücklichen zu retten, habe ich mich keineswegs erst durch nachdrückliche Vorstellungen bereden lassen, sondern Herr Directorial-Gesandter Freiherr von Albini wird mir selbst bezeugen müssen, dass ich auf der Stelle, wie man mich darum ansprach, ohne mindeste Anstandnehmung einen Herrn Officier, den Oberlieutenant Szentes mit einem Commando beordert, um auf den Ort, wo dieser Unfall geschehen war, hinzureiten und Denjenigen, die etwa noch gerettet werden konnten, beizuspringen und sie in ihren Schutz zu nehmen.«

»Die Pferde waren übrigens abgezäumt, die Nacht finster und wir hatten, aus Mangel an Holz, nur ein kleines Wachfeuer; dieses Alles mag einige Minuten mehr weggenommen haben, bis die Pferde aufgezäumt wurden und das Commando abgerückt gewesen war. Endlich stand ich schon damals in der Besorgniss, dass ich — wenn ich gleich unschuldig — in eine strenge Verantwortung und langwierige Untersuchung desshalben gezogen werden würde. Bei dieser Rücksichtnehmung wird mir wohl Niemand verargen können — wenn ich meine Aeusserungen nicht so auf die Wage stellte, wie ich es sicher gegen diese diplomatischen Herren gethan haben würde, wenn dieser traurige Vorfall nicht in jedem Anbetracht dergestalten auf mich gewirket hätte.«

12.

Es komme noch vor, dass von dem badischen Herrn Minister Baron von Edelsheim und dem Herrn Major von Harrant zwei Husaren den in der Nacht abreisen wollenden französischen Gesandten als Begleitung mitgegeben, selbe aber am Rheinhauser Thor rückgewiesen und nicht hinaus gelassen worden seien; ob dem so sei und falls, warum diese zurückgewiesen wurden?

»Ich weiss nichts von diesem, weder ist mir gemeldet worden, dass zwei badische Husaren mit den französischen Gesandten als Begleitung hätten zum Thor hinaus passieren wollen, zweifle daher sehr an diesem Assertum und wenn sie rückgewiesen wurden, so war es nichts Anders als Accuratesse der Thorwache, weil ich den Befehl auf die Vermittlung der übrigen Gesandtschaft ertheilt habe, blos die französischen Gesandten mit ihren Habseligkeiten zum Thor hinaus passieren zu lassen, einer badischen Begleitung aber nicht erwähnte, mithin auch die Wache keinen Bedacht darauf genommen hatte.«

»Zudem hat man mir ja von Seite der Herren Gesandten von einer badischen Begleitung kein Wort gesagt, wie konnte man verlangen, dass zwei Husuren hinaus gelassen werden sollten, auf welche vor der Hand kein Mensch gedacht hatte?«

von Burkhard
Rittmeister.

Wurde in Ermanglung weiteren Wissens prael. ratif. wieder entlassen und das Protokoll abgebrochen.

Villingen, am 22. Mai 1799.

Folgen die Unterschriften der Gerichtsbeisitzer etc.

Continuatum Villingen, am 24. Mai 1799.

Da auf geschehenes Ansuchen von der markgräflich badischen Regierung das visum repertum in Betreff der zwei getödteten Körper der Gesandten Roberjot und Bonnier gleichfalls eingelaufen ist, so wird selbes zur Herstellung des Corpus delicti dem Protokoll beigeschlossen.

Gleichfalls ist von der Commission für nöthig befunden worden, den Herrn Lieutenant Draveczky vorzurufen, welcher die geretteten französischen Gesandtschafts-Personen an den Rhein zur Ueberfuhr zu begleiten beordert wurde, welcher dann folgendermassen zu Protokoll vernommen worden ist:

Allgemeine Fragestücke.

1.

Wie Herr Deponent heisse, woher gebürtig etc.?

»Nicolaus Draveczky[1]), von Debreczin aus Ungarn im Biharer Comitat gebürtig, 31 Jahre alt, evangelisch, verheirathet, hat als Rittmeister bei der ungarischen Insurrection gedienet und wurde von Seiner Majestät als Unterlieutenent vor zehn Monaten zu dem k. k. Szekler-Husaren-Regiment gegeben.«

»Vor allem diesem hat Deponent als Regiments-Cadet bei de Vins-Infanterie durch fünf Jahre und zwei Monate gestanden und ist von da noch vor dem Türken-Krieg ausgetreten. Befindet sich also mit Einrechnung der Zeit, die er bei der Insurrections-Armee zubrachte, sieben Jahre in k. k. Kriegsdiensten.«

2.

Ob Herr Deponent schon öfters vor Gericht gewesen sei?

»Noch niemals.«

3.

Ob Herr Deponent sich die Ursache vorstellen könne, warum er jetzt hier vorgerufen worden sei?

»Ja! Ich bin vorgerufen, weil ich nach dem traurigen Vorfall bei Rastatt beordert worden bin, das übrige französische Gesandtschafts-Personale an den Rhein zu begleiten.«

---

[1]) Die Conduite-Beschreibung dieses Officiers lautet: Hat Kenntnisse in jure: ja; in anderen Wissenschaften: etwas belesen; Lebensart mit dem Civile: gut; im Regiment: gut; mit seinen Untergebenen: gut; Eifer und Application: sehr viel; guter Wirth: ja; dem Trunk ergeben: nein; Spieler: nein; Schuldenmacher: nein; Zänker: nein; sonst im Dienst: sehr gut zu gebrauchen; verdient das Avancement: besonders; wie oft präteriert: niemals. — Sprachenkenntnisse: deutsch, ungarisch, lateinisch, slavonisch.

Besondere Fragestücke.

4.

Von wem Herr Deponent commandiert wurde, diese Gesandtschafts-Personen an den Rhein zu begleiten?

»Ich bin vom Herrn Rittmeister von Burkhard beordert worden, dieselben dahin zu begleiten.«

5.

Wie stark die Begleitung gewesen sei, welche mit diesem Zug gegangen war?

»Nebst mir war ein Corporal und zwölf Mann bei der Begleitung, nebst einem Trompeter.«

6.

Wann der Zug von Rastatt abgieng? Herr Deponent wolle den Tag und die Stunde angeben.

»Den 29. April d. J., um 12 Uhr zu Mittag beiläufig giengen wir von Rastatt.«

7.

Es verlaute, dass dieser Zug gleich nach 10 Uhr Vormittags desnämlichen Tags von Rastatt abgegangen sei? Herr Deponent wolle sich zu besinnen suchen.

»Ich kann mich recht wohl erinnern, dass wir mit den Wagen erst um 12 Uhr Mittags von Rastatt abgiengen; ich habe noch zu Mittag gespeist und bin dann mit der Begleitung abgegangen.«

8.

Wieviel Wagen gewesen seien, welche Herr Deponent an den Rhein begleitete?

»Es waren sieben Wagen, fünf Chaisen und zwei Bauernwagen.«

9.

Mit was für Pferden die Wagen bespannt waren?

»Wie ich vernahm, waren lauter fürstlich badische Pferde angespannt gewesen.«

10.

Was für Gesandtschafts-Personen gewesen seien und wo selbe in die Wagen gestiegen?

»Es war in dem ersten Wagen der Gesandte Jean Debry, nebst seiner Frau und zwei Töchtern; im zweiten Wagen befand sich die Madame Roberjot mit dem ligurischen Herrn Gesandten, dessen Name mir unbekannt; im dritten waren die Secretärs des Bonnier und Jean Debry's; im vierten befand sich der Secretär des Gesandten Roberjot, nebst zwei Kammermädchen der. Madame Roberjot; im fünften fuhr der Bruder des ligurischen Herrn Gesandten, nebst einem Kammerdiener: im sechsten und siebenten Wagen war der Koch und dessen Weib des Gesandten Bonnier, nebst mehrerer Dienerschaft und der Bagage der gesammten französischen und ligurischen Gesandtschaft. Bei der Wohnung des königlich preussischen Gesandten wurde eingestiegen, nur Madame Roberjot stieg im Schloss ein.«

11.

Ob Herr Deponent sich nicht erinnern könne, was bei Gelegenheit dieser Begleitung und hauptsächlich auf dem Weg nach dem Rhein gesprochen worden sei?

»Es gieng Alles in der möglichsten Stille vor sich: beim Einsteigen vor dem Quartier des königlich preussischen Herrn Gesandten wurde sich allenthalben beurlaubet, auf dem Zug selbst aber wurde sehr wenig gesprochen.«

12.

Ob Herr Deponent nicht vernommen, dass Ein oder Anderer von der französischen Gesandtschaft, in Rücksicht der sich mit den dreien Gesandten ereigneten Begebenheit, auf Jemanden einen besonderen Verdacht geworfen habe, dass dieses der Thäter oder Theilnehmer sein könnte und falls, auf wen dieser Verdacht geworfen wurde?

»Ich habe nicht das Mindeste vernommen, ja es ist auf dem ganzen Weg kein Wort über diesen Vorfall gesprochen worden.«

13.

Ob ausser des Herrn Deponenten seiner Mannschaft noch andere Personen diese Wagen begleitet haben und falls, wer?

Ausser meiner Begleitung waren auch fürstlich badischer Seits der Herr Platz-Major von Harrant, ein Wachtmeister, ein Corporal und zwölf Mann von einem badischen Husaren-

Regiment dabei, der Herr Major ritt vor den Wagen an meiner Seite und unser weniges Gespräch war von gleichgiltigen Dingen, die Uebrigen haben aber gar nichts geredet.«

14.

Ob ausser diesem fürstlich badischen Militär Niemand vom Civil den Zug begleitet habe?

»Niemand.«

15.

Es komme vor, dass der königlich preussische Herr Legationsrath von Jordan ebenfalls mitgeritten sei. Ob Herr Deponent diesen nicht bemerkt habe?

»Ich kann behaupten, dass Niemand vom Civile dabei war, mithin auch dieser Herr Legationsrath nicht, ich hätte ihn doch sehen müssen, da ich mit meiner Mannschaft am Rhein blieb, bis Alles bis auf den letzten Mann übergeschifft war.«

16.

Wie sich insbesondere der Herr Gesandte Jean Debry gegen Herrn Deponenten benommen habe?

»Als die Wagen schon am Ufer angekommen waren, kamen die Gesandtschafts-Personen überein, dass sie Alle aus den Wagen steigen und so auf dem ersten Schiff überfahren, auch noch den Wagen des Jean Debry und jenen der Madame Roberjot auf diesem nämlichen Schiff übersetzen lassen wollen. Als ich mich bei Herrn Jean Debry durch Herrn Major von Harrant, welcher der Dolmetsch gewesen war, beurlaubte, so sagte er, dass er meinem Commandanten und mir für die gegebene Escorte danke und wenn Einer oder der Andere von unserem Regiment das Unglück haben sollte, gefangen zu werden, er sich nur auf ihn (Jean Debry), in was immer für einer Gelegenheit, berufen solle, indem er sich alle Zeit dankbar bezeigen und ihm, wo er nur könne, dienen werde. Auch Madame Roberjot sagte etwas, doch war man ausser Stand sie zu verstehen, weil jedes Wort vom heftigen Weinen und Schluchzen unterbrochen und somit ihre Reden unverständlich wurden; aus ihrem Bücken erkannte ich aber, dass es gleichfalls der Ausdruck des Dankes für die Begleitung war, ja Jean Debry hat noch, als er schon 20 bis 30 Schritte auf dem Schiff vom Ufer entfernt war, durch Zeichen seinen Dank wiederholt zu erkennen gegeben; die badischen Pferde fuhren über den Rhein und kamen erst am andern Tag, als den 30., zurück.«

17.

Um wieviel Uhr beiläufig die Wagen am Rhein angekommen waren?

»Es mag ½3 Uhr Nachmittags gewesen sein.«

18.

Wie lang das Ueberführen gedauert habe?

»Bis alle Personen, Pferde und Wagen übergefahren waren, ist es 6 Uhr Abends geworden.«

19.

Ob es da gar keine weiteren Hindernisse oder Umstände gegeben habe?

»Nicht im Geringsten.«

20.

Wann Herr Deponent mit seiner Mannschaft wieder in die Stadt zurückgekommen sei?

»Um 8 Uhr Abends bin ich wieder in Rastatt mit meiner Mannschaft, in Gesellschaft des badischen Herrn Majors und der ganzen Begleitung angekommen.«

21.

Ob in dieser Hinsicht noch was Weiters vorgefallen sei?

»Nichts mehr.«

22.

Wo Herr Deponent sich in der Nacht vom 28. auf den 29. April, als diese traurige Begebenheit sich ereignete, befunden habe?

»Ich habe mich vor Rastatt sammt der übrigen Mannschaft unserer Escadron auf Piquet befunden.«

23.

Ob Herr Deponent in dieser Nacht immer da verblieben, oder vielleicht anderswohin commandiert worden sei und falls, wohin?

»Ich bin immer auf dem nämlichen Posten geblieben.«

24.

Es komme vor, dass Einige seiner Begleitung beschenkt worden seien — von wem und was sie zum Geschenk erhielten?

»Der Gesandte Jean Debry hat mir bei seiner Beurlaubung am Rhein einen ganzen doppelten Louisd'or à 22 fl. rh.-W. übergeben, damit ich ihn unter meiner Mannschaft vertheilen solle; ich dankte ihm im Namen der Mannschaft und gab diesen doppelten Louisd'or, vor seiner noch, dem dabei gewesten Trompeter, damit sie ihn unter einander theilen. Auch dem badischen Herrn Major gab Jean Debry Geld, welches vermuthlich für die badischen Husaren ein ähnliches Douceur gewesen sein wird.«

25.

Es komme vor, dass Jean Debry auch ihm (Herrn Deponenten) und noch einem Officier ihres Regiments ein Douceur angetragen habe; ob das seine Richtigkeit habe und wie sich der andere Officier nenne?

»Mir hat er für meine Person nichts gegeben, so wenig als einem andern meinigen Kameraden; auch würden wir's nie angenommen haben; ich erhielt von ihm nichts als den doppelten Louisd'or für die Mannschaft, in deren Namen ich mich auch bedankte.«

»Uebrigens kann wohl sein, dass mir Jean Debry etwas zugedacht habe, weil er mehreres Geld in der Hand hatte; da er aber gesehen, dass ich etwas zu nehmen mich weigerte, so wird er eine weitere Antragung, die er vielleicht im Sinne haben mochte, unterlassen haben. Nebst mir war richtig der Herr Lieutenant Fontana auch dort, welcher zur Zeit in Plittersdorf, wo die Ueberfahrt vor sich gieng, auf Piquet gestanden hatte und also natürlicher Weise dazugekommen war und zugesehen hatte; diesem ist aber meines Wissens auch kein Douceur angetragen worden.«

26.

Ob Herrn Deponenten in Sachen nichts weiters bekannt sei?

»Nichts mehr, ich wurde auch den zweiten oder dritten Tag von Rastatt, sowie die ganze Escadron abgelöst. Nach dieser Begebenheit wurde öffentlich in Rastatt gesprochen dass dieser Mord von Emigranten unternommen und ausgeübet worden sein müsste.«

Nicolaus von Draveczky
Lieutenant.

Wurde, nachdem er die ihm vorgelesene Aussage bestätiget und gefertiget hatte, mit aufgelegtem Stillschweigen entlassen und mit weiteren Verhören abgebrochen.

Sigt. Villingen, am 24. Mai 1799.

Folgen die Unterschriften der Gerichtsbeisitzer etc.

Continuatum Villingen, am 25. Mai 1799.

Da der Herr Lieutenant Draveczky in seiner gethanen Aussage behauptete, dass der preussische Herr Legationsrath von Jordan nicht unter der Begleitung gewesen sei, die sämmtlichen Herren Gesandten der deutschen Höfe aber in ihrer eingeschickten Species facti bemerken, dass von allen diplomatischen Personen der Herr von Jordan allein die Erlaubniss erhalten habe, den Zug zu begleiten; der Herr Rittmeister von Burkhard selbst auch in seiner Antwort auf die 17. Frage angiebt, dass der Herr Legationsrath von Jordan unter den Begleitern gewesen sei, so wurde Herr Rittmeister von Burkhard nochmal vorgerufen und bei ohnehin bekannten Generalien folgendermassen befraget:

Besondere Fragestücke.

1.

Herr Constitut habe in seiner Antwort auf die 17. Frage bemerket, dass ungeachtet er sich die Begleitung der diplomatischen Herren verbeten, dennoch der Herr Legationsrath von Jordan unter den Begleitern gewesen sei, ob er noch dabei bleibe, dass selber unter der Begleitung gewesen sei?

»Ich weiss es nicht so gewiss, dass Herr von Jordan unter den Begleitern gewesen sei, um darauf fest beharren zu können, sondern habe nur nach der Hand (ich weiss nicht mehr von wem) in Rastatt vernommen, dass selber dabei gewesen, doch wird der Herr Lieutenant Draveczky, der den Zug begleitete, hierin das Gewisseste angeben können.«

2.

Die Herren Gesandten der übrigen deutschen Höfe sagen aber in ihrem eingeschickten Species facti, dass nur der königlich preussische Herr Legationsrath von Jordan, welcher durch die Sendung nach Gernsbach mit dem Militär näher bekannt geworden, von allen diplomatischen Personen allein die Erlaubniss erhalten habe, den Zug zu begleiten. Es müsse ihm also diese Erlaubniss von Jemanden ertheilt worden sein, ob jener sich nicht etwa bei Herrn Constituten angefraget und er selbe ihm ertheilt habe?

»Herr von Jordan hat mich nie um die specielle Erlaubniss angesucht, dass er den Zug allein begleiten dürfe; auch würde ich sie ihm nie ertheilt haben, da ich mich streng nach dem Befehl hielt, keine von den diplomatischen Personen mitgehen zu lassen. Und ich glaube nun sicher, dass Herr von Jordan nicht unter den Begleitern gewesen sei, weil sonst Herr Lieutenant Draveczky, da er mir nach seiner Einrückung von der Begleitung die dienstmässige Meldung machte, davon Erwähnung gemacht haben würde [1].«

von Burkhard
Rittmeister.

Wurde in Ermanglung weiteren Wissens, prael. ratif. wieder entlassen, mit der Bemerkung, dass es, nach allen Umständen zu schliessen, wahrscheinlicher sei, dass Herr Legationsrath von Jordan nicht unter den Begleitern war und daher das in dem Species facti gemachte Assertum auf

---

[1]) Der Umstand, ob der preussische Legationsrath Jordan die Wagen der französischen Gesandtschaft an den Rhein begleitet hatte oder nicht, ist natürlich ohne jede Bedeutung. Die Untersuchungs-Commission legte auch auf die Feststellung dieses nebensächlichen Factums offenbar nur desshalb einigen Werth, weil es im »Authentischen Bericht« ungenau dargestellt wurde und weil man später (was thatsächlich geschah) sagen konnte, nur die Anwesenheit dieser Herren habe Jean Debry vor dem Schicksale seiner Collegen bewahrt. (S. S. 202 ff.) Draveczky konnte in dem Herrn, der eine ähnliche Uniform trug, wie der badische Major von Harrant, natürlich keine Person »vom Civile« vermuthen und durfte desshalb mit Recht behaupten, dass Jordan nicht mitgeritten sei und Burkhard scheint dem Herrn die Erlaubniss thatsächlich nicht ertheilt zu haben, da ja für ihn kein Grund vorlag, es später abzuleugnen.

dem 11. Blatt nicht ganz der Wahrheit nahe komme, weil es von Personen widersprochen wird, denen man keine Ursache zumuthen kann, warum sie in Absicht dieses Umstandes etwas Falsches behaupten sollten.

Uebrigens kann wohl möglich sein, dass Herr von Jordan seitwärts in einer gewissen Entfernung einher ritt, um zu sehen, wie das französische Gesandtschafts-Personale an ihren Bestimmungsort komme, welches aber als keine Begleitung angesehen werden kann, daher immer noch von Seite der Herren Gesandten der Widerspruch obwaltet, dass sie in dem Species facti angeben, Herr von Jordan habe die Erlaubniss, mitzugehen, eingeholt, ohne bemerkt zu haben, bei wem sie eingeholt wurde und dass jener wirklich mitgegangen und den Zug begleitet habe.

Es wurde derjenige Herr Officier, welcher zur Zeit dieser Begebenheit in Plittersdorf auf Piquet stand, vorgerufen und wie folgt vernommen:

Allgemeine Fragestücke.

1.

Wie Herr Deponent heisse, woher gebürtig etc.?

»Franz Fontana, aus der Stadt Mailand gebürtig, 27 Jahre alt, katholisch, ledig, befindet sich 6 Jahre in k. k. Kriegsdiensten, war vorher ex propris gestellter Cadet bei Kaiser-Chevauxlegers, nunmehrigem 1. Kaiser-Dragoner-Regiment, nun aber seit zwei Jahren Unterlieutenant von Szekler-Husaren.

2.

Ob Herr Deponent schon öfters vor Gericht gewesen sei?

»Niemals.«

Besondere Fragestücke.

3.

Wann Herr Deponent nach Plittersdorf, im Monat April auf Piquet gekommen sei?

»Ich bin am 28. April d. J., nachdem die Escadron vor Rastatt Posto gefasst hatte, beiläufig um 7 Uhr Abends nach Plittersdorf mit 29 Mann, mit Einbegriff eines Corporals, auf Piquet abgegangen.«

4.

Ob Herrn Deponent erinnerlich sei, ob eine Patrouille von ihrem Regiment diesen nämlichen Abend oder in der folgenden Nacht nach Plittersdorf gekommen sei oder nicht?

»Es ist weder am Abend, noch in der Nacht eine Patrouille dahin gekommen, mein Dienst war übrigens, den Rhein und die dortige Gegend zu beobachten, wesswegen ich auch Vedetten gegen Selz ausgestellt habe.«

5.

Wann Herr Lieutenant Draveczky mit Begleitung der französischen Gesandtschafts-Wagen bei Plittersdorf angekommen sei?

»Er ist mit den Wagen und französischem Gesandtschafts-Personale am 29. April, Nachmittags um 3 Uhr herum, angekommen.«

6.

Wie stark die Begleitung gewesen sei?

»Es waren Husaren von unserem Regiment und auch badische unter der Begleitung, deren Anzahl konnte ich aber nicht bestimmt angeben; sie haben fünf Chaisen, worin die französischen Gesandtschafts-Personen befindlich waren und zwei Bagage-Wagen zur Ueberfuhr an den Rhein begleitet.«

7.

Was da sonst vorgegangen sei, ob Herr Deponent nichts Umständliches hievon angeben könne?

»Es wurde von einem unserigen Trompeter geblasen, worauf gleich von der französischen Seite drei Schiffe, beiläufig nach einer halben Stunde, herüber gekommen waren, die Gesandtschafts-Personen sind unterdessen aus ihren Wagen gestiegen und haben die Ankunft der Schiffe am Ufer abgewartet.«

»Unterdessen hat mich sowohl der Herr Lieutenant Draveczky, als auch der badische Major von Harrant avisiert, dass sie dieses französische Gesandtschafts-Personale zu dem Ende hieher begleitet haben, damit sie hier über den Rhein auf die französische Seite geführt würden, welches dann auch geschah.«

8.

Wie sich der französische Gesandte Jean Debry insbesondere bei dieser Gelegenheit benommen habe?

»Er hat sich sowohl bei meinem Herrn Kameraden, dem Lieutenant Draveczky, als auch gegen mich für die Begleitung bedankt; Jean Debry trug mir auch Geld als ein Douceur für meine gehabte Mühewaltung an, welches ich nicht annahm und nur darauf erwiderte, dass dieses ohnehin unsere Pflicht gewesen sei. Jean Debry sprach noch Mehreres mit dem badischen Herrn Major, welches ich aber nicht verstanden habe, weil ich etwas weiter davon entfernt gewesen bin. Der bei selben mitgeweste ligurische Herr Gesandte hat mit mir italienisch gesprochen und sich erkundiget, ob mein Vater noch lebe, wo er sich aufhalte etc., welches ich ihm dann auch beantwortete und da er sich antrug, an selben eine Empfehlung von mir zu entrichten, so ersuchte ich ihn, dass er es — wenn er meinen Vater zu sehen bekäme — thun solle; auch fragte er mich, ob ich in der Nacht, wo die zwei Gesandten ermordet wurden, auch in Plittersdorf gestanden sei und ich nichts davon gehört habe, welch' ersteres ich bejahet, das Zweite aber verneinet habe.«

9.

Wie lang die Ueberfahrt beiläufig gedauert habe?

»Sie mag beiläufig bis nach 6 Uhr gedauert haben, denn sie sind dreimal hin und her gefahren, bis alle Wagen auf das andere Ufer geschafft waren.«

10.

Ob ausser der militärischen Begleitung auch Civil-Personen diesen Zug begleitet haben und falls, ob Herr Deponent nicht bekannt, wer es gewesen sei?

»Ausser der militärischen Begleitung habe ich Niemanden vom Civile weder mitreiten, noch mitgehen bemerket, ich habe übrigens nicht einmal die Bauern von Plittersdorf aus dem Dorf herausgehen lassen und glaube daher schwerlich, dass ausser dem französischen Gesandtschafts-Personale nur ein anderer Mensch vom Civile mit gewesen sei.«

11.

Es komme aber vor, dass der preussische Herr Legationsrath von Jordan auch unter den Begleitern gewesen sei, ob Herr Deponent diesen kenne und sich vielleicht erinnere, diesen unter der Begleitung bemerkt zu haben?

»Ich kenne zwar diesen Herrn Legationsrath nicht persönlich, doch konnte er unmöglich anwesend gewesen sein, ohne dass ich ihn bemerkt hätte, da, nachdem das Frauenzimmer, Jean Debry und die übrigen von der Gesandtschaft gleich im ersten Schiff übergefahren sind und etwa vier Bediente rückgelassen haben, ich nothwendigerweise diesen Herrn Legationsrath hätte sehen müssen, wenn er unter der Begleitung sich befunden hätte. Allein ich habe Niemand gesehen und deutlich bemerkt, wie Niemand als Herr Major von Harrant und mein Herr Kamerad Draveczky mit der Mannschaft nach vollendeter Ueberfahrt nach Rastatt rückgekehrt seien.«

12.

Wie lang Herr Deponent noch nach der Hand in Plittersdorf auf Piquet gestanden sei und von wem er abgelöst wurde?

»Ich bin noch bis 3. Mai dort auf Piquet geblieben und am bemerkten Tag um 9 Uhr Vormittags von einem Oberlieutenant von der Majors-Division Namens Bartha abgelöst worden. Uebrigens hat sich seit meiner dortigen Commandierung nichts mehr hierauf Bezughabendes zugetragen, als dass sechs Postpferde, welche mit den Gesandtschafts-Wagen hinüber gegangen, noch am Abend des 29. April l. J., die anderen markgräflich badischen Pferde aber den folgenden Tag wieder über den Rhein zurückgekommen seien, welche ihrer Angabe nach die Gesandtschafts-Wagen bis Selz führten und von mir die Weisung erhalten haben, sich bei ihrer Ankunft in Rastatt bei Herrn Rittmeister von Burkhard zu melden.«

13.

Ob Herrn Deponenten noch etwas in Sachen bekannt sei?

»Nichts mehr.«

Franz Fontana
Lieutenant.

Wurde prael. ratif. in Ermanglung weiteren Wissens mit aufgelegtem Stillschweigen entlassen und das Verhör abgebrochen.

Villingen, am 25. Mai 1799.

Folgen die Unterschriften der Gerichtsbeisitzer etc.

Continuatum Villingen, den 27. Mai 1799.

Nachdem der Herr Rittmeister von Burkhard in seiner letzten zu Protokoll gegebenen Aussage auch des Herrn Oberlieutenants Szentes erwähnet, welchen er auf Ansuchen der deutschen Gesandten zur Rettung der übrigen Gesandtschafts-Personen commandiert hatte, so wurde auch dieser vorgerufen und über diesen Umstand, wie folget, vernommen:

Allgemeine Fragestücke.

1.

Wie Herr Deponent heisse?

»Joseph von Szentes[1]), von Szárazpatak aus Ungarn gebürtig, 35 Jahre alt, reformierter Religion, verheirathet, befindet sich 16 Jahre in k. k. Kriegsdiensten, hat bei Nádasdy als Cadet zu dienen angefangen, avancierte als Lieutenant zum slavonisch-croatischen Grenz-Husaren-Regiment und kam mittelst Tausch zum Szekler-Husaren-Regiment, Oberlieutenant des oben bemerkten Regiments.«

2.

Ob Herr Deponent schon öfters vor Gericht gewesen sei?

»Niemals.«

Besondere Fragestücke.

3.

Ob Herr Deponent auch im vorigen Monat April sich unter Denjenigen befunden habe, welche in Rastatt eingerückt sind, als die Gesandtschaften verschiedener Höfe daselbst noch anwesend waren?

---

[1]) Die Conduite-Beschreibung dieses Officiers lautet: Lebensart mit dem Civile: gut; im Regiment: gut; mit seinen Untergebenen: gut; Eifer und Application: genug; guter Wirth: ja; dem Trunke ergeben: nein; Spieler: nein; Schuldenmacher: nein; Zänker: nein; sonst im Dienste: gut; verdient das Avancement: in seinem Rang; wie oft präteriert: keinmal; Sprachkenntnisse: deutsch, ungrisch, lateinisch, slavonisch.

»Ja, ich befand mich auch dabei, als die Oberst erste Escadron unter Commando des Herrn Rittmeisters Burkhard daselbst eingerückt war.«

4.

Wann sie eingerückt waren, an was für einem Tag und zu was für einer Stunde?

»Wir sind am 28. April d. J. Abends, beiläufig 7 Uhr, dort eingerückt.«

5.

Ob Herr Deponent für seine Person gleich ein Dienst getroffen oder wo er sich sonst in Rastatt und wie lang verhalten habe?

»Es hat mich auf der Stelle kein Dienst getroffen, sondern ich bin bis nach 8 Uhr im Lager vor dem Karlsruher Thor verblieben, dann habe ich mich in ein einige Schritte entferntes Wirthshaus begeben, wo ich zu Nacht speiste.«

6.

Ob damals die französischen Gesandten noch anwesend in Rastatt waren und ob Herr Deponent nicht bekannt, ob und wann diese von Rastatt abgegangen seien?

»Sie waren noch anwesend und soviel ich vom Hörensagen weiss, sind sie um 9 Uhr Abends beiläufig von da abgefahren.«

7.

Was Herr Deponent den übrigen Theil der Nacht gemacht und ob ihn die ganze Nacht hindurch vom 28. auf den 29. gar kein Commando oder sonstiger Dienst getroffen habe?

»Ich begab mich nach dem Nachtessen wieder in das Lager, wo wir Posto gefasst hatten und legte mich wirklich nieder, um auszuruhen; allein es dauerte nicht lange, so kamen Nachts mehrere Herren von der in Rastatt gewesenen Gesandtschaft mit Fackeln und fragten um den commandierenden Herrn Rittmeister, dem sie dann auf sein Erscheinen erzählten, dass die französischen Gesandten auf ihrem Weg nach dem Rhein wären angefallen und aus den Wagen gezogen worden. Sie verlangten, dass Herr Rittmeister zu ihrer Rettung alle möglichen schleunigen Vorkehrungen treffen solle, worauf er mich auch auf der Stelle commandierte, mit sechs Mann, die ich ohne Auswahl vom Feuer wegnahm, auf die Rheinhauser Strasse zu reiten und selbe von allem weiteren Unglück zu retten. Diesem Befehl gemäss begab ich mich etwa um 11 Uhr bei dem Karlsruher Thor herein durch die Stadt durch und bei dem Rheinhauser Thor auf die Strasse nach Rheinau, wo mich in der Stadt beim Karlsruher Thor noch einige Herren Gesandten anhielten und um Verschiedenes befragen wollten. Da ich ihnen aber bedeutete, dass ich Eile hätte und zur Rettung der angefallenen französischen Herren Gesandten beordert sei, hielten sie mich nicht weiter auf, sondern baten mich, nur recht zu eilen, damit doch Ein oder Anderer noch gerettet würde. Ich mochte beiläufig 250 Schritte auf der Strasse nach Rheinhausen geritten sein, als mein Pferd scheu wurde und nicht vorwärts gehen wollte, da ich selbes aber doch forcierte, fand ich, dass selbes so stützig war, weil an der Strasse zwei Körper in einer Entfernung von zwanzig Schritten von einander gelegen waren, welche ich nach der Hand als todt bemerkt habe; ich würde bis an den Rhein fortgeritten sein, wenn mir selbe nicht aufgestossen wären.«

8.

Ob Herr Deponent nicht näher ausnehmen konnte, wer diese Körper waren, dann wie und mit was für Werkzeug sie ermordet worden seien?

»Davon konnte ich wegen ungemein finsterer Nacht nicht das Geringste ausnehmen.«

9.

Was Herr Deponent auf Dieses weiter gethan und veranlasset habe?

»Ich bin auf der Stelle mit meiner beihabenden Mannschaft in die Stadt umgekehrt und habe dem Herrn Rittmeister gemeldet, dass meine Sendung zu spät gewesen sei, indem wirklich zwei todte Körper an der Strasse liegend von mir angetroffen, sonst aber nichts Weiteres bemerket oder wahrgenommen worden sei.«

10.

Ob Herr Deponent in der Gegend, wo diese Körper lagen, keine anderen Menschen oder Wagen, Pferde etc. angetroffen habe, in welchen die Ermordeten gefahren und, nach Vorgeben der Gesandtschafts-Personen in Rastatt, aus selben herausgezogen wurden?

»Ich habe weder Menschen, noch Wagen, noch Pferde auf dem Platz getroffen, wo diese zwei ermordeten Körper lagen, sondern es war Alles finster. Auch habe ich keine begegnet, noch sonst was, weder auf dem Hin-, noch Herweg wahrgenommen. Ich habe die Wagen, worin die französischen Gesandten gefahren waren und angefallen wurden, erst den andern Tag inner dem Karlsruher Thor aufgefahren gesehen.«

11.

Herr Deponent solle beiläufig die Stunde nochmal angeben, wann er auf Befehl des Herrn Rittmeisters auf die Rheinauer Strasse hinaus gesprengt sei und wieviel Uhr es war, als er wieder zurückkehrte?

»Ich habe zwar oben die eilfte Stunde beiläufig angegeben, könnte es aber nicht bestimmt behaupten, indem ich bei Ankunft der Gesandten mit den Fackeln jählings aus dem Schlaf geweckt wurde; es kann also auch ebenso gut 12 Uhr oder 1 Uhr in der Nacht gewesen sein, wie ich von Rastatt weggeritten war. Auch haben mich die Gesandten in der Nacht angehalten, weil sie glaubten, dass ich der Commandant sei, da ich ihnen aber, wie oben angegeben, erklärte, dass ich zur Rettung der Angefallenen beordert sei, liessen sie mich und gaben mir noch einen Bedienten mit einer Fackel zu dem Thor mit, wodurch ich auf die Rheinauer Strasse kommen könne. Dieser Bediente hat mich aber, wie ich am anderen Tag bemerkte, auch nicht den geraden Weg zum Rheinauer Thor geführt, sondern hat mit mir einen Umweg gemacht und ist bei dem Thor mit der Fackel zurückgeblieben, so dass ich ausser dem Thor ganz in der Finstere war und daher 250 Schritte ausser der Stadt mein Pferd auf die todten Körper gestossen war. Ich mochte mich kaum zwei oder drei Minuten auf dem Platz, wo diese zwei Körper lagen, verhalten haben, so ritt ich wieder in die Stadt und stattete dem Herrn Rittmeister die oben angegebene Meldung ab.«

12.

Ob zur Zeit, als Herr Deponent wieder zurückkam, die Gesandtschafts-Wagen schon in die Stadt zurückgebracht waren?

»Das weiss ich nicht; ich habe, wie ich schon angab, weder Wagen, noch sonst was gesehen, indem ich erst am andern Tag sämmtliche Gesandtschafts-Wagen aufgeführter inner dem Karlsruher Thor bemerket habe. Uebrigens bin ich nicht mehr den nämlichen Weg, den ich hinausgieng, zurückgekommen, weil ich in der Finstere herumgeirret war.«

13.

Herr Deponent habe angegeben, dass er die zwei todten Körper auf der Strasse wahrgenommen und gleich auf dieses in die Stadt rückgekehret sei; es ist bekannt, dass die Wagen, sieben an der Zahl, auf der nämlichen Strasse, wo Deponent dieser Körper ansichtig geworden, angehalten wurden, gegen drei Stunden da gestanden, dann auf Befehl des Herrn Rittmeisters umgekehret und in die Stadt geführet worden seien, wo sie erst gegen 2 Uhr Mitternacht anlangten. Es ist also nicht wohl möglich, dass Herr Deponent sie gar nicht ansichtig geworden sein sollte, da er sie doch entweder auf der Strasse, wo die zwei todten Körper gelegen waren, noch stehend, oder während ihrem Rückfahren in die Stadt — wobei selbe noch mit Fackeln begleitet wurden — hätte nothwendiger Weise sehen müssen; Herr Deponent müsse also einräumen, diese Wagen gesehen zu haben, oder aber zugeben, dass er erst nach 2 Uhr auf den bemerkten Platz geritten sei, welch' Letzteres auch nicht wahrscheinlich ist, da er, wie er selbst angab, zur Rettung der Angefallenen gesendet wurde, mithin unmöglich drei Stunden nach kundbar gewordener That zu diesen beordert worden sein konnte. Was Herr Deponent hierauf erwidern könne?

»Die Stunde, wann ich zur Rettung der Angefallenen beordert worden bin, weiss ich nicht; es kann also auch nach 2 Uhr in der Nacht geschehen sein; dabei muss ich aber fest beharren, dass ich in dieser Nacht nicht das Geringste von den französischen Gesandtschafts-Wagen ansichtig geworden bin. Ich war ja zur Rettung der Angefallenen beordert, ich hätte also meine Schuldigkeit gewiss beobachtet und alle Uebriggebliebenen in die Stadt begleitet, wenn ich sie angetroffen hätte, so aber sah ich nichts. Die Wagen können ja einen andern Weg eingeschlagen oder schon bereits in der Stadt angekommen gewesen sein, als ich auf den bemerkten Platz geritten gekommen bin.«

14.

Herr Deponent wolle diejenigen sechs Mann mit Namen angeben. welche mit ihm geritten waren und auf dem Ort gewesen sind, wo er (Herr Deponent) die todten Körper angetroffen hatte!

»Diese sechs Mann kann ich auf der Stelle wirklich nicht alle nennen, weil sie ganz unverhofft mit mir — ohne sie auszusuchen oder zu nennen — vom Wachfeuer weg commandiert wurden; übrigens waren die Gemeinen Ladislaus Sigmund und Samuel Csikos dabei, aber auch die übrigen Vier werden leicht ausfindig gemacht werden können, weil selbe entweder die zwei genannten Gemeinen kennen werden oder auch nur die vorgerufen werden dürfen, so mit mir in dieser nämlichen Nacht zur Rettung der Angefallenen beordert worden sind.«

15.

Was dann nach dem geschehen sei oder weiters veranlasst wurde, als Herr Deponent zum Herrn Rittmeister von Burkhard zurückkam und die Meldung machte, dass er zwei todte Körper getroffen und zur Rettung derselben schon zu spät gekommen sei?

»Gleich nach abgestatteter Meldung sagte der Herr Rittmeister, dass ich nur einrücken und im Lager verbleiben könne, worauf ich mich auch zur Ruhe begeben und bis andern Morgen geschlafen habe. Wir blieben noch den ganzen 29. April im Lager vor Rastatt stehen und sind den 30. in die Stadt eingerückt, worauf wir den 3. Mai ganz abgelöst worden sind.«

16.

Ob Herrn Deponenten auch nicht bekannt, ob und wann die französischen Gesandtschafts-Wagen sammt dem betreffenden Personale von Rastatt abgegangen, um über den Rhein geführt zu werden?

»Sie sind am 29. April, um Mittagszeit, unter einer Bedeckung von unserem Regiment an den Rhein abgegangen, wo sie auch überschifft worden sind.«

17.

Ob Herrn Deponent einstweilen sonst in Sachen etwas Mehreres bekannt sei?

»Nichts mehr.«

von Szentes
Oberlieutenant.

Fertiget und bestätiget die ihm vorgelesene Aussage und wird impos. silent. entlassen, das Protokoll aber mit dem Bemerken abgebrochen, dass morgen der Herr Rittmeister von Burkhard über den Umstand, wann er diesen Herrn Oberlieutenant Szentes zur Rettung beorderte, vernommen und späterhin auch die mit ihm beordert gewesene Mannschaft abgehöret werden solle.

Villingen, am 27. Mai 1799.

Folgen die Unterschriften der Gerichtsbeisitzer etc.

Continuatum Villingen, am 28. Mai 1799.

Da der Herr Rittmeister von Burkhard anheute comparierte, so wurde er abermalen über den gestern angezogenen Umstand folgendermassen omissis gener. vernommen:

Besondere Fragestücke.

1.

Herr Constitut wolle angeben, aus was Anlass und um was für eine Stunde er den Herrn Oberlieutenant Szentes beordert habe, dass selber sich auf die Rheinauer Strasse begeben solle?

»Es sind, wie ich bereits in meinem vorhergehenden Verhör angegeben habe, mehrere Gesandtschafts-Personen zu mir gekommen und ersuchten mich, auf die mir gemachte Erzählung, dass die französischen Gesandten ausser Rastatt angefallen worden seien, damit ich einen Officier beordern möchte, um zu retten, was noch zu retten sei; auf Dieses habe ich den Herrn Oberlieutenant Szentes befehliget, auf die Rheinauer Strasse zu reiten und zur Rettung dieser Angefallenen alles Mögliche zu thun. Die Stunde, wann ich ihn abschickte, kann ich nicht bestimmt angeben, weil wir nur ein kleines Wachfeuer hatten und ich in diesen Umständen auf die Uhr zu sehen, mir nicht die Zeit genommen habe, doch wird es meines Erachtens um Mitternacht, d. i. um 12 Uhr herum gewesen sein, indem dieser Vorfall vor Rastatt sich, wie bekannt, erst gegen 11 Uhr Nachts ereignete und bis die Herren Gesandten von den Entlaufenen Nachricht erhielten, einander in Rastatt aufsuchten, die Bedienten mit Fackeln mit sich nahmen und bis vor das Karlsruher Thor kamen, immer eine Stunde und auch mehr vorübergegangen sein musste.«

2.

Wo Herr Oberlieutenant Szentes gewesen, als Herr Constitut denselben auf die Rheinauer Strasse beordert hatte?

»Er war so, wie ich im Lager vor Rastatt an dem Karlsruher Thor, wo ich mit der Escadron Posto gefasst hatte.«

3.

Mit wieviel Mannschaft der Herr Oberlieutenant Szentes abgegangen sei?

»Ich glaube mit sechs Mann; ich könnte es aber nicht gewiss behaupten, gesagt habe ich ihm wenigstens, dass er sechs Mann mit sich nehmen soll.«

4.

Ob Herr Constitut diese sechs Mann nicht mit Namen anführen könne?

»Nein! Denn der Herr Oberlieutenant hat die Nächstenbesten, ohne Auswahl, weggenommen.«

5.

Ob Herr Constitut dem Herrn Oberlieutenant Szentes nicht die Weisung gegeben habe, was er für einen Weg dahin einschlagen solle?

»Nein! Ich habe ihm nur befohlen, auf den Weg gegen Plittersdorf zu reiten, wo ich nämlich vernommen, dass die Gesandten angefallen worden seien. Er wird wohl hingetroffen haben, obschon ich nicht weiss, ob dieser Herr Oberlieutenant in der dasigen Gegend der Strassen kundig gewesen sei oder nicht.«

6.

Ob Herr Oberlieutenant Szentes lange weggeblieben und was selber dem Herrn Constituten für eine Meldung erstattet habe?

»Er mag höchstens 3/4 Stunden weggeblieben sein und erstattete mir die Meldung, dass er zu Rettung zu spät gekommen sei, indem er zwei todte Körper an der Strasse liegend getroffen habe.«

7.

Ob der Herr Oberlieutenant Szentes ihm nicht meldete, dass er Wagen, Pferde etc. gesehen habe?

»Von diesen hat er mir nichts gemeldet, es kann auch leicht sein, dass ihm selbe nicht zu Gesichte kamen, denn sie konnten schon von dem Platz, wo die That geschehen und die todten Körper gelegen waren, weggefahren gewesen sein und wenn sie nur 20 Schritte weiter waren, so kann er sie nicht mehr bemerket haben, weil diese Nacht so finster war; auch giebt es, so viel mir scheint, dreierlei Wege, er darf also nur den Weg, worauf die Wagen zurückfuhren, nicht betreten haben und es kann auf solche Weise leicht geschehen sein, dass sie ihm nicht zu Gesicht kamen.«

8.

Ob Herrn Constitut nicht erinnerlich, ob die Gesandtschafts-Wagen schon in der Stadt angekommen waren, oder nicht, als Oberlieutenant Szentes von seiner Sendung zurückkam?

»Auf dem Platz inner dem Karlsruher Thor waren die Wagen noch nicht aufgefahren, doch werden sie nach meiner Zeitrechnung im Hereinfahren begriffen gewesen sein, während ich den Herrn Oberlieutenant hinaus beorderte, weil ich schon einige Zeit vorher dem Wachtmeister Konczak auf seine mir erstattete Meldung, den Befehl, wieder hinaus zu reiten und die Wagen nach der Stadt rückzuführen, ertheilt habe, ehe der besagte Herr Oberlieutenant eingetroffen war.«

9.

Ob Herrn Constitut nicht bekannt, was die Wagen für einen Weg in ihrer Rückkehr eingeschlagen, ob sie nämlich durch oder hinter der Stadt gegen das Karlsruher Thor gefahren seien?

»Sie werden durch die Stadt gefahren sein; ich vermuthe es aus Diesem, weil, wie bekannt, die Frauen theils bei dem preussischen Herrn Gesandten, theils im Schloss ausgestiegen sind.«

10.

Ob Herr Constitut nach dem Einrücken des Herrn Oberlieutenant Szentes und nach der von ihm abgestatteten Meldung, demselben noch einen weiteren Befehl ertheilet habe, oder nicht?

»Ich habe ihm befohlen, mit seiner Mannschaft in das Lager einzurücken, ihm aber keinen weiteren Befehl ertheilet. Noch muss ich bemerken, dass der Herr Directorial-Gesandte,

Baron von Albini, noch anwesend war, wie ich den Herrn Oberlieutenant Szentes auf die Rheinauer Strasse befehliget hatte.«

von Burkhard
Rittmeister.

Wurde in Ermanglung weiteren Wissens prael. ratif. entlassen und das Protokoll abgebrochen.

Villingen, am 28. Mai 1799.

Folgen die Unterschriften der Gerichtsbeisitzer etc.

Continuatum, Villingen, am 29. Mai 1799.

Da die sechs Mann, welche unter Commando des Herrn Oberlieutenants Szentes zur Rettung der angefallenen französischen Gesandten beordert wurden, eingetroffen waren, so wurde mit deren Constituierung angefangen und der, der Commission beisitzende Wachtmeister Wransky als Dolmetsch verwendet.

Allgemeine Fragestücke.

1.

Wie Deponent heisse, woher gebürtig etc.?

»Ladislaus Sigmund von Kökös in Siebenbürgen gebürtig, griechisch-unierter Religion, ledig, 25 Jahre alt, ohne Profession, dient 8 Jahre, Gemeiner von Oberst 1. Escadron des k. k. Szekler-Husaren-Regiments.«

Besondere Fragestücke.

2.

Ob Deponent auch unter Denjenigen begriffen war, welche unter Commando des Herrn Rittmeisters von Burkhard am 28. April d. J. vor Rastatt ausser dem Karlsruher Thor Posto gefasst haben; wann sie dahin gelangt seien?

»Ja, ich war von der nämlichen Escadron, mithin auch dabei, als wir am bemerkten Abend, beläufig um 7 Uhr vor dem Karlsruher Thore Posto gefasst haben.«

3.

Ob Deponent in der darauf folgenden Nacht immer im Lager geblieben oder irgendwohin commandiert worden sei und falls, wohin?

»Ich bin in dieser Nacht so lange im Lager geblieben, bis ich unter Anführung des Herrn Oberlieutenants Szentes wegcommandiert worden bin.«

4.

Wohin und aus was Anlass, mit wem und zu was Endzweck Deponent commandiert worden sei?

»Ich bin in der Nacht aufgeweckt worden und wurde befehliget, mit noch 5 Mann unter Commando des Herrn Oberlieutenants Szentes vor die Stadt an die Rheinauer Strasse zu reiten. Wir ritten durch die Stadt durch, bei dem Rheinauer Thor hinaus und mochten etwa 300 Schritte geritten sein, als das Pferd des Herrn Oberlieutenant scheu wurde und ich etwas Weisses auf der Erde liegend bemerkt hatte, ohne in der Finstern unterscheiden zu können, was es gewesen sei. Gleich darauf kehrte der Herr Oberlieutenant um und wir alle thaten das Nämliche, wie wir auch wieder in das Lager rückgeritten sind.«

»Den Anlass und Endzweck, warum wir mit Herrn Oberlieutenant hinausreiten mussten, könnte ich nicht angeben, indem es nur hiess, dass wir geschwind aufzäumen und mit Herrn Oberlieutenant reiten sollten.«

5.

Ob sie auf ihrem Weg dahin keine Wagen begegnet, oder sonst Menschen angetroffen, oder gesehen haben?

»Nicht das Geringste.«

6.

Ob Deponent die Stunde nicht angeben könne, wann sie aus dem Lager weggeritten seien?

»Ich bin, wie oben gesagt, vom Schlaf aufgeweckt worden und könnte dahero nicht angeben, um was für eine Stunde wir aus dem Lager weggeritten sind, doch scheint mir, dass es um Mitternacht gewesen sein müsse.«

7.

Wie lang sie beiläufig weggeblieben seien, bis sie wieder in das Lager vor Rastatt zurückkamen?

»Es mochte beiläufig eine Stunde betragen haben.«

8.

Deponent habe oben ausgesagt, dass sie mit dem Herrn Oberlieutenant durch die Stadt und dann beim Rheinauer Thor hinausgeritten seien; ob Herr Oberlieutenant in der Stadt von Jemanden angehalten worden oder mit Jemanden gesprochen habe und ob ihm nicht bekannt, mit wem und was geredet worden?

»Der Herr Oberlieutenant ist in der Stadt, unweit dem Karlsruher Thor, von mehreren Herren angesprochen worden, mit denen er auch geredet hat, was aber gesprochen worden, habe ich aus Mangel der Sprachkenntniss nicht verstehen können. Als die Unterredung vorbei war, hat uns Jemand mit einer Fackel durch die Stadt durch, bis an das Rheinauer Thor geleuchtet, wo Jener wieder zurückgieng.«

9.

Ob sie nach ihrem Einrücken im Lager (oder auch er, Deponent für seine Person) noch anderswohin commandiert wurden, oder was sonst weiters geschehen sei?

»Ich bin gleich, nachdem wir wieder in das Lager einrückten, auch da geblieben und bin nirgends mehr commandiert worden; den 30. April sind wir aber Alle aus dem Lager in die Stadt eingerückt und haben in einem Stall im Schloss die Pferde eingestellt.

††† Ladislaus Sigmund
Gemeiner.

Wurde in Ermanglung weiteren Wissens pracl. ratif. abtreten geheissen und der zweite Deponent vorgerufen.

Allgemeine Fragestücke.

1.

Wie Deponent heisse etc.?

»Samuel Szigös, von St. Király in Siebenbürgen gebürtig, 36 Jahre alt, griechisch-unierter Religion, ledig, ohne Profession, dient 16 Jahre, Gemeiner von der nämlichen Escadron des obenbemerkten Regiments.«

Vormerkung.

Da alle sechs Mann über die nämlichen Umstände zu vernehmen sind, so wurden ihnen auch gleiche Fragen gestellet.

Besondere Fragen.

2.

Befragt, wie der erste Deponent?

»Ich bin gleichfalls mit der Escadron, unter Commando des Herrn Rittmeisters von Burkhard, beiläufig um 7 oder ½8 Uhr Abends, am 28. April d. J. vor Rastatt eingerückt.«

3.

Ob Deponent in der darauffolgenden Nacht im Lager geblieben, oder irgend wohin commandiert worden sei und falls, wohin?

»Ich bin in der Nacht, als ich mich neben meinem Pferd, um auszuruhen, niedergelegt hatte, aufgeweckt und nebst noch fünf Kameraden befehliget worden, mit dem Herrn Oberlieutenant Szentes zu reiten, ohne dass mir bekannt wurde, wohin und zu was Ende dieses geschehen sollte.«

»Wir ritten bei dem Thor hinein, durch die Stadt durch, wo uns noch ein Mensch mit einer Fackel durch die Stadt bis zum Rheinauer Thor geleuchtet hatte. Ausser dem Thor mochten wir etwa 250 Schritte geritten sein, als der Herr Oberlieutenant umkehrte, ich selbst sah etwas Weisses auf der Erde liegen, konnte aber nicht erkennen, was es war und habe erst nach der Hand im Lager wieder vernommen, dass es ein todter Körper gewesen sei.«

»Gleich nach Erblickung dessen, kehrte der Herr Oberlieutenant und wir Alle mit ihm um und ritten scharf in das Lager zurück, wo wir heraus aber nur einen guten Schritt geritten waren.«

4.

Ob sie auf ihrem Weg nach der Rheinauer Strasse keine Wagen und Pferde gesehen, oder begegnet, oder sonst Menschen angetroffen haben?

»In der Stadt haben wir einige Leute versammelt gesehen, aber auch nicht gar zu viele. Ausser dem Thor auf der Strasse aber habe ich weder Wagen, noch Pferde, noch sonst einen Menschen gesehen.«

5.

Es komme vor, dass zwei todte Körper an der Strasse lagen, ob er also nach seinem Ausdruck, nicht auch zwei weisse Gegenstände auf der Erde liegen gesehen habe?

»Nein! Ich habe eigentlich mit meinen Augen gar keinen weissen Gegenstand gesehen, der so gross wie ein todter Körper gewesen wäre, sondern sah nur etwas Weisses, welches nach meinem Dafürhalten herumgestreute Papiere gewesen sein würden, im Lager erfuhr ich aber, dass auch zwei todte Körper dagelegen waren.«

6.

Zu was für einer Stunde es war, da sie, sechs Mann, aus dem Lager mit Herrn Oberlieutenant Szentes weggeritten waren?

»Es mochte gegen 12 Uhr Nachts gewesen sein, als wir weggeritten waren und mochten längstens eine Stunde weggeblieben sein.«

7.

Ob ihn, Deponenten, nach ihrer Einrückung in das Lager, noch ein anderer Dienst getroffen habe?

»Ich bin die ganze Nacht im Lager geblieben und es hat mich ausser dasselbe kein weiterer Dienst getroffen; wir blieben noch bis den andern Tag dort im Lager, nachher sind wir aber in die Stadt gerückt und haben die Pferde im Schloss in einen grossen Stall gestellt.«

Samuel Szigös
Gemeiner.

Wurde in Ermanglung weiteren Wissens prael. ratif. abtreten geheissen und der dritte Deponent vorgerufen.

Allgemeine Fragestücke.

1.

Wie Deponent heisse etc.?

»Andreas Poncz, von Köpecz in Siebenbürgen gebürtig. 27 Jahre alt, reformierter Religion, ledig, ohne Profession, dient 11 Jahre, Gemeiner von der obigen Escadron, des nämlichen Regiments.«

Besondere Fragestücke.

2.

Ob Deponent, nachdem mit der Escadron des Herrn Rittmeisters von Burkhard unter dessen Commando am 28. April, Abends 7 Uhr, vor Rastatt Posto gefasst wurde, irgendwohin commandiert worden sei und falls, wohin?

»In der Nacht, es mochte um 12 Uhr herum gewesen sein, wurde ich, als ich mich bei meinem Pferd schlafend auf der Erde befand, aufgeweckt und nebst noch fünf Kameraden mit Herrn Oberlieutenant Szentes zu reiten commandiert.«

»Wir ritten durch die Stadt, wo Herr Oberlieutenant im Vorbeigehen mit einigen Herren, ich weiss nicht was gesprochen und uns ein Bedienter mit einer Fackel bis zum Rheinauer Thor begleitet hatte.«

»Am Thor verliess er uns und wir ritten in der Finstere etwa 300 Schritte auf der Strasse fort, als das Pferd des voraus-reitenden Herrn Oberlieutenants zu stutzen anfieng; die Ursache dessen war ein an der Strasse liegender weisser Gegenstand, welchen ich näher als einen todten Körper erkannte. Gleich nach Anblick dessen kehrte Herr Oberlieutenant um und wir ritten Alle wieder nach einer Stunde in das Lager zurück, wo ich auch geblieben bin, ohne weiters wohin commandiert worden zu sein.«

3.

Was für einen Weg sie im Rückweg nach dem Lager eingeschlagen, ob sie auch wieder durch die Stadt geritten seien, oder nicht?

»Es war finster, ich könnte also nicht gewiss sagen, was für einen Rückweg wir gemacht haben, doch sind wir wieder in der Stadt durch einige Gassen rückgeritten, ohne dass ich versichern könnte, dass es gerade die nämlichen gewesen seien, welche wir im Herausreiten passiert hatten.«

4.

Ob sie ausser dem Rheinauer Thor, wo nach seinen Angaben ein todter Körper gelegen war, keine Wagen, Pferde etc. stehend angetroffen oder sonstwo begegnet, auch keine anderen Menschen angetroffen haben?

»Es ist uns von allen diesen gar nichts aufgestossen, in der Stadt haben wir wohl mehrere Menschen herumgehen gesehen, sonst aber Niemanden.«

5.

Wie lang die Escadron noch im Lager vor Rastatt geblieben sei?

»Den zweiten Tag sind wir in die Stadt eingerückt.«

Andreas Poncz
Gemeiner.

Wurde in Ermanglung weiteren Wissens, prael. ratif. wieder entlassen und der vierte Deponent vorgerufen.

Allgemeine Fragestücke.

1.

Wie Deponent heisse etc.?

»Joseph Igette, von Köpecz aus Siebenbürgen gebürtig. 36 Jahre alt, reformierter Religion, verheirathet, ohne Profession, dient 18 Jahre, Gemeiner von der nämlichen Escadron des bemerkten Regiments.«

Besondere Fragestücke.

2.

Ob Deponent in der Nacht vom 28. auf den 29. April d. J., als die Escadron vor Rastatt Posto gefasst hatte, irgendwohin commandiert worden sei und falls, wohin?

»Ich bin beiläufig um Mitternacht 12 Uhr, nebst fünf Kameraden mit dem Herrn Oberlieutenant Szentes commandiert worden, ohne dass mir der Zweck und der Anlass bekannt gewesen wäre. Wir sind durch die Stadt durch, bei dem Rheinauer Thor hinaus, auf die Strasse geritten, wo des Herrn Oberlieutenant Pferd vor etwas Weissem, welches an der Strasse gelegen, etwa 300 bis 400 Schritte ausser der Stadt stutzig wurde und nicht vorgehen wollte.«

»Ich habe gleichfalls etwas Weisses auf dem Boden liegen gesehen, habe es aber für Papier gehalten, doch erfuhr ich nach der Hand im Lager von meinen Kameraden, dass auch auf diesem benannten Platze zwei todte Körper gelegen seien; der Herr Oberlieutenant kehrte nach deren Erblickung mit uns wieder um und wir ritten wieder durch die Stadt in das Lager.«

3.

Ob sie auf diesem ihrem Weg keine Wagen auf dem Platze, wo die todten Körper lagen, angetroffen, sonst begegnet, oder auch Menschen und Pferde getroffen haben?

»Nicht das Geringste. In der Stadt haben wir freilich verschiedene Menschen bei unserem Durchpassieren gesehen, Wagen und Pferde sind uns aber gar nicht aufgestossen.«

4.

Wie lang sie mit Herrn Oberlieutenant Szentes aus dem Lager weggeblieben seien?

»Beiläufig gegen eine Stunde.«

5.

Ob Herr Oberlieutenant, als sie aus dem Lager weg und durch die Stadt geritten waren, mit Niemandem geredet habe?

»Am Thor hat er mit einigen Herren gesprochen, was aber, ist mir unbekannt, darauf hat uns auch ein Bedienter mit einer Fackel bis zum Rheinauer Thor durch die Stadt geleuchtet.«

6.

Was nachher veranlasst worden, als sie wieder in das Lager zurückgekehret waren?

»Ich wurde nicht mehr weiters commandiert, sondern wir blieben noch bis zum zweiten Tag daselbst, worauf wir in die Stadt, in die Stallungen im Schloss eingerückt waren.«

† † † Joseph Igetto
Gemeiner.

Wurde in Ermanglung weiteren Wissens nach der ihm vorgelesenen und bestätigten Aussage wieder entlassen und das weitere Verhör abgebrochen.

Villingen, am 29. Mai 1799.

Folgen die Unterschriften der Gerichtsbeisitzer etc.

Continuatum Villingen, am 30. Mai 1799.

Es wurde mit Constituierung der zwei Mann, welche mit Herrn Oberlieutenant Szentes auf die Rheinauer Strasse geritten waren, fortgefahren.

Allgemeine Fragestücke.

1.

Wie Deponent heisse etc.?

»Franz Paul Janos, von Bikfalva aus Siebenbürgen gebürtig, 24 Jahre alt, reformierter Religion, ledig, ohne Profession, dient 7 Jahre, Gemeiner von der nämlichen Escadron des oftbemerkten Regiments.«

Besondere Fragestücke.

2.

Als am 28. April die Oberst 1. Escadron vor Rastatt Posto gefasst hatte, ob Deponent auch mit dabei gewesen sei?

»Ja! Ich war dabei, wie wir um 7 Uhr Abends alldort eingerückt waren.«

3.

Ob und was für ein Dienst ihn in der darauf folgenden Nacht getroffen habe?

»In der Nacht, es mochte beiläufig 12 Uhr gewesen sein, wurde ich aufgeweckt und befehliget, mit noch fünf Kameraden unter Commando des Herrn Oberlieutenant Szentes wegzureiten, ohne dass mir bekannt gemacht worden wäre, wohin und zu was Endzweck dieses geschehen sollte; wir ritten aus dem Lager weg und durch Rastatt durch, wo noch einige Herren mit dem Herrn Oberlieutenant gesprochen haben, ohne dass ich wüsste, was geredet worden sei. Bemerkter Herr Oberlieutenant verhielt sich aber nicht lange, sondern wir setzten unsern Weg weiter vor das Rheinauer Thor hinaus fort; wir mochten etwa 200 oder 300 Schritte geritten sein, als der Herr Oberlieutenant umkehrte und wir das Gleiche thaten; ich weiss eigentlich die Ursache seines Umkehrens nicht, habe auch sonst nichts, als etwas Weisses, welches ich in der Finstere für zerstreutes Papier gehalten habe, auf der Erde liegen gesehen. Auf Dieses rückten wir mit dem Herrn Oberlieutenant wieder in das Lager ein.«

4.

Es komme vor, dass noch andere Gegenstände, als zerstreutes Papier auf dem Platz, wo sie umkehrten, gesehen worden seien, an welchen das Pferd des Herrn Oberlieutenants noch scheu geworden sei; ob Deponent nichts gesehen habe?

»Ich selbst habe nichts Anderes gesehen, als was ich in meiner letzten Antwort angegeben habe, wohl weiss ich mich aber zu erinnern, dass des Herrn Oberlieutenant Pferd an etwas scheu geworden sei und er nachher gesagt habe, er habe zwei todte Körper auf der Erde liegen gesehen, worauf wir auch auf der Stelle in's Lager, wie bereits angegeben, rückgeritten sind.«

5.

Ob sie auf ihrem Hin- und Rückweg oder auf dem Platz, wo die zwei todten Körper lagen, keine andern Menschen angetroffen, oder Wagen und Pferde gesehen haben?

»In der Stadt haben wir einige Menschen hin- und hergehen gesehen, ausser derselben aber habe ich keinen Menschen begegnet, noch weniger Wagen oder Pferde gesehen.«

6.

Wie lang sie sich auf ihrem Ritt aufgehalten haben, bis sie wieder in's Lager zurück kamen?

»Gegen eine Stunde.«

7.

Als sie durch Rastatt geritten waren ob sie in der Finstern durchpassierten, oder mit einem Licht versehen gewesen seien?

»Es hat uns von einem Thor durch die ganze Stadt bis zu dem Rheinauer Thor ein Bedienter mit einer Fackel geleuchtet.«

8.

Was Deponent nach dem Wiedereinrücken im Lager gemacht habe?

»Ich bin mit der Escadron immer im Lager geblieben, bis wir Alle nach beiläufig 48 Stunden von da in die Stadt eingerückt waren.«

Franz Paul Janos
Gemeiner.

Wurde in Ermanglung weiteren Wissens prael. ratif. wieder entlassen und der sechste Deponent vorgerufen.

Sechster Gemeiner.

Allgemeine Fragestücke.

1.

Wie Deponent heisse etc.?

»Sigmund Zoltán, von Bikfalva in Siebenbürgen gebürtig, 24 Jahre alt, reformierter Religion, verheirathet, ohne Profession, dient 7 Jahre, Gemeiner des nämlichen Regiments und Escadron.«

Besondere Fragestücke.

2.

Was ihn, Deponenten, als die Escadron am 28. April um 7 Uhr Abends bei Rastatt Posto gefasst hatte, in der darauf folgenden Nacht für ein Dienst und wohin getroffen habe?

»Nach ½12 Uhr beiläufig bin ich aufgeweckt und commandiert worden, unter Leitung des Herrn Oberlieutenant Szentes mit noch fünf Kameraden aus dem Lager, ohne zu wissen wohin, zu reiten; wir begaben uns durch die Stadt, dort hatten noch einige Herren, obgleich nicht lange, mit dem Herrn Oberlieutenant gesprochen und es wurde uns von einem Bedienten mit einer Fackel durch die ganze Stadt, bis zum Rheinauer Thor geleuchtet.

»Am Thor verliess uns jener und wir mochten in der Finstere auf der Strasse noch etwa 300 Schritte geritten sein, als das Pferd des Herrn Oberlieutenants scheu wurde und nicht vorwärts gehen wollte. Weil ich der erste hinter dem Herrn Oberlieutenant geritten war, so sah ich, dass ein todter Körper vor uns auf der Erde und in einer Entfernung von etwa 30 Schritten wieder einer gelegen waren. Der Herr Oberlieutenant sagte, dass wir nun nichts mehr zu thun hätten, kehrte sein Pferd um und wir ritten wieder durch die Stadt in das Lager zurück. Ob wir in selber die nämlichen Gassen, wie beim Hinausreiten passiert haben, könnte ich nicht angeben, weil ich nicht so wohl orientiert gewesen bin.«

3.

Ob sie auf dem Platz, wo die todten Körper lagen, oder auch auf ihrem Hin- oder Herweg keine anderen Menschen getroffen, oder Wagen und Pferde gesehen haben?

»Ausser der Stadt nicht das Geringste; in der Stadt aber habe ich dort und da verschiedene Menschen versammlet, aber auch keine Wagen und Pferde gesehen.«

4.

Wie lang sie ausgeblieben seien?

»Wir mochten ¾ Stunden weggeblieben sein.«

5.

Was Deponent nach ihrem Wiedereinrücken in's Lager gemacht habe und wie lange die Escadron nach der Hand noch im Lager geblieben sei?

»Ich bin immer im Lager geblieben, bis hernach am dritten Tag, d. i. den 30., die ganze Escadron in Rastatt eingerückt ist und die Pferde in die Ställe im Schloss eingestellt wurden.«

Sigmund Zoltán
Gemeiner.

Wurde in Ermanglung weiteren Wissens prael. ratif. entlassen und das Protokoll einstweilen geschlossen.

Villingen, am 30. Mai 1799.

Folgen die Unterschriften der Gerichtsbeisitzer etc.

Resultate

der bisherigen Procedur-Schriften über die in der Nacht vom 28. zum 29. April vorwärts Rastatt vorgefallene Ermordung der französischen Minister Bonnier und Roberjot und der Verwundung des Jean Debry, sammt Bemerkungen über ihre Regelmässigkeit und Vollständigkeit.

A) Anzeige.

Die erste Anzeige von dem Vorfall kam nach Rastatt durch ein Gerücht: Die Wagen der französischen Minister seien von österreichischen Husaren angefallen und mit Säbeln auf Kutscher und Fackelträger gehauen worden.

a) Gesandtschaftliche Relation 2. *c)* nnt.

Observetur. Das Letztere ist nicht wahr (vide unten), folglich auch nicht das Erstere, wo kein Factum, ist kein Urheber. Boccardi soll sodann die erste Nachricht gebracht haben, aber ohne beifügende Umstände, nachher sei die Nachricht gekommen, es seien ein, zwei, alle drei französischen Minister von dem k. k. Militär ermordet.

b) und von flüchtigen Personen bestätigt worden. *b)* end. *d)*.

Observetur. Diese in einer stockfinsteren Nacht und in der ersten Betäubung ausgebreiteten Gerüchte machen die alleinige Anzeige gegen die Husaren aus, ohne dass etwas zum Beweise angebracht worden, keine förmliche Anzeige ist weder von einem Beleidigten, noch von einem Augenzeugen geschehen. Boccardi selbst sass in dem letzten Wagen und muss sich sogleich geflüchtet haben.

Warum hat er übrigens keine Deposition von sich gestellt? Dies wäre nöthiger gewesen, als sogleich zu praejudicieren, die ganze Nacht mit dem österreichischen Rittmeister zu parlamentieren und ihm, der nichts davon wusste, noch etwas dafür konnte, gehässige Vorwürfe zu machen.

B) Constatierung des Verbrechens.

Der österreichische Rittmeister schickte einen Officier und sechs Husaren, nebst dem badischen Major von Harrant und zwei badischen Husaren auf den Ort, wo das Verbrechen begangen worden.

Gesandtschaftliche Relation. 3. 6.

Sie fanden die Körper des Bonnier und Roberjot todt auf der Erde, Jean Debry vermisst. Die Wagen waren auf dem Platze und von 50 Szekler-Husaren umringt, die eben im Begriff standen, dieselben mit den übrigen geretteten Personen nach Rastatt abzuführen. Jean Debry fand sich den folgenden Morgen bei dem Grafen von Görtz mit drei Wunden an dem Arm, der Schulter und an der Nase. *a)*.

Gesandtschaftliche Relation *A)*. *b)*, *c)*.

Von dem Zustande der Leichname des Bonnier und Roberjot, heisst es, sei von den badischen Chirurgen ein Visum repertum aufgenommen worden.

Es ist aber nicht bei dem Protokolle, obgleich es zur Kenntniss der näheren Beschaffenheit der Wunden, ob es Hau- oder Stich-Wunden gewesen, wie breit, wie tief u. s. w. sehr nöthig gewesen wäre und vielleicht zur Entdeckung der Thäter Vieles hätte beitragen können[1]).

Von den übrigen Personen war Niemand verletzt, sie wurden sammt den Wagen in die Stadt, Letztere zu dem österreichischen Rittmeister in Verwahrung gebracht, der Geld, Effecten, Acte bewachen liess, die Papiere aber nach der Analogie eines erhaltenen Befehls wegen einem französischen Courier, zurückbehielt.

C) General-Informationen.

Anstatt, dass von den geretteten Personen der französischen Gesandtschaft von den bei den Wagen angetroffenen Szekler-Husaren, von den markgräflich badischen Kutschern, den Fackelträgern und den vielen Bedienten sogleich hätten Informationen aufgenommen werden sollen, welches von der badischen Regierung oder dem gesandtschaftlichen Personale sehr leicht hätte veranstaltet werden können und welches ohne allen Zweifel die ganze Sache sogleich aufgeheitert oder doch auf die Spur der Thäter geführt hätte, ist von dem Allem gar nichts geschehen.

Nur weiss man aus einigen aussergerichtlich, conversationsweise gemachten und unvollständig hinterbrachten Depositorien des Kammerdieners von Roberjot und des Ministers Jean Debry:

a) Die Husaren seien zu dem Wagen des Roberjot angesprengt, hätten gefragt: »Ministre Roberjot?« auf dessen Bejahung und Vorweisung des Passes — den Pass zerrissen, den Minister aus dem Wagen gezogen, auf ihn losgehauen; er, der Bediente, hätte die Madame Roberjot umschlungen

---

[1]) Dieses Visum repertum lag dem »Gemeinschaftlichen Berichte« nicht bei; es wurde erst dem durch den Druck verbreiteten »Authentischen Bericht« beigelegt.

und ihr die Ohren zugehalten, damit sie das Geschrei ihres Mannes nicht höre. Einer der Husaren hätte ihn aus dem Wagen geworfen und gefragt: »Domestique?« auf sein Bejahen dann ihm durch Zeichen bedeutet, dass ihm nichts geschehen würde, indessen aber doch die bei sich gehabten Uhren und Gelder abgenommen, auch die Madame Roberjot der ihrigen beraubet. Indessen war der übrige Wagen nicht ausgeplündert, indem Geldbeutel und Pretiosen noch auf dem Boden lagen.

b) Jean Debry sagte aus: die Husaren hätten ihn in französischer Sprache angefragt: »Est-ce que tu es Jean Debry?« Auf sein Bejahen und Vorweisung des Passes denselben zerrissen, ihn, Debry, aus dem Wagen herausgezogen, auf ihn zugehauen, ihn in einen Graben geworfen, wo er sich dann todt gestellt habe, sich ausplündern lassen, mittelst dessen er aber gerettet worden.

c) Aus einer Aussage des k. k. Oberst von Barbaczy sieht man, dass nach den Aeusserungen der geretteten Personen die französischen Minister mit den Worten angerufen worden sein sollen: »Tu es Bonnier, tu es Roberjot; voilà les coquins, qui ont voté pour la Mort du Roi« etc.

Dies sind die einzigen Aussagen, die man über die wesentlichen Umstände der That und ihre vermuthlichen Urheber hat. Alle übrigen sentimentalischen Aeusserungen und sympathetischen, in dem gesandtschaftlichen Bericht enthaltenen Beschreibungen gehören nicht zur Sache und geben über ihre Urheber kein Licht.

Observetur. *a)* Die Aussagen von Debry und von dem Kammerdiener des Roberjot sind:

1. Aussagen von Beleidigten, also höchstens eine Klage und Verdacht und kein Beweis.

2. Aussagen von Personen, die offenbar und notorisch feindselig gegen Oesterreich gesinnt sind, mithin parteiisch und verlieren daher schon viel von ihrer persönlichen Glaubwürdigkeit.

b) Wie konnten sie wissen:

1. dass es Husaren seien? Sie konnten in dieser finstern Nacht höchstens berittene Menschen und keine Husaren sehen;

2. dass es Szekler-Husaren gewesen, konnten sie noch weniger wissen und wird nicht einmal gesagt;

3. dass es nicht vermummte Menschen gewesen, denn hätten sie auch Szekler-Husaren-Uniform getragen, so beweist das noch lange nicht, dass es wirklich Szekler-Husaren waren.

c) Die gebrauchten französischen Worte sind schon ein starkes Indicium, dass es nicht Szekler-Husaren gewesen sein können. Die Aussage war also schon an sich ihrem Ursprung und Inhalt nach unglaubwürdig und unwahrscheinlich.

D) Indicia.

Das erste und einzige Indicium, welches zu dem Gerücht und der Vermuthung geführt haben mag, dass Szekler-Husaren die Urheber dieses Mordes seien, ist, dass sie und zwar 50 an der Zahl, bei den Wagen angetroffen worden.

Observetur. Im Grund beweiset diese Gegenwart gerade das Gegentheil, denn hätten sie den Mord verübt, so würden sie sich geflüchtet haben und nicht so ruhig dageblieben, ja sogar mit den Wagen und Effecten auf Rastatt zurückgekehrt sein.

Quaeritur, ob irgend einer oder mehrere von den Szekler-Husaren gefehlt haben oder vermisst worden?

a) Nach der Aussage des markgräflich badischen Majors von Harrant hätten die Szekler-Husaren Anfangs die Rückführung der Wagen nicht zugeben wollen, sondern behauptet, dieselben seien ihre Beute.

b) Sie hätten auch die anverlangte Bedeckung zur Aufsuchung des vermissten Jean Debry nicht gestatten wollen, weil man auf andere k. k. Patrouillen stossen könne, die in der Finsterniss der Nacht oft die eigenen Leute nicht kennen.

c) Endlich hätten auch k. k. Husaren nach einer Aussage eben dieses Majors Hurrant in dem Dorfe Rheinau sich nach einem geflüchteten blessierten Franzosen erkundigt, an dessen Wiedererlangung ihnen Alles gelegen sei, dabei aber ausdrücklich und angelegentlich verlangt, dass, wenn man diesen, von ihnen nach seinem Aeussern und Kleidung beschriebenen Franzosen fände, soll man ihn ja nicht nach Rastatt, sondern durch einen bezeichneten Weg zu ihnen nach Muggensturm bringen, oder ihn nur sicher verwahren und melden, dass sie ihn abholen könnten.

Observetur. Ueber das erste Indicium, quaeritur, ob es wahr sei und in welchem Sinne die Husaren gesagt haben, die Wagen seien ihre Beute.

Das zweite ist durch sich selbst aufgeklärt, indem die Husaren von ihnen selbst aus keine Bedeckung gestatten konnten und beweist auf alle Fälle nichts.

Das dritte aber ist eher ein Indicium zu Gunsten der Szekler-Husaren, indem diese in jener finsteren Nacht den Jean Debry nicht nach seinem Aeusseren und Kleidung hätten beschreiben können, auch wie aus dem Specialverhör erscheint, nicht in Muggensturm lagen.

Quaeritur überdies: ob es k. k. Husaren waren, die jene Fragen machten und nicht vermummte Menschen. Alle diese Indicia beweisen also schon an sich nichts und deuten vielmehr auf das Gegentheil.

Die übrigen bei diesem Vorfall eintretenden Umstände, welche, wie es in solchen Fällen geschieht, eine im Affect befindliche Imagination sogleich mit der That in Verbindung zu setzen suchte und daraus einige Indicia eruieren zu können glaubte, sind folgende:

a) Dass die französischen Minister sich um eine militärische Escorte hätten melden lassen, welche ihnen aber von dem k. k. Rittmeister abgeschlagen worden sei.

b) Dass man nach dem an die französischen Minister ergangenen Befehl, Rastatt binnen 24 Stunden zu verlassen, Niemand, selbst nicht gesandtschaftliche Personen, weder herein, noch hinaus lassen wollte.

c) Dass man die eine halbe Stunde nachher abreisen wollenden französischen Minister selbst bei dem Thore angehalten, nachher aber solches auf Andringen der Gesandtschaft gestattet habe.

d) Dass die gesandtschaftlichen Papiere aus den Wagen von dem österreichischen Rittmeister zurückbehalten worden.

Quaeritur, ob alle diese Umstände nicht ganz andere natürliche Ursachen gehabt, denn an und für sich beweisen sie nichts.

E) Special-Information.

Bis hierhin sind laut dem Protokoll nur noch der k. k. Oberst von Barbaczy und der k. k. Rittmeister von Burkhard verhört worden. Aus ihren, obgleich besonders abgehörten, doch durchaus übereinstimmenden und von Niemand widersprochenen Aussagen ergeben sich aber schon folgende wichtige Facta:

1. Dass der k. k. Oberst von Barbaczy schon acht Tage vorher erklärt hatte, dass er jede gesandtschaftliche Person, von welcher Macht sie auch sei, als unverletzbar ansehe. Prot. 3 *d)*.

2. Dass alle Vorposten den strengsten Befehl hatten, keiner gesandtschaftlichen Person, welche sie auch sei, etwas in den Weg zu legen. Prot. 4 *c)* et 6 *d)*.

3. Dass in dieser ganzen Zwischenzeit weder die französischen Minister sich um eine Escorte gemeldet haben, noch in dem Schreiben des chur-maynzischen Directorial-Gesandten, Herrn von Albini davon einige Erwähnung geschehen sei. Prot. 3 *d)* und 7 *d)*.

4. Dass am 28. April von allen Seiten die Kundschaftsnachrichten einliefen, dass die Franzosen in der Nacht angreifen würden und sowohl die Stadt Rastatt, als das ganze Murg-Thal ausplündern wollten. Prot. 1 *c)*, 16 *c)*.

5. Dass daher in die umliegende Gegend bei Plittersdorf u. s. w. Patrouillen ausgeschickt, Ansuchen um Verstärkung an verschiedene Regimenter ergangen etc., die Stadt Rastatt besetzt und den französischen Ministern Abends um halb 8 Uhr der Befehl gegeben worden sei, Rastatt und den Bezirk der Armee in Zeit von 24 Stunden zu verlassen. Prot. 1 *d)*.

6. Dass aus eben diesem Grund und einzig aus der militärischen Vorsicht, damit der Feind keine Nachricht erhalten könne, der Befehl ertheilt wurde, Niemand weder ein-, noch auszulassen und in der natürlichen Vermuthung, dass die französischen Minister nicht bei Nacht abreisen würden, sogar keine Ausnahme für sie gemacht wurde.

7. Dass, als demnach die französischen Minister vorerst bei dem Thore angehalten worden, der k. k. Rittmeister sich lang weigerte, sie abreisen zu lassen, ihnen vorstellte, dass sie bei dieser finsteren Nacht nicht einmal sicher über den Rhein kommen könnten u. s. w., auch noch den ganzen folgenden Tag Zeit hätten etc. und nur auf wiederholtes Andringen der zu ihm gekommenen gesandtschaftlichen Personen endlich eingewilliget hat. Prot. 7, 2 und gesandtschaftlicher Bericht.

8. Dass, wenn auch in diesem Zeitpunct eine Escorte förmlich wäre begehrt worden, wie es nicht der Fall war, sie unter jenen Umständen, wegen dem befürchteten Ueberfall und um die Truppen nicht zu schwächen, nicht nur den französischen Ministern, sondern sogar den übrigen Gesandten nicht hätte gestattet werden können. Prot. 3 *c)*, 7 *a)* und 8 *a)*.

Observetur. Aus diesem Allem ergiebt sich, dass das k. k. Militär vor dem Vorfall zur Sicherheit der französischen Minister Alles gethan hat, was nach den Umständen möglich und thunlich war.

In Ansehung der Szekler-Husaren dann ergiebt es sich weiter aus dem Protokoll:

1. Dass keine Anderen vorhanden waren, als 30 auf den Patrouillen, diejenigen bei der Thorwache und die, so in dem Quartier des Rittmeisters vor dem Ettlinger Thor waren.

2. Dass die bei beiden Patrouillen angestellt gewesenen Unterofficiers Konczak und Nagy zwei der Verlässigsten vom ganzen Regiment, von der besten Aufführung und Beide mit einer Ehren-Medaille geziert sind, die ihrer Mannschaft ein solches Verbrechen gewiss nicht zugelassen hätten und denen also dasselbe im Allgemeinen schlechterdings nicht zugemuthet werden kann. Prot. 5 *d)*.

3. Dass sie auch zu Begehung des Verbrechens, so wie es sich verumständet befindet, weder Capacität, noch Interesse hatten, noch in der Folge der geringste gerichtliche Verdacht auf sie gekommen etc. indem

a) keiner von allen Szekler-Husaren ein französisches Wort weder versteht, noch sprechen oder nachsprechen kann, folglich sie die französischen Minister nicht bei ihren Namen anrufen, viel weniger ihnen ihre bisherigen Handlungen vorwerfen konnten. Prot. 2 *d)*.

b) Dass Keiner von ihnen die französischen Minister weder dem Namen, viel weniger der Person nach kannten, es folglich unmöglich war, dass sie gerade auf diese und auf diese allein hätten fallen können, auch dieselben in der fins'ern Nacht nicht hätten unterscheiden können.

c) Dass, wenn es, wie man vorgiebt, auf Plünderung abgesehen gewesen wäre, die Ermordung der Minister erstlich nicht nöthig war, zweitens es ihnen gleichgiltig gewesen wäre, diese oder andere dabei befindliche Personen zu plündern und endlich die Umstände des Verbrechens deutlich beweisen, dass seine Urheber nicht Plünderung, von deren vielleicht nur zufälliger Weise theils vorher, theils wegen dem umgeworfenen Wagen bei Rückführung derselben bei Nacht unter einer Menge Volks u. s. w. etwas geschehen, sondern persönliche Rache zur Absicht hatten, die bei den Husaren nicht vermuthet werden kann.

d) Dass endlich diese sämmtlichen Husaren nach dem Vorfall auf das Genaueste visitiert und bei ihnen nicht das geringste Merkmal weder von blutigen Waffen, noch mit Blut bespritzten Monturen oder geraubten Effecten, nicht das Geringste auf ihnen gefunden worden. Prot. 5 *c)*, *d)*, 12 *d)*.

4. Dass im Gegentheil ihnen höchst wahrscheinlich allein die Rettung der übrigen gesandtschaftlichen Personen und ihrer Effecten zuzuschreiben ist, indem sie

a) erst nach der Zeit auf einen gehörten Lärm und Geschrei, das sie für französisch hielten, hinzugekommen sind. Prot. 4 *d)* und 8 *d)*.

b) Dass sie bei ihrer Ankunft einige Leute zu Pferde und zu Fuss entfliehen sahen und denselben sogar bis in den Wald nachgesetzt sind, wegen der Finsterniss der Nacht aber sie nicht erreichen können, auch die Bedienten sogleich mit ihren Fackeln entlaufen seien.

c) Dass sie sodann die umgeworfenen Wagen aufgerichtet, einen Corporal und Mannschaft zur Sicherung der übrigen Personen zurückgelassen und die Wagen zurück nach Rastatt gebracht und die Nacht hindurch bewachet haben.

Endlich bestätigt es sich aus dem Protokoll sowohl, als übrigen Procedur-Schriften, dass der k. k. Oberst von Barbaczy und der k. k. Rittmeister von Burkhard auch nach dem unglücklichen Vorfall zu Constatierung der Sache, zu Rettung der übrigen Personen und Effecten und zu Entdeckung der Thäter Alles gethan haben, was in ihrem Vermögen stand, indem sie

1. sogleich einen Officier, sechs Husaren auf den Platz geschickt, auch eine Escorte zu Aufsuchung des Jean Debry gestattet haben. Prot. 2 *a)*.

2. Dass der Rittmeister sämmtliche Wagen unter Bedeckung nach seinem Quartier in die Stadt bringen, die ganze Nacht durch k. k. Militär bewachen, auch damit nichts fortkomme, immerhin Pechpfannen und Wachfeuer bereit gehalten worden. Prot. 12, *a)*.

3. Dass er besonders die versiegelten und andern Säcke Geld sammt Pretiosen in Gegenwart des badischen Majors Harrant in seinem Quartier verwahrt und solche am folgenden Morgen dem Bedienten von Roberjot in Gegenwart von Zeugen wieder zugestellt hat, wobei bemerkt worden, dass dieser eine goldene Tabatière in den Sack gesteckt. Prot. 12, *a)* und *b)*.

4. Dass er zwar die Koffer und Chatouillen mit den Schriften nach der Analogie eines wegen einem vorherigen Courier erhaltenen Befehls zurückzubehalten und höheren Orts einsenden zu sollen glaubte, dass solche aber auf die Weisung des ersten k. k. Generals wieder zurückgestellt worden sind. Prot. 12, *d)*.

5. Dass er am folgenden Tag, als die Gefahr des Ueberfalls vorüber war, sogar eine militärische Escorte für die geretteten Personen der französischen Gesandtschaft ertheilt hat, die Begleitung von anderen diplomatischen Personen aber

nicht gestatten wollen, weil es ein Misstrauen in ihre Treue, bereits ein Praejudicium gegen dieselben enthalten hätte. Zumal man nachher leicht würde gesagt haben, die französischen Personen wären nur wegen der diplomatischen Begleitung entkommen. Prot. 10, *d)*.

6. Dass endlich die bei den Wagen gefundenen und daher dem ersten Anschein nach verdächtigen Szekler-Husaren sogleich arretiert und in Verhör genommen, auf ihnen aber nicht das mindeste Verdächtige gefunden worden, noch sonst etwas gegen sie herausgekommen ist.

F) Gegen-Indicia.

Aus eben diesen Informationen und anderen bekannten Thatsachen ergeben sich hingegen andere wichtige Umstände, welche vermuthen lassen, dass diese That von französischen Emigranten aus persönlicher Rache gegen die französischen Minister, vielleicht mit Einstimmung ihrer eigenen Bedienten etc., verübt worden sei.

Zumal 1. Bonnier sich bekanntermassen schon längst vor einer Ermordung durch Emigranten gefürchtet, aus diesem Grund vorzüglich beständig auf ihre Entfernung angedrungen und jene Furcht sogar bei der Abreise deutlich geäussert, *a*, mit den Worten: »Ainsi nous allons, mais quant à moi, je sais, que je ne passerai pas le Rhin«; auch desswegen sich der nächtlichen Abreise widersetzt hat, von seinen Collegen dazu gezwungen worden ist.

2. Der französische Kriegsminister schon seit einiger Zeit dem Commandanten von Strassburg die Ordre gegeben, dem Bonnier zu seiner Sicherheit so viele Mannschaft zu schicken, als er nöthig erachten werde, ein Befehl, welcher vielleicht auch einen feindlichen Ueberfall verdecken sollte.

3. Die französischen Minister ihren eigenen Aussagen nach in französischer Sprache bei ihrem Namen angerufen, und dabei auch die Worte ausgesprochen worden: »Voilà les coquins, qui ont voté pour la Mort du Roi« etc., Worte, die ein sehr starkes Indicium enthalten, dass es Emigranten seien.

4. Die französischen Personen nach ihren abermaligen Aeusserungen aussagen, dass sie Leute zu Pferd und zu Fuss herbeisprengen gesehen und hiermit die Aussage des Wacht-

meisters Konczak und der übrigen Husaren übereinstimmt, dass sie bei ihrer Ankunft Leute zu Pferd und zu Fuss entfliehen gesehen.

5. Die geretteten Franzosen selbst einen Verdacht auf den bekannten Verfasser der »Kassandra« hatten, welcher bekanntlich in diesem Buche einen heftigen Hass gegen Bonnier und Roberjot geäussert hat.

Prot. 3, *b)*.

6. Die Bedienten der französischen Minister dann aus folgenden Umständen verdächtig sind:

a) Weil sie bekanntlich mit ihren Herren sehr unzufrieden waren (Bruchsal'scher Bericht) und ein Bedienter des Bonnier, ohne dass dieser es wusste, selbst ein Emigrant war, der unter dem Corps von Condé gedient hatte.

b) Weil der Bediente von Boccardi wenige Zeit vorher seinen eigenen Herrn hatte ermorden sollen.

c) Weil sie sogleich bei dem Angriff mit ihren Fackeln entflohen sind, oder dieselben ausgelöscht haben. Selbst der Umstand, dass der Bediente von Roberjot in den Wagen gesprungen und Madame Roberjot die Ohren zugehalten, lässt sehr zweifelhaft, ob solches aus Mitleid oder aus Mitschuld geschehen sei.

d) Weil der Bediente von Roberjot bei der von dem k. k. Rittmeister gemachten Rückgabe des Geldes und der Pretiosen heimlich eine goldene Tabatière in den Sack gesteckt hat.

G) Resultate.

So unvollständig die Procedur in jeder Rücksicht ist, indem weder ein förmliches Visum repertum aufgenommen, noch irgend einige aller der zahlreichen Personen, welche bei dem Vorfalle gegenwärtig waren, verhört worden, so ergiebt sich doch bereits aus derselben, dass kein einziges Indicium gegen die Szekler-Husaren existiert, indem sie zu Begehung dieses Verbrechens in der Art, wie es qualificiert ist, weder Capacität, noch Interesse hatten, im Gegentheil ihnen die Rettung der übrigen Personen zu verdanken und nichts Verdächtiges auf sie herausgekommen ist. Die Umstände, dass sie gleich nach der That bei den Wagen angetroffen worden, dass man keine Escorte gegeben hatte, dass der Ein- und Ausgang von Rastatt versperrt war, dass die Papiere zurückbehalten worden, alle sind nach ihren wahren Ursachen aufgeklärt und mithin der beleidigende Verdacht, den man daraus eruieren wollte, zerstört.

Es ist also nichts Anderes gewiss, als die That, dass nämlich die Minister Bonnier und Roberjot ermordet, Jean Debry aber verwundet worden, wer es gethan habe, war und ist noch ungewiss.

Selbst die unförmliche Einleitung, dass die gesandtschaftlichen Personen sich auf das erste Gerücht sogleich an den österreichischen Rittmeister gewendet und dadurch die Instruierung der Procedur in die Hände des österreichischen Militärs gekommen, enthielt schon ein Praejudicium, dass das Verbrechen von k. k. Mannschaft verübt worden sei.

Es wäre also vielleicht bei dieser Lage der Sachen das Zweckmässigste, die fernere Instruierung der Procedur, soweit sie noch möglich ist, durch die markgräflich badische Regierung vornehmen, die bei dem Vorfall gegenwärtig gewesenen Kutscher, Postillone und Bedienten zu verhören, die geretteten französischen Personen entweder zu evocieren, oder durch die Gerichte, bei denen sie ansässig sind, ihre Zeugnisse auf ihnen zuzuschickende articulierte Fragen abfordern zu lassen.

a) Falls etwas gegen die k. k. Husaren herauskäme, solches dem österreichischen Militär zur Berichtigung und allfälligen Strafe anzuzeigen, womit dann diese ganze Sache als ein Privatverbrechen angesehen, behandelt und ausgemacht wird[1]).

Im entgegengesetzten Fall aber über die zum Voraus gemachten gehässigen Insinuationen, Ausstreuungen und Behauptungen auf gutfindende Weise öffentliche Satisfaction zu fordern oder selbst zu nehmen.

[1]) Wenn sie nicht erscheinen, oder nicht antworten, so fällt das nachtheilige Licht auf ihre Seite.

Mit diesen, jedenfalls vom Auditor herrührenden, wenn auch nicht unterschriebenen Schlussfolgerungen aus dem Verhör der Angeklagten, endet das »Villinger Protokoll«.

Prüft man nun dieses Verhör ruhig und objectiv, ohne sich von dem Vorurtheil beeinflussen zu lassen, dass die Szekler-Husaren die Verbrecher gewesen sein müssen, so wird man zweifellos den Eindruck erhalten: diese Leute sprechen die Wahrheit; so, wie sie aussagen, können und werden sich die Ereignisse in der Nacht vom 28. April abgespielt haben, insoweit natürlicherweise die Husaren selbst daran betheiligt waren. Es ist also genau der entgegengesetzte Eindruck von dem, der nach der Lectüre jener widerspruchsvollen, unwahrscheinlichen, stellenweise geradezu unwahren Aussagen der Franzosen zurückbleibt. Nicht etwa, als böte dieses Verhör der Husaren ein vollständiges und abgerundetes Bild ihrer Erlebnisse, als stimmten ihre Aussagen mit minutiöser Genauigkeit überein, als rege sich nicht bei dem Leser in einigen, allerdings unwesentlichen Stellen, leiser Zweifel, gewiss nicht, aber der Umstand, dass kleine Widersprüche leicht zu lösen, kleine Zweifel unschwer zu beseitigen, selbst anscheinend Unrichtiges mühelos erklärt werden kann, spricht gerade für die innere Wahrheit dieser Aussagen, die desshalb einen ganz andern Werth besitzen, als der »Authentische Bericht« oder die suggerierten Erzählungen der Franzosen. Von dem übrigen »Klatsch« gar nicht zu reden.

Von verhältnissmässig geringer Bedeutung ist die Aussage Barbaczy's, trotzdem er der Commandant der Husaren war. Aber er befand sich nicht auf dem Schauplatz der That, auch nicht einmal in Rastatt. Seine Aussage gestaltet sich demnach nur zu einer Vertheidigung seiner Husaren, die er für schuldlos hält. Dem Obersten aber hätte es wohl nicht allzuviel Mühe gemacht, die Schuldigen zu eruieren, wenn Einer oder der Andere unter ihnen es wirklich gewesen wäre und es liegt ein berechtigtes Selbstgefühl in seinen Worten, wenn er sagt, er schmeichle sich, dass er Beweise sicher entdeckt hätte, wenn solche vorhanden gewesen wären, da ihm dies bei bedeutend geringeren Fällen immer gelungen sei. Im Uebrigen kann Barbaczy natürlich keine bestimmten Aussagen bezüglich der Mörder machen; ihm scheinen — und er hat dies auch in seinem ersten Rapport zum Ausdruck gebracht, nachdem die erste Untersuchung die Schuldlosigkeit seiner Husaren dargethan [1]) — die Emigranten die Thäter und Rache das Motiv gewesen zu sein. Er konnte zu dieser Vermuthung theils durch eigene Erfahrung gebracht worden sein, dann aber hat man bekanntlich in Rastatt selbst diese Leute verdächtigt.

Ganz besonders wichtig scheint uns die Aussage Barbaczy's, dass die Attentäter den Ausruf gethan: »Voilà les coquins, qui ont voté pour la Mort du Roi!« Sie scheint uns wichtig, weil dieser oder zum Mindesten ein sehr ähnlicher Ausruf von den Mördern wirklich gemacht worden sein muss, da ja bekanntlich auch einer der Franzosen, Laublin, sagt, es sei bei dem Anfalle gerufen worden: »Hâchez ces coquins de patriotes! Hâchez!« Dass aber dieser Ausruf nicht in deutscher Sprache gethan worden sein kann, wie Laublin behauptet, haben wir bereits bewiesen. Oberst Barbaczy hatte nun nicht etwa aus den Aussagen Laublin's Kenntniss von diesem merkwürdigen Ausruf der Attentäter, denn die Aussagen der Franzosen waren um diese Zeit überhaupt in Deutschland noch nicht bekannt, sondern von zwei entschieden glaubwürdigen Männern, den Freiherren von Lasollaye [2]), ein Beweis, dass die Franzosen selbst bei ihrer Rückkehr darüber gesprochen und das Attentat durch ein Motiv begründeten, das doch den Szekler-Husaren in keinem Falle zugeschoben werden darf.

---

[1]) S. S. 238.

[2]) S. S. 245. Es ist bezeichnend, wie selbst derartige, ausdrücklich zu Gunsten der Szekler-Husaren sprechende Beweismittel gewendet worden, um sie gegen sie zu richten. Zandt, dem das Verdienst zugeschrieben werden muss, die Literatur über den Gesandten-Mord mit einer Sammlung der albernsten Anecdoten bereichert zu haben, erzählt (a. a. O., S. 25.): »Nicht nur die Thore von Rastatt, sondern auch der an den Rhein führende Weg (vier Kilometer weit!) war von Szekler-Husaren besetzt (!), welche die an der Brücke (an welcher Brücke?) mit Fackeln aufgestellten Polizeidiener(!) Patrioten schalten, ihre Fackeln auslöschten (!) und sie fortjagten (!).« So beschaffen sind die Beweise für die Schuld der Szekler-Husaren!

Für die innere Wahrheit der Vertheidigungsrede Barbaczy's und für seine Ueberzeugung von der Schuldlosigkeit seiner Husaren spricht aber noch viel deutlicher der Umstand, dass er sich nicht scheut, die Möglichkeit zu betonen, Kameraden des eigenen Heeres könnten eher des Mordes beschuldigt werden, als seine Husaren [1])!

Nicht weniger aufrichtig und ungezwungen als die Vertheidigung Barbaczy's stellt sich die Aussage Burkhard's dar. Auch er beschränkt sich darauf, ebenso wie Barbaczy, ausschliesslich nur darüber Angaben zu machen, worüber er informiert sein konnte; alles Andere zu sagen überlässt er ruhig seinen Soldaten. Dass ihm manches Detail entschwunden ist, dass er manchmal Personen verwechselt [2]), dass er sogar manchmal früher Gesagtes später widerruft oder berichtigt, spricht gewiss in der gegebenen Form eher für die innere Wahrheit seiner Aussagen, als dagegen.

Von ganz hervorragender Bedeutung aber sind die Aussagen der Husaren-Unterofficiere und Gemeinen. Diese schlichten Antworten der Leute tragen so sehr das Gepräge der lauteren Wahrheit an sich, dass sie allein geeignet sind, die Unschuld der so lange Verdächtigten zu beweisen. Im Allgemeinen sagen sie natürlicher Weise gleichmässig aus und nirgends findet sich ein Widerspruch — und doch, wie verschiedenartig ist das Detail ihrer Aussagen. Sie wissen alle, dass Rastatt vom Feinde angegriffen werden soll und es ist selbstverständlich, dass sie das wissen, denn es ist dies eine Mittheilung, die der Commandant auch dem letzten Gemeinen nicht vorenthalten darf. Aber der Husar Paul Nagy weiss mehr; er weiss, dass 5000 Franzosen »herüberbrechen wollten« [3]). Er wird diese

[1]) S. S. 239.

[2]) So giebt er beispielsweise die erste Meldung des Wachtmeisters Konczak (S. S. 254, 265) unrichtig wieder. Nicht dieser, sondern Corporal Nagy war als erster auf dem Schauplatz erschienen und nicht Konczak, sondern der Corporal hatte den Mördern eine Patrouille nachgeschickt etc. Erinnert man sich, dass unmittelbar nach der Meldung des Wachtmeisters die fremden Gesandten heranstürmen und den Rittmeister mit Klagen und Vorwürfen überhäufen, so wird es leicht begreiflich, dass diesem die Einzelheiten der Meldung seines Wachtmeisters entschwanden.

[3]) S. S. 293.

Zahl irgendwo nennen gehört haben, vielleicht in dem Gespräch einiger Officiere und ermangelt nicht, diese genaue Angabe zu machen. Aber es finden sich noch bezeichnendere Details. Wachtmeister Konczak erzählt nur kurz, dass er gegen Hügelsheim, Iffezheim und Stollhofen geritten sei, seine Leute wissen auch und deponieren, dass er in einem Dorf sich bei dem Richter nach feindlichen Truppen erkundigt; Konczak vergisst beim Verhör, dass er vom Schauplatz der That zuerst zwei Husaren mit der Meldung zum Rittmeister gesandt und dann erst selbst dahin geritten sei; seine Leute erinnern sich aber daran; ja der Eine, Woina, weiss sogar, warum der Wachtmeister selbst nach Rastatt geritten. Der Wachtmeister »überdachte«, sagt er [1], »dass vielleicht diese zwei Mann keinen besten Rapport machen möchten und entschloss sich, selbst nach Rastatt zu reiten«. Offenbar hatte sich Konczak in dieser Art geäussert, denn Woina war einer von jenen, die der Wachtmeister dann mit sich nahm. Der Corporal Nagy, der mit seiner Patrouille zuerst auf dem Schauplatz erschien, sagt nur, dass er einzelne Personen zu Fuss und zu Pferd in den Wald fliehen sah und ihnen einige Husaren nachschickte, der Husar Nagy, welcher unter diesen war, weiss sich auch zu erinnern, dass der Corporal den Fliehenden »Halt« nachrief [2]. Die Husaren erwähnen wiederholt eines umgestürzten Wagens, der die Rückkehr nach Rastatt verzögerte, ohne anzugeben, auf welche Art dieser Wagen umgestürzt sein konnte. Die Husaren Lakatos, der die silberne Ehrenmedaille besitzt, und David sagen es: »in der Verwirrung wurde er umgeworfen, beim Umwenden des Wagens, im Finstern« [3]. So lassen sich in diesem Verhör eine Reihe von Einzelnheiten feststellen, die wohl die Thatsache, dass die Husaren in keiner Weise an dem Morde betheiligt waren, nicht im Geringsten erschüttern, wohl aber deutlich genug für die innere Wahrheit der Aussagen sprechen. Aussagen verschiedener Personen über ein und dasselbe Ereigniss decken oder ergänzen sich nie vollkommen, wenn sie wahr sind, sie widersprechen

---

[1] S. S. 280.
[2] S. S. 294.
[3] S. S. 290. 296.

sich aber auch nie in dem Masse, wie man dies bei den Aussagen der Franzosen constatieren kann.

Wenn also dem Verhör im Allgemeinen und den einzelnen Aussagen im Besonderen durchaus ehrliche und lautere Wahrheit zugesprochen werden muss, so darf auch anderseits nicht verhehlt werden, dass dies nur in beschränktem Masse bei der Aussage des Oberlieutenants Szentes der Fall ist. Wäre er wirklich auf dem Platze gewesen, wo die Leichen der Ermordeten lagen, so hätte er unbedingt auch die Wagen und die sie umgebenden Husaren sehen müssen, wenn er von dem Bedienten thatsächlich zum Rheinauer Thore geführt worden und nicht, wie man fast glauben müsste, in ganz falscher Richtung zur Stadt hinaus geritten oder geführt worden ist. Es wäre ganz und gar unerklärlich, wesshalb Szentes und seine sechs Husaren so standhaft leugnen, diese Wagen gesehen zu haben, während sie anderseits darauf bestehen, auf die »todten Körper« gestossen, also auf dem Schauplatz der That gewesen zu sein. Im »Authentischen Bericht« wird erzählt, Major Harrant habe, als er am Morgen des 29. April nach Jean Debry gesucht, von dem Rheinauer Schulzen erfahren, dass auch schon kaiserliche Husaren in dem Orte gewesen, die sich nach einem »sich geflüchteten blessierten Franzosen« angelegentlichst erkundigt und dringend verlangt hätten, diesen Franzosen, wenn man ihn fände, ja nicht nach Rastatt, sondern nach Muggensturm zu bringen oder ihn zu »verwahren, dass sie ihn abholen könnten?« Sollen nun vielleicht Szentes und seine Leute diese »kaiserlichen Husaren« gewesen sein, wenn die Aussage des bekanntlich einer gerichtlichen Einvernahme nicht unterzogenen Rheinauer Schulzen wahr ist? Wesshalb hätten sie aber Debry nach Muggensturm bringen lassen wollen und nicht nach Rastatt oder Plittersdorf oder Rothenfels oder Steinmauern, überhaupt irgendwohin, wo Szekler-Husaren waren? Und wesshalb sagt Szentes nicht, dass er bis Rheinau geritten sei, dass er also alles Mögliche gethan, um Debry zu retten? Selbst wenn man die Szekler-Husaren und Szentes in irgendwelchen Zusammenhang mit der Ermordung der französischen Gesandten bringen will (obgleich sie erst nach der in Rastatt eingelangten Nachricht vom Ueberfall von da abgeritten sind), wäre es völlig unbegreiflich, wesshalb Szentes einen Umstand, der unbedingt zu Gunsten seines verdächtigten Regiments sprach, verschwiegen haben soll? Wenn also diese Angaben des »Authentischen Berichtes«, die übrigens ganz allein stehen und desshalb wohl mit Recht angezweifelt werden dürfen [1]), überhaupt auf Wahrheit beruhen, so kann jedenfalls nicht Szentes in Rheinau gewesen sein und es muss eine andere Erklärung für seine widerspruchsvolle Aussage vor Gericht gesucht werden. Sie ist nicht allzu schwer zu finden.

Es ist nicht anzunehmen, dass Rittmeister Burkhard von der ersten Mittheilung des chur-maynzischen Ministers Albini bereits völlig überzeugt worden wäre; möglicher Weise hat er ihr gar keine grosse Bedeutung beigelegt. Erst als die übrigen deutschen Gesandten ihn überliefen und mit Klagen und Vorwürfen bestürmten, hat er den Ernst erkannt und sich bereit erklärt, eine Patrouille abzusenden, um zu retten, was zu retten sei.

Dem aus dem ersten festen Schlafe nach Marsch und Nässe geweckten Oberlieutenant Szentes wurde jedenfalls rasch mitgetheilt, es sei irgend ein Unglück geschehen, vielleicht auch einer oder der andere französische Gesandte ermordet worden: er solle sich davon überzeugen und Hilfe leisten, wenn solche nöthig sei. Dass der Auftrag, wegen ein paar französischen Gesandten, die ihn im Grunde genommen gar nicht interessierten und deren Wohl und Wehe ihm schwerlich sonderlich zu Herzen gieng, in Sturm und Nacht wieder hinauszureiten, dem Oberlieutenant nicht sehr gelegen gekommen sein mag, ist gewiss klar und wenn er demgemäss den erhaltenen Auftrag nicht sehr strenge auffasste, so darf dies, so bedauerlich es an und für sich sein mag, doch nicht allzu scharf verurtheilt werden. Szentes wird demnach ziemlich

[1]) Auf Wunsch des Vorsitzenden der Untersuchungs-Commission, Feldmarschall-Lieutenant Sporck, wurden die Schultheisse der Orte Steinmauern, Iffezheim, Hügelsheim, Plittersdorf und Oetigheim, verhört. In ihren Aussagen (Obser, Politische Correspondenz, III. 423 ff.) bestätigen sie nur im Allgemeinen, dass die Husaren in diesen Orten waren, ohne irgend etwas Wesentliches, geschweige denn Gravierendes gegen die Szekler anzugeben. Den Schultheiss von Rheinau, in dessen unmittelbarster Nähe die That geschehen, zu verhören, unterliess die badische Behörde höchst merkwürdiger Weise.

missmuthig mit den erstbesten sechs von ihrem Lager hergeholten Husaren in die dunkle stürmische Nacht hinausgeritten sein. Ein Bedienter (wessen?) mit einer Fackel geleitete ihn bis an das Rheinauer Thor — vorausgesetzt, dass es wirklich jenes Thor war — dann setzte Szentes seinen Ritt weiter fort.

Es ist schon zu bezweifeln, ob er wirklich die Rheinauer Strasse hinunter geritten ist, ob er in der Dunkelheit nicht einen ganz falschen Weg eingeschlagen hat; jedenfalls scheint er nicht sehr weit geritten zu sein, als sein Pferd stutzte. Szentes bückt sich und bemerkt irgend etwas Weisses auf dem Boden liegen: das genügt, um ihn zu überzeugen, dass dies ein »todter Körper« sei. Da er sonst weder einen Menschen, noch einen Wagen sieht, scheint ihm seine Mission beendet. »Zu retten ist nichts mehr,« wird er sich gesagt haben, »müde und nass bin ich heute gerade genug, Personen und Wagen werden schon nach Rastatt zurückgekehrt sein, ich thue ein Gleiches.« Damit wird er sein Pferd gewendet und dem ihm zunächst reitenden Husaren gesagt haben, das Weisse dort sei ein »todter Körper« gewesen. Thatsächlich wollen ja nur zwei Husaren den oder die Todten wirklich gesehen haben und auch dies kann ruhig der suggestiven Wirkung der Mittheilung ihres Commandanten zugeschrieben werden; die andern Husaren, welche erst im Lager von ihren Kameraden erfuhren, dass dort ein Todter gelegen sei, haben das Weisse für — Papier gehalten und sagen dies frank und frei auch vor Gericht, wohl der beste Beweis, dass ihre Aussagen wahr sind, dass keiner ihrer Officiere ihnen etwa irgend eine passende Aussage zugeflüstert hat.

So erklärt sich gewiss leicht und ungezwungen die jedenfalls unrichtige Behauptung des Oberlieutenants Szentes, er habe die beiden Todten dort liegen gesehen. Zu sehen geglaubt — vielleicht, wirklich gesehen, gewiss nicht, sonst hätte er auch die zu dieser Zeit doch von den Husaren noch umgebenen Wagen der französischen Gesandten sehen müssen.

Dass Rittmeister Burkhard nicht in der Nacht selbst den Widerspruch in der Meldung des Oberlieutenants Szentes durchschaut, darf nicht Wunder nehmen; er wird von all' den Vorwürfen und Klagen der deutschen Gesandten, von dem Schrecken über die That seiner Husaren, die er ja damals für schuldig hielt — genügend erschüttert und verwirrt gewesen sein, um die Meldung vielleicht kaum recht zu hören!

»Endlich stand ich schon damals,« sagte er vor Gericht[1], »in der Besorgniss, dass ich, wenn ich gleich unschuldig, — in eine strenge Verantwortung und langwierige Untersuchung gezogen werden würde« und in einer solchen Gemüthsverfassung handelt man nicht immer klug oder richtig.

Was bei dem Verhör endlich auffällt, ist der Umstand, dass keiner der Angeklagten etwas von dem Briefe Schmidt's oder Mayer's, dass Keiner überhaupt etwas von irgend einem Befehl, einem geplanten Unternehmen gegen die französischen Gesandten erwähnt. Dass die Husaren, von den Lieutenants abwärts bis zum jüngsten Gemeinen nichts davon wissen, wird Niemanden, der mit militärischen Gepflogenheiten auch nur oberflächlich bekannt ist, befremden.

Das Unsinnige der Erzählung Zabern's[2] liegt ja eben darin, dass er sämmtliche Szekler-Husaren bei ihrem Abmarsch aus Gernsbach erzählen lässt, sie giengen nun »die französischen Gesandten massacrieren!!« Wir sind fest überzeugt, dass nicht nur die Husaren vom Wachtmeister abwärts, sondern auch die Officiere Barbaczy's nicht die leiseste Ahnung von einem Brief Schmidt's oder Mayer's hatten; wir möchten sogar entschieden bezweifeln, ob Burkhard etwas davon wusste. Militärische Befehle wurden ertheilt, aber nur in den seltensten, von besonderen Umständen bedingten Fällen motiviert. Ein Beispiel hiefür findet man ja in dem Verhör der Szekler-Husaren selbst. Oberlieutenant Szentes erhält den Befehl seines Rittmeisters, hinauszureiten und nachzusehen, ob und was geschehen und was noch zu retten sei. Szentes bestimmt die erstbesten sechs Husaren als Begleitung und reitet mit ihnen davon — wohin, warum, wozu, wieso und wesshalb? Das wissen diese Husaren nicht, sie haben eben nur den Befehl erhalten, aufzusitzen und ihrem Officier nachzureiten, alles Andere kümmert sie nicht. Und so wie in diesem Fall, wussten die Szekler-Husaren auch am 28. April Nachmittags nichts Anderes, als dass sie nach Rastatt zu reiten hätten; dort

[1] S. S. 309.

[2] S. S. 146.

wurde ein Theil dahin, ein Theil dorthin gesandt, der Rest blieb in Rastatt. In sehr ähnlicher Lage aber befinden sich zumeist auch die Officiere eines Truppenkörpers; auch sie erhalten nur fallweise einen kurzen und knappen Befehl, den sie einfach vollziehen müssen, ohne sich den Kopf zu zerbrechen, wesshalb und warum dieser Befehl erlassen und welche höhere Stelle ihn eigentlich veranlasst habe[1]). Wenn also auch den einzelnen Patrouillen, vom 18. April angefangen, gesagt worden sein wird, bei ihren Streifungen auf die abziehenden Wagen der französischen Gesandten zu achten, diese anzuhalten und ihnen die Papiere abzunehmen, so wird ihnen ganz gewiss nicht gesagt worden sein, von wem dieser Befehl veranlasst wurde. Selbst Rittmeister Burkhard dürfte, wie erwähnt, darüber nichts erfahren haben. Es giebt dafür einen Beweis. Wir erinnern uns der Meldung des Obersten Barbaczy vom 29. April, welcher auch einen Nachtrag enthält[2]). Dieser Nachtrag lautet wie wir wissen: »Dies schrieb der Auditor, der von Allem Kenntniss hatte.« Also der Auditor allein, welcher bekanntlich zu jener Zeit auch die Dienste eines Regiments-Adjutanten versah und in dieser Eigenschaft, so wie heute, eine Vertrauensperson war, wusste »von Allem«. Es kann desshalb, ohne einen Irrthum zu befürchten, behauptet werden, dass Rittmeister Burkhard ganz und gar keine Kenntniss von jenen Briefen hatte; er konnte demnach auch von ihnen nichts erwähnen. Aber Barbaczy?

Wir müssen uns vor Augen halten, welchen Zweck die militärische Untersuchungs-Commission eigentlich verfolgte. Offenbar den, herauszubringen, ob die Husaren, oder wer von ihnen die Mordthat vollführt, oder ob diese Husaren, oder welche von ihnen daran betheiligt waren! Wenn die Untersuchungs-Commission in die Lage gekommen wäre, fest-

[1]) Diese Erörterungen dürften Manchem überflüssig scheinen, sie sind es aber nicht. In der Literatur über den Gesandten-Mord und unter den »Quellen« zu diesem kommen so viele Verstösse gegen die primitivsten militärischen Kenntnisse vor und es wird darin mit »Beweisen« gearbeitet, die so sehr dem einfachsten militärischen Verständniss widersprechen, dass wir nothgedrungen hie und da derartige Erörterungen geben müssen.

[2]) S. S. 195.

stellen zu können, dass alle Angeklagten oder einige von ihnen schuldig waren, so hätte sie natürlicher Weise im weiteren Verlaufe der Untersuchung herausbringen müssen, was die Verbrecher zu der That veranlasst haben könnte. Sobald aber für die Commission die Unschuld der Angeklagten feststand, musste doch natürlicher Weise jede weitere Frage entfallen. Wir glauben, das sei klar! In genau derselben Lage aber befand sich ja Oberst von Barbaczy. Erinnern wir uns doch noch einmal seines ersten Berichtes, den er in der Ueberzeugung, dass seine Husaren den Mord begangen, niederschrieb. Befohlen war ihnen Derartiges allerdings nicht — darüber sind wir wohl in keinem Zweifel mehr — immerhin aber konnte der Mord von ihnen begangen worden sein. »Es wäre von mir sehr eingenommen für mein Regiment gehandelt gewesen,« sagt Barbaczy treffend beim Verhör, »wenn ich auch der Möglichkeit, dass es Leute von dem mir unterstehenden Regiment gewesen sein konnten, widersprochen hätte.« Wir wissen aber auch, dass dem Obersten diese Möglichkeit noch grösser erscheinen musste, als den Husaren, wahrscheinlich aus den bereits angeführten Gründen[1]), nahegelegt worden sein mag, auch bei ihren Patrouillengängen am Abend des 28. auf die abreisenden französischen Gesandten zu achten. Es hätte sich ja immerhin, wie bereits erwähnt, bei dem an und für sich ganz gefahrlosen Unternehmen, den Gesandten die Papiere abzunehmen, ein Unglücksfall ereignen können. Und diese Möglichkeit scheint dem Obersten Barbaczy vorgeschwebt zu haben, als er jenen ersten Bericht niederschrieb, als er darin zu verstehen gab, dass nun seine gehegten Befürchtungen wirklich eingetroffen seien[2]). Wir finden desshalb darin auch die leise Andeutung, dass er zur Verantwortung gezogen, auch Alles werde sagen müssen, wovon nur er und sein Auditor Kenntniss hatten, dass ihm nämlich hinter dem Rücken des Erzherzogs empfohlen worden sei, die bewussten Papiere zu nehmen, dass also nicht ihm allein die Schuld beigemessen werden könne, wenn das Unternehmen ein unglückliches Ende genommen! So geartet war zweifellos der Gedanken-

[1]) S. S. 185.
[2]) S. S. 193

gang des Obersten, so musste er sein, solange er an die Schuld seiner Husaren glaubte. Nun hatte er aber schon im Laufe des 29. April die Ueberzeugung gewonnen, dass er sich geirrt, dass seine Husaren schuldlos waren — welchen Zweck hätte es denn jetzt haben sollen, der Untersuchungs-Commission von einem Befehl zu erzählen, der nie vollzogen worden war und auf die Ermordung der Gesandten keinen, aber auch nicht den geringsten Einfluss genommen? Ein derartiges Hereinzerren dienstlicher Befehle, ein solches Vermengen von Namen seiner Vorgesetzten in eine Untersuchung, in welche er selbst nur unschuldig gerathen war, wäre ja geradezu gehässig gewesen! Es hätte ja dies zweifellos den Anschein gehabt, als suche der Oberst die entferntesten Motive, um seinen Vorgesetzten Unannehmlichkeiten zu bereiten. Mit dem Momente, als Oberst Barbaczy überzeugt war, dass seine Husaren unschuldig angeklagt würden, entfiel desshalb auch jeder Grund, den Namen irgend eines seiner Vorgesetzten vor Gericht zu nennen und über Befehle zu schweigen, die in gar keinem Zusammenhang mit der Ermordung der französischen Gesandten standen, gebot nicht nur das allerprimitivste Gefühl von Anstand, es gebot dies die Pflicht.

Die Verfügungen der französischen und der österreichischen Regierung.

Hatten die geistigen Urheber des »Authentischen Berichtes« in diesem »Document« den Beweis zu liefern gesucht, dass nur die Szekler-Husaren die Mörder der französischen Gesandten gewesen sein konnten; waren die preussischen Gesandten dann einen guten Schritt weiter gegangen, indem sie theils selbst, theils durch feile Federn zu beweisen suchten, dass der Mord ein politischer, durch die österreichische Regierung angeordneter war: so säumten auch ihre Freunde, die Franzosen, nicht, dieses so überaus willkommene Ereigniss gründlichst zu »verwerthen«. Denn es bedarf heute wohl keines Beweises mehr, dass dieser unglückliche Fall für Oesterreich ebenso unangenehm und peinlich war, als willkommen und zweckdienlich für Preussen und Frankreich. Preussen — durch den Basler Separatfrieden aus der Reihe der Kämpfer gegen die Revolution getreten und voll interessiert daran, die Last und das Verderben dieses Krieges ganz auf Oesterreich abzuladen — konnte den Vorfall als Agitationsmittel gegen den Rivalen politisch vortrefflich verwenden, Frankreich brauchte ihn dringend, um dem Hass und der stark gesunkenen Kriegslust der eigenen Bevölkerung neue Nahrung zuzuführen.

Es soll hier nachdrücklich hervorgehoben werden, dass es nicht die Absicht dieser Darlegungen ist, etwa neuerliche Hypothesen aufzustellen, oder eine übliche Ehrenrettung zu versuchen; wäre ein Beweis, wenn auch gegen die Husaren oder wen sonst zu finden gewesen, wir würden ihn um der historischen Wahrheit wegen nicht verhehlen, selbst nicht, wenn er thatsächlich eine vor hundert Jahren von Szekler-Husaren verübte böse That sichergestellt hätte. Es soll ebenso nachdrücklich hervorgehoben werden, dass die Bestimmung dieser Darlegungen nicht ist und nicht sein kann, irgend Jemanden etwa von irgend einer anderen Seite als intellectuellen Urheber des Gesandten-Mordes hinzustellen; also auch nicht den gewiss nicht ganz unverdächtigen, durch ein »Wunder« geretteten Jean Debry. Zweifellos ist aber doch jedenfalls, dass dieser Mann wirklich so viel Geist und Scharfsinn besessen zu haben scheint, um sofort die politischen Consequenzen aus einer That zu ziehen, welcher unschwer ein politisches Motiv unterschoben werden konnte. Wenn also Jean Debry wirklich unschuldig in jeder Beziehung an dem Tode seiner beiden Collegen sein sollte; wenn er weiter, was dann gewiss mit Bestimmtheit anzunehmen ist, in der Nacht des 28. April selbst die Attentäter nicht erkannt hätte, sollte er, während er auf dem Baume sass oder im Walde umherirrte, gar nicht darüber nachgedacht haben, wer diese Attentäter waren? Gewiss! Darüber ist ein Zweifel wohl nicht zulässig. Ebenso naheliegend ist es aber, dass sein Verdacht auf die Szekler-Husaren fallen musste, selbst wenn er in den ersten Momenten auch nicht daran gedacht haben sollte, dass sich die wenigen »Kratzer«, die er davongetragen, politisch prächtig verwerthen liessen. Denn die Szekler-Husaren lagen seit mehreren Tagen in der Umgebung von Rastatt, sie waren seit wenigen Stunden in dem Orte selbst, sie hatten die Thore besetzt, ja es hatte sogar Auseinandersetzungen mit ihnen gegeben. Und während nun Jean Debry auf dem Baume oder sonst irgendwo sass und nachgrübelte, ob nicht diese selbigen Husaren ihn und seine Collegen überfallen, soll es da nicht wie eine Erleuchtung über ihn gekommen sein, dass sich das Abenteuer wunderbar verwerthen liesse, wenn die Thäter wirklich die Szekler-Husaren waren? Und wenn er so den Gedanken weiter spann, wie willkommen dem wankenden Directorium dieser Fall sein müsse und wie vortheilhaft er für ihn selbst, für seine weitere Carrière, für seine Zukunft werden konnte, wenn er, er allein, der einzige, durch ein »Wunder« gerettete, nach Frankreich im Triumph zurückkehrte, um Oesterreich anzuklagen, den einen Arm in der Binde, den andern racheschwörend erhoben: »Bénissez la Providence, maudissez l'Autriche[1])«! Soll da der anfängliche, wenn auch ganz grundlose Verdacht gegen die Szekler sich nicht immer mehr und mehr in ihm befestigt haben, bis er zur positiven Gewissheit wurde, eine Gewissheit, in welcher er von Görtz, in dessen Haus er am Morgen des 29. April Zuflucht suchte und der ja schon in der Nacht, als die Nachricht kam, nicht von einem »Raubanfall«, auf den ein vorsichtiges Gemüth vielleicht vorbereitet gewesen wäre, sondern unerwartet von einem Ueberfall und von Husaren, mit rascher Findigkeit einen ähnlichen Gedanken erfasst hatte, wie Debry, sofort bestärkt wurde? Ist es da zu wundern, wenn Jean Debry wirklich — falls dies der Fall gewesen sein sollte, was bekanntlich nicht feststeht — in Rastatt nach seiner Rückkehr am 29. Morgens die Szekler-Husaren als die Thäter bezeichnet hat? Gewiss nicht! Aus diesen Gründen wird es auch begreiflich, warum Debry seinem Gefolge gleich nach Betreten französischen Bodens verbot, irgend etwas über das Ereigniss zu erzählen[2]) — wie leicht konnte Einer oder der Andere aufrichtig gestehen, er habe die Attentäter nicht erkannt; thatsächlich hat ja Roberjot's Kammerdiener sich Anfangs in dieser Weise geäussert. So wird es auch begreiflich, dass später in den Aussagen der Franzosen die Szekler-Husaren mit voller Bestimmtheit als die Thäter bezeichnet erscheinen. Waren diese die Mörder, so mussten Jean Debry und seine Freunde sich sagen, dass es gelingen könne, zu beweisen, dass sie nur auf Befehl ihrer Regierung die That vollführt. Es ist bereits zur Genüge bekannt, dass Jean Debry und seine Freunde vom ersten Augenblicke an nach dieser Richtung hin arbeiteten, dass sie nicht einen Moment dem doch auch nicht allzu ferne liegenden Gedanken Raum gaben, die Szekler-Husaren könnten die That aus Plünderungssucht oder aus sonst einem nicht politischen Motiv begangen haben. Eine solche Auffassung aber musste vermieden werden, wenn das Ereigniss Früchte tragen sollte. Und es trug Früchte für Jean Debry, wenn auch nur Anfangs, wenn auch nur in bescheidenerer Fülle, als er gehofft.

[1]) Schlusswort aus Debry's »Narré fidèle«.

[2]) »Authentischer Bericht«. 39.

In Strassburg angekommen, richtete Jean Debry am 2. Mai an den Minister Talleyrand einen kurzen Bericht, in welchem er bereits die österreichische Regierung als die Urheberin des Mordes bezeichnete — jedenfalls eine Behauptung, die, damals schon ausgesprochen, viel zu kühn war, als dass man glauben könnte, Debry selbst habe sie für wahr gehalten. Nachdem Debry in Paris angekommen war, gab er sofort seinen zweiten Bericht, den bereits erwähnten »Narré fidèle« heraus. »Hier war,« sagt Helfert[1] treffend, »vom Titel angefangen Alles Tendenz. Von der Verwünschung aller Monarchen überhaupt: »ces hommes qui veulent représenter Dieu sur la terre et qui seraient bien plutôt les images vivantes du génie du mal«, von der Verfluchung des Wiener Hofes, des »höllischen Oesterreich« insbesondere, »l'éternelle infamie de l'exécrable caverne d'égorgeurs appelée Maison d'Autriche«, gieng er nun schon zu ganz unverhohlenen Anklagen der kaiserlichen Congress-Minister über. Auf Lehrbach deutete er offen hin: »Wenn er in der That seine Hände mit dieser scheusslichen Meuterei besudelt hat, mögen seine Gewissensbisse von nun an ihr Richteramt beginnen!« Für Metternich, den unmittelbar zu beschuldigen doch zu ungereimt gewesen wäre, musste dessen entlassener Diener Georges herhalten. »Es ist eine Thatsache, die fest zu stehen scheint und die hier ihren Platz finden soll, das ist, dass der genannte Georges, der in Rastatt zurückgeblieben war, sich unter die Szekler gemischt hatte und dass er es war, der sie Bonnier erkennen liess.« »Für meine Lebenszeit,« so schloss Debry seine Erzählung, »werde ich dies Zeugniss der österreichischen Verruchtheit bewahren, ich werde es meinen Kindern als Vermächtniss hinterlassen, sie werden dann ihre Pflicht eingegraben finden in dieser einzigen Zeile: Segnet die Vorsehung und fluchet Oesterreich!«

Dass nicht nur der Ton, sondern vielmehr auch der Inhalt dieser Berichte Debry's dem Directorium äusserst willkommen war, ist begreiflich; ebenso begreiflich, dass es weder an diese Berichte, noch an die späteren Aussagen des

[1] Helfert. a. a. O. 131.

Gesandtschafts-Gefolges die kritische Sonde anlegte; dass es das vornehme Schreiben des Erzherzogs Carl an Massena nicht verbreiten liess, viel weniger noch den Umstand berührte, dass Erzherzog Carl die strengste Untersuchung des Ereignisses und schärfste Bestrafung der Schuldigbefundenen angeordnet habe. Das Directorium brauchte eben »das Ereigniss, wie es stand und war: ununtersucht, unerforscht, unbestraft; für die Strafe, oder vielmehr für die Aufreizung zur Rache, wollte es selber sorgen [1])«.

Schon der erste Bericht Debry's wurde den beiden gesetzgebenden Räthen vorgelegt. »Das Executiv-Directorium,« heisst es in der Botschaft, »legt Ihnen den Bericht eines neuen Verbrechens des Wiener Hofes vor. Bürger-Vertreter, die Manen unserer Bevollmächtigten, die Entrüstung der Armeen, die drohende Stimme der französischen Nation, der einhellige Ruf der Völker, euerer Verbündeter, selbst euerer Feinde, Alles verlangt, Alles fordert gebieterisch Rache!« In diesem Sinne sprachen denn auch die einzelnen Redner des Rathes der Alten und des Rathes der Fünfhundert und am 7. Mai wurde der Aufruf des Directoriums an die Franzosen, Tags darauf das Manifest an alle Völker und Regierungen veröffentlicht. Nach einer kurzen, auf Debry's Berichten fussenden Darstellung des Ereignisses, nach Aufzählung aller Bösartigkeiten, die Oesterreich seit den Zeiten Carl V. begangen haben soll, wendet sich dieses Manifest an die Völker und Regierungen mit den Worten: »Ist es möglich, dass noch irgend ein Volk, irgend eine Regierung, die nicht jedes Gefühl für Civilisation und Ehre abgeschworen haben, einen Augenblick zögern können, sich auszusprechen zu Gunsten der Loyalität gegen die Ehrlosigkeit, der Mässigung gegen die entlarvte Ehrsucht, des missbrauchten Vertrauens gegen grausam überlegtes Verbrechen?« [2])

Eine Comödie im trivialsten Sinne des Wortes war das erste Auftreten Jean Debry's im Rathe der Fünfhundert. Auf die Stühle von Bonnier und Roberjot wurden Nachbildungen ihrer Kleider gelegt, beim Aufrufen ihrer Namen hatte der Präsident jedesmal zu sagen: »Ermordet auf dem

[1]) Helfert, a. a. O. 133.

[2]) Diese Actenstücke bei Reuss, Teutsche Staatskanzlei. 1801. V. Band.

Congresso zu Rastatt«, worauf die Secretäre aufspringen und rufen mussten: »Sein Blut komme über das Haus Oesterreich!«... Am 20. Mai erschien Debry im Rathe zum ersten Male wieder. Mit leidender Miene, hinkenden Ganges, den Arm in der Binde bestieg er die Tribüne. »Unter tausend Flüchen, Gebeten und Thränen,« so erzählt der junge Ernst Moriz Arndt, als Augenzeuge [1]), »begann er belustigend genug das Abenteuer der schwarzen Nacht des 9. Floréal, wo die That vollbracht war.«

»Anfangs hörte man den Widersprüchen seiner Erzählung, die mich an die Erzählung von Falstaff's nächtlichen Heldenthaten erinnerten, aufmerksam zu; als er aber auf sich selbst und seine Abenteuer kam, ward die Sache zu scherzhaft. ,Von 24 Wunden durchbohrt, kroch ich in einen Graben voll Gestrüpp und meinte, mein elendes Leben an meinen Wunden ausbluten zu müssen, als ein paar Bauern mich fanden und mich halbtodt nach Rastatt brachten'. Als er diese Worte mit dem grössten Ernste sagte, da lachten die meisten seiner Collegen und sahen ihn bedeutend an, als wollten sie sagen: »Zeige denn eine Spur der gefährlichen Wunden, die Du vor vier Wochen erhalten hast!« [2]) . . .

Trotzdem erntete Debry als erste Frucht des willkommenen Abenteuers die Präsidentenwürde im Rathe der Fünfhundert.

Nicht genug mit diesen Comödien wurden auf Anordnung des Directoriums, sowohl in Paris, als in der Provinz, Trauerfeierlichkeiten und Todtenfeiern mit möglichst aufreizendem Schaugepränge abgehalten. Aber so wie die lächerlichen und innerlich unwahren Declamationen Debry's das Gegentheil

[1]) Reisen durch einen Theil Deutschlands, Ungarns, Italiens und Frankreichs in den Jahren 1798 und 1799. (2. Aufl.) III, 209.

[2]) Was Arndt hier andeutet, fand bald offenen Ausdruck in den französischen Journalen jener Zeit. »In einer der gelesensten Ministerial-Zeitungen,« so meldete am 28. Juni die »Augsburger Allgemeine« (Nr 179), findet man einen langen Aufsatz, worin Jean Debry darüber Vorwürfe gemacht werden, dass er, der einst den Atheismus bekannt hat, von einer »wunderbaren« Rettung spreche und erzählt wird, dieser Jean Debry sei in Frankreich mit scheelen Augen angesehen worden, weil er Talleyrand's Ordre, sich für's Vaterland assassinieren zu lassen, so schlecht gehorcht hätte, wo über seine verwundete Perrücke und durchhauenen Kleider eine Menge Spott ausgegossen wird.«

von dem erreichten, was sie erzielt, wie die offenbar von ihm redigierten Aussagen seines Gefolges in ihrer Absichtlichkeit den Stempel der Unwahrheit an sich tragen: so verfehlten auch diese vom Directorium arrangierten Feierlichkeiten durch das Unwahre und Uebertriebene ihres ganzen Wesens vollständig die Wirkung. Ja, noch mehr, das Volk wurde stutzig; es witterte hinter diesen comödienhaften Schaustellungen die Absicht, Etwas, das an das Licht des Tages drängte, zu verbergen! »Das war keine Stimme des Unwetters,« so schrieb Arndt über diese Todtenfeier in Paris, »geschweige denn der Rache, die man so gern entzünden wollte, sondern Alles hielt sich in Ton und Unterhaltung fein alltäglich. Die verschiedenen ‚Vive la republique!‘ der Redner wurden ohne Theilnahme nur von Wenigen aus der Menge wiederholt; desto eifriger und lustiger aber machte man Glossen über Alles, erzählte sich ärgerliche Anecdoten von den Gesandten; ja, Mancher meinte, es sei ihnen Recht geschehen und ebenso solle es der Regierung gehen, weil sie dem Volke nicht habe den Frieden geben wollen, als es in ihrer Macht stand.«

Und so kam es nach und nach, dass man das Directorium selbst beschuldigte, den Mord an den Gesandten aus eigennützigen Motiven veranlasst zu haben. Aber auch Jean Debry erntete nicht den Lohn, den er erstrebt und erhofft; ja, es entstand ihm sogar ein Ankläger, dessen Beschuldigungen möglicher Weise verhängnissvolle Folgen hätten haben können, wenn es dem Directorium nicht selbst daran gelegen gewesen wäre, sie niederzuschlagen und wenn der Sturm der weiteren Ereignisse die Erinnerung an jene Mordthat nicht weggefegt hätte. Niemand Geringerer als Madame Roberjot beschuldigte ihn der Urheberschaft an dem Morde. »Madame Roberjot,« meldete der preussische Legationsrath Roux am 12. Juni aus Paris, »hat die Einladung, welche ihr das Directorium hatte zukommen lassen, damit sie der Todtenfeier vom 20. Prairial [8. Juni] beiwohne, mit Entrüstung abgelehnt. Sie will Jean Debry nicht sehen und beschuldigt ihn, der Verschwörung gegen ihren Gatten und Bonnier zum Werkzeug gedient zu haben. Sie spricht so laut und mit so wenig Rücksicht auf den Hass der Directoren gegen die beiden ermordeten Gesandten, dass ihre Freunde in der grössten Besorgniss sind.

Die Partei des Directoriums möchte sie für wahnsinnig ausgeben, aber sie wird das Publicum schwerlich von diesem angeblichen Wahnsinn überzeugen. »Ich selbst,« fährt der Bericht fort, »habe an Debry nichts bemerkt, was den Mann mit den 40 Wunden verriethe. Er trägt in der That den Arm in der Binde, aber mit viel Anmuth. Eine leichte Zerkratzung an der Nase ist die einzige Verletzung, die er davongetragen hat oder die er zu erleiden willig gewesen ist!«[1]

Auf diese unerwartete Wirkung ihrer Agitations-Comödien war gewiss weder das Directorium, noch Jean Debry gefasst; aber auch im übrigen Europa wird man diese Wendung schwerlich geahnt haben, wenngleich Manche schon mit den Berichten Debry's nicht ganz einverstanden waren[2]. Besonders in Wien erwartete man von der Ausbeutung des Ereignisses die unangenehmsten Folgen. »Wenn diese Mörder ihres Königs,« so schrieb Graf Cobenzl aus Petersburg an den Minister Thugut, »auf dem Schaffot geendet hätten, würde ihnen ihr Recht geschehen sein; so aber setzen wir uns Vorwürfen aus, aus denen das Directorium, um die Nation aufzureizen, wird gegen uns Nutzen zu ziehen wissen[3].« Freiherr von Thugut aber nannte das Ereigniss eine Katastrophe, »die uns in jedem Betracht höchst unangenehm ist, welche aber die Franzosen, wo nicht zum Theil veranlasst haben, doch leicht hätten vermeiden können und die sie nun lediglich dazu benutzen, Aufsehen und Gehässigkeit gegen uns

[1]) Publicationen aus den preussischen Staats-Archiven. VIII. 423. Man vergleiche doch nur diese Haltung der unglücklichen Frau mit ihren bekannten Aussagen in Rastatt und glaube dann noch an die Richtigkeit derselben! Mit welcher Rührung und Zärtlichkeit spricht sie in Rastatt von Debry, wie lässt sie sich sogar von ihm »weinend umarmen«, wie sehr betont sie das »Wunder«, dem er seine Rettung verdankt! Und in Paris angekommen, klagt sie ihn ungescheut des Mordes an ihrem Gatten an! Fürchtete sie vielleicht, noch auf dem Wege auch ermordet zu werden? Und dann, von wem?

[2]) So beispielsweise Eggers, der am 23. Mai schrieb: »Er [Debry] liess kurz nach seiner Ankunft in Strassburg einen Bericht an Talleyrand drucken, der — ich gestehe es — meinen Erwartungen keineswegs entsprach.« (Briefe, II, 14.)

[3]) Vivenot, Vertrauliche Briefe des Ministers Freiherrn von Thugut. II. 438.

zu erregen, den erschlafften Enthusiasmus der Nation wieder zu erwecken und dadurch die Willkür und Macht ihrer Gewalthaber zu erweitern«[1]).

Das einfachste und rechtlichste Mittel, um die üblen Consequenzen dieses Ereignisses nach Thunlichkeit abzuwehren, war jedenfalls das, welches Erzherzog Carl schon unmittelbar nach Erhalt der ersten Meldungen ergriffen hatte: genaue Untersuchung und strenge Bestrafung der Schuldigbefundenen. Dem stimmte Thugut bereitwilligst zu. »Wie immer die Sache sich verhalten mag,« schrieb er am 5. Mai an Colloredo, »so wird es nothwendig sein, dass die Untersuchung dessen, was sich zugetragen hat, öffentlich und in einer authentischen Weise betrieben werde, um uns durch eine eclatante Bestrafung der Schuldigen vor den Augen von ganz Europa zu rechtfertigen[2]).« In ähnlicher Weise äusserte sich der Reichs-Vicekanzler, Fürst Colloredo, welcher sogar einige Officiere des französischen Generalstabes der Untersuchungs-Commission beigezogen wissen wollte[3]). Die aus Rastatt nach und nach eintreffenden Meldungen mit neuen Details liessen freilich auch bald die Sache in einem für die Szekler-Husaren günstigeren Lichte erscheinen. »So gross nun auch der Lärm ist,« schrieb Thugut am 24. Mai an Cobenzl, »der über diese allerdings schreiende und grässliche That in öffentlichen Blättern gemacht wird, so sind wir doch zur Stunde noch nicht im Stande, über den eigentlichen Hergang der Sache die wesentlichsten Umstände als verlässlich erhoben anzugeben und beruht Alles, was hierüber gesagt und geschrieben wird, theils auf Vermuthungen, theils auf willkürlichen Darstellungen, die sich Jeder nach seiner guten oder bösen Stimmung bei der Sache erlaubt, wobei wir aber sehr schmerzlich wahrnehmen müssen, dass die preussischen und pfälzischen Minister im Reich die geschäftigsten sind, die Sache auf die für uns gehässigste Art zu erzählen und dass der berüchtigte Zeitungsschreiber in Ansbach, der königlich preussische Rath Lange, sich sogar erdreistet hat, den Aller-

[1]) Thugut an Cobenzl. Wien, 24. Mai 1799. (Vivenot, Zur Geschichte des Rastatter Congresses, 124.)

[2]) Vivenot, Zur Geschichte des Rastatter Congresses, 311.

[3]) Vivenot, a. a. O. 120 ff.

höchsten Hof als den Veranlasser dieser That öffentlich anzuklagen. . . . . Ob nun wirklich szeklerische Husaren die Thäter waren, ob sie diese That aus Raubsucht oder Irrthum und Missverständniss oder, durch die gewöhnliche Insolenz der Franzosen gereizt, unternommen haben, beruht zur Stunde noch auf blossen Vermuthungen; die Wahrheit der Sache muss sich erst aus gerichtlichen Depositionen ergeben, zu welchen alle Augenzeugen des Vorfalls aufgerufen werden. Es sind viele Leute, welche vermuthen, dass als Husaren verkleidete Räuber, deren es in Schwaben viele giebt, gar wohl die That verübt haben könnten. Diejenigen, welche behaupten, dass immer französisch bei dem Vorfall gesprochen wurde, ziehen französische Emigranten in Verdacht. Alle unparteiischen Leute aber können sich hart überreden lassen, dass unsere Husaren, ohne gereizt zu sein, sich soweit sollen vergangen haben. Daher wir denn auch ganz ruhig der Entwicklung des Herganges entgegensehen und fest entschlossen sind, die Sache, wie sie sich immer verhalten mag, seiner Zeit in ihrer wahren Gestalt der Welt vorzulegen«[1]).

Zu dieser Zeit traf der Brief des Erzherzogs Carl vom 18. Mai in Wien ein. So peinlich berührt auch der Kaiser durch dieses Schreiben war, aus dem ja nicht nur hervorgieng, dass wirklich die Szekler-Husaren die Mörder gewesen seien, sondern auch hervorragende Generale die Möglichkeit der That veranlasst haben sollten, so zögerte er doch keinen Augenblick, bei dem gefassten Entschlusse zu verharren und der Gerechtigkeit freien Lauf zu lassen. Am 6. Juni ergieng demnach von Seite des Reichs-Vicekanzlers ein Hof-Decret an die »allgemeine Reichs-Versammlung zu Regensburg«, in welchem zuerst auf Grund des markgräflich badischen Berichtes vom 3. Mai mitgetheilt wurde, dass am 28. April Abends, die französischen Gesandten »durch einen Trupp in kaiserliche Militär-Uniformen gekleidete Personen« ermordet worden seien. »Nicht durch lieblosen Argwohn und kühne Muthmassungen,« heisst es weiter, »nicht durch verleumderische Anschuldigungen und parteisüchtige Verbreitung verwegener

[1]) Vivenot, a. a. O., 125 ff.

Erfindungen oder durch leidenschaftliche Ausbrüche eines verkehrten Herzens und zügellose Erzeugnisse einer verwirrten Einbildungskraft in- und ausländischer Herausgeber öffentlicher Blätter, nicht durch feindselige, auf Machtvergrösserung, Gelderpressungen oder andere geheime Absichten calculierte Darstellungen, weder durch tobende Convents-Reden und rachsüchtige Proclamationen an die französische Nation und alle Staaten — nur durch eine gewissenhafte, unbefangene und nach den gesetzlichen Vorschriften mit aller rechtlichen Strenge geführte Untersuchung kann die Gränelthat nach allen ihren Umständen ausgemittelt, die Urheber und Theilnehmer an diesem Verbrechen mit Wahrheit ausfindig gemacht und dann die Zurechnung des Verbrechens sowohl in Hinsicht seiner subjectiven, als objectiven Grösse gehörig bestimmt werden.« Um daher den Vorfall, den der Kaiser als eine »deutsche National-Angelegenheit« betrachte, mit der gewissenhaftesten Unparteilichkeit untersuchen zu können, so dass »selbst der möglichste Verdacht irgend einer Connivenz entfernt werden möge«, ergehe der »reiflichst erwogene Antrag an die allgemeine Reichs-Versammlung, sowohl einige Deputierte aus ihrem Mittel zu ernennen, um der eröffneten Untersuchung beizuwohnen, als auch in dem hierüber baldmöglichst zu erstattenden Gutachten mit patriotischer und edler Offenheit Alles an Handen zu geben, was in jeder Rücksicht die Wichtigkeit eines so unerhörten und verabscheuungswürdigen Vorfalls nach ihrer Klugheit und Weisheit erheischen dürfte[1])«.

Das Ergebniss dieses kaiserlichen Vorschlages war, dass die Reichs-Versammlung mit Stimmenmehrheit beschloss, es könne der »ganzen unparteiischen Welt keine mehr eindringende Ueberzeugung, dass Kaiser und Reich nur von einerlei Empfindungen zur Handhabung und Beschleunigung der strengsten Gerechtigkeit durchdrungen seien, gegeben werden, als wenn man der Weisheit Seiner kaiserlichen Majestät die Fortsetzung und Beendigung der Untersuchung vertrauensvoll überlasse[2])«.

[1]) Das Decret bei Reuss, a. a. O., Jahrgang 1799, VII. Band und »Allgemeine Zeitung« Nr. 168 vom 17. Juni 1799.

[2]) Die Verhandlungen über das Hof-Decret bei Reuss, a. a. O., Jahrgang 1799, VII. Band, 41 ff.

Wenn sich damals schon von gewisser Seite Stimmen erhoben, die an dem kaiserlichen Hof-Decret alles Mögliche auszusetzen fanden, so darf dies ebenso wenig befremden, als der Umstand, dass spätere Historiker in unverhüllter Absichtlichkeit behaupteten: dieser Beschluss des Reichstages sei von Vornherein zu erwarten gewesen. Zwingende Beweise für diese Behauptung sind nicht beigebracht worden und die Möglichkeit wäre denn doch nicht ausgeschlossen gewesen, dass der Reichstag den Vorschlag des Kaisers wirklich annahm. Wenn aber dem Kaiser irgend Etwas den Entschluss zu diesem Vorschlag erleichtert haben sollte, so war es zweifellos die Ueberzeugung, dass seine Husaren ungerechtfertigt verdächtigt wurden, dass sie schuldlos waren! Denn, als er das Hof-Decret erliess, befand sich das Verhör der Husaren bereits in seinen Händen; er konnte desshalb mit Beruhigung die weitere Untersuchung dem Reichstage anvertrauen.

Man darf aber auch nicht übersehen, dass die kaiserliche Regierung oder das Ober-Commando eine gerichtliche Procedur doch nur über Mitglieder des eigenen Heeres verhängen konnte und dies ist geschehen. Eine Jurisdiction über Unterthanen eines anderen Staates stand nicht in der Macht der österreichischen Regierung. Der Process gegen die kaiserlichen Soldaten blieb unter allen Umständen nur die eine Hälfte des nothwendigen rechtlichen Verfahrens, die zweite, ebenso wichtige Hälfte war der Process am Thatorte, mit badischen Unterthanen und über die vorhandenen nach anderer Richtung führenden Spuren — und von einem solchen hat man nie gehört. Der Vorwurf, dass von österreichischer Seite die Untersuchung nicht ausreichend geführt worden sei, ist widerlegt durch den Umstand, dass über die erwiesene Unschuld der Husaren hieraus keine Aufgabe für die Untersuchung mehr vorlag. Jede andere Weiterforschung wäre Sache der badischen Behörden gewesen, selbst zu Theilnehmern der That aus den Emigranten-Regimentern hätte der Weg nur über die Processführung gegen die im badischen Lande befindlichen Emigranten oder sonstigen Verdächtigen führen können, auch dies war Sache der badischen Behörde.

Die Aufregung über das blutige Ereigniss vom 28. April legte sich überraschend schnell; mit dem Leben des Bonnier und Roberjot erlosch eben, wie Vivenot treffend bemerkt [1], kein Princip: ihre Köpfe waren nicht der Kopf Carl I. oder Ludwig XVI., mit welchen ganze Systeme enthauptet wurden. In Frankreich selbst, wo man Anfangs, wie bekannt, mit den drastischesten Mitteln das Ereigniss auszubeuten strebte, liess man die Sache fallen, als das Directorium merkte, dass es sich nur selbst lächerlich, sogar verdächtig mache und Jean Debry hörte bald nicht gerne mehr von dem Ereigniss sprechen, ja er scheint sogar eine Zuflucht bei seinen deutschen Freunden gesucht zu haben, da man in Paris schon von seiner Verhaftung sprach [2].

In Deutschland selbst hatte das Ereigniss auch nicht jenen Eindruck gemacht, den besonders die preussischen Gesandten erwartet haben mögen und wenn Sybel in seiner »Geschichte der Revolutionszeit« sagt [3], dass das Aufsehen am stärksten in Deutschland war, »wo alle Welt das Gefühl eines tiefen Schandfleckes für die nationale Ehre hatte,« so ist das eine bewusste Uebertreibung, deren Tendenz unverkennbar ist. Nur jene Regierungen, die unmittelbare böse Folgen befürchteten, wie die Badens, oder solche, welche den Fall politisch verwerthen zu können hofften, wie die Preussens,

[1] Zur Geschichte des Rastatter Congresses. CXXVI.

[2] Helfert, a. a. O. 154. Obser, Bonaparte, Debry und der Rastatter Gesandten-Mord (»Zeitschrift für die Geschichte des Ober-Rheins«. N. F. IX. 75.)

[3] II. 275.

gaben sich die Mühe, jenes Gefühl zur Schau zu tragen und beim Volke zu wecken — dieses selbst stand dem Tode der beiden bedauernswerthen Menschen ziemlich kühl gegenüber, ja es äusserte sogar ganz unverhohlen seine Freude darüber. Als in Weimar, dem damaligen Mittelpunct deutscher Cultur, die Nachricht von dem Gesandten-Mord einlief, da jubelte, wie der Philosoph Fichte schrieb, Alles; Schiller und Goethe aber riefen aus: »So ist's recht; diese Hunde muss man todtschlagen!«[1]) War dies die Gesinnung der beiden deutschen Dichterfürsten, wie mag erst jene der armen, von den Horden der französischen Republik gepeinigten deutschen Bürger und Bauern gewesen sein!

Was aber die Erinnerung an den Gesandten-Mord hauptsächlich in den Hintergrund drängte, waren die einander rasch folgenden Kriegsereignisse. »Nicht so bedeutend, als man hätte vermuthen sollen,« so schrieb Erzherzog Carl später, »zeigte sich die Folge dieser Gewaltthätigkeit. Der Eindruck war nur vorübergehend und wurde schnell durch die wichtigen Ereignisse verdrängt, welche ohne Unterlass auf einander folgten[2]).«

Nachdem es FML. Hotze gelungen war, den Gegner aus dem östlichen Theile der Schweiz zu drängen, erachtete es auch der Erzherzog für nothwendig, die Operationen fortzusetzen. Er beschloss geradeaus auf Zürich loszugehen und wählte hiezu die Linie über Andelfingen-Winterthur. Am 21. Mai liess er ein Corps unter FML. Nauendorff bei Stein den Rhein übersetzen und concentrierte die Haupt-Armee bei Singen; zwei Tage später übersetzte er bei Büsingen den Strom, drängte Massena bis Zürich und nahm in den Kämpfen vom 3. und 4. Juni die Stadt, in die er am 6. seinen Einzug hielt.

Nicht weniger glänzend waren die Erfolge der Oesterreicher und der mit ihnen verbündeten Russen in Italien, wo Suwarow am 27. Mai Turin einnahm, an der Trebbia Macdonald schlug und Kray die Festung Mantua eroberte, so dass fast ganz Ober-Italien in den Händen der Verbündeten war. Auch in Süd-Italien wendete der Kampf sich zu Ungunsten

[1]) Vivenot, Zur Geschichte des Rastatter Congresses. CXXXIII.
[2]) Erzherzog Carl's ausgewählte Schriften. 1893. III. 145.

der Franzosen und im Sommer 1799 stürzte sowohl die parthenopäische, als auch die römische Republik zusammen.

Es war nicht die Schuld des Erzherzogs, dass er nach der Schlacht von Zürich die errungenen Vortheile nicht weiter ausbeutete; ebenso wenig, dass neue Operationspläne, mehr aus politischen, als aus militärischen Gründen entworfen, ihn nach Deutschland zurückführten. Am 30. August traf er wieder in Donaueschingen ein, sein Hauptquartier folgte am 3. September nach.

Ob und inwieweit den Erzherzog während seiner Operationen in der Schweiz der Rastatter Gesandten-Mord noch beschäftigt hat, ist nicht mehr festzustellen. Der Umstand, dass während dieser Zeit nur höchst unbedeutende private Kundgebungen erflossen, dass kein einziges dienstliches oder privates Schreiben den Gang oder die Resultate der Untersuchung erwähnt, lässt vermuthen, dass er dieser Sache wenig Beachtung weiter schenkte.

Nach seiner Rückkehr aus der Schweiz scheint der Erzherzog die Nachricht von dem Beschlusse des Reichstages in Regensburg erhalten zu haben. Diese Nachricht erst dürfte die Gedanken des Prinzen wieder merklicher auf das unglückliche Ereigniss vom 28. April und auf den Gang der kriegsgerichtlichen Untersuchung gelenkt haben, die inzwischen wohl fortgedauert hatte.

Am 2. September richtete der Erzherzog in dieser Angelegenheit ein Schreiben an den Kaiser, das ganz besondere Beachtung verdient. Das Schreiben lautet:

»Wie ich aus dem nunmehr zu Stande gekommenen Reichsgutachten vom 9. v. M. wegen des mit den zum Reichsfriedens-Congress bevollmächtigten französischen Ministern bei ihrer nächtlichen Abreise von Rastatt sich ergebenen Vorfalls ersehen habe, ist von Seite des Reiches die Fortsetzung und Beendigung der darüber bereits eingeleiteten Untersuchung Euer Majestät überlassen worden.«

»Es scheint mir daher nöthig zu sein, in Zeiten darüber nachzudenken, wie dieses auf eine der Würde des Allerhöchsten Hofes und dem Interesse des Allerhöchsten Dienstes angemessene und doch die Publicität befriedigende Art geschehen könne.«

»Es sind nur zwei Wege übrig, wie diese Sache beendigt werden kann:

1. entweder dieselbe in ihrer wahren Gestalt der Publicität vorzulegen, oder

2. der Sache eine solche Wendung zu geben, dass nicht die Szekler-Husaren, sondern Fremde als Urheber der Mordthat erscheinen.«

»Sobald der erste Weg gewählt wird, so muss der Satisfactionspunct auf dem Fusse folgen.«

»Die Husaren kann an und für sich keine Strafe treffen, weil sie im Gefolge einer Ordre gehandelt haben. Die Satisfaction würde nur in den Veranlassern statthaben können; sie würde mithin die eine oder vielmehr drei Personen, wodurch diese Sache passiert ist, treffen, nämlich den General Schmidt, Oberstlieutenant Mayer, General Graf Merveldt und allenfalls General Görger.«

»Nun muss ich aber Euer Majestät ganz freimüthig bekennen, dass es mir schlechterdings ganz unmöglich scheint, bei der Wahl dieses Weges zu umgehen, dass der Allerhöchste Hof und Dienst nicht compromittiert werde.«

»In der Lage, wie die ganze Sache liegt, unter dem Zusammenschlag aller vorwaltenden Umstände würde Niemand sie allein in ihrer isolierten Gestalt einer Privathandlung betrachten; dieselbe verdient vielmehr in ihrer ganzen Verwebung in die militärischen und politischen Verhältnisse, nach ihrem Einfluss auf die Meinung und auf das Urtheil von Europa, nach ihren unausbleiblichen Folgen für das Wohl des Staates beherzigt und gewürdigt zu werden. Es würde immer sehr zu besorgen sein, dass, so sehr man den vollen Beweis der strengsten Gerechtigkeitsliebe zu geben sich bestreben würde, dieses doch die davon gehoffte Wirkung nicht in seinem ganzen Umfang erzielen und den Argwohn einer stillen Mitwissenschaft oder Anleitung zur That nicht unterdrücken dürfte.«

»Ueberdies ist die öffentliche Meinung auf einen Grad gekommen, der kaum zu erwarten war. Der grösste Theil der Bewohner Frankreichs sah diesen Vorgang schon am Anfang sehr gleichgiltig an und setzte auf die Machthaber selbst einen Verdacht; so wie diese Opinion auch dermalen in Deutschland Wurzel zu fassen scheint.«

»Die öffentlichen Sprecher in Paris haben in dem Sündenregister, welches sie gegen das vorige Directorium aufzählten, nicht undeutlich darauf gedeutet, dass dasselbe an diesem Vorgang einen Hauptantheil habe. Selbst der Kriegsminister Bernadotte beschwerte sich vor Kurzem in einem Bericht an das Directorium, wegen der so vielen Schriften, worin die Opinion allgemein verbreitet werde, dass das Directorium den Vorfall bei Rastatt veranlasst habe.«

»Alle die Vortheile, welche in der öffentlichen Meinung bis jetzt gewonnen sind, würde man auf einmal ganz unbenützt aufgeben, sobald man die Sache in ihrer wahren Gestalt darlegen würde[1]. Das Eingeständniss würden die jetzigen Machthaber Frankreichs zur Aufmunterung in dem jetzigen Augenblick auf das Kräftigste geltend machen und keineswegs könnte man jetzt mehr ausweichen, sich zu compromittieren.«

»Wenn man die Sache jetzt klar in ihrer ganzen Gestalt darlegen würde, so würde die erste Frage sein, wann man die Entdeckung von dem Privatschreiben des Generals Schmidt an den Oberstlieutenant Mayer gemacht habe.«

»Da die Epoche von der gemachten Entdeckung nicht in Abrede gestellt werden könnte, so würde die zweite Frage entstehen, warum man dieses nicht gleich der Publicität vorgelegt habe. Dieses hätte man in dem Allerhöchsten Commissions-Decret nicht übergehen dürfen.«

»Je mehr ich über die ganze Sache nachdenke, desto mehr überzeuge ich mich, dass dermalen nichts Anderes übrig zu bleiben scheint, als der Sache die bestmöglichste Wendung zu geben, dass das diesseitige Militär nicht als Thäter erscheine. Ueber die Art und Weise, wie Dieses ausgeführt werden könnte, hat man schon reiflich nachgedacht. Man glaubt allerdings in der weiteren Untersuchung der Sache eine solche Richtung zu geben, wodurch die Ehre und Würde

[1] Der Erzherzog hat hier, wie aus dem zweitfolgenden Satz hervorgeht, vor Allem den Brief des GM. Schmidt vor Augen, eine wirkliche Kenntniss der »Sache in ihrer wahren Gestalt« hat er ja selbst noch nicht haben können, da doch der ohnehin einseitig, nur auf die Szekler Bezug nehmend, geführte Villinger Process noch gar nicht als abgeschlossen anzusehen war.

des Allerhöchsten Hofes, sowie des k. k. Militärs in dem Urtheil der Publicität vollkommen gerechtfertigt erscheint.«

»Es ist nicht zu misskennen, dass eine zweckmässige Ausführung dieser Sache schwer ist; inzwischen ist man auch zum Voraus überzeugt, dass alle Anstrengung des Geistes und die fernere strengste Beobachtung des Stillschweigens Jener, welche von dieser Sache wissen, so wie dieses bis jetzt geschehen, dieses auf das Beste ausgeführt werden könne.«

»Da mir auf jeden Fall die Allerhöchsten Gesinnungen Eurer Majestät über diese Sache bekannt sein müssen, so muss ich Allerhöchstdieselben recht angelegentlich bitten, mir dieselben baldigst zu eröffnen, um nach Massgabe derselben das Weitere einleiten zu können[1]).«

Es muss zugegeben werden, dass dieses Schreiben des Erzherzogs zu den bedeutendsten der bisher bekannt gewordenen Documente über den Gesandten-Mord gehört; nicht nur wegen der Person des Verfassers dieses Schreibens allein, sondern vielmehr noch wegen des Zeitpunctes, in welchem es entstanden ist.

Vier volle Monate nach dem unglücklichen Ereigniss niedergeschrieben, also zu einer Zeit, da die Untersuchungs-Commission bereits bemüht gewesen war, entsprechend der Verfügung des Erzherzogs »richtig zu stellen, so wie die Sache sich eigentlich und wahrhaft zugetragen«[2], müsste dieser Brief, an den Träger der Krone gerichtet, nichts Geringeres enthalten, als die vollständige Lösung des nun gerade hundert Jahre alten Räthsels.

Leider enthält dieses Schreiben keine Details; es setzt nur voraus, dass die Husaren den Mord begangen, dabei aber »im Gefolge einer Ordre« gehandelt haben, ohne dass man erfährt, welche Motive die drei Personen, »wodurch diese Sache passiert ist«, geleitet haben mögen, als sie die Ordre ertheilten. Ohne vorläufig alle anderen bisher mitgetheilten Actenstücke, ebenso wenig die nach den Aussagen der Franzosen selbst hervorgehenden Ereignisse jener verhängnissvollen Nacht in Betracht zu ziehen und nur nach diesem Schreiben des Erz-

[1]) Haus-Hof- und Staats-Archiv.

[2]) S. S. 216.

herzogs, ergänzt durch jenes vom 18. Mai[1]), wollen wir nun nochmals festzustellen suchen, wie es gekommen sein soll, dass die Szekler-Husaren den Mord an Bonnier und Roberjot begangen haben. Nach diesen Briefen hat General Schmidt dem Oberstlieutenant Mayer einen »Privatgedanken« »zur weiteren Erwägung« mitgetheilt; Mayer aber habe diesem Privatgedanken »die unglückliche Richtung und Wendung gegeben« [2]), das heisst wohl, General Schmidt hat bezüglich der französischen Gesandten irgend etwas gewünscht, was jedoch zweifellos nicht ihre Ermordung gewesen sein kann, Oberstlieutenant Mayer aber habe, wissentlich oder nicht, diesem Wunsche »eine ganz eigene Deutung« gegeben, welche endlich vom Oberst Barbaczy als ein stricter Befehl zur Ermordung der Gesandten aufgefasst worden sei. Desshalb wird auch er, sowie seine Husaren, vom Erzherzog mit Recht als unschuldig bezeichnet; nicht so GM. Graf Merveldt, der nach dem Briefe des Erzherzogs mit der »ganz eigenen Deutung« des Oberstlieutenants Mayer vollkommen einverstanden gewesen sein und desshalb, gleich Schmidt und Mayer, als schuldig bezeichnet werden müsste. So stellen sich denn nach den beiden Briefen des Erzherzogs Oberstlieutenant Mayer und GM. Graf Merveldt als die eigentlich Schuldigen dar, weniger GM. Schmidt, der zwar durch seinen Brief wohl den Gedanken zu der That geweckt, sie selbst aber eigentlich nicht gewollt hat.

Dies wäre die nackte Thatsache, die aus dem Schreiben des Erzherzogs vom 2. September hervorgeht. Ist aber dieses Schreiben wirklich von so zwingender Beweiskraft, dass es Alles, was wir sonst noch über das blutige Ereigniss vom 28. April gesagt haben, im vollen Sinne des Wortes vernichtet? Denn nur losgelöst von den übrigen Documenten über dieses Ereigniss, losgelöst von den zahllosen kleinen und grossen Umständen, welche die That umgeben, bietet dieser Brief den Schlüssel zur Lösung jenes geheimnissvollen Verbrechens — aber auch nur dann. Im Zusammenhang mit den übrigen Documenten

[1]) S. S. 172.
[2]) Brief des Erzherzogs vom 18. Mai.

aber und mit dem Gang der Ereignisse bildet er nur eine Umschreibung des erzherzoglichen Briefes vom 18. Mai und beweist nicht mehr, als dass der kaiserliche Prinz sich selbst nach vier Monaten nicht von einer Voreingenommenheit befreien konnte, die allerdings seinem Rechtsgefühl zur höchsten Ehre gereicht, aber von der durch keinerlei Rücksichten beeinflussten objectiven Forschung nicht leichthin als historischer Beweis angenommen werden darf. Denn darin eben liegt der Unterschied zwischen dem Urtheil des Erzherzogs und dem der Forschung, dass Jener, mitten in den Ereignissen stehend, hervorragend davon berührt, von subjectiven Empfindungen sich leiten lässt und leiten lassen musste, diese jedoch, über den Ereignissen stehend, unbeeinflusst durch Rücksichten und Empfindungen jeder Art, nur die Wahrheit zu ergründen bestrebt sein soll. So einladend desshalb auch der Gedanke sein mag, der Wissenschaft durch die Lösung eines geschichtlichen Räthsels, das so lange schon und stets vergeblich auch hervorragende Geister beschäftigt hat, einen wesentlichen Dienst zu leisten — es kann auf Grund dieses Schreibens noch keineswegs als gelöst angesehen werden.

Will man den Inhalt dieses Briefes richtig beurtheilen und seine Beweiskraft richtig bewerthen, so muss man sich ganz in die Lage seines Verfassers versetzen. Es lagen ihm zu allem Anfang dienstliche Meldungen vor, in welchen die That als von Szekler-Husaren verübt dargestellt wurde; dann tauchten Gerüchte auf, welche die Beschuldigten entlasteten. So schmerzlich also auch die ersten Nachrichten den Erzherzog getroffen haben werden, ebenso gross und freudig müssen die durch die späteren Berichte geweckten Hoffnungen gewesen sein. Die Mittheilung Schmidt's, der sich dann, nachdem er erfahren, der Inhalt seines Briefes, es mag dieser Inhalt wie immer gelautet haben, sei ernst genommen worden, als den zwar unfreiwilligen, aber thatsächlichen Urheber der That angeklagt, diese Mittheilung, sagen wir, muss den Erzherzog umso empfindlicher getroffen haben, je grösser die Hoffnung war, dass seine Husaren denn doch schuldlos sein könnten. Und wenn den Erzherzog auch die später wahrscheinlich gethanen Versicherungen, man habe sich doch getäuscht, die Husaren seien schuldlos, wenn ihn selbst das Ergebniss des gerichtlichen Verhörs nicht von seiner Voreingenommenheit befreien konnte, so wird das gewiss Niemanden wundern, der die Empfindungen und Anschauungen eines, man könnte beinahe sagen übertrieben rechtlichen Charakters, wie es eben der des Erzherzogs war, zu würdigen vermag. Thatsächlich sprachen ja auch viele Umstände zu Ungunsten der Husaren und der Erzherzog war, trotz all' seiner Machtbefugnisse und aller Hilfsmittel, nicht in der Lage, alle diese Umstände so zu prüfen, wie es heute der Forschung möglich ist. Viele dieser Umstände, viele Verdachtsmomente, die damals für den Erzherzog und seine Zeitgenossen von zwingender Beweiskraft sein mussten, haben heute nicht den geringsten Werth mehr. Und wenn der Erzherzog dem zweifellos allerwichtigsten Document, über welches wir heute in dieser Frage verfügen, dem gerichtlichen Verhör keinen vollen Glauben geschenkt zu haben scheint, so ist dies psychologisch zu begreifen, aber kein wissenschaftlicher Beweis. Wie die Sache für den Erzherzog noch immer lag, hätte ihn nur Eines von seiner Voreingenommenheit befreien können: Die Entdeckung der wirklich Schuldigen! Bis dahin musste er bei seiner ersten Ansicht verharren, dass einer unüberlegten Aeusserung des Generals Schmidt »eine ganz eigene Deutung« gegeben worden, so dass daraus das unglückliche Ereigniss gefolgt. Von dieser Ansicht musste sich der Erzherzog umso mehr beherrschen lassen, als die »Idee« Schmidt's zuerst in die Hände des Oberstlieutenants Mayer gerieth, dessen Intriguenlust schon damals kein Geheimniss war und dem der Erzherzog die Fähigkeit, auch der harmlosesten »Idee« eine »eigene Deutung« zu geben, wohl zugetraut haben wird.

So gewichtig denn auch dieses Schreiben des Erzherzogs zu Ungunsten der Husaren in die Wagschale fallen mag, im Zusammenhang mit den übrigen Ereignissen, welche der Prinz lange nicht so genau gekannt haben kann, wie sie heute bekannt sind, da vieles heute Bekanntes damals noch in Dunkel gehüllt war, im Zusammenhang mit manchen später erst bekannt gewordenen, zu Gunsten der Verdächtigten sprechenden Einzelheiten, verliert dieses Document jene aufklärende Bedeutung, die ihm auf den ersten Blick zu gebühren scheint und es reduciert sich dessen Werth auf die Bedeutung eines jener wenigen Beweise, die von den zahlreichen Gegenbeweisen förmlich erdrückt werden. Trotzdem beansprucht dieses Schreiben aus naheliegenden Gründen eine ganz hervorragende Beachtung und muss daher, im Zusammenhang mit dem Briefe des Erzherzogs vom 18. Mai, dann aber auch mit den auf den Vorfall bezüglichen dienstlichen Schriftstücken und mit den Ereignissen selbst genau geprüft werden.

Der Erzherzog hält die Husaren für die Thäter und bemerkt, dass sie an und für sich keine Strafe treffen könne, »weil sie im Gefolge einer Ordre gehandelt haben«.

Es bedarf wohl, nach dem bereits Gesagten, keines weiteren Beweises, dass das Privatschreiben des GM. Schmidt nicht den Befehl enthalten haben kann, die französischen Gesandten zu ermorden; die Aeusserung des Erzherzogs, dass die Husaren »im Gefolge einer Ordre gehandelt haben«, kann demnach nur im Sinne des erzherzoglichen Schreibens vom 18. Mai aufgefasst werden, nach welchem die »Idee« des Generals Schmidt eine »ganz eigene Deutung« erhalten, wodurch die Sache immer schlimmer wurde, bis endlich daraus das unglückliche Ereigniss folgte. Obgleich die Stellung des Generalstabs-Chefs gar nicht dazu berechtigt, an die Generale der Armee selbstständige Befehle zu geben, so soll doch die Möglichkeit, dass ein von bedeutenderer Stelle geäusserter Wunsch, dass eine »Idee« aufgegriffen, als »Befehl« aufgefasst und ausgeführt werden könnte, gewiss nicht geleugnet werden; es muss auch ohneweiters zugegeben werden, dass manchmal schon ergangenen Befehlen oder geäusserten Wünschen eine »eigene Deutung« gegeben und damit oft genug den Absichten der befehlenden oder wünschenden Stelle geradezu entgegengehandelt wurde. Aber bestritten muss werden, dass diese Möglichkeit in diesem vorliegenden Falle eingetreten war. Es waren doch zu viele Personen von dem Inhalt des Schreibens des Generals Schmidt in Kenntniss gesetzt und zwar Personen, denen man doch wahrlich weder den Vorwurf geistiger Unfähigkeit, noch den crasser Gewissenlosigkeit machen darf. Alle vier, FML. Kospoth, die Generale Merveldt und Görger und Oberstlieutenant Mayer sind sofort, mit unverhohlener Freude, bereit, die in einem Privatbrief geäusserte Idee des Generals Schmidt ausführen zu lassen und nicht die leiseste Spur in ihrer Correspondenz zeigt, dass sie Sorge empfinden vor den Folgen der That. Und diese That soll Mord an fremden Gesandten gewesen sein??

Und welche von diesen vier Personen hätte denn diesem Schreiben eine solche »Deutung« geben können, dass daraus ein Mord wurde [1]), ohne dass die Andern davon etwas erfahren und selbstverständlich eingegriffen hätten? Kein Einziger von diesen vier Männern konnte auch eine solche »Deutung« nur versucht haben, weil Keiner unter ihnen war, der nicht die weittragenden Folgen einer solchen Handlung vorausgesehen hätte. Der Auftrag, den Oberst Barbaczy gehabt hat, kann demnach nur ein an und für sich ganz unbedenklicher gewesen sein und wenn das Ende der französischen Gesandten ein so furchtbares war, so beweist dies nur, dass die Szekler-Husaren keinen Einfluss darauf genommen haben.

Der Erzherzog sagt in seinem Brief, die Satisfaction würde nur die Veranlasser der That treffen und nennt als solche den General Schmidt, den Oberstlieutenant Mayer, den General Merveldt und »allenfalls« den General Görger. Allenfalls! Das schlichte Wörtchen ist nicht ohne Bedeutung. Görger war doch zweifellos nicht weniger schuldig, als etwa Oberstlieutenant Mayer oder Oberst Barbaczy; denn, wenn auch Letzterer und Görger nur in Folge eines Befehles von GM. Merveldt gehandelt haben würden, hätten sie doch das Recht, ja die Pflicht gehabt, dagegen zu remonstrieren. Warum also sollte GM. Görger nur »allenfalls«, Barbaczy aber gar nicht schuldig sein? Oder sollte der Erzherzog, trotz seines so bestimmt lautenden Schreibens vom 2. September, doch nicht ganz genau über das Ereigniss unterrichtet gewesen sein? Und FML. Kospoth? Dass dieser General mitverwickelt hätte sein müssen an der »Verschwörung«, leidet doch keinen

[1]) Es läge die Vermuthung nahe, hier an GM. von Görger zu denken, denn dieser war als französischer Emigrant mit der Division Bercsény-Husaren in österreichische Dienste getreten; bei ihm konnte also Hass gegen die Königsmörder vorausgesetzt werden. Aber selbst Erzherzog Carl, der doch im September noch die Husaren für die Thäter hält, bezeichnet Görger nur als »allenfalls« schuldig!

Zweifel; man recapituliere doch einmal seine Correspondenz: ja wir glauben sogar, wenn einer dieser Officiere als der am meisten Schuldige bezeichnet werden könnte, so müsste dies Kospoth sein, als der Höchste im Range. Mit dem Augenblick, da er die »Idee« Schmidt's billigte, übernahm er ja auch die volle und, als der Höchste im Range, sogar die alleinige Verantwortung und zwar nicht nur für die That selbst, sondern auch für alle möglichen Folgen. Und der Erzherzog nennt ihn gar nicht unter den »Veranlassern«? Aber noch ein anderer, viel bedeutenderer Umstand in dem Briefe des Erzherzogs fällt auf, befremdet fast: er erwähnt mit keiner Silbe des Ergebnisses der gerichtlichen Untersuchung; ja noch mehr, er spricht am 2. September, also volle drei Monate nach Abschluss des gerichtlichen Verhörs der Husaren die Absicht aus, man müsse der Sache die bestmöglichste Wendung geben, dass das diesseitige Militär nicht als Thäter erscheine. Aber diese »Wendung« hatte ja die gerichtliche Untersuchung auch ohne jedes Zuthun von selbst genommen; die einzelnen Theile des Verhörs waren stückweise nach Wien gesandt worden und auf Grund der Ergebnisse dieses Verhörs war man schon in der Lage gewesen, eine Broschüre zu veröffentlichen und zu verbreiten[1]).

Wie man sieht, ergeben sich in diesem Schreiben des Erzherzogs Lücken, deren Vorhandensein nur durch die Annahme erklärt werden kann: der Erzherzog sei über die unglückliche That des 28. April, über die Schuld oder Unschuld der Husaren, selbst über den Verlauf der gerichtlichen Untersuchung nur mangelhaft und einseitig informiert gewesen.

Versuchen wir die Lage des Erzherzogs zu präcisieren.

Mit dem Momente, da Erzherzog Carl erfuhr, GM. Schmidt habe, wenn auch ganz unbeabsichtigt, den Anlass gegeben, dass die französischen Gesandten ermordet wurden, befand er sich in einer ebenso schwierigen, als peinlichen

[1]) Die bereits erwähnten »Kurzen Bemerkungen über den authentischen Bericht«. Schon am 17. Mai war der speyerische Comitialgesandte von Steigentesch in der Lage, Einiges über den Verlauf des Verhörs zu berichten und sein Bericht beweist, dass er ziemlich gut informiert war. (Vgl. Obser, a. a. O., III. 244.)

Lage. Einestheils drängte ihn sein Rechtsgefühl, volle Satisfaction zu geben, anderntheils nöthigte ihn die Rücksicht — nicht auf GM. Schmidt, sondern auf die Würde und das Ansehen des kaiserlichen Hauses, eine That, die er mit aller Entrüstung seines empörten und verletzten Rechtsgefühls verdammte, zu beschönigen, zu rechtfertigen, zu entschuldigen. Denn nicht um die Szekler-Husaren handelt es sich und nicht um den GM. Schmidt — aber bei der Rücksichtslosigkeit, bei der Gewissenlosigkeit der offenen und geheimen Feinde Oesterreichs musste er sich sagen, dass keine Strafe zu scharf, keine Genugthuung zu gross sein konnte, um nicht trotzdem den erlauchten Träger der Krone vor Beschuldigungen oder mindestens vor Verdächtigungen zu bewahren. War die That ein Excess der Husaren, so konnten diese exemplarisch bestraft werden und die Sache war erledigt — aber nun beschuldigte sich GM. Schmidt, der Generalstabs-Chef des Erzherzogs, selbst als »Veranlasser« und mit ihm waren noch vier hervorragende Officiere des Heeres compromittiert. Das änderte die Sache — jetzt waren die Husaren die unschuldigen Werkzeuge, hervorragende Officiere die Verbrecher. Und der Erzherzog kannte wohl die Gegner Oesterreichs!

Hatte man doch jetzt schon, ohne eine Ahnung von dem zu haben, was der Erzherzog wusste oder zu wissen glaubte, ihn selbst, die österreichische Regierung, ja sogar den Kaiser verdächtigt und in gesinnungslosen, feilen, öffentlichen Blättern besudelt — was würde erst geschehen, wenn die Namen hervorragender Officiere genannt würden! Der Umstand nun, dass nicht nur GM. Schmidt allein, sondern in Folge seines Schreibens auch nicht weniger als sechs Officiere des Heeres compromittiert schienen — Kospoth, Merveldt, Görger, Barbaczy, Mayer und Burkhard — machte die Angelegenheit noch peinlicher und verwickelter. War Schmidt allein compromittiert, so konnte der Erzherzog ihm sagen, welche Gründe ihn veranlassten, der Sache eine gute »Wendung« zu geben, konnte es rechtfertigen, wesshalb er der Gerechtigkeit nicht freien Lauf lasse — konnte er dies auch gegenüber von noch fünf Officieren, die ihm doch lange nicht so nahe standen wie GM. Schmidt, der ja eine Vertrauensstellung bekleidete? Man denke doch nur: der Oberbefehlshaber des Heeres, der Bruder des Kaisers, der sechs Officieren mittheilt, sie hätten zwar ein furchtbares Verbrechen verschuldet, doch werde er die Sache aus diesen und jenen Gründen auf sich beruhen lassen, werde der Gerichtsverhandlung eine »Wendung« geben, wenn sie nur Stillschweigen bewahren wollten!

Doch hier dürfen wir noch nicht stehen bleiben, wenn wir den Brief des Erzherzogs aus dem Zusammenhang der Ereignisse reissen und ihm bedingungslos Glauben schenken wollen; wir müssen vielmehr weiter gehen und sagen, die gerichtliche Verhandlung habe »auf Befehl« die bekannte »Wendung« genommen, das heisst, den Husaren sei befohlen worden, vor Gericht geradezu raffiniert ausgedachte, weil so überzeugend wahrhaftig scheinende Aussagen zu machen und eine gerichtliche Commission, bestehend aus einem General, fünf Officieren, einem Auditor und zwei Wachtmeistern, sei damit einverstanden gewesen, entgegen dem Befehle des Erzherzogs »richtig zu stellen, so wie die Sache sich eigentlich und wahrhaftig zugetragen«[1]! Denn Angesichts des erzherzoglichen Briefes drängt sich nunmehr die Frage auf: Ist der Inhalt dieses Briefes richtig oder das Ergebniss des Verhörs? Da es wohl Niemanden geben wird, der annehmen könnte, dass der Erzherzog ein Geheimniss getheilt hätte mit sechs compromittierten Officieren, dann mit sechs anderen, die nebst einem Auditor und zwei Wachtmeistern ein gefälschtes Protokoll unterschrieben, endlich mit zwei Unterofficieren und dreissig angeklagten Husaren, die mit Wissen oder gar auf Anordnung ihrer Officiere vor Gericht falsch ausgesagt: so muss wohl die Richtigkeit des erzherzoglichen Schreibens, nicht aber die Authenticität des Verhörs in Zweifel gezogen werden. Die Husaren konnte er ja hängen, die Officiere erschiessen lassen, dann wäre die Sache erledigt gewesen. Das thut er aber nicht, weil er auch diesen Männern gegenüber kein Unrecht thun will, weil er fürchtet, aber nicht überzeugt ist. Die Unrichtigkeit des Inhalts dieses Schreibens nun erklärt sich unschwer und zwanglos aus der misslichen Lage, in welche der Erzherzog sich in dem Moment versetzt sah, da GM. Schmidt

[1] S. S. 216.

ein Geständniss ablegte, das sich doch nur auf eine irrige Voraussetzung gründete. Da aber nicht Schmidt allein compromittiert schien, sondern noch eine Anzahl von Officieren, ja sogar zwei Unterofficiere und 30 Gemeine; eine wahrheitsgemässe Darstellung der That, wie sie veranlasst und, nach der Anschauung des GM. Schmidt und des Erzherzogs, auch wirklich begangen worden war, aus den angeführten Gründen nicht veröffentlicht werden konnte; so sah sich der Erzherzog in die Zwangslage versetzt, entweder der gerichtlichen Untersuchung unbeeinflusst freien Lauf zu lassen oder aber diese Untersuchung zu beeinflussen und damit ein Geheimniss mit einer Reihe von Officieren, Unterofficieren und Gemeinen zu theilen, eine so gefährliche Handlung, wie sie schwerlich ein untergeordneter Commandant, geschweige denn eine auf den Höhen der Menschheit stehende Persönlichkeit wagen wird.

War also der Erzherzog durch die Sachlage veranlasst. keinerlei Einfluss auf den Gang der gerichtlichen Untersuchung zu üben; hatte demnach diese, dem Befehl des Erzherzogs gemäss, nur »richtig gestellt, so wie die Sache sich eigentlich und wahrhaft zugetragen«, so war der Erzherzog aus denselben Gründen verhindert, mit einem der scheinbar compromittierten Officiere in Contact zu treten. Denn zog er einen dieser Officiere zur Verantwortung, so musste er ein Geständniss befürchten und wurde in diesem Fall gezwungen, entweder zu strafen oder dem Betreffenden die Gründe darzulegen, wesshalb er dies nicht thun könne. Ein derartiges Geheimniss mit einem dem Erzherzog untergeordneten Officier zu theilen, hätte allein schon die Würde des kaiserlichen Prinzen mit aller Entschiedenheit verboten.

Nach dem Briefe des Erzherzogs scheint es aber fast, als habe er überhaupt keine rechte Kenntniss von dem factischen Inhalt des Verhörs gehabt; doch kann das auch nicht gut angenommen werden. Gelesen kann er es kaum haben, aber kurzen Bericht muss er doch empfangen haben, der ihn indessen nicht genügend überzeugen oder beruhigen konnte, weil Schmidt, der Referent, ja verzweiflungsvoll an seine eigene Schuld glaubte.

Die ganze Untersuchung fiel aber zudem in eine Zeit so grosser kriegerischer Thätigkeit, dass schliesslich wohl behauptet werden kann, dem Oberbefehlshaber des Heeres habe die ganze Mordangelegenheit auch wirklich nicht als die wichtigste Action erscheinen können.

Es ist wahr, dass der Versuch, die inneren Beweggründe des Erzherzogs zu erkennen, gewissermassen seinen Gedanken nachzugehen und hiezu nur die thatsächlichen Verhältnisse als Stütze und Beleg zu benützen, eigentlich nur den Werth einer Vermuthung hat, aber alle entgegengesetzten Annahmen sind ja auch nur Vermuthungen, die sich nicht einmal der Unterstützung durch die thatsächlichen Verhältnisse rühmen könnten.

Nur die Zeit, welche Gelegenheit bot, den Vorfall objectiver zu beurtheilen, welche die begreifliche Aufregung beruhigte und nach und nach auch jene Fesseln lockerte, von denen der Erzherzog in Folge eines verhängnissvollen Zusammentreffens eigenartiger Umstände, umschlungen war, konnte hier Wandlung schaffen, konnte den Prinzen billigeren Anschauungen zugänglich machen. Die Zeit hat eine solche Wandlung thatsächlich gebracht.

Das weitere Schicksal der verdächtigten Husaren.

Ob die über die Szekler-Husaren verhängte Untersuchung Ende Mai ihren Abschluss gefunden hat, lässt sich nicht sicher bestimmen; wahrscheinlich ist es jedoch, dass eine eigentliche Untersuchung zunächst nicht mehr fortgedauert habe, da auch die Husaren kaum Weiteres auszusagen vermocht haben könnten. Doch wussten Zeitungen Mitte October zu berichten, dass jetzt erst die Untersuchung geschlossen und die Acten nach Wien gesandt worden seien [1]). Diese Nachricht stimmt mit der Thatsache überein, dass FML. Sporck, der Präses der Untersuchungs-Commission, bereits im September wieder bei der Armee eingerückt war und am 18. September an der Erstürmung von Mannheim theilgenommen hat. Da auch nicht anzunehmen ist, dass das Präsidium einem anderen General übertragen wurde [2]) und ein anderes Mitglied der Commission, der Oberst Weeber von Kaiser-Cürassieren, ebenfalls als bei der Armee eingerückt erscheint und sich bei der Erstürmung von Wiesloch (2. und 3. December 1799) hervorragend betheiligt [3]), so ist anzunehmen, dass die Untersuchung im Herbste 1799 im Wesentlichen abgeschlossen war. Ob sie nicht wieder aufgenommen wurde, lässt sich nicht mehr feststellen, da weder die Acten, noch die Protokolle des Kriegs-Archivs oder der einzelnen Corps-Commanden darüber irgendwelche Andeutung geben. Jedenfalls haben sich weitere Gerichtsacte aus Pilsen nicht gefunden. Gewiss

---

[1]) Helfert, a. a. O., 149.

[2]) Noch im Juni 1800 erhalten die bei den verdächtigten Husaren verbliebenen Commissions-Mitglieder Hauptmann Lang und Knüpfer die Befehle von FML. Sporck. (S. unten.)

[3]) K. A., F. A. Deutschland. 1799. XII. 11½. Relation Sztaray's.

ist nur, dass nach dem Vordringen der Franzosen nach Süd-Deutschland im Frühjahre 1800 die noch in Haft befindlichen Husaren sammt den noch bei ihnen befindlichen Commissions-Mitgliedern mehrmals den Aufenthaltsort wechseln mussten[1]; am 17. Juni 1800 meldete Hauptmann Lang von Erbach-Infanterie, »dass die über die Rastatter Begebenheit aufgestellte Commission, welche aus dem Berichtleger, dem Oberlieutenant Knüpfer von Erbach, dann dem Auditor Pfiffer von Kerpen und Wachtmeister Wransky von Kaiser-Husaren, als Beisitzer, besteht, mit dem Obersten Barbaczy und Rittmeister Burkhard, dann zwei Wachtmeistern und dreissig Gemeinen vom Szekler-Husaren-Regiment auf Veranlassung des FML. Sporck in Pilsen eingerückt sei, um daselbst die weiteren höchsten Befehle Sr. k. Hoheit des Erzherzogs Carl zu erwarten[2]«. Am 21. Juni erhielt Hauptmann Lang aus Prag die Weisung, »bis auf weitere Verfügung in Pilsen mit den Individuen zu verbleiben und vom Tage des Eintreffens in die Erblande in den Friedensgenuss (Friedensgebühr) zu treten«[3]. Mitte Juli 1800 ergieng dann an den commandierenden General von Böhmen FML. Sterndahl die Weisung, »sämmtliche Szekler-Husaren bei erster Gelegenheit mittelst eines Transportes nach Siebenbürgen abgehen zu lassen[4]«. Am 19. August marschierten demnach die Husaren unter Commando des Obersten Barbaczy vorerst nach Prag, woselbst sie am 20. eintrafen[5]. »Da alle Unterofficiere und gemeinen Leute,« berichtete das ehemalige Commissions-Mitglied, Hauptmann Lang, an das Prager General-Commando, »von der besten Conduite sind, auch während allen Märschen und der ganzen Retirade aus Schwaben sich nicht des geringsten Excesses schuldig gemacht haben, so habe ich einverständlich mit dem Herrn Oberst-Wachtmeister von Tinglan alle aufsichtliche Begleitung weggelassen[6].«

[1] Hüffer. Gesandten-Mord. 77.

[2] Auszüge aus den Registratur-Protokollen des 8. Corps. Die Acten sind nicht mehr vorhanden.

[3] Ebenda.

[4] K. A., H. K. R. 1800. 44. 256. An Sterndahl, Wien, 11. Juli 1800.

[5] Auszüge aus den Registraturs-Protokollen des 8. Corps.

[6] K. A., H. K. R. 1800. 44. 256. Pilsen, 19. August 1800.

Diese Verfügung Lang's wurde, trotzdem sie einem Rescripte des Hof-Kriegsrathes zuwiderlief, auch vom FML. Sterndahl bestätigt. »Gemäss der eben angeführten hohen Präsidial-Anordnung,« so berichtete er am 24. August an den Hof-Kriegsraths-Präsidenten, G. d. C. Grafen Tige, »sollten diese Leute zwar gelegentlich eines Transportes unter gehöriger Aufsicht dahin (nach Siebenbürgen) abgehen gemacht werden. Nachdem aber kein solcher Transport dermalen vorfällt und der Herr Oberst sowohl mündlich, als schriftlich vorgestellet hat, dass wenn eine Begleitung dennoch beigegeben werden sollte, die Szekler dadurch muthlos und äusserst unzufrieden gemacht würden; so habe ich umso weniger Bedenken getragen, dieselben blos unter der eigenen Obsicht des gedachten Herrn Obersten von hier weiter instradieren zu lassen, als mit Commandierten der Cavallerie, da die Szekler alle beritten sind, ohnehin der Zeit zu ihrer Escortierung nicht aufzukommen ist, die Leute nach der hier anliegenden Versicherung des Erbachischen Hauptmannes Lang[1]) durchgehends von so guter Conduite sind, dass kein Excess oder Entweichung bei selben zu befahren kömmt und der Herr Oberst Barbaczy für alle besorglichen Unordnungen zu haften sich durch die weiters anverwahrte schriftliche Erklärung selbst verbindlich gemacht hat[2]).«

Das hier erwähnte Schreiben des Obersten Barbaczy, an Sterndahl gerichtet, lautet:

»Da vermög hohen Hof-Kriegsraths-Rescriptes die in dieser Commission gewesene Mannschaft wegen Excesses und befürchtender Desertion escortiert werden sollte, so unterfange ich mich, einem löblichen General-Commando die unterthänigste Vorstellung hiemit einzureichen, dass diese Leute von solcher Conduite sind, dass ich sowohl für Excesse, als Desertion hafte und uns, wie bisher aus dem Reich geschehen, allwo wir der Desertion mehr ausgesetzt gewesen wären, ohne Escorte zu marschieren unterthänigst bitte, damit die Mannschaft bei dem bisherigen guten Muth erhalten werden könne.« Prag, den 23. August 1800.

[1]) S. oben.

[2]) K. A., H. K. R. 1008. 44. 246.

Der Bitte des Obersten wurde ohne weitere Einwendung entsprochen und die Szekler-Husaren setzten ohne Escorte ihren Marsch in die Heimath fort. An jedem vierten Tag wurde gerastet. Am 4. October traf die Abtheilung in Pesth ein, wo die Husaren Gulyas, Kálman, Szabo und Georg Peter, die Jazygier und Kumanier waren, nach Grosswardein instradiert wurden, um dort bei der Reserve-Escadron von Blankenstein-Husaren eingetheilt und zu Localdiensten verwendet zu werden[2]. Ende October trafen die Szekler in der Heimath ein, Oberst Barbaczy übernahm das Bezirks-Commando in Szepsi-Szt.-György vom Hauptmann Rogowsky, der in den Ruhestand zurücktrat, Rittmeister Burkhard das Commando der Oberstlieutenant-Division in Bágy.

In Folge dieser Dienstesverwendung der beiden Officiere schritt noch im October das Armee-General-Commando in Deutschland um Neubesetzung der Obersten- und einer Rittmeister-Stelle im Szekler-Husaren-Regimente ein. »Durch die mit dem Conferenz-Minister Baron von Thugut gepflogene Einvernehmung,« so lautet die betreffende Stelle in der »allerunterthänigsten Note« des Hof-Kriegsrathes, »hat der Hof-Kriegsrath zu vernehmen bekommen, dass der Oberst Barbaczy und Rittmeister Burkhard wegen Umständen, die bereits Ew. Majestät bekannt sind, nach Siebenbürgen abzugehen gehabt haben, desswegen aber weder der Oberst Barbaczy, noch der Rittmeister Burkhard eine Schuld auf sich erliegen haben. Bei diesen Umständen wird es daher auf Ew. Majestät Allerhöchster Entschliessung beruhen, ob Allerhöchstdieselbe gleichwohlen dem so sehr belobten Oberstlieutenant Geringer nach dem Vorschlag und Einschreiten des Erzherzogs Johann königl. Hoheit die Beförderung allenfalls zum zweiten Obersten bei dem Szekler-Husaren-Regimente zuzuwenden Gnädigst gemeint sein dürften. . . . . Endlich wird Ew. Majestät in der Anlage auch zugleich der Auszug aus der Conduite-Liste des Szekler-Husaren-Regiments in Ansehung des aus dem Feld nach Siebenbürgen

[1] K. A., H. V. R. 1800. 44. 256.

[2] K. A., H. V. R. 1800. 44. 256. FZM. Alvintzy an Graf Tige. Ofen, 4. October 1800. Auszüge aus dem Protokoll des 8. Corps.

zurückgeschickten, nach der schon angeführten Zusicherung des Ministers Baron Thugut bei der Rastatter Affaire ganz schuldlosen Rittmeisters Burkhard, welcher der Aelteste im Rang beim Regimente ist, schon durch zwölf Jahre als wirklicher Escadrons-Commandant dient, alle Campagnen mitgemacht hat und in allen Rubriken gut, im Dienste eifrig und des Avancements würdig beschrieben ist, zur Allerhöchsten Einsicht unterleget, mithin auch in Ansehung seiner Behandlung sowohl, als jener des Obersten Barbaczy der weitere Allerhöchste Befehl gewärtiget.«

Die Resolution des Kaisers Franz lautete:

»Ich ernenne den Oberstlieutenant Geringer zum zweiten Obersten bei Szekler-Husaren, wo ihm das Regiments-Commando zu übergeben ist, auch ist bei diesem Regiment der Major Szombathély in die Wirklichkeit zu bringen. Der Oberst Barbaczy und der Rittmeister Burkhard haben bis auf meine weiteren Befehle in Siebenbürgen zu verbleiben [1].«

In den angedeuteten Stellungen in Siebenbürgen verblieben Barbaczy und Burkhard bis zum Mai 1801. Am 23. d. M. erliess Kaiser Franz nachstehendes Handschreiben an Erzherzog Carl: »Lieber Herr Bruder! Der Oberste Barbaczy vom Szekler-Husaren-Regiment wird mit General-Majors-Charakter und Pension und der Rittmeister Burkhard mit Majors-Charakter und Pension, in Ruhestand versetzt. Euer Liebden haben aber dafür Sorge zu tragen, dass diese Beförderungen nicht zur Publicität gebracht, auch nicht in die Zeitungen eingerückt werden [2].«

Das Decret für den Obersten Barbaczy lautet:

»Seine k. k. Majestät haben den Herrn . . . . in huldreichster Erwägung dessen so getreu und eifrig, als tapfer vor dem Feind geleisteten guten Dienste, im Militäre gezeigten Erfahrung und anderer demselben bei-

[1] K. A., H. K. R. 3170. Allerunterthänigste Nota vom 24. October 1800, mit der Resolution des Kaisers.

[2] K. A., H. K. R. 1801. III. 2189.

wohnenden rühmlichen Eigenschaften, daher zur Bestätigung der Allerhöchsten Zufriedenheit, vermög des unter Allerhöchster Signatur ausgefertigten Patents, zum k. k. Oberst-Feldwachtmeister zu Pferd Allergnädigst zu ernenuen geruhet und dabei zugleich den Herrn . . . . in den Pensionsstand mit dem Genuss von jährlichen 1500 Gulden zu setzen befunden. Welche Allerhöchste Entschliessung dem Herrn . . . . zur Nachricht, guten Versicherung und gehörigen Direction mit dem Beisatz bekannt gemacht wird, dass derselbe mit dem 23. dieses, als dem Tag der herabgelangten Allerhöchsten Entschliessung, vom Regiment mit Ordnung und Richtigkeit auszutreten und dem Hof-Kriegsrath die Cassa anzuzeigen hat, aus welcher er den von dem besagten Tag anfangenden Pensionsgenuss zu beziehen wünschet.«

Das Decret für den Rittmeister Burkhard hat folgenden Wortlaut: »Da Seine Majestät den Herrn . . . . in den Pensionsstand zu setzen und anbei demselben in Rücksicht seiner vieljährigen, im Militär mit Auszeichnung geleisteten guten Dienste, den Majors-Charakter mit der demselben anklebenden Pension Allergnädigst zu verleihen geruht haben, so wird diese Allerhöchste Entschliessung dem Herrn . . . . zur Nachricht und guten Versicherung mit dem Beisatz bekannt gemacht, dass derselbe mit 23. d., als dem Tag der herabgelangten Allerhöchsten Entschliessung in die Majorspension einzutreten und dem Militär-Invaliden-Amte die Kasse anzuzeigen hat, aus der er den diesfälligen Genuss zu beziehen wünschet[1])«. Nach ihrer Pensionierung übersiedelten beide Officiere nach Pressburg, woselbst Burkhard am 15. Januar 1820, Barbaczy am 17. Juni 1825 starb[1]).

Die ferneren Schicksale der anderen in der Geschichte des Gesandten-Mordes genannten Officiere sind zum Theil

[1]) Man wird zugeben, dass diese »Beförderung« und »Belohnung«, über welche einzelne Schriftsteller, die »auch« über den Rastatter Mord zu schreiben das Bedürfniss hatten, wie über eclatante Beweise der Schuld dieser Officiere erheblich entrüstet sind, kaum als einigermassen zur Verleitung oder Verführung auslangende »Belohnung« für einen Mord, zu dem sich bereit finden zu lassen, sie durchaus nicht bemüssigt werden konnten, angesehen werden könnte.

bereits bekannt. Oberstlieutenant Mayer, schon seit 1796 Theresien-Ritter, fand Gelegenheit, sich auch in demselben Feldzuge 1799 abermals auszuzeichnen, wurde nach der Einnahme von Mannheim zum Obersten ernannt und im Jahre 1801 General-Major. 1805 zuerst General-Quartiermeister bei der Armee in Deutschland, dann in Tyrol, wurde er im December dieses Jahres General-Quartiermeister des Kaisers und nach dem Frieden von Pressburg General-Quartiermeister der Armee. Hervorragend an den grossen Reorganisationsarbeiten des Erzherzogs Carl betheiligt, kam er dann, zum Feldmarschall-Lieutenant befördert, als Festungs-Commandant nach Brod, wurde 1813 mit einem Commando betraut und trat erst 1836 mit dem Range eines Feldzeugmeisters in den Ruhestand. Er starb 1842 in Verona.

GM. Schmidt blieb vorläufig in seiner Stellung als Generalstabs-Chef des Erzherzogs Carl und wurde nach dessen Rücktritte im Jahre 1800 in derselben Stellung dem FZM. Kray zugetheilt. Meinungsverschiedenheiten und Kränklichkeit veranlassten ihn, am 28. September 1800 in den Ruhestand zu treten.

Im Jahre 1805, nach der Capitulation von Ulm an die Spitze der zum Schutze der Hauptstadt versammelten Reserven berufen, focht er an der Seite der verbündeten Russen am 11. November gegen die Franzosen bei Dürenstein und fand hier den Tod. Ein Denkmal zeugt von der Werthschätzung, die der Kaiser dem Helden zollte.

FML. Kospoth und GM. Görger blieben gleichfalls in ihrer Verwendung; Ersterer wurde am 1. März 1801 zum General der Cavallerie, später zum Cavallerie-Inspector ernannt und starb 1810; Letzterer trat am 3. Januar 1801, zum Feldmarschall-Lieutenant befördert, in den Ruhestand und starb im Jahre 1811.

GM. Graf Merveldt zeichnete sich noch in dem Feldzuge des Jahres 1799 aus, wurde im Herbst zum Feldmarschall-Lieutenant befördert und später wiederholt in wichtigen diplomatischen Missionen verwendet. Im Juli 1813 zum General der Cavallerie vorgerückt, starb Merveldt drei Jahre später als ausserordentlicher Botschafter am grossbritannischen Hofe.

Aus dieser kurzen biographischen Uebersicht geht zweifellos hervor, dass das blutige Ereigniss vom 28. April 1799 ausschliesslich nur auf das weitere Schicksal des Obersten Barbaczy und des Rittmeisters Burkhard und selbst auf dieses nur höchst geringfügig Einfluss genommen hat. Denn mehr hätten diese beiden Officiere auch dann nicht erreicht, wenn ihre Namen bei dem Vorfall ungenannt geblieben wären, aber auch nicht weniger. Officiere vom Schlage Barbaczy's schliessen ihre militärische Carrière mit dem Range und der Pension eines General-Majors und Burkhard hat, bei seinen bescheidenen Anfängen, gewiss nicht den Ehrgeiz besessen, eine höhere Charge, oder mindestens Pension zu erreichen, als die eines Majors. Die Gründe, wesshalb man diese beiden Officiere, sowie die verdächtigten Husaren nicht im Felde beliess, sondern in ihre Heimath beförderte, liegen auf der Hand. Ihre Namen waren in allen Zeitungsblättern des In- und Auslandes im Zusammenhang mit der Mordthat genannt worden; eine vollständige Rehabilitierung aber, nicht nur gegenüber dem Auslande, sondern selbst dem eigenen Heere gegenüber, war, wie die Verhältnisse nun einmal lagen und da die wirklichen Thäter nicht festgestellt werden konnten, ganz unmöglich — nicht, weil sie schuldig befunden worden waren, sondern weil man mit diesen vielverdächtigten Namen nicht abermals den ganzen Sturm der österreichfeindlichen Zeitungen und anderen Stimmen entfesseln wollte. Als es in Deutschland bekannt wurde, dass der Kaiser die Untersuchung dem Reichstage überlassen habe, da pries Friedrich Gentz diesen Schritt. Ein guter Genius, sagte er, habe dem kaiserlichen Hofe den glücklichen Gedanken eingegeben, diese verhasste Sache dem Reichstage zu übergeben. »Hätte die Untersuchung die österreichische Regierung unter ihrer alleinigen Autorität führen lassen, nie würden ihre zahllosen Feinde sie von dem Banne der fürchterlichsten Anklagen losgesprochen haben; sie würden froh genug gewesen sein, ihr vorzuwerfen, dass sie Richter in ihrer eigenen Sache gewesen sei. Hätte man die Husaren unschuldig gefunden: »Natürlich, wer wird seine Mitschuldigen im Stiche lassen?« Hätte man unter ihnen Theilnehmer am Morde entdeckt und die härtesten Strafen über sie verhängt: »Wer das erste Verbrechen begangen hat, kann auch noch ein zweites begehen und seine eigenen Werkzeuge aufopfern!«[1])

Nun hatte aber bekanntlich der Reichstag es für gut befunden, die Untersuchung der kaiserlichen Regierung dennoch allein zu überlassen und diese befand sich nun und musste sich stets in der von Gentz angedeuteten Zwangslage befinden. Welche Wendung immer die Untersuchung genommen haben würde, recht hätte man es den zahlreichen Gegnern Oesterreichs nie gemacht. Eine Nöthigung, das Ergebniss der Untersuchung zu veröffentlichen, lag aber auch nicht vor — die stürmischen Ereignisse, die dem Vorfall vom 28. April folgten, hatten die Erinnerung daran fast vollständig verlöscht; in einzelnen gelehrten Zeitschriften tauchten noch hie und da einzelne mehr oder minder authentische Documente über den Gesandten-Mord auf — sie erregten kein Aufsehen mehr. Auch der gewaltige Corse, der nunmehr mit raschen Schritten sich den Trümmern des französischen Thrones näherte, erwähnte in den Luneviller Friedens-Verhandlungen mit keinem Worte jenen Vorfall. Lag unter solchen Verhältnissen ein Anlass vor, die vergessene Geschichte der Mitwelt wieder in Erinnerung zu bringen, selbst wenn man auch in jenen Kreisen Oesterreichs, in denen man eine Zeit lang an die Schuld der Husaren geglaubt, nun vom Gegentheil überzeugt war? Dass aber diese Ueberzeugung Platz gegriffen haben muss, beweisen wohl auch die Biographien jener Officiere, die der Erzherzog eine Zeit lang für compromittiert ansah. Denn giebt es Jemanden, der glauben könnte, dass der Erzherzog Carl, dass der Kaiser selbst Personen weiter im Heere behalten hätten, die sich, wenn auch ungewollt, zu Veranlassern eines Verbrechens gemacht, dass sie ihrem weiteren Fortkommen kein Hinderniss mehr in den Weg gelegt, ja dass sie diese sogar in ihre unmittelbare Nähe berufen? Denkt Jemand im Ernst, dass die anderen hohen Officiere des Heeres diese Männer weiter neben sich geduldet haben würden, wenn sie an ihre Schuld geglaubt hätten? Das glauben wohl selbst Jene nicht, die gewohnt sind, über leitende Personen Oesterreichs mit übertriebener Härte zu urtheilen. Doch liegt auch eine directe

[1]) Citiert bei Helfert, a. a. O., 148.

Kundgebung des Erzherzogs Carl selbst vor, aus welcher geschlossen werden kann, dass er im Laufe der Zeit zu einer anderen Ueberzeugung gelangt war, als jener, der er in seinen Briefen vom 18. Mai und 2. September 1799 Ausdruck gegeben. In stiller Zurückgezogenheit mit seinen Studien beschäftigt, die Ereignisse, in deren Mitte er einst gestanden, von der Höhe überschauend, erhob der Erzherzog nicht wieder die Beschuldigung gegen seine Husaren, sondern schrieb, unvermögend das unheimliche Räthsel zu lösen, 1819 erst, also zwanzig Jahre nach dem Ereignisse, als er seine »Geschichte des Feldzuges 1799« verfasste, die Worte nieder: »Die Gesandten traten in der Nacht des 28. April ihre Reise nach Strassburg an, wurden aber unterwegs angefallen, zwei derselben getödtet und nur der Dritte, mit Wunden bedeckt, rettete sich unter Begünstigung der Dunkelheit. Die Veranlassung zu dieser Katastrophe ist bis jetzt nicht bekannt und die Aufklärung dieses Geheimnisses bleibt der Nachwelt überlassen[1])«.

[1]) Ausgewählte Schriften. III. 145

Ansichten verschiedener Historiker über den Gesandten-Mord.

Hüffer sagt: »Abgesehen von dem Manne mit der eisernen Maske, hat schwerlich ein geschichtliches Geheimniss die Aufmerksamkeit so sehr in Anspruch genommen, die Neugier und den Scharfsinn in solchem Masse gereizt, wie der Mordanfall auf die französischen Gesandten beim Schlusse des Rastatter Congresses [1].« Aber auch das haben diese beiden Ereignisse mit einander gemein, dass bei dem Versuch, den geheimnissvollen Schleier. der über sie gebreitet ist, zu lüften, in geradezu merkwürdiger Weise fehlgegriffen wurde.

Schlosser lässt die französischen Gesandten von »Reitern, welche die Uniform der Szekler-Husaren trugen«, überfallen und wendet sich gegen die vielfach geäusserte Ansicht, dass der Mord ein Werk des französischen Directoriums gewesen. da »wir jetzt zuverlässig wissen (?), dass Thugut und der schlechteste und gewissenloseste aller Diplomaten jener Zeit, der Graf Lehrbach, unter Barbaczy's Mitwirkung die Gesandten hatten überfallen lassen. nicht, um sie zu tödten, sondern, um sich gewisser Papiere zu bemächtigen, welche den urkundlichen Beweis ihrer eigenen Verrätherei (welcher denn?) liefern konnten [2]«.

Diese Ansicht theilt auch Häusser, welcher behauptet, die Veröffentlichung der geheimen Bedingungen von Campo Formio und des Vertrages vom 1. December 1798 durch die

[1] Der Rastatter Gesandten-Mord. 7.

[2] Schlosser, Weltgeschichte. (Frankfurt 1855.) 17. Band.

französischen Gesandten, soll Thugut veranlasst haben, »die Enthüllungen der jacobinischen Gewalthaber rücksichtslos und blutig zu vergelten.« In seiner Darstellung, von welcher er nachdrücklich sagen zu müssen glaubt, dass darin »nichts aufgenommen ist, was sich nicht auf Actenstücke stützt oder durch gerichtliche Aussagen bestätigt wird [1]«, lässt Häusser dann auch den Mord durch Szekler-Husaren im Auftrage des Grafen Lehrbach und unter Mitwissenschaft des Ministers Thugut ausführen. »Einem Haufen Husaren,« so schliesst Häusser, »einen so schlüpfrigen, diplomatischen Auftrag in die Hand legen, hiess ohnedies so viel, als die Besitzer der Actenstücke dem Zufall und dem guten Willen roher, vielleicht trunkener Soldaten preisgeben; wer solch' einen Plan fassen und seine Ausführung in solche Hände legen konnte, der war wohl auch nicht überrascht, wenn die bestellten Räuber an den Beraubten zu Mördern wurden. Vielleicht war Beides anbefohlen; die Papiere zu rauben und sich zugleich des ewigen Schweigens ihrer Besitzer zu versichern [2].« Es hätte bei dieser Darstellung nicht des nachdrücklichen Hinweises auf die »Actenstücke« und auf die »gerichtlichen Aussagen« bedurft, denn schon 35 Jahre früher hat Jomini dieselbe Geschichte erzählt. Das Wiener Cabinet, meint dieser, habe Lehrbach beauftragt, sich in den Besitz der französischen Gesandtschafts-Papiere zu setzen. Hiezu sei unter Mitwissenschaft des Erzherzogs Carl der Oberst Barbaczy in's Vertrauen gezogen worden. Der mit der Ausführung der That betraute Officier hatte den Gesandten die Papiere abzunehmen und bei dieser Gelegenheit dem Bonnier und Debry ein paar flache Hiebe zu applicieren; Roberjot aber, als ehemaliger Mitschüler des österreichischen Ministers und in Freundschaft mit ihm verbunden, sollte verschont werden. Die Husaren jedoch, von denen die Mehrzahl berauscht war (woher weiss das Häusser?), vergassen den erhaltenen Befehl und erschlugen Bonnier und Roberjot, während Debry entkam [3]).

---

[1]) Die Quellen Häusser's sind, der »Authentische Bericht«, die Aussagen der Franzosen, besonders Jean Debry's, die Mémoiren Lang's und — Hormayr!

[2]) Häusser, Deutsche Geschichte. II. 218 ff. (Berlin 1862.)

[3]) Jomini. Vie politique et militaire de Napoléon. Paris 1827

Die unschöne Wandlung, die Hormayr als Mensch und Historiker erlitten, zeigt sich auch in seinen Ansichten über die Urheber des Gesandten-Mordes. So lange er Oesterreicher war, wies er jede Zumuthung, dass Kinder seines Vaterlandes irgendwie an dem Verbrechen betheiligt, entrüstet zurück. Die französischen Minister, diese »mordbrennerischen Kriegsherolde« seien, so sagte er damals, »vergeblich gewarnt durch den österreichischen Vorposten-Commandanten« abgereist und »unter den Säbeln eines in Szekler-Husaren vermummten räuberischen Haufens gefallen [1])«. Als Hormayr dann glaubte, sein früheres Vaterland hassen und beschimpfen zu müssen, fand er, dass das Verbrechen von Lehrbach angeordnet und von den Szekler-Husaren ausgeführt worden sei. Dabei liess er eine Menge Personen mitbetheiligt sein: Den Doppelspion Schulmeister und Oberstlieutenant Mayer, den Hofrath Fassbender, ein paar Ober-Kriegscommissäre, fanatische Emigrierte und »einige Wiener Naderer als Husaren vermummt [2])«!

Wolfgang Menzel beschränkt sich in seiner »Allgemeinen Weltgeschichte« darauf, die That von Szekler-Husaren verüben zu lassen und Hormayr zu citieren, der den Grafen Lehrbach als Urheber bezeichnet; schliesst aber, ohne nähere Erklärung, mit dem Hinweis, dass die französische Regierung, »die wohl den Zusammenhang wusste«, ihn »nicht enthüllen durfte [3])«.

Im Jahre 1869 erschien die Schrift von Mendelssohn-Bartholdy [4]), welcher darin zum ersten Male eingehend und mit Hilfe von Acten aus dem Wiener Staats-Archive das blutige Ereigniss untersuchte und nachwies, dass Graf Lehrbach ganz und gar unschuldig verdächtigt und angeklagt worden.

Mendelssohn-Bartholdy erklärt die That für eine Folge der Emigrantenpolitik, »die Frucht ihres dunklen Wirkens

[1]) »Geschichte der neuesten Zeit.« Wien 1717—1819. II.

[2]) Lebensbilder aus den Befreiungskriegen. Jena 1841. Geschichte Andreas Hofer's. Leipzig 1845. Kaiser Franz und Metternich. Leipzig 1848.

[3]) Allgemeine Weltgeschichte. 10. Band. Stuttgart 1863.

[4]) Der Rastatter Gesandten-Mord. Heidelberg 1869.

und nur der logische Ausdruck jener Bestrebungen, die von Anfang an darauf gerichtet waren, einen Bruch herbeizuführen, Oesterreich mit der französischen Republik unheilbar zu compromittieren« und glaubt, dass die Emigranten dem Rittmeister Burkhard den Befehl, die Gesandten auszuweisen, »in blutigem Sinne« ausgelegt, dass möglicher Weise verkleidete Emigranten sich unter die Szekler-Husaren gemengt und die That verübt hätten. Mendelssohn theilte also mit seiner Hypothese die Ansicht Jener, welche bereits unmittelbar nach dem Ereigniss die Emigranten als Thäter bezeichnet haben.

Der Hypothese Mendelssohn's trat noch in demselben Jahre (1869) der badische geheime Regierungsrath, Freiherr von Reichlin-Meldegg, in seiner Broschüre »Der Rastatter Gesandten-Mord« [1]) entgegen und schrieb die Mordthat unbedingt den Szekler-Husaren zu, wobei er nur bemerkte, dass die weitere Frage, »ob dieselben auf höheren Befehl und mit Vorwissen des kaiserlichen Hofes handelten, mit Gewissheit nicht beantwortet werden« könne. Auch ein zweites, in demselben Jahre erschienenes Schriftchen [2]), wendete sich gegen die Hypothese Mendelssohn's, ohne selbst irgend eine bestimmte Ansicht auszusprechen oder neues Material beizubringen, ausser einigen recht unbedeutenden Anecdoten, deren innere Unwahrscheinlichkeit Mendelssohn bald darauf darlegte [3]).

Vivenot [4]) ist der Ansicht, dass die Szekler-Husaren an den französischen Gesandten einen Act militärischer Hochjustiz ausgeübt, für welchen Niemand verantwortlich gemacht werden könne als die Thäter; während Freiherr von Helfert in seiner eingehenden und gründlichen »Studie« [5]) zu dem Ergebniss gelangt, dass zwar Szekler-Husaren an der Mordthat theilgenommen haben konnten, die Urheber derselben aber wahrscheinlich französische Emigranten gewesen seien.

[1]) Heidelberg 1869.

[2]) Zandt, Der Rastatter Gesandten-Mord. Karlsruhe 1869.

[3]) Der Rastatter Gesandten-Mord und die Anecdotensammlung des Herrn Zandt. Heidelberg 1869.

[4]) Zur Geschichte des Rastatter Congresses. Wien 1871.

[5]) Der Rastatter Gesandten-Mord. Wien 1874. Wohl die beste und gründlichste Schrift über diese Frage.

Besonders lehrreich sind die Wandlungen der Ansichten Sybel's. In seiner »Geschichte der Revolutionszeit«[1]) kommt er zu dem Schlusse, dass Graf Lehrbach auf Befehl Thugut's die Verhaftung der französischen Gesandten veranlasst habe, um sich ihres Archivs zu vergewissern; Erzherzog Carl habe Lehrbach hiezu Truppen zur Verfügung stellen müssen und diesen habe Lehrbach auf eigene Faust die Weisung ertheilt, »die niederträchtigen Jacobiner bei Gelegenheit ihrer Arretierung etwas zu hauen oder zu zausen«. Dieser Ausdruck (wo ist die authentische Quelle?) sei unseliger Weise missverstanden und die Gesandten seien ermordet worden. Wirkliche Beweise für diese angebliche Weisung ist Sybel natürlich, wie ihm dies manchmal auch in anderen Fragen geschieht, schuldig geblieben.

Dass diese Ansicht Sybel's, die übrigens, wie wir wissen, auch des Reizes der Neuheit entbehrt, mit einer Fülle von scheinbar unumstösslichen Beweismitteln, mit einem erstaunlichen Aufwand von Scharfsinn, in Folge dessen aber auch mit einer imponierenden Bestimmtheit, die jeden Widerspruch von vornherein zu verbieten Miene machte, vorgetragen wurde, ist bei der Bedeutung und dem Selbstbewusstsein dieses preussischen Historikers selbstverständlich.

Es lässt sich nur durch die bekannte Parteistellung Sybel's erklären, dass er sich entschloss, den durch die Schriften Vivenot's, Mendelssohn-Bartholdy's und Helfert's schon ziemlich gründlich aus der Welt geschafften »Lehrbach-Mythos« wieder auszugraben und von Neuem zu vertheidigen, da es ihm doch leicht gewesen wäre, mit demselben Scharfsinn, denselben unumstösslichen Beweismitteln und mit demselben — Glück eine beliebige andere, bereits alte Hypothese zu vertreten, denn die bereits im Jahre 1833 erschienenen Mittheilungen Arnault's[2]) über ein Gespräch, das Graf Lehrbach in einem Münchener Gasthofe geführt haben und das belauscht worden sein soll und worauf Sybel seine Hypothese hauptsächlich stützte, waren denn doch zu wenig

[1]) Sybel, Geschichte der Revolutionszeit von 1795 bis 1800. II. Band, 272 ff. (Stuttgart 1879).

[2]) Arnault, Souvenirs d'un sexagénaire. Paris 1833.

authentisch, um, angesichts der anderen erwähnten Schriften neuerdings die furchtbare Anklage gegen Lehrbach zu erheben. Was früher oder später eintreten musste, geschah denn auch; das bei Arnault erwähnte Gespräch Lehrbach's wurde bekannt und es blieb Sybel selbst vorbehalten, es in seiner Zeitschrift[1]) zu veröffentlichen und gleichzeitig nothgedrungen zu erklären, »dass eine unerlaubte Flüchtigkeit der Lectüre dazu gehörte, wenn Arnault und Genossen nach diesen Aufzeichnungen den Grafen Lehrbach als den Urheber der angeblichen Prügelordre bezeichnet haben«[2]). Aber nicht nur die auf die Mittheilungen von »Arnault und Genossen« beruhenden Beweise für die Schuld Lehrbach's musste Sybel fallen lassen, sondern auch alle andern, die er auf Grund verschiedener sonstiger »authentischer« Quellen beigebracht und mit sieghafter Bestimmtheit in die Welt geschleudert hatte; er musste zugeben, »dass Lehrbach nicht das Geringste mit dem Morde zu thun hat!« Hingegen kam Sybel jetzt zu der, jedenfalls ebenso unerschütterlichen Ueberzeugung, Erzherzog Carl habe die Beschlagnahme des Gesandtschafts-Archivs, aber persönliche Sicherheit der Gesandten anbefohlen; seine Ordre sei aber von dem »redigierenden Beamten in verhängnissvoller Weise entstellt und von dem Prinzen dann arglos unterzeichnet worden«. In Folge dieses Befehles hätten dann die Officiere die französischen Gesandten morden lassen. Als den Ausfertiger der angeblich vom Erzherzog ungelesen unterzeichneten Ordre vermuthet Sybel den Oberstlieutenant Mayer von Heldensfeld und den Hofrath Fassbender, spricht aber seine Ueberzeugung aus, dass es sich dabei »nur um einen Ausfluss politischen oder nationalen Fanatismus des einzelnen Mannes, oder wie Vivenot es ausdrückt, um einen Act militärischer Hochjustiz gehandelt hat«[3]). Es muss Sybel doch schwer gefallen sein, seine so überlegen vertheidigte Hypothese in Nichts zusammensinken und sich selbst gezwungen zu sehen,

[1]) Historische Zeitschrift. 39. Band. Graf Lehrbach und der Rastatter Gesandten-Mord.

[2]) Ebenda 66.

[3]) Histor. Zeitschrift. 39. Band. Graf Lehrbach und der Rastatter Gesandten-Mord. 64 ff.

einer Ansicht beizupflichten, die niemand Anderer geäussert, als gerade — Vivenot!

Was endlich Sybel's zuletzt ausgesprochene Meinung über den Gesandten-Mord anbelangt, so möchten wir vorläufig nur bemerken, dass es auch einigermassen »unerlaubt flüchtig« ist, den Oberstlieutenant Mayer von Heldensfeld, der ja bekanntlich Generalstabs-Chef des FML. Kospoth und gar nicht im Hauptquartier des Erzherzogs war, einen Befehl redigieren zu lassen, den dann der Erzherzog Carl »ungelesen« unterschrieben haben soll. Diese Hypothese stützt sich eben auch auf das zweifelhafte Gespräch Lehrbach's, das Sybel schon einmal so verhängnissvoll geworden, wie nicht weniger auf die crasse Unkenntnis militärischer Einrichtungen und Dienste, wie sie so oft auch historische Notabilitäten erweisen.

Oncken giebt »als sicheres, übereinstimmendes Ergebniss der abschliessenden Untersuchungen, welche in neuester Zeit von Forschern verschiedenster Parteirichtung angestellt worden sind« an: den Szekler-Husaren war befohlen, die französischen Minister anzuhalten und ihrer Papiere zu berauben. »Zweifellos nicht befohlen war ihnen, die Gesandten zu plündern und gar zu tödten, aber verboten kann ihnen das auch nicht gewesen sein, sonst hätten sie nicht ihrer That sich öffentlich rühmen, ihre Beute öffentlich verkaufen und gleichwohl gänzlich straflos bleiben können [1].«

Holzwarth scheint die Literatur der letzten Jahre überhaupt nicht gekannt zu haben. In seiner »Weltgeschichte« [2]) lesen wir, es werde erzählt »der noch in der Nähe von Rastatt(?) weilende Graf Lehrbach, der erste Bevollmächtigte des Kaisers, habe gewünscht, über die zwischen den französischen Gesandten und mehreren Mitgliedern der Reichs-Deputation gepflogenen Unterhandlungen Licht zu erhalten und habe daher einen Obersten der Szekler-Husaren beauftragt [3]), die Gesandten auf der Landstrasse anzuhalten und

[1]) Oncken, Das Zeitalter der Revolution, des Kaiserreichs und der Befreiungskriege. I. 832–833. Berlin 1884.

[2]) VII. Band. Maynz 1887 2. Auflage.

[3]) Der Auftrag eines Diplomaten an einen Obersten und dessen sofortiges Gehorchen gehört auch zu jenen verständigen Anschauungen über militärische Gebräuche und Pflichten, deren wir schon Erwähnung gethan.

sich in den Besitz ihrer Papiere zu setzen.« Bei dem Vollzug dieses Auftrages hätten die Soldaten »entweder in der Trunkenheit oder durch Scheltworte und Widerstand gereizt« mit scharfer Klinge auf die Gesandten eingehauen!

Mit befremdender Bestimmtheit trägt Weber[1]) die verschiedensten Unrichtigkeiten vor. Es unterliege keinem Zweifel, sagt er, dass Husaren auf Befehl ihrer Officiere die Frevelthat ausgeführt und bezeichnet es als eine »Verdunkelung und Irreleitung des Thatbestandes«, wenn in der Folge das Gerücht ausgesprengt wurde, die Thäter seien Emigranten oder verkleidete Räuber gewesen. Dem Wiener Cabinet, so belehrt dieser Historiker die Leser seiner Weltgeschichte, musste daran liegen, Stimmungen und Gesinnungen der deutschen Congress-Deputierten und der Reichs-Stände zu erfahren, sowie die Documente der in Selz gemachten Zugeständnisse um den Preis von Bayern zu vernichten. Desshalb habe Minister Thugut dem Grafen Lehrbach einen »geheimen Wink zukommen lassen«, er möge suchen, in den Besitz des Gesandtschafts-Archivs zu gelangen. Die vom Erzherzog Carl, der die Ausweisung der Gesandten und die Abnahme ihres Archivs ebenfalls gewollt, angeordnete Untersuchung der von Szekler-Husaren begangenen Mordthat sei als ungenügend eingestellt, das Rechtsverfahren nach der Hauptstadt (Pilsen?) verlegt worden, wo der Process in die Länge gezogen wurde, bis neue Ereignisse ihn in Vergessenheit gebracht. Und man hat nicht einmal diese Papiere wirklich behalten, sondern dem französischen Commandanten ohne weiteres übersendet? Spätere Historiker, so versichert Weber, wollten »das Brandmal von der österreichischen Regierung austilgen« und wiederholten die Fabel von Emigranten oder von verkleideten Banditen oder von einem Act militärischer Lynchjustiz . . .« Dass also auch der Historiker Sybel von Weber zu Jenen gerechnet wird, die darnach gestrebt haben, »ein Brandmal von der österreichischen Regierung auszutilgen«, wird gewiss von Allen, welche die Schriften Sybel's kennen, den 14. Band der Weber'schen Weltgeschichte aber nicht, mit billigem Staunen vernommen werden!

[1]) Allgemeine Weltgeschichte. 2. Auflage. 14. Band. Leipzig, 1888.

Hat denn von den deutschen Historikern nie Jemand erwogen, wie berechtigt die Entrüstung im Volk, wie in der wissenschaftlichen Welt aufflammen müsste, wenn etwa ein englischer oder französischer Forscher erzählen wollte, es hätten einmal eine ganze Reihe deutscher oder preussischer Generale und Oberste sich auf irgend einen Vorschlag hin unbedenklich zu einem Verbrechen bereit finden lassen und hiezu, wieder ohne allen Widerspruch, die erforderlichen Officiere und Soldaten ebenso willig gefunden? Aber die Oesterreicher! Das ist freilich etwas Anderes. Für den deutschen Historiker der gewissen Farbe hat es ja nie eine Grenze für die Dinge gegeben, mit denen man ohne Bedenken die Oesterreicher schmähen und herabsetzen darf und höchstens einiges Erstaunen und Zürnen, wenn diese dieselben Rechte in Anspruch nehmen, welche man Anderen doch als so selbstverständlich zuerkennt. Waren denn dies nicht Officiere, ganz so gut wie deutsche oder preussische? Möge man da nicht von »objectiver Forschung« und »historischer Gerechtigkeit« reden!

Nachdem wir der Vollständigkeit halber noch erwähnen, dass auch dem englischen Cabinet die Urheberschaft des Mordes zugeschrieben wurde, ohne dass sich für dieses Gerücht ein ernsterer Verfechter gefunden hätte; dass das von dem Elsässer Publicisten Koch in die Welt gesetzte, von Gohier und Andern weiterverbreitete Märchen [1]), die Königin Caroline von Neapel habe den Mord veranlasst, in neuerer Zeit abermals mit viel Bemühen und wenig Glück als ernst zu nehmende Hypothese verfochten wurde [2]); dass Arthur Böhtlingk den General Bonaparte als intellectuellen Urheber des Mordes bezeichnete [3]) und seine Behauptung mit so viel Eifer verfocht, dass die Manen der Ermordeten und die ihrer vermeintlichen Mörder schliesslich sogar vor das Karlsruher Schöffengericht

---

[1]) Delaure, Esquisses historiques; Gohier, Mémoires.

[2]) Müller, Rastatter Gesandten-Mord. Leipzig, 1873. Programm des Vitzthum'schen Gymnasiums in Dresden, 1876.

[3]) Napoleon Bonaparte. Seine Jugend und sein Emporkommen. Jena, 1880.

citiert wurden[1], registrieren wir zum Schlusse auch die Ansichten von Forschern, die in ihren auf den Gesandten-Mord bezugnehmenden Arbeiten wohl den gegenwärtigen Stand der Forschung über diese Frage repräsentieren.

»Ein Befehl zur Ermordung der Gesandten,« so sagt Obser[2], »ist weder vom österreichischen Hauptquartier, noch von einem der Generale, noch von Barbaczy ertheilt worden; auch an falsche Auslegung einer missverständlichen Ordre ist bei keinem der Officiere bis hinab zu Barbaczy, diesen eingeschlossen, zu denken. Fängt man von oben an, so kann die Reihe der Schuldigen frühestens mit Burkhard beginnen; jedenfalls (?) ist die That von seinen Husaren vollführt worden, sei es, dass ihr Rittmeister den Auftrag des Obersten, bezüglich Wegnahme der Papiere, irrig aufgefasst und ihnen eine entsprechende Weisung ertheilt, sei es, dass sie selbst eine correcte Ordre desselben falsch verstanden oder im Uebereifer überschritten. Auch die Möglichkeit, dass Emigranten als die Stifter oder Thäter mitgewirkt haben, ist nicht zu leugnen. Dass der Wiener Hof über das Resultat des zu Villingen eingeleiteten peinlichen Verfahrens beharrlich geschwiegen, wird vielleicht weniger durch die Furcht, sich zu compromittieren, als durch den Mangel an einem sicheren Ergebnisse überhaupt zu erklären sein.«

»Die österreichische Regierung, der Kaiser, wie die leitenden Beamten, Thugut, Lehrbach, Colloredo, Metternich,« so urtheilt Hüffer[3], »waren nicht allein dem Morde, sondern auch jeder gewaltsamen Massregel, insbesondere der Wegnahme der Gesandtschafts-Papiere, völlig fremd, ja sogar ausdrücklich entgegen; doch bestand bezüglich der Stellung und Berechtigung der französischen Agenten und Gesandten zwischen der österreichischen Regierung und dem Hauptquartier eine bis Ende April nicht erledigte Meinungs-

[1] Napoleon Bonaparte und der Rastatter Gesandten-Mord. Leipzig 1883. Der Rastatter Gesandten-Mord vor dem Karlsruher Schöffengericht Heidelberg, 1895.

[2] Polit. Corr. Carl Friedrich's von Baden. 1783—1806. III. Band. Heidelberg 1893.

[3] Der Rastatter Gesandten-Mord. Bonn 1896

verschiedenheit. Den Anweisungen aus Wien durften die Militär-Behörden nicht geradezu entgegenhandeln; aber während einer Krankheit des Erzherzogs veranlasste ein unvorsichtig abgefasstes Privatschreiben des General-Quartiermeisters, dass bei der Vorhut Anstalten getroffen wurden, um die französischen Gesandten anzuhalten und das gesandtschaftliche Archiv zu berauben. Allem Anscheine nach handelte es sich nicht sowohl um politische, als um solche Papiere, welche als Beweismittel für das unerlaubte Spionenwesen diplomatischer Agenten den Militär-Behörden wichtig waren. Man hielt diesen Schritt für berechtigt, weil man nach der Entfernung des kaiserlichen Plenipotentiars den Congress als aufgelöst betrachtete, Rastatt nicht mehr als neutralen Congressort anerkannte und sich desshalb nicht verpflichtet glaubte, ein, wie man annahm, völkerrechtlich und kriegsrechtlich unstatthaftes Verfahren der Gesandten zu dulden.«

»Die Gelegenheit, sich an den Gesandten zu vergreifen, wurde zu ihrer Ermordung benutzt. Die eigentlichen Urheber und Thäter lassen sich noch nicht mit voller Bestimmtheit angeben. Oesterreichische Militär-Behörden, vom Hauptquartier bis zu Barbaczy hinunter, haben, so weit sich erkennen lässt, einen Befehl zum Morde nicht ertheilt. Immerhin mag der unvorsichtige Brief des Generals Schmidt da, wo er in den unteren Stufen bekannt wurde, durch seine leidenschaftlichen Ausdrücke den Gedanken an Thätlichkeiten geweckt und den einen oder anderen Officier gegen verbrecherische Absichten, wenn sie von anderer Seite an ihn herantraten, nachsichtiger oder nachgiebiger gestimmt haben. Dass wirklich ein fremder Einfluss, der Einfluss eines persönlichen, fanatischen Hasses sich eingemischt habe, entspricht durchaus den Verhältnissen und der stärkste, nächste Verdacht richtet sich gegen Emigranten. Als Anstifter oder Thäter, als freistehende Personen oder als Angehörige anderer österreichischer Regimenter konnten sie betheiligt sein. Wer vermochte auch für alle Officiere des Szekler-Regiments eine Bürgschaft zu übernehmen? Dass Szekler-Husaren bei dem Morde gar nicht mitgewirkt haben, ist trotz des freisprechenden Urtheils des Kriegsgerichts nicht anzunehmen; einem jungen Unterlieutenant Fontana, einem Mailänder, wird in einer Conduite-liste vom 16. Februar ein keineswegs günstiges Zeugniss über seine Aufführung in und ausserhalb des Dienstes ausgestellt.«

Die kürzlich erschienenen »Denkwürdigkeiten des Grafen Hans von Schlitz[1])« enthalten nur kurze und werthlose Angaben über den Vorfall vom 28. April 1799.

Graf Schlitz, einer der zahlreichen Fremden, die damals ohne officiösen Anlass in Rastatt weilten, nennt den Grafen Lehrbach als Urheber des Mordes. Da Graf Schlitz, wie er selbst angiebt, »bereits kurze Zeit vor diesem Mordauftritte Rastatt verlassen hatte,« dürfte er zu dieser Vermuthung zweifellos durch den preussischen Gesandten, Grafen Görtz. angeregt worden sein, dessen Schwiegersohn er war.

Diese »Darlegung« des Grafen Schlitz kann indessen wirklich durchaus Niemanden, wie der Herausgeber seiner »Denkwürdigkeiten« zu hoffen scheint, »überraschen«, umso mehr aber die weitere Bemerkung des Letzteren, dass sie »bislang nicht in Betracht gezogen« wurde, da doch bekanntlich der »Lehrbach-Mythos« einen mehr als nöthig breiten Raum in der umfangreichen Literatur über den »Rastatter Gesandten-Mord« einnimmt.

Sehr bezeichnend aber ist es, dass Graf Görtz selbst dann noch den ganz und gar haltlosen Verdacht, den Mord veranlasst zu haben, auf den Grafen Lehrbach zu lenken suchte, als er schon durch das angeblich belauschte Gespräch Lehrbach's[2]) vollständig überzeugt sein musste, dass dieser an dem Verbrechen mindestens eben so wenig Schuld sein konnte, als etwa er selbst. Wählerisch in den Mitteln, seine politischen Gegner zu vernichten, war nun einmal Graf Görtz entschieden nicht.

Gehen wir die hier angeführten Ansichten mehr oder minder bekannter Historiker durch, so finden wir als Urheber des Mordes bezeichnet:

das Pariser Directorium,

General Bonaparte,

[1]) Herausgegeben von Albert Rolf, Hamburg, 1898.

[2]) S. S. 131 ff.

die österreichische Regierung,
Minister Thugut und Grafen Lehrbach,
das englische Cabinet,
die Königin Caroline von Neapel.

Das sind aber alle höchstens »Urheber«, welche bereits ausschlaggebende, wissenschaftliche Vertheidigung gefunden haben, allenfalls das Directorium ausgenommen, bei dem keine durchschlagenden Gründe gegen den Verdacht beigebracht wurden, ausser der wirklich grossen Unwahrscheinlichkeit.

Dann folgen als weitere Urheber, vor Allem aber als »Thäter«:

Die Szekler-Husaren,
Die französischen Emigranten, endlich
Debry und die Dienerschaft der Ermordeten,

welche auch in Verbindung mit einigen emigrierten Bérceseny-Husaren, denen ja der Weg von ihren Stationen Bruchsal, Ettlingen oder Pforzheim über Muggensturm nach Rastatt oder Rheinau durch Niemand verlegt, ganz offen lag, gedacht werden können, mit oder ohne Mitwissenschaft Debry's oder anderer Leute. Einige stellen den Mord als Soldatenexcess oder als einen Act militärischer Lynchjustiz dar, oder lassen ihn in Folge eines Missverständnisses oder in Folge Uebereifers der Szekler-Husaren geschehen. Es ergiebt sich also, wie Helfert treffend bemerkt[1]), »dass keine auch nur erdenkliche Muthmassung, wer den Rastatter Gesandten-Mord veranlasst haben könnte, zu ersinnen ist, die nicht in früherer oder späterer Zeit im Publicum oder in der Literatur ihren Vertheidiger gefunden hätte«[1]); es ergiebt sich aber auch, »dass vielleicht an kein einziges unaufgeklärtes Ereigniss der Geschichte mit grösserer Vorsicht herangetreten werden muss, als an dieses und dass selten in der Aufstellung und Vertheidigung von Hypothesen so sehr fehlgegriffen wurde, wie in diesem Falle«.

Aber nicht dies allein, nicht die Buntheit der Hypothesen ist es, die in Verwunderung setzt, sondern vielmehr noch der Umstand, dass alle diese vermutheten Urheber des

[1]) Der Rastatter Gesandten-Mord. »Wiener Abendpost.« Jahrg. 1873. Nr. 212 v. 15. September.

Mordes gerade die — Szekler-Husaren als Werkzeug benutzt haben sollen! Denn mit einer geradezu unbegreiflichen Zähigkeit halten fast alle diese Historiker fest daran, dass die Szekler den Mord begangen, auf Anstiften des Pariser Directoriums, oder des englischen Cabinets, oder der französischen Emigranten oder der Königin Caroline etc.! Doch sind ja nicht alle Hypothesen ernst zu nehmen; einzelne sind überhaupt nicht mit irgendwelchen ernsten Beweismitteln verfochten worden. Die österreichische Regierung steht, daran wird wohl Niemand mehr zweifeln, dem Verbrechen eben so fern, wie die Königin Caroline von Neapel, ein Bonaparte oder Lehrbach oder das englische Cabinet und auch die Annahme, dass das Pariser Directorium die Hand im Spiele gehabt, dürfte nicht viele Anhänger finden. Ob die Dienerschaft der Ermordeten wirklich so ganz unbetheiligt an dem Verbrechen war, wie alle Historiker anzunehmen scheinen? Dass ihre Aussagen widerspruchsvoll, selbst zum Theil erlogen sind, steht wohl ausser Frage; dass ihr Benehmen auf dem Schauplatze der That geradezu unbegreiflich ist, wenn es so war, wie sie selbst es schildern, ist ebenfalls zweifellos. Wenn die unglücklichen Minister Bonnier und Roberjot bestrebt gewesen wären, sich mindestens mit einer auserlesenen Schaar von Feiglingen zu umgeben, hätten sie keine bessere Wahl treffen können. Und dies zu glauben, fällt doch etwas schwer. Auf jeden Fall muss lebhaft bedauert werden, dass die Rastatter Behörde den Dingen ihren Lauf liess; ein energisches Verhör mit den Herren Siegrist, Laublin, Venon und Consorten, sowie anderseits mit Herrn Georges hätte möglicher Weise seltsame Dinge zu Tage gefördert. Und Jean Debry, der durch ein »Wunder« entkommen? Er hat vielleicht in der Geschichte auch mehr Vertheidiger gefunden, als er verdient: doch liegen zu wenig Beweise vor, ihn eines Einflusses auf den Mord an seinen Collegen mit Bestimmtheit zu beschuldigen.

Ob die Szekler-Husaren den Mord verübt? Die vorliegenden Ausführungen dürften vielleicht doch nachgewiesen haben, dass, trotzdem eine Reihe von, darunter anscheinend ganz bedeutenden Verdachtsmomenten gegen die Szekler vorliegt, diese die That nicht begangen haben können. Nur, wenn man sich mit nicht gut zu rechtfertigender Leichtigkeit über eine fast erdrückende Menge von Gegenbeweisen hinwegsetzt, wird man noch an ihre Schuld glauben — sie zu beweisen wird überhaupt nicht möglich sein, selbst wenn man wichtige und entscheidende Phasen des Geschehnisses stillschweigend übergeht.

Von einem Befehl an die Husaren, die Gesandten zu ermorden, kann nicht mehr die Rede sein; an diese Fabel glauben selbst solche Forscher nicht mehr, die im Uebrigen von der Schuld der Szekler überzeugt zu sein scheinen. Dieser Umstand allein aber, dass der Mord nicht anbefohlen war, könnte schon einen vollgiltigen Beweis bilden für die Unschuld der Husaren; denn wenn sie auch den Auftrag gehabt haben sollten, sich der Papiere der französischen Minister zu bemächtigen, so war ihnen zweifellos strenge befohlen, dies mit der grösstmöglichsten Schonung zu thun und wie sehr sie diesen Befehl befolgten, beweist ihr geradezu tactvolles Benehmen, so oft sie Gelegenheit hatten, mit fremden Diplomaten in Berührung zu kommen. Weder Herr von Jacobi, noch Graf Stadion hatten auch nur den geringsten Grund, in dieser Beziehung zu klagen — und die Franzosen, die ihnen ebenso wenig bekannt waren als die Deutschen, sollen sie in grausamster Weise ermordet haben? Man führe doch nur einen halbwegs plausiblen Grund dafür an! Weil aber dies schon damals, als die That verübt wurde, nicht möglich war, weil man beim allerbesten Willen selbst von gegnerischer Seite keinen Grund finden konnte, welcher einen Mordbefehl von österreichischer Seite glaubhaft erscheinen liess, hat man nach anderen Motiven gesucht, welche die Szekler zu der That veranlasst haben konnten. So wurde die Vermuthung ausgesprochen, die Husaren hätten den Mord begangen aus Gründen religiösen Eifers[1]) oder Entrüstung über den Königsmord[2]) oder aus Hass gegen die französischen Gesandten, die ihnen als Jene bezeichnet worden seien, welche den Krieg in

[1]) Die Calviner und Griechen?

[2]) Des Königs von Frankreich? der ihnen doch ganz gleichgiltig sein konnte. Die Franzosen waren dem österreichischen Heere immer nur als Feind bekannt, ob bourbonistisch oder republikanisch.

die Länge zogen und dadurch die Husaren an der Rückkehr zu »Weib und Kind« verhinderten. Nun, den Szekler-Husaren, die ja damals noch zu lebenslänglicher Dienstzeit verpflichtet waren, war ein frischer, fröhlicher Krieg wie dieser, in welchem sie soeben an einem herrlichen Sieg theilgenommen, eher willkommen, als unangenehm; jedenfalls willkommener als die öde und wenig einträgliche Friedensarbeit in den Garnisonen und diesen Leuten, von denen die Mehrzahl der Verheiratheten schon bejahrt war, heisse Gefühle zuzuschreiben, die sie zum Mord antrieben, aus Sehnsucht nach den ebenso bejahrten Weibern in der Heimath, geht doch nicht an.

Man hat dann auch angenommen, dass die Husaren sich durch Uebereifer, durch Plünderungssucht etc. zu dieser That verleiten liessen. Abgesehen davon, dass alle diese Motive mit der Ausführung der That selbst und den sie begleitenden Umständen in directem Widerspruche stehen, giebt es wirklich Jemanden, der glauben könnte, Barbaczy und Burkhard hätten ihre Husaren nicht zu einem Geständniss gebracht? Und wenn sie der That überführt worden wären, an welcher dann übrigens viel zu viele Husaren betheiligt waren, als dass das Geheimniss hätte bewahrt bleiben können, wesshalb wurden sie nicht bestraft? Wenn man schon, was natürlich ist, gescheut haben sollte, aller Welt bekannt zu geben, dass die Husaren den Auftrag gehabt, die Franzosen ihrer Papiere zu berauben, mussten sie nicht bestraft werden des Mordes wegen und konnte die Bestrafung nicht unter dem Titel »Excess« publiciert und damit die Geschichte aus der Welt geschafft werden? Und wenn man auch annehmen will, dass diese Bestrafung milder hätte ausfallen müssen, da ja der Befehl, sich der Papiere zu bemächtigen, immerhin Anlass zu dem Morde gegeben, wäre es wirklich gar so schwer gewesen, Milderungsgründe zu finden, ohne den Befehl, den die Husaren thatsächlich erhalten haben konnten, zu berühren? Ganz gewiss nicht und der Umstand, dass den angeklagten Husaren kein Geständniss erpresst werden konnte, dass sie ohne jede Strafe in die Heimath gesandt wurden, ist allein ein voller Beweis ihrer Schuldlosigkeit.

Ueberwunden von der Richtigkeit dieser sich förmlich aufdrängenden Argumente, überzeugt schliesslich doch, dass der Mord durch keinerlei von österreichischer Seite ergangene Befehle veranlasst worden sein konnte, überzeugt endlich, dass selbst die Auffassung Schmidt's und des Erzherzogs selbst aus tausend Gründen nicht richtig sein konnte: kam man endlich auch zu der Vermuthung, dass der Brief des Generals Schmidt da, wo »er in den unteren Stufen bekannt wurde«, durch seine leidenschaftlichen Ausdrücke den Gedanken an Thätlichkeiten geweckt und den einen oder anderen Officier gegen verbrecherische Absichten, wenn sie von anderer Seite an ihn herantraten, nachsichtiger oder nachgiebiger gestimmt haben möge[1]). Man sieht, dass die positiven Quellen für den Nachweis der Schuld der Szekler-Husaren längst als absolut unzureichend von jedem ernsten Forscher erkannt wurden; die Behandlung der Frage bewegte sich nun völlig auf dem schwanken Boden der ausgedehntesten und gewagtesten Hypothesen. Das aber sind keine Beweise.

Wir glauben, gestützt auf militärische Gründe, den Beweis bereits erbracht zu haben, dass der Brief Schmidt's überhaupt nicht in den unteren Stufen bekannt geworden sein und desshalb die von Hüffer angenommene Wirkung auch nicht gehabt haben kann. Es wäre dies auch nur eine geringe Entschuldigung für jene Officiere, die sich, wie nicht nur Hüffer annimmt, »gegen verbrecherische Absichten, wenn sie von anderer Seite« an sie herantraten, nachsichtiger oder nachgiebiger hätten stimmen lassen. Um deutlicher und ohne Umschweife zu sprechen: Hüffer neigt sich hier auf die Seite Jener, welche behaupten, irgend ein Officier von Szekler-Husaren sei durch Bestechung verleitet worden, die französischen Gesandten durch seine Leute ermorden zu lassen. Kein Geringerer als Graf Lehrbach hat, allerdings in dem bereits erwähnten, höchst dubiosen Gespräch, diesem Gedanken Ausdruck gegeben[2]). Abgesehen davon, dass dieser Gedanke Lehrbach's, in der Bestürzung über den räthselhaften Mord ausgesprochen, nur eine ganz und gar unmotivierte Vermuthung enthalten kann,

---

[1]) Hüffer, Gesandten-Mord, 84.
[2]) Historische Zeitschrift. 39. Band. 58.

hervorgerufen durch das bezeichnende Erstaunen des Grafen über die angeblich durch Szekler-Husaren verübte That, so liegt auch sonst kein Beweis, aber auch nicht der leiseste vor, der eine solche Vermuthung unterstützen würde. Burkhard, dieser schlichte Sohn des bayerischen Kitzingen, ein deutscher Mann, der seine Zukunft eben im kaiserlichen Heere gesucht, diente 34½ Jahre, war von seinen Vorgesetzten sehr gut beschrieben und soll nun, durch Geld bestochen, einen Mord veranlasst haben! Aber selbst diese durch gar nichts begründete Beschuldigung angenommen, so widersprach ja das Benehmen und die Handlungsweise Burkhard's durchaus einem solchen Verdacht. Er versucht, die französischen Gesandten an der Abreise zu verhindern. Wenn diese nun wirklich blieben, was dann mit dem vorbereiteten Mord? Und da sie nun die Abreise durchsetzen und Burkhard die Nachricht erhält, dass seine Husaren sie ermordet haben sollen, ist er entsetzt! Wie lässt sich denn all' das zusammenreimen? Ob nun Burkhard den Befehl gehabt haben, die Gesandten ermorden zu lassen, oder ob er hiezu durch Bestechung veranlasst worden sein soll, in jedem Fall wäre er auf diese Nachricht vorbereitet gewesen und hätte nicht in voller Bestürzung eine confuse Meldung um die andere geschrieben. Auch ein anderer Officier von Szekler-Husaren musste diese Beschuldigung über sich ergehen lassen[1], der Lieutenant von Fontana. Bekanntlich wurde von dem Gefolge der französischen Minister auch behauptet, dass die Szekler-Husaren italienisch gesprochen hätten; nun war Fontana zufällig ein Italiener — die Schlussfolgerung ergiebt sich von selbst! Aber noch ein anscheinend viel gewichtigerer Umstand sprach dafür, Fontana zu beschuldigen: die Conduite-Liste sagte von ihm, er sei ein »schlechter Wirth« und »zu Zeiten« ein Zänker und seine

[1] Und zwar schon zu jener Zeit. So liegt unter den bisher secret gehaltenen Actenstücken auch ein Zettel von unbekannter Hand, mit »Ö.« unterschrieben [Öhl? speyerischer Hofrath], undatiert und ohne Adresse, der folgende Mittheilung enthält: »Der Mann, von dem ich Euer etc. gestern sprach, soll sich Poltano nennen. Lieutenant der Szekler-Husaren. Er soll den 28. in oder bei Rastatt auf Commando gestanden und bei der ganzen k. k. Armee(?) nicht zum Vortheilhaftesten bekannt sein.«

»Lebensart mit dem Civile« sei nicht die beste. Und desshalb Räuber und Mörder? [1])

Gegen die Annahme, dass Burkhard von Emigranten bestochen worden sei, den Mord zu verüben, spricht aber auch deutlich und entschieden das bedeutendste Document, welches bis jetzt über den Gesandten-Mord veröffentlicht wurde: das gerichtliche Verhör mit den Szeklern. Denn nicht nur geht aus diesem hervor, dass die Husaren blos desshalb mit dem Morde in Zusammenhang gebracht wurden, weil sie eben auf dem Schauplatze angetroffen wurden [2]), sondern auch, dass Barbaczy die Urheberschaft an dem Verbrechen gerade den Emigranten zuschrieb und Burkhard diese Ansicht seines Obersten theilte. Und das soll er gethan haben, wenn er in ihrem Auftrag gehandelt? Selbst für die oberflächlichste

[1]) Die Conduite-Liste Fontana's sagt aber auch, er habe gegenüber seinen Untergebenen »keine Autorität«. Wenn aber jemals Autorität im strengsten Sinne des Wortes nothwendig war, so war sie es wohl in diesem Falle, den die Ankläger Fontana's annehmen. Die gerichtlichen Aussagen Fontana's finden sich übrigens in dem Verhörs-Protokoll.

[2]) Dieser Umstand, welcher, wie bereits erwähnt, zweifellos eher zu Gunsten der Husaren spricht, war nicht nur Ursache, dass sie überhaupt verdächtigt und angeklagt wurden, sondern nöthigte auch manche, sonst unbefangenere Personen, an ihnen, als den wahrscheinlichen Verbrechern, festzuhalten. »Nur das sonderbarste Ungefähr,« so schrieb Eggers (a. a. O., II., 258), »konnte auch die wirklichen Szekler-Husaren gerade zu derselben Zeit herbeiführen.« Dieser Ausspruch wäre, wenn er nicht im Sinne einer gerade entgegenstehenden Ueberzeugung aufzufassen sein sollte, doch wohl ein falscher Schluss. Da die Husaren in der Umgebung von Rastatt zu patrouillieren hatten, war es mindestens weder »sonderbar«, noch ein »Ungefähr«, dass sie auch auf dem Schauplatz erschienen, angelockt durch den Lärm. Und dass die wirklichen Mörder mit dieser Möglichkeit, ja sogar Wahrscheinlichkeit gerechnet, beweist die Hast und die Eile, mit welcher sie gearbeitet. Dass die beiden Patrouillen in den Ortschaften Steinmauern, Plittersdorf, ebenso Hügelsheim, Iffezheim gewesen, ist doch durch die Aussagen der Schulzen und durch das Verhör erwiesen; dass sie von dem weiten Weg gerade im rechten Augenblick am Ort der That ankamen, wäre vielleicht »sonderbar«, wenn es nicht noch »sonderbarer« wäre, dass Debry's Wagen gerade dort so lange gefällig stehen blieb, bis die Feinde kamen — oder sind es doch Andere, die den Wagen zum Halten zwangen oder die Pferde nicht weiter laufen liessen?

»Annahme« muss ein verständiger sachlicher Forscher wenigstens einen Schein einer sachlichen Unterlage haben. Welche Spur irgend eines Anhaltspunctes aber kann denn aufgewiesen werden für eine Verbindung Burkhard's mit etwaige Bestechungen versuchenden Emigranten? Solche »Annahmen« sind einfach haltlose Verdächtigungen, die in jeder Form und in jeder Art gegen jeden beliebigen Mann geschleudert werden können. Nicht die Unschuld ist hier nachzuweisen, sondern die Schuld und das obliegt Denen. welche eine solche Verdächtigung aussprechen. Sie sind es, welche die historischen Belege vorzubringen haben. In diesem Falle aber giebt es keine.

Erinnert man sich, mit welchem Feuereifer, mit welcher Leidenschaftlichkeit fast und Entrüstung man einen Historiker bekämpft hat, der es gewagt, eine allerdings etwas zweifelhaft fundierte Hypothese aufzustellen, die sich nicht mehr hartnäckig gegen die Szekler-Husaren, sondern gegen Jean Debry und weiterhin Bonaparte als Urheber des Mordes richtete[1]); beachtet man, mit welchen Vorwürfen dieser Historiker überhäuft wurde, weil er die gegen Debry erhobene Anklage nicht besser begründet: so muss es billig Wunder nehmen, dass man anderseits ruhig Beschuldigungen erhebt gegen Szekler-Officiere, die, wie gerade Fontana, nach dem vorliegenden Beweismaterial noch viel weniger mit dem Rastatter Gesandten-Mord in Zusammenhang gebracht werden können, als Jean Debry, dessen Verhalten in der Nacht vom 28. April und auch später ebenso bedenklich und räthselhaft ist, wie jenes der französischen Bedienten.

Liegen denn etwa gar so gewichtige Documente im Karlsruher Archiv, dass von ihnen, um jeden Preis, selbst jede kaum betretene Fährte abgelenkt werden muss? und der ganze Vorgang gegen Böhtlingk muss ja in etwas misstrauischen Gemüthern diesen Gedanken geradezu herausfordern.

Es liegt nicht der mindeste Anlass für uns vor, Stellung zu nehmen für oder gegen eine der vielen wenig stichhältigen

1) Böhtlingk, Napoleon Bonaparte. Seine Jugend und sein Emporkommen. Jena 1880.

Hypothesen über den Gesandten-Mord, also auch nicht für oder gegen diejenige Böhtlingk's; anderseits soll aber auch nicht verschwiegen werden, dass die Heftigkeit, mit welcher die Hypothese dieses Historikers von Seite der Kritik angegriffen wurde und die Schwierigkeiten, welche man ihm für die Archivforschung gemacht hat, einiges Befremden erregen müssen. Wesshalb, muss man sich fragen, wurde diese Hypothese allein aus dem Werke Böhtlingk's herausgegriffen und mit einem Aufwand von Eifer vernichtet, der in gar keinem Verhältniss steht zu der an und für sich geringfügigen Sache, die doch mit wenigen Worten als unhaltbar bei Seite geschoben werden konnte? Die Literatur über den Gesandten-Mord verfügt bekanntlich über viel unwahrscheinlichere Hypothesen, warum erregte gerade diese so sehr die Entrüstung der Kritik? Blos desshalb, weil sie annahm, dass nicht nur die Urheber des Mordes, sondern auch die Thäter selbst anderswo zu suchen seien, als in österreichischen Regierungs- und Armeekreisen? Wir wissen es nicht.

Macht die Methode, eine jede Hypothese, die nicht unbedingt gegen die Szekler-Husaren gerichtet ist, mit den schärfsten Waffen zu bekämpfen, nicht förmlich den Eindruck, als fürchte man das Ergebniss einer anders gearteten Forschung? als sei man ängstlich bemüht, jedes Forschen unmöglich zu machen, sobald es den Umkreis des Szekler-Husaren-Lagers verlässt? als fürchte man, dass ein Suchen nach anderer Richtung unangenehme Resultate zu Tage fördern könnte? Das gegenwärtig bekannte Actenmaterial über den Gesandten-Mord bietet allerdings noch wenig Anhaltspuncte, um die Spuren der wirklichen Mörder der französischen Minister, der wirklichen intellectuellen Urheber dieser blutigen That zu verfolgen — aber wo ist denn der Beweis, dass alles vorhandene Actenmaterial über den Gesandten-Mord auch überall wirklich bekannt gemacht worden sei; dass nicht noch manches Schriftstück, das Licht über diese Frage verbreiten könnte, im Dunkel irgend welcher Archivräume schlummert? Auch nach dem »Villinger Protokoll« wurde hundert Jahre lang vergeblich gesucht und jetzt erst ist es gelungen, dieses und manch' anderes auf das Ereigniss vom 28. April bezügliches Schriftstück an den Tag zu fördern.

Die ganz eigenartigen Verhältnisse, unter welchen dieser Mord verübt wurde, die Leidenschaftlichkeit, mit welcher die einzelnen Parteien sich dieses Ereignisses bemächtigten, um es ihren Zwecken entsprechend auszubeuten, haben den Fall vom ersten Moment an künstlich verdunkelt. Wie aber die damaligen Verhältnisse lagen, musste dem bei weitem grössten Theil der nichtösterreichischen, aber von dem Ereigniss irgendwie Berührten jene Lösung des Räthsels die willkommenste sein, welche die That als durch die Szekler-Husaren verübt darstellte. Diese Lösung wurde umso freudiger acceptiert, als thatsächlich eine Reihe von Verdachtsmomenten gegen das österreichische Militär vorlag, während man sonst nirgends Anhaltspuncte finden wollte, die auf die Spur der wirklichen Mörder führen konnten.

Sollen auch heute noch jene Beweggründe, welche eine objective Untersuchung jenes Ereignisses verhinderten, obwalten? sollte heute der Drang nach Erforschung der Wahrheit nicht grösser sein als subjective Beschränkung, die zurückschreckt vor der Möglichkeit einer anders gearteten Lösung, als sie bis heute versucht wurde?

Weil einzelne, höchst verdächtige Zeugen die Szekler-Husaren des Mordes an Roberjot und Bonnier angeklagt, hat die Forschung bisher wie gebannt an ihnen, als an jenen, die unter jeder Bedingung schuldig sein müssen, festgehalten; hat sich durch die doch gewiss zahlreichen Anzeichen und Beweisgründe, welche gegen die Schuld der Husaren sprechen, nicht bewegen lassen, nach anderer Richtung hin zu suchen; hat sogar jeden derartigen Versuch auf das Energischeste bekämpft, hat rastlos in österreichischen und nur in österreichischen Regierungs- und Armeekreisen nach den intellectuellen Urhebern und den Motiven, durch welche sie sich leiten liessen, gesucht.

Die bestimmte Lösung des Geheimnisses von Rastatt wird sich schwerlich in irgend einem Archiv der Welt noch finden lassen. Mit richtiger Erkenntniss hat der Däne Eggers es an jenem 29. April 1799 ausgesprochen, dass, wenn eine gründliche gerichtliche Untersuchung nicht sofort in Rastatt geschehe, so lange noch alle Thatzeugen und eventuellen

Thäter, also die ganze französische Botschaft mit ihren Bedienten, alle Gesandten mit ihrem Personal noch in Rastatt anwesend seien, eine wirkliche Aufhellung des Verbrechens nie mehr möglich sein werde. Er mochte die Ueberzeugung hegen, dass mit den Abreisenden Schuldige und Mitwisser schieden, aber Niemand bot die Hand, um ihm für diese Ueberzeugung die Beweise finden zu helfen.

Aber dass in manchem Archiv doch noch belangreiche »Beiträge« zu finden sein müssen, kann wohl als mehr denn wahrscheinlich angesehen werden. Wenn es wahr ist, wie Lang in seinen »Mémoiren« versichert, dass Graf Görtz der besondere Vertrauensmann des Ministers Finkenstein, Jacobi-Klöst das Werkzeug des Grafen Haugwitz im Berliner Ministerium gewesen und wenn es wahr ist, dass Lang selbst der geheime Vertraute des leitenden preussischen Ministers Hardenberg war, so müssen von diesen preussischen Gesandtschaftspersonen vertraute Briefe oder Specialberichte an ihre Gönner in dem Berliner Archiv liegen, in denen sie Wahrheit berichten, denn die »Authentische Darstellung«, deren Unwahrheit Niemand besser bekannt sein konnte, als gerade Görtz, konnte nicht den preussischen Ministern und besonders denjenigen gegenüber, gegen welche besondere Vertrauenspflichten bestanden, die Wahrheit ersetzen sollen. Görtz hat sich viel zu sehr in den Vordergrund gedrängt, um nicht als wesentlich informiert gelten zu müssen.

Diese Specialberichte sind noch unbekannt.

Es ist ebenso als selbstverständlich anzusehen, dass die badische Regierung, wenn sie es auch verabsäumte oder vermied, rechtzeitig eine ernstliche Einvernahme aller ihrer Postillone nicht nur, sondern auch aller jener »wissenden« Personen, welche die Welt mit einem so überreichen Geschichtenschatz »glaubhaft« bereichert haben, vorzunehmen, angeblich dem Verbot einer gar nicht existierenden österreichischen »Militär-Behörde«[1]) sich unterwerfend, sofort in den ersten ruhigen Tagen ihre unbedingte landes-

[1]) Die badischen Behörden, Obervogt und Stadt-Commandant, konnten doch nicht in dem Rittmeister Burkhard eine »Militär-Behörde« sehen wollen, die ihre eigene Wirksamkeit hätte irgendwie beschränken können.

herrliche Pflicht erfüllt haben muss, jene badischen Landesangehörigen, die betheiligt oder erzählend in Betracht kommen konnten, zur eigenen Information der Regierung eingehend zu inquirieren. Das war die einfache Pflicht der badischen Behörden. Diese Erhebungen sind aber, so viel wenigstens uns bekannt, noch verschlossen geblieben.

Es müssen endlich doch von allen Gesandten an ihre speciellen Höfe Berichte über das damals gewiss politisch nicht unwichtige Ereigniss abgestattet worden sein. Sollten Alle die Mittheilungen der »Authentischen Darstellung« als Wahrheit acceptiert haben? Kaum. Sie haben es ja, wie früher erzählt, gleich von Anfang an nicht gethan.

Gewiss ist, dass die That für Oesterreich ein Unglück, ein unberechenbarer Schaden gewesen, ein Schaden, der auch vorauszusehen war für die billigste Erkenntnissfähigkeit und dass man auf dem Wege der Frage: »Cui prodest?« sicherlich nicht auf die österreichische Fährte gelangen kann.

Mit der vorliegenden Publication ist der Vorrath an Documenten über den Gesandten-Mord, insoweit sie in den Wiener Archiven noch verborgen lagen, erschöpft. Sie bieten kein endgiltiges Ergebniss; ein solches kann dort sich nicht finden, wo eben das Wesen der Angelegenheit weder wurzelt, noch schliesst.

Eine der bedeutendsten Flugschriften jener Zeit über den Gesandten-Mord, vielleicht die bedeutendste, rührt von Friedrich Gentz her[1]). Er sagt darin u. A.: »Wenngleich die Folgen, die man von dieser Begebenheit in Frankreich erwartete, nicht eintreffen, oder in geringerem Masse, als man es sich anfänglich versprach, eintreffen sollten, so wird doch Niemand in Zweifel ziehen, dass sie Denen, die man dafür verantwortlich macht, in der öffentlichen Meinung geschadet und unsäglich geschadet hat. Niemand wird diesen Schaden als ein zufälliges Uebel betrachten, der

[1]) Ueber die Ermordung der französischen Congress-Gesandten. Von Friedrich Gentz, königl. preussischem Kriegsrathe. 1799.

gemeinste Menschenverstand konnte ihn mit absoluter Gewissheit voraussehen. Die Anstifter der That mussten ihn in ihre Berechnung aufgenommen haben: um ihm das Gegengewicht zu halten, mussten Vortheile von der ersten Grösse, einleuchtende, überwiegende, entscheidende Vortheile aus dem Morde hervorgehen. Jede Präsumption, die nicht von diesem Gesichtspuncte ausläuft, empört eben so sehr durch ihre Ungereimtheit, als durch ihre Ungerechtigkeit[1])«!

[1]) Wir hören, dass die Rastatter Stadtvertretung in neuester Zeit sogar einen Denkstein an der angeblichen Mordstelle errichtet hat, auf dem für »ewige Zeiten« die Mordthat der Szekler-Husaren berichtet wird. Es wäre nicht unbillig, die geehrten Stadtväter von Rastatt zu ersuchen, es auch der übrigen Welt vielleicht mitzutheilen, woher sie eigentlich diese Beschuldigung wirklich so sicher zu erweisen vermögen.

Anlagen.

Anlage I.

Ordre de bataille

des Corps unter FML. Freiherrn von Kospoth.

Avant-Garde			Ba-taillon	Comp.	Esc.
GM. Graf Merveldt	GM. Gyulay	Radivojevich leicht. Bat.	.	6	.
		Wal.-Illyr. Grenz-Reg.	1	.	.
		Eh. Ferdinand-Hus.	.	.	8
	GM. Graf Merveldt	Wurmser Frei-Corps		12	.
		Tyroler Jäger	.	6	.
		Siebenb.-Wal.Grenz.-Rg.	1	.	.
		Kaiser-Husaren		.	8
		Merveldt-Uhlanen	.	.	8
	GM. Görger	Gradiscaner	1	.	.
		Broder	1	.	.
		Blankenstein-Husaren		.	8
		Szekler-Husaren	.	.	6
		Zusammen . .	4	24	38

Corps d'Armée.

			Ba-taillon	Comp.	Esc.
FML. Sporck	GM. Vogelsang	Erbach	2	.	.
		Benjowsky	1	.	.
		Warasdiner St. Georger	1	.	.
	GM. Simbschen	Callenberg	$2\frac{2}{3}$	.	.
		Manfredini	3	.	.
FML. Prinz Jos. Lothringen		13. Dragoner-Regim.	.	.	6
FML. Prz. Carl Lothringen	GM. Canisius	Kaiser-Cürassiere		.	6
		Albrecht-Cürassiere	.	.	6
FML. Prinz Alex. Württemberg	GM. Klinglin	Eh. Franz Joseph (Mailand) Cürassiere		.	6
		Anspach-Cürassiere	.	.	6
GM. Baron Rouvroy		Artillerie-Reserve	.	.	.
		Zusammen . .	$9\frac{2}{3}$	.	30
K. A., F. A. 1799, IV., 37.		Im Ganzen . .	$13\frac{2}{3}$	24	68

Anlage II. A.

Erzherzog Carl an den bevollmächtigten Minister Grafen von Lehrbach in München.

»Hauptquartier Stockach, am 1. Mai 1799.

»Den Herrn Grafen benachrichtige ich von einem Vorgange, welcher sich ohnweit Rastatt zugetragen hat.«

»Zu Folge der Rapporte des Obersten Barbaczy und des Rittmeisters Burkhard von Szekler-Husaren sind die zwei französischen Gesandten Bonnier und Roberjot nächst Rastatt von den diesseitigen Vorposten zusammengehauen und Jean Debry schwer verwundet worden.«

»Die Art und Weise, wie dieses zugegangen ist, ergiebt sich noch nicht deutlich aus den beigehenden vorläufigen Berichten, erst durch die weiter nachkommenden wird aufgeklärt werden, ob und wieweit die gemeine Mannschaft, imgleichen der Oberst Barbaczy und der Rittmeister Burkhard an den Ereignissen Schuld tragen, welches letztere mir umso unerwarteter sein würde, als ich in meinem Befehlschreiben an den FML. Kospoth den Punct der persönlichen Sicherheit für die französischen Gesandten insonderheit zur Beherzigung empfohlen habe, wie dem Herrn Grafen bereits aus meinen desshalbigen Mittheilungen vom 26. und 28. v. M. bekannt geworden ist.«

»Sobald mir heute die Anzeige über dieses Ereigniss zugekommen war, befahl ich unverweilt dem Herrn FML. Kospoth, diese Sache mittelst einer eigenen Commission unter dem Vorsitze des FML. Sporck auf das Strengste zu untersuchen. Von diesem Schreiben schliesse ich dem Herrn Grafen im hergebrachten engsten Vertrauen zu Dero einzigen und alleinigen Privat-Wissenschaft eine Abschrift bei.«

»Ich werde auch dem feindlichen Commandierenden en chef über diese Sache ein Schreiben zugehen lassen und dem Herrn Grafen alsdann das Weitere nachtragen.«

»Schliesslich ersuche ich den Herrn Grafen, dem Herrn Minister Grafen von Seilern zur Gewinnung der Zeit die gefällige Mittheilung hievon zu machen.«

Erzherzog Carl[1])
Feldzeugmeister.«

[1]) Haus-Hof- und Staats-Archiv. (Original.)

Anlage II. *B.*

»General! Die Rapporte, welche ich heute erhalte, berichten mir einen Vorfall, welcher sich in der Linie meiner Vorposten ereignet hat. Der Commandant erstattet die Anzeige, dass die französischen Minister Bonnier und Roberjot, als sie bei Nachtzeit durch seine Posten kamen, daselbst angegriffen worden und auf eine unglückliche Weise umgekommen seien. Die Umstände dieses Ereignisses sind mir noch nicht bekannt. Indessen habe ich im ersten Augenblick sogleich den Commandanten dieser Vorposten in Verhaft nehmen lassen und ich habe zu gleicher Zeit eine Commission ernannt, um über die Ursachen dieses Zufalles die genaueste und strengste Untersuchung anzustellen.«

»Ich beeile mich, General, Ihnen das Versprechen zu machen, dass ich, falls meine Vorposten bei diesem Vorfall sich nur im Allermindesten schuldig gemacht haben sollten, eine eben so eclatante Genugthuung leisten werde, als bestimmt und wiederholt die Befehle waren, welche ich in Bezug auf die persönliche Sicherheit der französischen Minister ertheilt hatte. Ich kann Ihnen nicht genug ausdrücken, wie sehr ich es bedauere, dass ein solcher Unfall in der Linie meiner Vorposten stattgehabt hat.«

»Ich behalte mir vor, General, zu Ihrer Kenntniss unverweilt das Resultat der Untersuchung zu bringen, die ich allsogleich angeordnet habe, als mir die erste Meldung zukam.«

»Empfangen Sie, General, die Versicherung meiner vorzüglichsten Achtung.

Stockach, den 2. Mai 1799.

Carl.«

Anlage III.

Baron Eyben an die Congress-Mitglieder.

P. M.

»Da mehrere der zu Rastatt gewesenen Herren Gesandten und bevollmächtigten Minister, wie auch Abgeordnete verschiedener deutscher Reichsfürsten und Stände mich mit dem Auftrag beehrt haben, ein von ihnen verfasstes und unterzeichnetes Schreiben, die umständliche Darstellung der Begebenheiten enthaltend, die sich bei Gelegenheit der Ermordung zweier zu Rastatt gewesenen französischen Minister zugetragen haben, Seiner königlichen Hoheit dem Herrn Erzherzog Carl, Kaiserl. Reichs-General-Feldmarschall und commandierenden General en chef der kais. Reichs- und kais. königl. Armeen, unterthänigst zu Füssen zu legen, so halte ich es für meine Pflicht, diesen sämmtlichen bevollmächtigten Herren Ministern und Abgeordneten hiedurch ganz gehorsamst anzuzeigen, wie ich mich beflissen, ihren Wünschen gemäss, mich dieses Auftrages zu entledigen. Vorzüglich schmeichelhaft würde es mir sein, könnte ich hoffen, die Zufriedenheit der Höchst- und hochzuehrenden bevollmächtigten Herren Minister und Abgeordneten mir erworben zu haben.«

»Nachdem mir das Schreiben, nebst anliegender Darstellung an Seine königl. Hoheit den Herrn Erzherzog übergeben war, trat ich meine Reise von Karlsruhe den 2. d. M. Nachmittags 4 Uhr an und kam den 4. Nachmittags gegen 2 Uhr im Hauptquartier Seiner königl. Hoheit zu Stockach an. Ich liess mich sogleich bei dem Herrn Oberstlieutenant und General-Adjutanten von Delmotte melden und zugleich bitten, mir die gnädigste Erlaubniss zu verschaffen, mich Seiner königlichen Hoheit unterthänigst zu Füssen legen zu dürfen. Ich ward gegen 3 Uhr bestellt und sogleich von dem Herrn Oberstlieutenant von Delmotte Seiner königlichen Hoheit dem Herrn Erzherzog vorgestellt.«

»Ihre königliche Hoheit geruhten, so wie Höchst Sie das Begleitungsschreiben angesehen und erfahren hatten, was die Ursache meiner Gegenwart war, mir zu sagen, dass Höchst Sie schon die Befehle gegeben hätten, den Herrn Obersten von Barbaczy, nebst den Herrn Officieren, die bei dem zu Rastatt gewesenen Detachement befindlich waren, zu arretieren. Wie Höchstdieselben das Schreiben gänzlich gelesen hatten, geruhten Höchstdieselben noch hinzuzufügen, dass diese traurige Begebenheit Sie innigst schmerze und zwar umso mehr, weil es Sie auf's Unangenehmste überrascht hatte, der Höchstdieselben zu zweien verschiedenen Malen dem Vorposten-Commandanten die strengsten Befehle gegeben hätten, für die Sicherheit der französischen Gesandten ernstlichst zu sorgen, einmal wie die Kriegs-Operationen es hätten möglich machen können, die Vorposten bis in die Gegenden von Rastatt zu poussieren und das anderemal späterhin. Sie würden die Sache auf's Strengste untersuchen lassen, da Sie nicht allein sämmtlichen Herren Gesandten, die zu Rastatt gewesen wären, sondern auch Sich selbst und ganz Europa die strengste Genugthuung schuldig wären. Um diese Sache auf's Genaueste zu untersuchen, hätten Höchst Sie schon eine eigene Untersuchungs-Commission angeordnet. Ich erbat mir hierauf die Befehle, wann ich wieder aufwarten dürfte, um mich unterthänigst zu beurlauben und Ihre königliche Hoheit hatten die Gnade mir zu sagen, mich noch rufen lassen zu wollen.«

»Einige Stunden darauf kam nach Auftrag Seiner königlichen Hoheit der Herr Hofrath Fassbender zu mir, der weitläufiger mit mir über die ganze traurige Angelegenheit sprach. Ich bezog mich im Allgemeinen auf die überreichte schriftliche Darstellung, welche der Herr Hofrath Fassbender, nebst allen Beilagen schon durchgelesen hatte und fügte nur noch einige Nebenumstände, die in der schriftlichen Darstellung nicht enthalten waren, hinzu; wie z. B. dass der zu Rastatt commandierende Herr Rittmeister die Thore hatte sperren lassen und dem königlich dänischen bevollmächtigten Herrn Minister, Kammerherrn von Rosenkrantz, nicht erlauben wollte, noch denselben Abend abzureisen; dass ebenderselbe Herr Rittmeister im Anfange dem Verlangen, welches mehrere Herren Gesandte geäussert hatten, den verwundeten französischen bevollmächtigten Minister Jean Debry und das übrige Personale und Gefolge der französischen Gesandtschaft bis an den Rhein, nebst der nunmehr bewilligten, vorher abgeschlagenen Escorte kaiserl. königl. und

Hofrath Fassbender, der sich auf das Sorgfältigste auch nach den kleinsten Umständen und Thatsachen erkundigte, die ich, so viel ich deren aus eigener Gegenwart oder aus dem Munde der glaubwürdigsten Männer kannte, ergab. Der Herr Hofrath versicherte mir, dass Seine kaiserliche Hoheit beschlossen hätten, die von mir überbrachte Darstellung sogleich an die Untersuchungs-Commission schicken zu wollen, dass alle Mühe angewandt werden würde, der Sache bis auf den Grund nachzuspüren und dass die Schuldigen auf's Strengste bestraft werden sollten; dass Höchstdieselben ferner entschlossen wären, nach vollendeter Untersuchung und dem Spruche des Kriegsgerichtes alle diese Sache betreffenden Papiere drucken zu lassen, um dem Benehmen der angestellten Untersuchungs-Commission die grösste Publicität zu geben. Ich konnte nicht umhin zu versichern, wie ich glaubte, dass dieses der zweckmässigste Weg wäre bei einer Sache, auf welche die Aufmerksamkeit von ganz Europa gerichtet und gefesselt sein müsste und dass sich von der strengen Gerechtigkeitsliebe Seiner kaiserlichen Hoheit nichts Anderes hätte erwarten lassen.«

»Der ich die Ehre habe mit der ausgezeichnetsten Hochachtung zu sein, Euer Excellenzen, Hoch- und Hoch- und Wohlgeboren

unterthänig ganz gehorsamster Diener

Fr. Freiherr von Eyben[1].«

(Ohne Datum.)

---

[1]) Haus-Hof- und Staats-Archiv. (Original.)

Druck:
Customized Business Services GmbH
im Auftrag der
KNV Zeitfracht GmbH
Ein Unternehmen der Zeitfracht - Gruppe
Ferdinand-Jühlke-Str. 7
99095 Erfurt